O MAPA DO TEMPO

FÉLIX J. PALMA

O mapa do tempo

TRADUÇÃO DE PAULINA WACHT E ARI ROITMAN

TÍTULO ORIGINAL
El Mapa del Tiempo

CAPA
Victor Burton

FOTO DE CAPA
Luca di Filippo/Istockphoto

PREPARAÇÃO
Julio Ludemir
Letícia Feres

REVISÃO
Umberto Figueiredo
Antônio dos Prazeres

DIAGRAMAÇÃO
Abreu's System

CIP-BRASIL. CATALOGAÇÃO-NA-FONTE
SINDICATO NACIONAL DOS EDITORES DE LIVROS, RJ

P196m

Palma, Félix J., 1968-
O mapa do tempo / Félix J. Palma; tradução Ari Roitman e Paulina Wacht. – Rio de Janeiro: Intrínseca, 2010.

472p.
Tradução de: El mapa del tiempo
ISBN 978-85-98078-91-5

1. Romance espanhol. I. Roitman, Ari. II. Wacht, Paulina. III. Título

10-1624. CDD: 863
CDU: 821.134.2-3

[2010]

EDITORA INTRÍNSECA LTDA.
Rua Marquês de São Vicente, 99, 3º andar
22451-041 – Gávea
Rio de Janeiro – RJ
Tel. / Fax.: (21) 3206-7400
www.intrinseca.com.br

Sumário

Para Sonia, porque também há romances
que nunca terminam.

"A distinção entre passado, presente e futuro é uma ilusão, mas se trata de uma ilusão muito persistente."

ALBERT EINSTEIN

"A obra de arte mais perfeita e apavorante da humanidade é sua divisão do tempo."

ELIAS CANETTI

"O que me espera na direção que não escolho?"

JACK KEROUAC

Primeira Parte

Avante, querido leitor,
mergulhe nas apaixonantes páginas
do nosso folhetim,
onde encontrará aventuras
com as quais não poderia nem sequer sonhar!

Se como qualquer pessoa comum
você acha que o tempo é uma corrente
que arrasta rapidamente tudo o que nasce
para a margem mais escura, descobrirá aqui
que o passado pode ser trilhado de novo,
que o homem pode voltar a pisar
as próprias pegadas
graças a uma máquina
capaz de viajar no tempo.

A emoção e o assombro
estão garantidos.

I

Andrew Harrington gostaria de poder morrer mais de uma vez para não ter de escolher só uma entre as muitas pistolas que seu pai guardava como tesouro nas cristaleiras da sala. As decisões nunca tinham sido seu forte. Na verdade, olhando à contraluz, sua existência se revelava como uma série de escolhas erradas, a última das quais ameaçava projetar uma longa sombra sobre seu futuro. Mas essa vida de desatinos, tão pouco exemplar, estava prestes a terminar. Desta vez achava que havia tomado a decisão certa, pois escolhera deixar de escolher. Não haveria mais erros no futuro, porque nem sequer haveria futuro. Ele iria desmantelá-lo agora, sem considerações, encostando uma daquelas armas na têmpora direita. Não parecia haver outra saída: aniquilar o futuro era a única forma ao seu alcance de exterminar o passado.

Estudou o conteúdo da cristaleira, o mortífero arsenal que seu pai fora adquirindo com carinho desde que voltara da frente de batalha. Ele adorava aquelas armas, mas Andrew suspeitava que não as colecionava movido pela nostalgia, mas sim pelo fascínio que sentia ao observar as diferentes alternativas que o homem concebeu ao longo dos anos para acabar com a vida de maneira não oficial. Com um desinteresse que contrastava com a devoção do pai, seus olhos percorreram aqueles utensílios de aparência dócil, quase doméstica, que traziam os trovões para a palma da mão e que haviam livrado as guerras da desagradável intimidade do corpo a corpo. Andrew tentou calcular que tipo de morte se escondia, como um animal de tocaia, dentro de cada um. Qual deles o pai lhe teria recomendado para estourar os miolos? Imaginou que as pistolas de chispa, aquelas velharias carregadas pelo bocal, introduzindo-se pólvora, munição e uma bucha de papel servindo de tampa cada vez que se queria dar um tiro, proporcionariam uma morte nobre, mas também parcimoniosa, obstinada. Era preferível a morte impetuosa que os revólveres modernos ofereciam, aninhados em seus luxuosos estojos de madeira forrados de veludo. Considerou um Colt Single Action de aspecto prático e eficaz, mas deixou-o de lado quando lembrou que aquele era o revólver que vira Buffalo Bill usar em seu circo do Oeste Selvagem, um espetáculo patético em que simulava façanhas transoceânicas valendo-se de alguns índios importados e uma dúzia de búfalos apáticos que pareciam alimentados com ópio. Não queria enfrentar sua morte como uma aventura. Também descartou um belo Smith & Wesson, a arma que matara Jesse James, por não se considerar à altura do bandido, assim como um revólver Webley, concebido especialmente para deter os robustos indígenas nas guerras coloniais, que lhe pareceu excessivamente pesado. Examinou então um gracioso Pepperbox de tambor giratório, que era o preferido do pai, mas tinha sérias dúvidas de que aquela arma ridícula e afetada pudesse disparar uma bala com convicção suficiente. Finalmente, se decidiu por um elegante Colt de cabo de madrepérola, fabricado em 1870, que iria tirar-lhe a vida com a delicadeza de uma carícia de mulher.

Apanhou-o na cristaleira com um sorriso insolente, lembrando-se das vezes que o pai o proibira de tocar nas pistolas. Mas agora o ilustre William Harrington estava na Itália, provavelmente intimidando a Fontana di Trevi com o olhar invejoso. Era uma agradável coincidência que os pais tivessem viajado para a Europa na época que escolhera para seu suicídio. Duvidava que qualquer um dos dois conseguisse decifrar a verdadeira mensagem criptografada em seu gesto — que havia preferido morrer sozinho, como vivera —, mas lhe parecia suficiente imaginar a expressão de desgosto que o pai, sem dúvida, iria fazer ao descobrir que ele se matara traiçoeiramente, sem sua autorização.

Abriu o armário em que ficava a munição e introduziu seis balas no tambor do revólver. Achava que só iria precisar de uma, mas nunca se sabia o que podia acontecer. Afinal, era a primeira vez que se suicidava. Depois guardou-o num bolso da casaca, enrolado num pano, como se fosse uma fruta que pretendesse comer durante um passeio, e continuando seu repertório de desafios deixou a cristaleira aberta. Se houvesse demonstrado esta coragem antes, pensou, se tivesse se atrevido a enfrentar o pai no momento oportuno, ela ainda estaria viva. Mas quando o fez já era tarde demais. E estava havia oito longos anos pagando por esse atraso. Oito longos anos em que a dor só havia aumentado, propagando-se dentro dele como uma hera maldita, envolvendo seus órgãos com o tato úmido, apodrecendo sua alma. Apesar dos esforços do primo Charles, apesar da distração proporcionada por outros corpos, a dor pela morte de Marie resistia em ser enterrada. Mas esta noite tudo acabaria. Vinte e seis anos era uma bela idade para morrer, pensou, e apalpou com satisfação o volume no bolso. Já tinha a arma. Agora só precisava de um lugar apropriado para a cerimônia. E só existia um lugar onde realizá-la.

Com o peso do revólver confortando-o no bolso como um talismã, desceu as magníficas escadarias da mansão Harrington, situada na luxuosa Kensington Gore, bem perto da entrada oeste do Hyde Park. Embora não pretendesse dar qualquer olhar de despedida para as paredes que haviam sido seu lar durante quase três décadas, não pôde evitar que um impulso mórbido o fizesse parar diante do retrato que ocupava o lugar mais importante do vestíbulo. Na moldura dourada, o pai olhou para ele com desaprovação. Altivo e majestoso, envergando pouco à vontade o velho uniforme de infantaria com que combatera na juventude, na Guerra da Crimeia, até que uma baioneta russa lhe dilacerasse a coxa e deixasse uma sequela que impunha certo balanço perturbador ao seu andar, William Harrington deitava um olhar cheio de censura zombeteira ao mundo, como se para ele o universo fosse uma obra malograda que dava por perdida havia muito tempo. Quem mandara cobrir com aquele véu de inoportuna neblina a batalha que ocorreu em frente à Sebastopol sitiada, de maneira que ninguém pudesse ver a ponta de sua baioneta? Quem havia decidido que uma mulher era a pessoa mais adequada para pastorear o destino da Inglaterra? Seria realmente o Leste o melhor lugar de onde o Sol podia surgir? Andrew não chegou a conhecer o pai sem essa agreste hostilidade brotando dos olhos, por isso não sabia se ele havia nascido assim ou se os ferozes turcos o tinham contagiado na Crimeia. Fosse como fosse, não desapareceu de seu rosto, como uma varíola passageira, embora o destino que se abrira diante de suas botas de soldado sem futuro ao voltar da frente só pudesse ser qualificado de benévolo. Que importava percorrê-lo de bengala, se o trouxera até onde tinha chegado? Afinal, sem necessidade de fazer pacto com nenhum demônio, o homem de bigode espesso e linhas finamente marcadas que a pintura mostrava se transformara da noite para o dia em um dos cavalheiros mais ricos de Londres. Nem se atreveria a sonhar com tudo o que possuía agora quando perambulava de baioneta em riste naquela guerra remota. Mas como o conseguira era um dos segredos mais bem-guardados da família; e, portanto, um mistério completo para Andrew.

E agora chega o momento enfadonho em que o jovem precisa decidir que chapéu e que casaco usar entre os que abarrotam o guarda-roupa do vestíbulo, porque até para morrer é preciso estar apresentável. É uma cena que, conhecendo Andrew, pode durar vários exasperantes minutos, e que acho desnecessário detalhar, de modo que aproveito a oportunidade para dar-lhes boas-vindas a esta história que acaba de começar e que, após uma longa reflexão, decidi começar por esse momento e não por outro; como se eu também tivesse que escolher um início entre os muitos que se amontoam no guarda-roupa das possibilidades. Provavelmente, quando eu acabar de contar esta história, se ainda continuarem aqui, alguns de vocês irão pensar que errei ao escolher o fio pelo qual começar a desenrolar o novelo, pois teria sido mais acertado respeitar a ordem cronológica e iniciar pela história da senhorita Haggerty. Talvez, mas há histórias que não podem começar pelo princípio, e talvez esta seja uma delas.

Portanto, esqueçam por enquanto a senhorita Haggerty, esqueçam até que a mencionei, e continuemos com Andrew que, já adequadamente munido de casaco e chapéu, e também de luvas grossas para proteger as mãos dos rigores do inverno, acabou de sair da mansão. Uma vez do lado de fora, parou no início da escadaria que levava aos jardins, derramada aos seus pés como ondas de mármore. Dali, estudou o mundo onde havia crescido, repentinamente consciente de que, se tudo saísse bem, nunca mais voltaria a vê-lo. Agora caía a noite sobre a mansão Harrington com a lenta suavidade de um véu. A lua cheia, de um branco opaco, destacava-se no céu, derramando seu esplendor leitoso sobre os cuidados jardinzinhos que cercavam a casa, a maioria deles cheios de canteiros, sebes e, sobretudo, chafarizes, umas enormes bicas de pedra adornadas com pomposas esculturas de sereias, faunos e outros seres impossíveis. Havia dúzias de chafarizes, porque o pai, carecendo de um espírito refinado, não tinha outra maneira de mostrar seu poderio senão amontoando coisas luxuosas e inúteis. Embora, nesse caso, a desmesurada acumulação fosse perdoável, pois os chafarizes se aliavam para arrulhar à noite com uma espécie de canção de ninar líquida, que levava a fechar os olhos e esquecer tudo o que não fosse aquele borbulhar embriagante. Mais à frente, atrás de uma vasta extensão de grama perfeitamente aparada, elevava-se, graciosa como um cisne levantando voo, a gigantesca estufa na qual sua mãe se encerrava a maior parte do dia, deixando-se hipnotizar pelas flores de sonho que surgiam das sementes trazidas das colônias.

Andrew observou a lua durante alguns minutos, perguntando-se se algum dia o homem poderia chegar até ali, como haviam escrito Júlio Verne ou Cyrano de Bergerac. O que encontraria se conseguisse chegar àquela superfície nacarada com um dirigível, um projétil cuspido por um canhão ou amarrando no corpo uma dúzia de frascos cheios de orvalho para que este, ao evaporar, o elevasse até os céus, como tinha feito o protagonista da obra do espadachim gascão. O poeta Ariosto transformara o satélite num depósito de recipientes em que se conservava o juízo de quem o tinha perdido, mas a proposta de Plutarco, que imaginava a lua como o lugar para onde as almas nobres emigravam quando abandonavam o mundo dos vivos, o seduzia mais. Como ele, Andrew preferia pensar que os mortos tinham suas casas lá em cima. Gostava de imaginá-los vivendo em harmonia, em palácios de marfim construídos por um exército de anjos operários, ou em cavernas escavadas na rocha branca, esperando que os vivos obtivessem o salvo-conduto da morte e chegassem lá para retomar suas vidas com eles no ponto exato em que as haviam deixado. Às vezes pensava que numa daquelas cavernas vivia agora Marie, esquecida de tudo o que lhe acontecera e contente de que a morte lhe houvesse proporcionado uma existência melhor que a vida. Marie, bela entre a alvura, aguardando pacientemente que ele se decidisse de uma maldita vez a dar um tiro na cabeça e viesse ocupar o lado vazio de sua cama.

Parou de contemplar a lua quando viu que Harold, o cocheiro, já o esperava ao pé da escadaria, com uma das carruagens preparada, como lhe havia sido ordenado. Ao vê-lo descer os degraus, o cocheiro se apressou a abrir a porta do veículo. A energia do velho Harold sempre divertia Andrew, por considerá-la imprópria em um homem que devia beirar os sessenta anos, mas era evidente que o cocheiro se mantinha em forma.

— Para Miller's Court — ordenou o jovem.

Harold se surpreendeu com a ordem.

— Mas, senhor, foi lá que...

— Algum problema, Harold? — interrompeu Andrew.

O cocheiro olhou-o durante alguns segundos com a boca ridiculamente aberta, antes de replicar:

— Não, senhor, nenhum.

Andrew assentiu, dando por concluída a conversa. Subiu na carruagem e se acomodou no assento de veludo vermelho. Ao ver o próprio rosto refletido no vidro da porta, deixou escapar um suspiro melancólico. Aquele semblante macilento era seu? Parecia o rosto de alguém cuja vida foi se esvaindo discretamente, como lã escapando pelo buraco de um travesseiro, o que de certo modo era verdade. Continuava proporcional e belo como tivera o privilégio de nascer, mas agora lhe parecia uma casca de ovo vazia, uma coisa vaga esculpida num monte de cinza. Aparentemente, o sofrimento que turvava sua alma também causara estragos no exterior, pois mal conseguia se reconhecer naquele rapaz envelhecido, de pômulos afundados, olhar abatido e barba por fazer que o vidro mostrava. O sofrimento havia interrompido sua floração, transformando-o numa criatura murcha, sombria. Felizmente, depois que Harold, recuperado da surpresa, se encarapitou na boleia, o balanço da carruagem fez com que Andrew se distraísse daquele rosto que parecia pintado com aquarela na vasta tela da noite. O último ato da desastrosa peça de sua vida estava para começar, e ele precisava ficar atento para não perder nenhum detalhe. Ouviu o chicote estalar sobre a cabeça e, acariciando o volume frio que agora habitava seu bolso, entregou-se ao embalo do suave sacolejo do veículo.

A carruagem deixou a mansão e entrou pela Knightsbridge, contornando o exuberante Hyde Park. Em pouco menos de meia hora estariam em East End, calculou Andrew, enquanto observava a metrópole pela janela. Esse percurso o fascinava e o perturbava em partes iguais, pois lhe mostrava, de uma só vez, todos os rostos de sua amada Londres, a maior urbe do mundo, cabeça visível de um faminto Kraken cujos tentáculos abarcavam quase um quinto das terras do planeta, asfixiando em seu abraço o Canadá, a Índia, a Austrália e grande parte da África. À medida que a carruagem seguia para o oeste, a saudável e quase selvagem atmosfera de Kensington deu lugar à multitudinária paisagem urbana que se estendia até Piccadilly Circus, aquela pracinha apunhalada em pleno coração pela estátua do deus Anteros, o vingador do amor não correspondido; depois, uma vez percorrida a Fleet Street, começaram a se avistar as casinhas de classe média que pareciam circundar a catedral de St. Paul's, até que, finalmente, ultrapassado o Banco da Inglaterra e Cornhill Street, a pobreza se derramou sobre o mundo, uma pobreza que seus vizinhos do West End só conheciam pelas tiras satíricas da revista *Punch*, e que parecia contagiar o próprio ar, transformando-o numa substância desagradável de respirar pelo cheiro fétido que vinha do Tâmisa.

Fazia oito anos que Andrew não percorria esse caminho, mas vivera todo esse tempo com a certeza de que mais cedo ou mais tarde voltaria a fazê-lo, e seria a última vez. Não é de estranhar, portanto, que à medida que se aproximava de Aldgate, o porto de acesso a Whitechapel, começasse a ser invadido por um ligeiro desânimo. Ao entrar no bairro, aproximou-se cautelosamente da janela, sentindo o mesmo pudor que tivera no passado. Nunca conseguiu evitar uma incômoda vergonha ao se ver bisbilhotando um mundo alheio com o frio interesse de quem estuda os insetos, mas com o tempo sua repulsa se transformou numa inevitável piedade pelas almas que habitavam aquele esgoto em que a cidade jogava seus dejetos humanos. E, como constatou, era uma piedade que ainda podia sentir, já que o distrito mais pobre de Londres não parecia ter mudado muito nos últimos oito anos. A miséria sempre de mãos dadas com a riqueza, pensou Andrew enquanto atravessava as ruas lúgubres e agitadas, cheias de bancas e carroças, pelas quais formigava uma multidão de criaturas de dar dó, que levavam suas vidas sob a sombra sinistra da Christ Church. A princípio se surpreendeu ao descobrir que por trás dos ouropéis de uma Londres resplandecente pudesse se ocultar aquela embaixada do inferno, na qual a raça se degradava até a monstruosidade com a bênção da Rainha, mas os anos transcorridos tinham tragado sua ingenuidade. Agora já não se espantava ao constatar que, enquanto o perfil de Londres mudava com os avanços da ciência, enquanto os cidadãos dos bairros ricos se divertiam gravando os latidos de seus cães no disco de papelão parafinado dos fonógrafos ou falando por telefones iluminados com lâmpadas elétricas Robertson, enquanto suas esposas traziam os filhos ao mundo entre as névoas do clorofórmio, Whitechapel se mantinha alheio a tudo isso, impermeável com sua couraça de podridão, afogado em sua própria miséria. E uma olhada ao redor lhe bastou para confirmar que entrar ali continuava sendo como meter a mão num vespeiro. Ali, a pobreza mostrava sua face mais abjeta. Ali sempre soava a mesma melodia doentia e tenebrosa. Observou várias brigas nas tabernas, ouviu gritos vindos das profundezas dos becos, avistou alguns bêbados jogados no chão, com bandos de crianças em volta aliviando-os do peso de seus sapatos, e cruzou a vista com homens de aspecto hostil parados nas esquinas, reizinhos daquele império paralelo de vício e delinquência.

Atraídas pelo luxo de sua carruagem, algumas prostitutas lhe gritaram ofertas lascivas, levantando as saias e puxando o decote. Andrew sentiu que seu coração se encolhia diante daquele triste espetáculo de circo. Eram, na maioria, mulheres sujas e desleixadas, cujos corpos refletiam a afluência de clientes de que padeciam diariamente. Nem mesmo as mais jovens e bonitas podiam se livrar da desolação que a miséria do bairro impunha. E se mortificou de novo pensando que poderia ter salvado uma daquelas condenadas, oferecido a ela um destino melhor que aquele que o Criador lhe dera, mas não o fez. Sua tristeza aumentou quando a carruagem passou junto ao Ten Bells, e depois avançou, entoando uma melodia de rangidos, pela Crispin Street até a Dorset Street, passando pela frente do *pub* Britannia, em que tinha falado pela primeira vez com Marie. Aquela rua era o fim do trajeto. Harold parou a carruagem diante do arco de pedra que servia de entrada aos apartamentos de Miller's Court e desceu da boleia para abrir a porta. Andrew desceu do veículo com uma sensação de vertigem e olhou em volta com as pernas trêmulas. Tudo estava como lembrava, até a loja com janelas imundas que McCarthy, o dono dos apartamentos, mantinha ao lado da entrada do pátio. Não conseguiu identificar um único detalhe que revelasse que o tempo também passava em Whitechapel, que não evitava aquele distrito como faziam os homens probos e os bispos que visitavam a cidade.

— Pode voltar, Harold — ordenou ao cocheiro, que permanecia em silêncio a seu lado.

— Quando venho buscá-lo, senhor? — perguntou o ancião.

Andrew olhou para ele sem saber o que responder. Buscá-lo? Sentiu vontade de dar uma gargalhada tétrica. O único veículo que viria buscá-lo seria o do necrotério de Golden Lane, o mesmo que oito anos antes havia levado daquele mesmo lugar o corpo de sua amada Marie.

— Esqueça que me trouxe aqui — respondeu.

A expressão grave que obscureceu o rosto do cocheiro enterneceu Andrew. Será que Harold imaginava o que ele tinha ido fazer ali? Não podia garantir, pois nunca se preocupara em avaliar a inteligência do cocheiro nem de qualquer outro criado, atribuindo-lhes, quando muito, a astúcia elementar daqueles que precisam nadar desde pequenos contra a corrente em que ele navegava tão placidamente. Agora, porém, teve a impressão de vislumbrar na atitude do velho Harold uma inquietação que só podia ter sido provocada por alguma dedução assombrosamente precisa de seus objetivos. Mas a capacidade de análise de Harold não foi a única descoberta que Andrew fez nos breves segundos em que seus olhares permaneceram inusitadamente entrelaçados. Andrew também tomou consciência de algo que jamais tinha imaginado: o carinho que um criado podia sentir por seu amo. Embora ele só conseguisse vê-los como sombras que iam e vinham pelos quartos com objetivos misteriosos, nas quais só reparava quando precisava deixar o copo numa bandeja ou ter alguém que lhe acendesse a lareira, aqueles fantasmas podiam se preocupar com o destino de seus senhores, e de fato o faziam. Para Andrew, toda aquela gente sem rosto — as arrumadeiras que eram despedidas pela mãe por qualquer bobagem, as cozinheiras que sistematicamente ficavam grávidas dos rapazes das cavalariças como se em obediência a algum rito ancestral, os mordomos que partiam com primorosas cartas de recomendação rumo a outras mansões idênticas à dele — fazia parte de uma paisagem mutante em que nunca se dera o trabalho de reparar.

— Certo, senhor — murmurou Harold.

E Andrew entendeu que com essas palavras o cocheiro estava se despedindo dele para sempre, que essa era a única maneira que o ancião encontrara de lhe dizer adeus, já que abraçá-lo constituía um risco que ele não parecia disposto a assumir. E, com o coração estremecido, Andrew observou aquele homem corpulento e decidido, cuja idade era quase o triplo da sua e a quem teria de ceder o papel de senhor caso os dois naufragassem numa ilha deserta, subir na boleia, atiçar os cavalos e desaparecer na névoa que começava a se espalhar pelas ruas de Londres como uma espuma suja, deixando um rumor de cascos que se foi dissolvendo na distância. Considerou curioso que tivesse sido o cocheiro a única pessoa de quem se despedira antes de suicidar-se, não os pais ou o primo Charles, mas a vida tinha desses caprichos.

E Harold Barker pensava o mesmo enquanto fustigava os cavalos pela Dorset Street, procurando a saída daquele bairro maldito em que a vida não valia mais que três *pennies*. Ele podia ter sido mais um na horda de infelizes que sobreviviam naquele pedaço gangrenado de Londres, não fosse o empenho de seu pai em tirá-lo da miséria e empregá-lo como cocheiro desde o momento em que pôde subir numa boleia. Sim, foi aquele velho bêbado e grosseiro que o iniciou no carrossel de empregos que havia desembocado nas cavalariças do ilustre William Harrington, a serviço de quem passara a metade da vida. Mas haviam sido anos tranquilos, tinha de reconhecer, e de fato reconhecia ao fazer um balanço de sua vida, no começo da madrugada, com os patrões já dormindo e ele livre de tarefas, anos tranquilos em que teve esposa e trouxe ao mundo dois meninos saudáveis e fortes, um dos quais fora contratado como jardineiro pelo próprio senhor Harrington. A sorte de ter podido construir um destino diferente agora lhe permitia observar aquelas almas desventuradas com certa distância e compaixão. Harold tivera de ir a Whitechapel com mais frequência do que desejava para transportar seu amo naquele espantoso outono de oito anos antes, em que até o céu às vezes parecia sangrar. O que aconteceu naquele emaranhado de ruas esquecidas por Deus ele tinha lido nos jornais, mas, sobretudo, vira refletido nos olhos de seu amo. Agora sabia que o jovem Harrington não tinha superado, que aquelas expedições amalucadas a tabernas e prostíbulos a que os dois foram arrastados pelo primo Charles, embora o obrigassem a ficar na carruagem com os ossos congelando, não serviram para nada, não conseguiram tirar o terror de seus olhos. E naquela noite parecia disposto a baixar as armas, a se render diante de um inimigo que se mostrou invencível. Por acaso o volume em seu bolso não parecia uma arma? Mas o que podia fazer? Devia voltar e tentar impedir? Será que um criado pode alterar o destino de seu amo? Balançou a cabeça. Talvez estivesse exagerando, pensou, e o jovem só quisesse passar a noite naquele quarto cheio de fantasmas, mais seguro com uma arma no bolso.

Deixou suas angustiantes reflexões quando viu uma carruagem familiar surgindo na neblina e se aproximando na direção contrária. Era o veículo da família Winslow, e se sua vista não o enganava, a figura que distinguiu acomodada na boleia devia ser Edward Rush, um dos cocheiros, que por sua vez também pareceu reconhecê-lo, a julgar pela maneira como diminuiu a marcha. Harold cumprimentou o colega com uma silenciosa inclinação de cabeça, antes de dirigir os olhos para o ocupante da carruagem. Durante um instante, ele e o jovem Charles Winslow se entreolharam com gravidade. Não disseram nada, não era necessário.

— Mais rápido, Edward — ordenou Charles Winslow ao cocheiro, dando duas pancadinhas com o punho da bengala no teto da carruagem.

E Harold viu com alívio que a carruagem voltava a desaparecer na névoa, em direção aos apartamentos de Miller's Court. Já não era necessária sua intervenção. Só esperava que o jovem Winslow chegasse a tempo. Gostaria de ficar para ver como aquilo terminava, mas tinha uma ordem a cumprir, por mais que lhe parecesse uma ordem dada por um morto, de modo que fustigou os cavalos outra vez e procurou a saída daquele bairro maldito em que a vida, e lamento ter de repetir, mas foi o que Harold pensou novamente, não valia mais que três *pennies*. Deve-se reconhecer que é uma frase que resume muito acertadamente a idiossincrasia do bairro, e talvez não possamos esperar uma apreciação mais complexa de um cocheiro. Mas o cocheiro Barker, apesar de ter uma vida digna de ser contada, como todas as vidas, basta olhar com um pouquinho de atenção, não é um personagem relevante para esta história. Talvez outros decidam relatá-la, e provavelmente encontrem material farto para dar-lhe a emoção que toda narrativa requer — penso no momento em que conheceu Rebecca, a esposa, ou no episódio decididamente delirante do furão e do ancinho —, mas não é este o nosso objetivo no momento.

Deixemos pois Harold de lado, e nem mesmo me atrevo a dizer se ele voltará a aparecer em algum ponto desta história, porque são muitos os personagens que transitarão por ela e não se pode ficar com todo mundo, e voltemos a Andrew, que neste momento atravessa o arco de entrada dos apartamentos Miller's Court e avança por um caminho de pedra todo enlameado, tentando localizar o quartinho número 13 enquanto tateia no bolso da casaca em busca da chave. Quando, após passar alguns segundos rondando na escuridão, encontra o quarto, para diante da porta com uma atitude que, para alguém que estivesse espiando das janelas próximas, pareceria uma reverência absurda. Mas para Andrew aquele quarto era muito mais que uma toca miserável em que ia se esconder quem não tinha onde cair morto. Não voltava lá desde a fatídica noite, mas o preservou intacto com seu dinheiro, mantendo-o tal como estava em sua mente. Em todos os meses dos últimos oito anos mandara um criado pagar o aluguel do quartinho, para que ninguém pudesse habitá-lo, porque, se decidisse voltar algum dia, não queria encontrar rastros que não fossem de Marie. Os *pennies* do aluguel significavam uma ninharia para ele, e o senhor McCarthy se mostrou encantado com o fato de que um cavalheiro endinheirado, e evidentemente pervertido, tivesse o capricho de alugar indefinidamente aquele buraco, porque depois do que acontecera entre suas quatro paredes duvidava que alguém tivesse estômago para se atrever a dormir ali. Andrew agora percebia que, no fundo, sempre soube que voltaria, que a cerimônia que ia realizar não poderia ser feita em nenhum outro lugar.

Abriu a porta e passou um olhar melancólico pelo aposento. Era um quartinho mínimo, mais sofisticado apenas que uma lixeira, com as paredes descascadas, um punhado de móveis tristes, entre os quais uma cama desconjuntada, um espelho enegrecido, um modesto baú de madeira, uma larcira com as paredes em ruínas e duas cadeiras que pareciam capazes de desabar se alguma mosca pousasse nelas. Voltou a surpreender-se com a possibilidade de que alguém pudesse viver ali. Mas por acaso não tinha sido mais feliz ali do que entre as luxuosas paredes da mansão Harrington? Se, como havia lido em algum lugar, o paraíso se localiza num ponto diferente para cada pessoa, o seu se encontrava certamente ali, para onde fora levado por um mapa que não era feito de rios e vales, mas de beijos e carícias.

E foi justamente uma carícia, mas de gelo na base da nuca, que o fez notar que ninguém se incomodara em consertar a janela quebrada que ficava à esquerda da porta. Para quê? McCarthy parecia pertencer a esse tipo de indivíduos que aderem à máxima de não trabalhar mais do que o necessário, e se o acusasse de não ter colocado o vidro ainda podia usar como desculpa seu desejo de deixar tudo como estava, um pedido que considerara extensivo à janela. Andrew suspirou. Não havia nada à mão com que tapar o buraco, de maneira que decidiu se matar de casaco e chapéu. Sentou-se numa das cadeiras, tirou o embrulho do bolso e desamarrou lentamente o pano, como se estivesse celebrando uma liturgia. O Colt resplandeceu ao receber o brilho da lua que se infiltrava com dificuldade pela janela imunda.

Acariciou a arma como se fosse um gato aconchegado em seu colo, enquanto se deixava embargar de novo pelo sorriso de Marie. Andrew continuava se surpreendendo ao verificar que suas lembranças conservavam o mesmo viço de rosas frescas dos primeiros dias. Recordava tudo de uma maneira extraordinariamente vívida, como se entre eles não houvesse um abismo de oito anos, e às vezes achava aquelas memórias até mais bonitas que os fatos verdadeiros. Que estranha alquimia fazia essas cópias parecerem mais extraordinárias que o original? A resposta era óbvia: a passagem do tempo, que transformava o borbulhar do presente em um quadro terminado e inalterável chamado passado, uma tela que o homem sempre pinta às cegas, com pinceladas erráticas que só adquirem sentido ao afastar-se dela o suficiente para admirá-la em seu conjunto.

II

Na primeira vez que seus olhares se cruzaram, ela não estava presente. Andrew se apaixonou por Marie sem necessidade de tê-la à sua frente, e isso lhe parecia tão romântico quanto paradoxal. O fato ocorreu na mansão do tio, em Queen's Gate, em frente ao Museu de História Natural, um lugar que Andrew considerava quase sua segunda residência. Seu primo e ele tinham a mesma idade, o que lhes permitira ter sido criados praticamente juntos, a tal ponto que às vezes as amas chegavam a esquecer qual dos dois era o filho dos patrões a que serviam. E, como é fácil de deduzir, sua próspera condição social os eximira de penúrias e calamidades, mostrando-lhes apenas o lado amável da vida, que mais tarde confundiram com uma festa contínua em que tudo parecia permitido. Depois de dividir os folguedos da infância, passaram a compartilhar as conquistas da adolescência e, em seguida, intrigados por descobrir até onde podia chegar a impunidade de que aparentemente gozavam, a planejar diferentes estratégias para tentar delimitar as fronteiras do plausível. Suas imaginativas saídas de linha e as travessuras mais ou menos perversas eram tão coordenadas, que durante alguns anos foi difícil não vê-los como um único ser, devido, em parte, à cumplicidade de gêmeos que os uniformizava, mas também à sua maneira altiva de enfrentar a vida, e mesmo à sua semelhança física: ambos os rapazes eram esbeltos e vigorosos como bispos de xadrez e tinham o tipo de beleza delicada própria dos arcanjos de igreja, o que os imunizava contra reprimendas, especialmente as femininas, como foi demonstrado em sua passagem por Cambridge, quando estabeleceram um recorde de conquistas até hoje não superado por ninguém. O fato de frequentarem os mesmos alfaiates e as mesmas chapelarias só fazia aumentar aquela inquietante semelhança, uma mimese que parecia durar para sempre, até que, sem qualquer aviso, como se Deus se houvesse arrependido de sua falta de criatividade, a criatura bicéfala e amalucada que os dois compunham partiu-se bruscamente em duas metades totalmente diferentes: Andrew se tornou um jovem taciturno e circunspecto, enquanto Charles continuou aperfeiçoando o caráter frívolo da adolescência. Mas isso não destruiu a amizade que os laços de sangue haviam propiciado. A repentina disparidade de caráter, mais que distanciá-los, acabou complementando-os: a despreocupada desenvoltura de Charles encontrava seu contraponto na melancolia elegante do primo, que não parecia mais se satisfazer com aquela maneira extravagante de aproveitar a vida. Charles observava com escárnio como Andrew se esforçava para extrair um sentido diferente de sua vida, como andava de lá para cá secretamente decepcionado, aguardando uma iluminação que não chegava; e Andrew, por sua vez, divertia-se ao contemplar o primo andando pelo mundo com aquele estridente disfarce de jovem fútil, enquanto alguns de seus gestos e opiniões revelavam um espírito tão desencantado quanto o dele, embora aparentemente não estivesse em seus planos deixar de aproveitar o que tinha. Não, Charles vivia intensamente, como se lhe faltassem sentidos para aproveitar o mundo, enquanto Andrew podia passar dias sentado num canto, observando como uma rosa murchava em suas mãos.

No mês de agosto em que tudo aconteceu, ambos tinham acabado de fazer dezoito anos, e embora nenhum dos dois desse mostras de se aprumar, já intuíam que aquela vida ociosa não podia se prolongar por muito mais tempo, e mais cedo ou mais tarde seus pais se cansariam daquela vadiagem improdutiva e lhes dariam um emprego fictício em alguma empresa da família, mas por ora era divertido ver até quando conseguiriam se livrar. Charles já começara a ir ao escritório certas manhãs para fazer pequenos serviços, mas Andrew preferia esperar até que seu tédio transbordasse, de tal modo que trabalhar nos negócios familiares representasse mais um alívio do que uma condenação. Afinal de contas, seu irmão Anthony já satisfazia o pai neste sentido, e o ilustre William Harrington podia admitir que seu segundo filho continuasse como uma ovelha desgarrada por mais alguns anos, desde que não se afastasse de seu campo de visão. Mas Andrew o fizera. Tinha se afastado muito. E agora ia se afastar mais ainda, até desaparecer totalmente, abortando qualquer possibilidade de ser resgatado.

Mas não vamos nos deixar levar pela dramaticidade. Continuemos a nossa narrativa. Nessa tarde Andrew tinha ido à mansão dos Winslow planejar com

Charles uma excursão dominical com as encantadoras irmãs Keller. Como de costume, levariam as duas ao The Serpentine, um pequeno prado pontilhado de flores no Hyde Park, em que costumavam realizar suas emboscadas sentimentais. Mas Charles ainda estava dormindo, e o mordomo levou-o à biblioteca. Andrew não se importava de esperar ali até que seu primo se aprumasse, pois se sentia à vontade cercado de todos aqueles livros, que inundavam o aposento luminoso com um aroma denso e particular. Seu pai se orgulhava de ter em casa uma biblioteca respeitável, mas nas prateleiras do primo não havia apenas obscuros livros sobre política e outras disciplinas igualmente enfadonhas. Ali podia encontrar obras clássicas e romances de aventuras, de Verne a Salgari, mas também, e era isso o que mais divertia Andrew, descobria amostras de uma literatura estranha, um tanto pitoresca, que muitos chamavam de frívola. Tratava-se de romances em que seus autores deixavam a imaginação voar sem nenhum preconceito, por mais que beirassem o ridículo ou caíssem abertamente nele. Como todo leitor sensível, Charles apreciava *A odisseia* ou *A ilíada* de Homero, mas o que realmente o deliciava era mergulhar nas disparatadas páginas da *Batracomiomaquia*, a obra em que o poeta cego parodiou a si mesmo narrando de forma épica uma batalha entre ratos e rãs. Andrew se lembrava de alguns livros do mesmo tipo que o primo lhe emprestara, como *Uma história verídica,* de Luciano de Samósata, um compêndio de viagens fabulosas realizadas num barco voador em que o protagonista chegava até o sol e até atravessava o interior de uma gigantesca baleia, ou *O homem na lua*, de Francis Godwin, o primeiro romance que narrava uma viagem interplanetária, protagonizado por um espanhol chamado Domingo González, que viajava à Lua numa máquina impulsionada por um bando de gansos selvagens. Andrew achava aqueles arroubos imaginativos quase equivalentes a fogos de artifícios, petardos de feira que não deixavam qualquer marca no ar, mas entendia, ou julgava entender, por que empolgavam tanto seu primo. De alguma forma, aquela literatura que a maioria das pessoas repudiava era o prumo que equilibrava a alma de Charles, o contrapeso que impedia que seu primo acabasse se inclinando para a gravidade ou a melancolia, como tinha acontecido com ele, que não soubera se contagiar com aquela atitude burlesca ao encarar o mundo e tudo lhe parecia dolorosamente profundo, impregnado pela solenidade absurda com que a fugacidade da vida tratava indevidamente até o ato mais irrelevante.

Nessa tarde, porém, Andrew não teve tempo de pegar qualquer livro. Nem chegou a cruzar o aposento em direção à estante porque a moça mais adorável que já tinha visto interrompeu seu percurso no meio. Ficou olhando confuso para ela enquanto o tempo parecia ficar denso, deixar momentaneamente de fluir, até que afinal conseguiu se aproximar lentamente do retrato para vê-lo mais de perto. A mulher usava um chapeuzinho de veludo preto e um lenço floreado em volta do pescoço. Talvez não fosse bonita, considerando os cânones de beleza universais, como reconheceu o próprio Andrew, pois seu nariz era excessivamente grande para o rosto, tinha os olhos muito juntos e seu cabelo ruivo parecia um pouco desarrumado, mas também era verdade que aquela desconhecida possuía um encanto tão impreciso quanto inegável. Não entendeu exatamente o que o enfeitiçava nela. Talvez fosse o contraste entre o aspecto frágil e a força que emanava de seu olhar, um olhar que ele não encontrara antes em nenhuma de suas conquistas, um olhar duro e decidido, mas que também tinha um toque de doce ingenuidade, como se a mulher fosse obrigada a encarar diariamente o lado mais perverso do mundo e mesmo assim, à noite, na obscuridade de sua cama, continuasse acreditando que tudo não passava de uma miragem inoportuna, uma ilusão que logo daria lugar a uma realidade mais aceitável. Era o olhar de alguém que deseja alguma coisa e se recusa a admitir que nunca a terá, porque a esperança é a única coisa que lhe resta.

— Uma criatura encantadora, não é mesmo? — disse Charles às suas costas.

Andrew se assustou. Estava tão distraído com o retrato que não o ouvira entrar. Concordou enquanto o primo se aproximava do carrinho de bebidas. Não podia encontrar uma forma mais acertada de definir o que o retrato lhe inspirava, um desejo de protegê-la misturado com um sentimento de admiração que só conseguiu comparar, não sem certa vergonha diante da inadequação da comparação, com o sentimento que os gatos lhe provocavam.

— Dei ao meu pai de aniversário — explicou Charles enquanto servia um conhaque. — Está pendurado aí há apenas dois dias.

— Quem é? — perguntou Andrew. — Nunca a vi nas festas de Lady Holland ou de Lord Broughton.

— Nessas festas? — riu Charles. — Estou começando a pensar que o artista tem potencial. Enganou você também.

— O que quer dizer? — perguntou enquanto aceitava a taça que o primo lhe oferecia.

— Pensa que dei esse quadro ao meu pai por causa de suas qualidades pictóricas? Por acaso você acha que é uma pintura digna dos meus olhos, primo? — Charles pegou-o pelo braço e obrigou-o a avançar mais alguns passos até o retrato. — Olhe bem. Observe o traço dos pincéis: não há o menor talento atrás deles. O autor não passa de um discípulo jeitoso de Edgar Degas. Enquanto o parisiense é suave, ele é estridentemente sombrio.

Andrew não entendia o suficiente de pintura para discutir com o primo, e realmente só lhe interessava saber quem era a modelo, de modo que assentiu com fatalidade, dando a entender que concordava com suas opiniões: era preferível que aquele pintor se dedicasse a consertar bicicletas. Charles sorriu, divertindo-se com a maneira como o primo se recusava a entrar numa discussão sobre pintura que lhe permitiria exibir sua cultura pictórica, e finalmente revelou:

— Eu a dei de presente por outro motivo, querido primo.

Bebeu o que restava na taça com um longo gole e continuou observando o quadro por mais alguns segundos, balançando a cabeça satisfeito.

— E qual é esse motivo, Charles? — perguntou afinal Andrew, impaciente.

— O prazer secreto de saber que meu pai, que odeia a plebe como se fosse constituída de criaturas inferiores, tem o retrato de uma vulgar prostituta pendurado em sua biblioteca.

Estas palavras deixaram Andrew atônito.

— Uma prostituta? — conseguiu perguntar.

— Sim, primo — respondeu Charles, com um sorriso de satisfação ocupando todo o rosto. — Mas não uma meretriz dos seletos prostíbulos da Russell Square, nem dos que ficam de frente para o parque de Vincent Street, mas sim uma prostituta imunda e pestilenta de Whitechapel, em cujo sexo deteriorado os desgraçados do mundo derramam sua miséria por três miseráveis *pennies*.

Andrew bebeu um gole de conhaque, tentando digerir as palavras do primo. Aquela revelação o havia surpreendido, isso era inegável, como sem dúvida surpreenderia qualquer pessoa que visse o quadro, mas também o fizera sentir uma absurda decepção. Voltou a fixar os olhos no retrato, tentando entender a causa de seu desgosto. Aquela doce criatura era uma puta vulgar. Agora entendia a união de fogo e desencanto que emanava de seus olhos, e que o artista soubera captar tão bem. Mas Andrew não podia negar que sua desilusão obedecia a uma razão muito mais egoísta: aquela mulher não pertencia ao seu mundo, e isso significava que jamais poderia conhecê-la.

— Comprei-o graças a Bruce Driscoll — explicou Charles, servindo duas novas doses de conhaque. — Você se lembra do Bruce?

Andrew confirmou sem grande entusiasmo. Bruce era um amigo de seu primo que o tédio e o dinheiro tinham transformado em colecionador de arte, um jovem petulante e ocioso que não hesitava em atormentá-los com seus conhecimentos pictóricos em qualquer situação.

— Você sabe como ele gosta de fuçar debaixo do tapete — disse o primo dando-lhe a taça de conhaque. — Na última vez que o vi, me falou de um pintor cuja obra descobriu num de seus passeios pelos mercadinhos. Um tal Walter Sickert, fundador da Nova Sociedade Artística Inglesa. Ele tinha um ateliê na Cleveland Street e se dedicava a pintar as prostitutas do East End como se fossem damas. Quando o visitei, não pude deixar de comprar seu último trabalho.

— Falou sobre ela? — perguntou Andrew, tentando dissimular seu interesse.

— Sobre a puta? Só me disse o nome. Acho que se chama Marie Jeannette.

Marie Jeannette, murmurou Andrew. O nome soava tão gracioso quanto o chapeuzinho.

— Uma puta de Whitechapel... — sussurrou, ainda surpreso.

— Uma puta de Whitechapel, sim. E meu pai a expõe em sua biblioteca! — gritou Charles, abrindo teatralmente os braços num gesto jovial de triunfo. — Não é simplesmente genial?

Depois disso, Charles passou-lhe o braço pelo ombro e o levou para o salão, mudando de assunto. Andrew se esforçou para que não notasse seu sobressalto, mas não conseguia parar de pensar na garota do retrato enquanto planejavam a emboscada às encantadoras irmãs Keller.

Naquela noite, em seu quarto, Andrew não conseguiu conciliar o sono. Onde estaria a mulher do quadro? O que estaria fazendo agora? Depois da quarta ou quinta pergunta começou a se referir a ela pelo nome, como se realmente a conhecesse e tivessem uma intimidade que não existia. Mas percebeu que estava mesmo transtornado quando começou a sentir absurdos ciúmes dos pedintes que podiam obter por algumas moedas aquilo que para ele, apesar de sua fortuna, parecia inalcançável. Pensando bem, seria realmente verdade que ela estava fora de seu alcance? De fato, dada sua condição, poderia tê-la, pelo menos fisicamente, mais facilmente que qualquer outro, e pelo resto da vida. O problema era encontrá-la. Andrew nunca havia estado em Whitechapel, mas tinha ouvido falar daquele lugar o suficiente para saber que não era um bairro recomendável, muito menos para pessoas de sua classe. Não era aconselhável ir sozinho, certamente, mas tampouco poderia contar com Charles. O primo não entenderia que ele preferisse o sexo desalinhado daquela puta à doce compota que as encantadoras irmãs Keller guardavam sob as anáguas, ou aos favos de mel das perfumadas meretrizes de Chelsea, em que se saciava a metade dos cavalheiros mais decentes de West End. Talvez entendesse, e até decidisse acompanhá-lo por diversão, se Andrew explicasse a coisa como simples frivolidade, mas sabia que o que estava sentindo era forte demais para entrar na pobre categoria do capricho. Ou talvez não? Enquanto não a tivesse em seus braços não poderia saber o que queria dela. Seria realmente tão difícil encontrá-la?, voltou a se perguntar. Três noites sem dormir lhe bastaram para maquinar uma estratégia.

E foi assim que, enquanto o Crystal Palace, trasladado para Sydenham depois de hospedar em seu enorme ventre de vidro e ferro forjado o melhor da indústria do Império, oferecia recitais de órgão, balé infantil, exércitos de ventríloquos e mesmo a possibilidade de lanchar em seus deliciosos jardins, acompanhado por um rebanho de dinossauros, iguanodontes e megatérios reconstruídos com os fósseis encontrados em Sussex Weald, e o museu de cera de Madame Tussaud perturbava para sempre as noites dos visitantes com sua célebre Câmara dos Horrores na qual, junto à guilhotina em que Maria Antonieta fora decapitada, se aglomerava a copiosa ralé de lunáticos, degoladores e envenenadores que havia salpicado a Inglaterra de sangue, Andrew Harrington, alheio ao clima de festa que tomara a cidade, estava com as roupas vulgares e modestas que um de seus servos lhe emprestara e se observava no espelho. Ao se ver com um casaco surrado e calças meio puídas, com o cabelo dourado eclipsado por uma boina xadrez encasquetada até os olhos, só pôde achar graça. Com aquele aspecto ninguém poderia considerá-lo mais que um pobre-diabo, talvez um sapateiro ou um barbeiro. Com esse aspecto pediu a um assombrado Harold que o levasse a Whitechapel. Antes de partir, lhe exigiu sigilo. Ninguém podia saber daquela excursão ao pior bairro de Londres, nem o pai, nem a patroa, nem o irmão Anthony, nem mesmo o primo Charles. Ninguém.

III

Para não chamar a atenção, Andrew mandou a luxuosa carruagem parar em Leadenhall e andou sozinho até a Comercial Street. Depois de percorrer devagar um bom trecho daquela rua fedorenta, tomou coragem e entrou na confusão de ruelas que formavam Whitechapel. Bastaram dez minutos de caminhada para que ao menos uma dúzia de prostitutas surgisse da névoa propondo uma incursão ao monte de Vênus por uns poucos *pennies*, mas nenhuma delas era a moça do retrato. Se tivessem algas enroladas no corpo, Andrew as teria confundido com carrancas gastas e sujas. Foi recusando amavelmente, sem parar de andar, enquanto sentia uma enorme piedade por aqueles espantalhos encolhidos de frio que não tinham maneira melhor de ganhar a vida. Os sorrisos lascivos que suas bocas desdentadas tentavam conjurar causavam mais repulsa que desejo. Será que fora do quadro, longe dos pincéis que a transformaram numa criatura angelical, Marie tinha aquele aspecto?

Logo viu que ia ser difícil encontrá-la por acaso. Talvez tivesse mais sorte se perguntasse diretamente por ela. Uma vez comprovada a eficácia de seu disfarce, decidiu entrar em The Ten Bells, uma taberna movimentada que ficava na esquina da Fournier com a Comercial Street, bem em frente à fantasmagórica Christ Church, que, como deduziu espiando por suas janelas, parecia ser o lugar que as putas frequentavam em busca de clientes. Duas delas o abordaram quando se aproximou do balcão. Tentando aparentar desembaraço, Andrew lhes ofereceu uma caneca de cerveja escura, recusou suas propostas da forma mais gentil que pôde e disse que estava à procura de uma mulher que se chamava Marie Jeannette. Uma das putas se afastou imediatamente, parecendo ofendida, talvez porque não gostasse de perder a noite com alguém que não ia lhe encomendar nenhum serviço, mas a outra, a mais alta, decidiu ficar e agradecer pela cerveja:

— Imagino que se refere a Marie Kelly. Essa maldita irlandesa é a mais solicitada. Provavelmente, a esta hora da noite, já atendeu vários sujeitos e está no Britannia, que é onde nós descansamos quando já conseguimos dinheiro suficiente para pagar uma cama e alguma bebida para esquecer esta vida miserável — disse com mais ironia que desgosto.

— Onde fica essa taberna? — perguntou Andrew.

— Aqui ao lado. Na esquina da Crispin com a Dorset Street.

Andrew recompensou a informação com quatro xelins.

— Arranje um quarto — recomendou-lhe com um sorriso afetuoso. — Está fazendo muito frio esta noite para ficar na rua.

— Ah, obrigada. O senhor é muito gentil — respondeu a puta, sinceramente agradecida.

Andrew se despediu tocando na boina, num gesto de cortesia.

— Pode me procurar se Marie Kelly não lhe der o que o senhor deseja — gritou ela, com um resto de faceirice que seu sorriso desdentado estragava. — Eu me chamo Liz, Liz Stride, não se esqueça.

Não foi difícil para Andrew encontrar o Britannia, um antro modesto com muitas janelas na fachada. O lugar, apesar de bastante provido de lampiões a óleo, estava nublado pela fumaça do tabaco. Havia um balcão comprido no fundo, alguns reservados à esquerda e um amplo espaço central, com mesinhas de madeira e o chão coberto de serragem, onde se aglomerava a ruidosa clientela. Usando aventais imundos, um exército de taberneiros circulava entre as mesas com bastante dificuldade, como equilibristas levando jarras de latão transbordando cerveja. Num canto, um piano desmantelado oferecia sua dentadura imunda aos dedos de quem quisesse animar a noitada. Andrew foi até o balcão, cuja superfície estava obstruída por pipas de vinho, lampiões a óleo e pratos de queijo, cortado em pedaços tão grandes que mais pareciam pedaços de entulho resgatados de uma demolição. Acendeu um cigarro na chama de um dos lampiões, pediu uma caneca de cerveja e, discretamente encostado no balcão, observou o público franzindo o nariz com o forte cheiro de salsicha quente que emanava da cozinha. Como tinham lhe informado, o ambiente ali era muito mais calmo que em The Ten Bells. A maioria das mesas estava ocupada por marinheiros de licença e gente do bairro, vestidos tão modestamente quanto ele, mas também distinguiu alguns grupos de prostitutas ocupadas em se embebedar. Tomou a cerveja devagar, tentando identificar Marie Kelly, mas nenhuma delas se encaixava na descrição. Na terceira cerveja começou a ficar deprimido e a perguntar-se que diabo fazia ali, perseguindo uma miragem.

Estava a ponto de ir embora quando ela abriu a porta. Reconheceu-a imediatamente. Era a garota do retrato, não havia a menor dúvida, e a achou ainda mais bonita dotada da graça do movimento. Parecia cansada, mas caminhava com a mesma energia que Andrew imaginara ao vê-la na tela. A maioria dos fregueses permaneceu insensível ao surgimento. Como era possível que ninguém notasse o pequeno milagre que acabava de acontecer na taberna?, perguntou-se. Aquela indiferença unânime o fez sentir-se como uma testemunha privilegiada do prodígio. E não pôde deixar de lembrar o dia em que, ainda criança, observou a brisa pegando a folha de uma árvore com seus dedos invisíveis, fazendo-a dançar de ponta na superfície de uma poça, como um pião, antes que a roda de uma carruagem desbaratasse seu balé de tal forma que Andrew teve a sensação de que a natureza se mobilizara para realizar aquele truque de prestidigitação diante de um único espectador. A partir de então, ficou convencido de que o universo fazia os vulcões entrarem em erupção para reverência da humanidade, mas se esmerava na hora de se comunicar com um punhado de eleitos, indivíduos que como ele escrutinavam a realidade como se fosse uma folha de papel pintado que encobria uma outra coisa. Atônito, viu Marie Kelly dirigir-se para onde ele estava, como se o conhecesse. Aquilo fez seu coração saltar descontrolado, mas se acalmou um pouco quando ela se debruçou no balcão e pediu meia caneca de cerveja sem nem sequer olhar para ele.

— Como está a noite, Marie? — perguntou a taberneira.

— Não posso me queixar, senhora Ringer.

Andrew engoliu em seco, à beira de um desmaio. Ali estava ela, a seu lado. Não podia acreditar, mas estava. Tinha acabado de ouvir sua voz. Uma voz cansada, um pouco rouca, mas mesmo assim bela. E se ele se concentrasse e eliminasse do ar os odores inúteis do fumo e das salsichas, provavelmente também poderia sentir seu cheiro. O cheiro de Marie Kelly. Enfeitiçado, Andrew contemplou-a com reverência, comprovando em cada um de seus gestos tudo o que ele já sabia. Da mesma forma que uma concha guarda a fúria do mar em seu interior, aquele corpo de aspecto frágil parecia conter uma força da natureza.

Quando a taberneira pôs a cerveja no balcão, Andrew percebeu que tinha nas mãos uma oportunidade que não podia desperdiçar. Vasculhou os bolsos apressadamente e se adiantou para pagar.

— Permita-me oferecer a bebida, senhorita — disse.

O gesto, tão cavalheiresco quanto brusco, lhe rendeu um olhar abertamente avaliador de Marie Kelly. Ser alvo de seus olhos o deixou paralisado. Como o quadro já mostrara, o olhar da moça era lindo, mas parecia soterrado debaixo de uma camada de amargura. Não pôde deixar de compará-lo com um campo de papoulas que alguém decidira usar como lixão. Sentiu-se, porém, e de maneira irremediável, inundado de luz, e tentou fazer com que aquela breve troca de olhares fosse tão significativa para ela quanto para ele, mas certas coisas, e peço desculpas se houver alguma alma romântica presente, não podem ser expressadas com um olhar. Como Andrew poderia fazê-la participar do sentimento quase místico que o embargava naquele instante, como poderia explicar a ela, recorrendo só aos olhos, que acabava de descobrir que durante toda a vida estivera procurando-a sem saber? E se pensarmos que a existência que Marie Kelly tinha levado até então não a preparara especialmente para captar as sutilezas do mundo, não é de surpreender que essa primeira tentativa de, por assim dizer, comunhão espiritual estivesse condenada ao fracasso. Andrew fez o que pôde, certamente, mas a moça entendeu seu olhar ardente da mesma forma que interpretava o dos outros homens que a abordavam toda noite.

— Obrigada, senhor — respondeu, acompanhando estas palavras com um sorrisinho atrevido de cuja inércia provavelmente lhe custava escapar.

Depois de negar a importância de um gesto que considerava de capital importância com um movimento de cabeça, Andrew descobriu apavorado que, apesar de seu plano ser meticuloso, não previra a maneira de iniciar uma conversa com ela quando estivessem frente a frente. O que podia lhe dizer? Mais: o que podia dizer a uma puta? A uma puta de Whitechapel, para ser exato. Com as meretrizes de Chelsea nunca se preocupara em falar grande coisa, apenas o necessário para discutir a posição ou a iluminação do quarto, e com as encantadoras irmãs Keller e o resto de suas amizades femininas, senhoritas que não precisava perturbar falando de assuntos do governo nem das teorias de Darwin, só falava de banalidades: da moda parisiense, de botânica e, ultimamente, de espiritismo, essa diversão tão em voga, a cuja prática a maioria se entregava. Mas nenhum desses assuntos lhe pareceu adequado para tratar com aquela mulher, que devia estar pouco interessada em que algum espírito casamenteiro viesse lhe revelar com qual dos seus muitos pretendentes endinheirados ia acabar se casando. Limitou-se, então, a olhá-la enlevado. Por sorte, Marie Kelly conhecia um modo mais eficaz de quebrar o gelo.

— Sei o que quer, senhor, e vejo que seu acanhamento o impede de pedir — disse, acentuando o sorriso e acompanhando-o com uma fugaz carícia em sua mão que o deixou todo arrepiado. — Por três *pennies* posso tornar seus sonhos realidade. Pelo menos por esta noite.

Andrew olhou-a comovido: não sabia como estava certa. Ela havia sido seu sonho exclusivo das últimas noites, seu desejo mais profundo, seu desejo mais urgente, e agora, por mais que ainda não conseguisse acreditar, afinal poderia tê-la. Só de pensar que podia tocá-la, acariciar aquele corpo esbelto que se insinuava sob o vestido puído, arrancar gemidos profundos daqueles lábios enquanto ele mesmo explodia em chamas diante de seu olhar de criatura ingovernável, de animal maltratado impossível de amestrar, fez com que um formigamento de excitação o percorresse da cabeça aos pés. No entanto, esse tremor logo começou a transformar-se em uma tristeza profunda por constatar o injusto desamparo daquele anjo caído, a facilidade com que podia ser manuseado por qualquer um, aviltado num beco imundo sem que ninguém no universo emitisse uma única queixa. Para isso fora criado aquele ser tão especial? Aceitou a oferta com um nó na garganta, triste por ter que possuí-la seguindo o mesmo caminho que todos os outros, como se seu propósito não fosse diferente das intenções do restante dos clientes. Quando viu que aceitou, Marie Kelly sorriu com um entusiasmo que Andrew achou maquinal demais e lhe indicou com a cabeça que deixassem o *pub*.

Andrew se sentia estranho ao caminhar daquele jeito atrás da puta, dando passinhos de pardal às suas costas como se Marie Kelly o estivesse levando ao patíbulo e não ao remanso entre as suas coxas. Mas será que aquele encontro poderia se desenvolver de outra maneira? Desde que vira o quadro do primo não fez outra coisa a não ser entrar num território estranho, desorientado porque nenhum detalhe do caminho lhe parecia familiar, tudo era novo e, a julgar pelas vielas desoladas que estavam atravessando, até perigoso. Estaria se dirigindo despreocupadamente para alguma espécie de emboscada arquitetada pelo cafetão da puta? Perguntou-se então se Harold ouviria seus gritos dali e, caso os ouvisse, se viria socorrê-lo, ou aproveitaria para vingar-se do tratamento displicente que o patrão lhe dispensara durante todos aqueles anos. Depois de percorrer um trecho da Hanbury Street, uma rua enlameada e parcamente iluminada por um lampião a óleo que tremeluzia numa esquina, Marie Kelly convidou-o a segui-la por uma estreita passagem que se perdia numa escuridão compacta. Andrew foi atrás dela, convencido de que iria morrer ali, ou pelo menos seria meticulosamente espancado por dois sujeitos maiores e que, depois de roubar-lhe até as meias, cuspiriam com desdém em seus restos sangrentos. Era assim que agiam naquele bairro, e sua absurda aventura bem que mereceria um final como esse. Mas nem teve tempo de deixar o medo amadurecer em seu peito, pois logo em seguida desembocaram num pátio interno, imundo e todo molhado, onde, para sua surpresa, não havia mais ninguém. Andrew deu uma olhadela desconfiada em volta. De fato: por mais estranho que lhe parecesse, eles estavam sozinhos naquele reduto repugnante. O mundo do qual tinham fugido se manifestava apenas como um murmúrio apagado em que se destacavam as badaladas de uma igreja longínqua. Aos seus pés, a lua se refletia numa poça como uma carta amassada que alguma amante ressentida houvesse jogado no chão.

— Aqui não vão nos incomodar, senhor — tranquilizou-o Marie Kelly, encostando-se no muro e atraindo-o para si.

Antes que pudesse dar-se conta, a puta manipulou sua braguilha e tirou seu pênis. Fez isso com uma naturalidade prodigiosa, sem o cerimonial provocante a que as prostitutas de Chelsea o haviam acostumado. O descaso com que ela o segurou para escondê-lo sob a saia levantada deixou claro que aquilo que para ele era um momento mágico não passava de pura rotina para ela.

— Já está dentro — afirmou.

Dentro? Andrew tinha experiência suficiente para saber que a puta estava mentindo, que só havia apertado o pênis entre as coxas. Imaginou que devia ser algum tipo de estratégia normal entre elas, um truque com o qual, se dessem sorte e o cliente não notasse ou estivesse suficientemente bêbado, conseguiam evitar a penetração, reduzindo assim o número de afobadas intrusões que precisavam sofrer diariamente e as inoportunas gravidezes que semelhante abundância de esperma acarretaria. Consciente disso, Andrew começou a investir com brio, disposto a participar obedientemente da pantomima, porque no fundo lhe bastava ficar roçando sua encabritada virilidade no sedoso avesso das coxas e sentir o corpo da mulher contra si, pelo menos enquanto durasse a representação. Não importava que tudo fosse uma farsa se aquela penetração fantasma de qualquer maneira lhe permitisse ultrapassar a distância imposta pelo decoro e irromper na intimidade que só os amantes conhecem. Sentir o pólen quente de sua respiração no ouvido, aspirar o cheiro recôndito que emanava de seu pescoço e poder abraçá-la até sentir as formas de seu corpo se amoldarem às suas valia imensamente mais do que três *pennies*. E tinha nele o mesmo efeito que outras empreitadas maiores, como descobriu atônito ao perceber como gozava atropeladamente entre as anáguas. Um tanto encabulado por sua pouca resistência, terminou de derramar-se num recolhimento silencioso e continuou apertado contra ela, tomado por um transe sublime, até que a sentiu mexer-se com impaciência. Afinal se afastou dela um pouco constrangido. Alheia a seu mal-estar, a puta ajeitou a saia e estendeu a mão para receber o pagamento. Andrew rapidamente pagou-lhe o combinado, tentando recuperar a compostura. Tinha ainda nos bolsos dinheiro suficiente para comprá-la pela noite inteira, mas preferiu saborear o que acabara de vivenciar na intimidade do próprio leito e arrancar-lhe um encontro para o dia seguinte.

— Meu nome é Andrew — apresentou-se, com a voz embargada de emoção. Ela levantou uma sobrancelha, jovial. — E gostaria de vê-la de novo amanhã.

— Claro, senhor. Já sabe onde me encontrar — disse a puta, conduzindo-o pelo passadiço escuro por onde o havia trazido.

Enquanto rumavam de volta para as ruas principais, Andrew se perguntou se gozar entre as suas coxas o autorizava a passar-lhe o braço pelos ombros. Decidiu que sim e já ia fazê-lo quando cruzaram com um casal que vinha na direção contrária, andando quase às cegas pela passagem estreita. Andrew murmurou um pedido de desculpas ao indivíduo em que quase esbarrara e que, embora fosse apenas uma sombra na escuridão do beco, lhe pareceu bastante robusto. Vinha abraçado com uma puta que Marie Kelly cumprimentou com animação.

— Todo seu, Annie — disse, referindo-se ao pátio interno que tinham acabado de deixar.

A tal Annie agradeceu com uma gargalhada pouco harmoniosa e puxou seu acompanhante para o beco. Andrew os viu desaparecer cambaleantes na espessa escuridão. Será que aquele homenzarrão iria contentar-se apenas com o aprisionamento de seu pênis entre as coxas?, perguntou-se ao ver a gula com que a apertava contra si.

— Eu lhe disse que era um lugar tranquilo — comentou com indiferença Marie Kelly enquanto emergiam na Hanbury Street.

Despediram-se laconicamente na entrada do Britannia. Um pouco desanimado pela frieza com que ela continuara tratando-o depois do ato, Andrew tentou se orientar entre aquelas ruelas tétricas em busca da carruagem. Levou mais de meia hora para encontrá-la. Evitou olhar para Harold quando subiu no veículo.

— Para casa, senhor? — perguntou o cocheiro com ironia.

Na noite seguinte foi ao Britannia disposto a mostrar-se como um homem seguro de si e não como o almofadinha inexperiente e amedrontado do encontro anterior. Tinha de esquecer seus nervos, demonstrar que era capaz de adaptar-se ao ambiente e exibir à moça todo seu encanto, o repertório de sorrisos e galanteios com que costumava enfeitiçar as damas de sua classe.

Encontrou Marie Kelly numa mesa solitária, curvando-se abatida diante de uma caneca de cerveja. O aspecto aflito da mulher o desconcertou um pouco, mas, sentindo-se incapaz de improvisar um novo plano no momento, decidiu prosseguir com o que havia estabelecido. Pediu uma cerveja no balcão, sentou-se à mesa da moça e, com a maior desenvoltura que pôde, disse que conhecia um jeito infalível de mudar sua expressão de consternação. O olhar de Marie Kelly confirmou o que ele já temia: fora um comentário muito infeliz. Depois dessa reação, Andrew pensou que a mulher ia mandá-lo embora sem gastar saliva, com um simples gesto, como quem espanta com enfado uma mosca irritante, mas afinal se conteve e o observou com interesse durante alguns segundos, até chegar à conclusão de que ele devia ser um sujeito tão bom para desabafar quanto qualquer outro. Bebeu um gole da caneca, como se quisesse desentupir a garganta, limpou a boca na manga do vestido e disse que sua amiga Anne, a mulher com que tinham cruzado em Hanbury Street na noite anterior, aparecera assassinada aquela manhã no mesmo pátio onde eles haviam estado. Estava quase decapitada, tinham cortado a coitada de alto a baixo, retirado a serpentina de suas tripas e extraído o útero. Andrew balbuciou um "Sinto muito", assustado tanto pela minúcia do assassino como por ter topado com ele momentos antes do crime. Era evidente que aquele cliente não havia se contentado com o serviço normal. Porém, Marie Kelly estava mais preocupada com outra coisa. Como lhe disse, Anne era a terceira prostituta assassinada em Whitechapel em menos de um mês. No dia 31 de agosto o corpo degolado de Polly Nicholls havia aparecido na Bucks Road, em frente ao cais de Essex, e no dia 7 desse mesmo mês o de uma tal Martha Tabram apareceu jogado na escada de uma pensão, selvagemente apunhalado com um canivete. Segundo Marie Kelly, os responsáveis eram os integrantes de um bando da rua Old Nichol, uns chantagistas que extorquiam das putas parte de seus lucros.

— Esses filhos da puta não vão parar até que todas nós trabalhemos para eles — cuspiu entre os dentes.

Andrew ficou abalado ao saber que as coisas eram assim por lá, mas não devia estranhar, eles estavam em Whitechapel, uma estrumeira purulenta para a qual Londres dava as costas e onde se amontoavam mais de mil prostitutas entre imigrantes alemães, judeus e franceses. Era normal que as facadas estivessem na ordem do dia. Marie Kelly enxugou algumas lágrimas que finalmente haviam surgido em seus olhos e durante alguns minutos mergulhou num silêncio concentrado, como se estivesse rezando, até que, para surpresa de Andrew, saiu bruscamente da letargia, segurou sua mão e sorriu lasciva. A vida continuava. Acontecesse o que acontecesse, a vida continuava. Era isto o que ela queria dizer com aquele gesto? Afinal Marie Kelly não havia sido assassinada e precisava continuar vivendo, arrastando-se por aquele bairro repugnante em busca de dinheiro para pagar um alojamento. Andrew contemplou com tristeza aquela mão de unhas descuidadas, enfiada numa luva puída, agora largada sobre a sua, e também necessitou de alguns instantes de concentração para trocar de máscara, como um ator que antes de entrar em cena precisa de um tempo no camarim para se transformar em outro. A vida também continuava para ele, afinal. O assassinato de uma puta não parara o mundo. Então, acariciou com ternura a mão da mulher, disposto a prosseguir com seu plano. Como quem desembaça um vidro úmido, liberou seu sorriso de galã do véu de tristeza que o tinha obscurecido e, olhando-a diretamente nos olhos pela primeira vez, disse:

— Tenho dinheiro suficiente para comprá-la pela noite inteira, mas não quero nenhum truque num pátio frio.

Aquilo surpreendeu Marie Kelly e deixou-a tensa na cadeira, mas o sorriso de Andrew a apaziguou.

— Tenho um quarto alugado em Miller's Court, mas não sei se está à altura de sua condição — respondeu ela, com certa faceirice.

— Tenho certeza de que você fará com que eu goste — atreveu-se a dizer Andrew, encantado com o tom licencioso que a conversa afinal ia adquirindo, um registro que ele dominava perfeitamente.

— Mas antes preciso mandar embora o vagabundo do meu marido — respondeu a mulher. — Ele não gosta que eu leve trabalho para casa.

Andrew recebeu aquele comentário como mais uma surpresa daquela noite estranha que, evidentemente, ele não podia controlar. Tentou disfarçar sua decepção.

— Mas tenho certeza de que seu dinheiro o convencerá — concluiu ela, achando graça de sua reação.

Foi assim que Andrew descobriu que o paraíso estava no miserável quartinho em que agora se encontrava. Nessa noite tudo mudou entre eles: Andrew a amou com tal reverência, percorreu seu corpo finalmente nu e horizontal com tanto carinho que Marie Kelly sentiu romper-se a sólida armadura que construíra com tanto esforço para preservar sua alma, uma camada de gelo para impedir que as coisas se impregnassem em sua pele, que mantinha tudo para além da porta, no lado de fora, onde não pudessem lhe fazer mal. Para sua surpresa, os beijos que Andrew ia marcando em seu corpo como uma doce varíola tornaram suas carícias cada vez menos mecânicas, e logo descobriu que não era mais a puta que estava naquela cama, mas sim a mulher carente de ternura que nunca havia deixado de ser. Andrew também entendeu que sua amorosidade estava liberando a verdadeira Marie Kelly, como se a tivesse resgatado de um daqueles tanques cheios d'água nos quais os mágicos dos teatros mergulham suas belas ajudantes amarradas pelos pés e pelas mãos, ou como se seu senso de orientação fosse tão bom, que o ajudava a não se perder no labirinto em que seus outros amantes se perdiam, permitindo-lhe chegar aonde ninguém chegava, uma espécie de espaço proibido no qual sobrevivia a verdadeira essência da moça. Arderam num mesmo fogo, e quando este se extinguiu e Marie Kelly, fixando um olhar sonhador no teto, começou a falar da primavera em Paris, onde estivera alguns anos antes trabalhando como modelo para artistas, e de sua infância no País de Gales, na Ratcliffe Highway, Andrew entendeu que aquilo que sentia embargando seu peito e que nunca havia sentido antes devia ser amor, porque sem querer estava vivendo obedientemente tudo aquilo que os poetas descreviam. Ficou enternecido com o tom evocativo da voz da moça descrevendo como as petúnias e os gladíolos invadem as praças parisienses e como, em sua volta a Londres, obrigava todo mundo a pronunciar seu nome em francês, a única maneira que encontrara de preservar aquelas fragrâncias longínquas que suavizavam as asperezas do mundo; mas também se comoveu com o tom pesaroso que usou para descrever como penduravam os piratas na ponte da Ratcliffe Highway para que se afogassem com a subida do Tâmisa. E Marie Kelly era isso: um contraste de pele doce e amarga, um acerto equivocado da natureza, pura divagação do Criador. Quando ela perguntou que tipo de trabalho ele fazia que, pelo visto, lhe permitiria alugá-la pela vida toda se quisesse, Andrew decidiu correr o risco de dizer a verdade, não só porque aquele amor, se desabrochasse, deveria ser com a verdade, ou não ser, mas também porque a verdade — o modo como o quadro o havia enfeitiçado, levando-o àquela cruzada absurda, a se meter atrás dela num bairro tão diferente do seu, e o fato de tê-la encontrado — parecia bela e extraordinária como esses amores impossíveis próprios dos romances. Quando seus corpos voltaram a se buscar ele entendeu que se apaixonar por ela não era nenhuma loucura, e sim, talvez, o ato mais correto que realizara em sua vida. E quando saiu do quarto, com a memória de sua pele ainda nos lábios, tentou não olhar para Joe, o marido, que esperava encostado na parede, hirto de frio.

Quando Harold o deixou em casa, estava quase amanhecendo. Agitado demais para dormir, nem que fosse apenas para reviver os momentos passados com Marie Kelly, Andrew se dirigiu para os estábulos e selou um dos cavalos. Fazia tempo que não madrugava para cavalgar no Hyde Park ao amanhecer, sua hora preferida do dia, quando os campos estavam úmidos de orvalho e o mundo parecia ainda não ter sido pisado por ninguém. Era absurdo não aproveitar a oportunidade. Pouco depois, Andrew atravessava a galope as florestas que se erguiam diante da mansão Harrington, rindo para si mesmo e vez por outra dando gritos eufóricos, como um soldado que festeja uma vitória, porque era assim que se sentia ao lembrar o olhar cheio de amor com que Marie Kelly correspondera ao seu quando se despediram até a noite seguinte. Como se tivesse lido em seus olhos que a estava procurando havia anos sem saber, dirão vocês, e por isso talvez seja o momento oportuno para pedir desculpas pelo meu cético comentário anterior e reconhecer que não há nada impossível de expressar com um olhar. Um olhar é como um poço sem fundo em que tudo cabe. De modo que Andrew cavalgava com um entusiasmo selvagem, inundado pela primeira vez por uma emoção vibrante e cálida que talvez fosse correto chamar pelo próprio nome: felicidade. E, vítima dos efeitos de uma paixão tão atroz, cada parte do universo por onde passava parecia resplandecer, como se cada um de seus componentes — os caminhos forrados de folhagem, as pedras, os arbustos, as árvores e até os esquilos que pulavam velozes entre os galhos — estivessem iluminados por uma luz interior. Mas não pensem que vou me embrenhar numa descrição de hectares de parque exaltado e quase luminescente, pois não é meu prato preferido, e isso nem seria verdade, pois, apesar do seu olhar alterado, evidentemente, a paisagem que Andrew percorria não sofria a menor variação com sua passagem, incluindo os esquilos, bichinhos já por natureza bastante reservados.

Após mais de uma hora de intenso e feliz galope, Andrew descobriu que ainda lhe faltava quase um dia inteiro para consumir antes de voltar ao humilde leito de Marie Kelly. Precisava encontrar uma ocupação que o distraísse da sensação mortificante que certamente teria quando percebesse que, apesar das circunstâncias, ou precisamente por isso mesmo, o tempo não duplicava sua velocidade habitual, e até a protelava com malícia. Decidiu visitar seu primo Charles, levado pela inércia que sempre o fizera compartilhar sua felicidade com ele, embora não tivesse a menor intenção de contar qualquer coisa dessa vez. Quem sabe, afinal de contas, o que pretendia fosse descobrir como o primo reagiria ao seu olhar flamejante capaz de enaltecer tudo; descobrir se, como um esquilo, ele também resplandecia.

IV

Na sala de jantar dos Winslow tudo parecia preparado para o café da manhã do jovem Charles, que, sem dúvida, ainda devia estar se espreguiçando na cama. Ao lado de uma das janelas havia uma mesa enorme na qual os criados tinham distribuído uma dúzia de pratos com pãezinhos, bolachas e geleias e várias jarras cheias de suco de *grapefruit* e leite. Teriam de jogar fora a maior parte daquilo, porque, ao contrário das aparências, não estavam esperando um batalhão, apenas seu primo, que, na certa, dada sua conhecida inapetência matinal, iria limitar-se a beliscar um biscoito, alheio à magnífica exibição de alimentos em sua homenagem. Andrew ficou surpreso com aquela sua súbita preocupação com o desperdício de comida, pois havia anos que via mesas assim, abarrotadas para ninguém, tanto ali quanto em sua própria casa, e entendeu que aquela reação incomum ia ser a primeira de muitas provocadas por suas incursões a Whitechapel, aquele antro habitado por gente capaz de matar pelas migalhas do biscoito mordiscado contra a vontade pelo primo. Será que aquilo despertaria sua consciência social, com seus sentimentos? Quanto ao último, não havia a menor dúvida, mas em relação à primeira, não tinha muita certeza, já que era do tipo de indivíduo que, de tão absorto em cuidar do jardim interno, não tem muito tempo para se preocupar com o que acontecia na rua. Em seu caso particular, vivia entregue à solução dos mistérios de si mesmo, ao estudo da própria sensibilidade e das próprias reações, e passava os dias tentando afinar o extravagante instrumento que era seu espírito até sentir-se satisfeito com o som que produzia. Era uma tarefa que, às vezes, devido à contínua e um tanto caprichosa remodelação de seus padrões mentais, lhe parecia tão impossível quanto colocar em fila os peixes de um lago, mas intuía que enquanto não conseguisse realizá-la não poderia se ocupar das coisas que aconteciam no mundo, que para ele começava onde terminava seu inofensivo e bem-vigiado cenário cotidiano. De qualquer forma, pensou, seria interessante observar como, só pela proximidade, ele seria tomado por preocupações até então inéditas. Em sua reação a essas inquietações talvez, quem sabe, encontrasse a solução do enigma que era Andrew Harrington.

Pegou uma maçã na fruteira e sentou-se em uma poltrona para esperar mais uma vez que o primo voltasse ao mundo dos vivos. Mordiscava-a sorridente, com as botas enlameadas em cima de um banquinho, pensando nos beijos de Marie Kelly, na doce e exaustiva maneira como os dois se ressarciram de tantos anos de fome afetiva, quando reparou no jornal que estava sobre a mesa. Tratava-se da edição matutina do *Star*, que anunciava em grandes manchetes o assassinato de Anne Chapman, uma prostituta de Whitechapel. A notícia detalhava as brutais amputações a que fora submetida: além do útero, como Marie Kelly já havia informado, extraíram a bexiga e os lábios vaginais. Entre outros detalhes, a notícia informava que lhe faltavam um par de anéis baratos num dos dedos. A polícia não parecia ter nenhuma pista clara da identidade do assassino, se bem que, como resultado dos interrogatórios às putas de East End, havia surgido o nome de um suspeito: um sapateiro judeu conhecido como Avental de Couro, que costumava roubar-lhes o dinheiro com uma navalha. A crônica vinha acompanhada de uma ilustração medonha, em que se via um policial iluminando com a lanterna o corpo de uma mulher, ensanguentado e estendido na calçada. Andrew balançou a cabeça. Esquecera que seu paraíso estava encravado no meio do inferno e que a mulher que amava era um anjo preso numa terra de demônios. Leu com atenção as três páginas que repassavam os crimes cometidos em Whitechapel até então, sentindo-se alheio a tudo isso naquela sala luxuosa em que a sordidez e as aberrações de que o homem era capaz estavam sob controle, bem como a poeira, devido à limpeza contínua feita pelos criados. Havia pensado em dar bastante dinheiro a Marie Kelly para tranquilizar o bando de chantagistas que ela responsabilizava pelos crimes, mas as notícias não pareciam ir por esse lado: pelos cortes precisos nos corpos deduziu-se que o suposto assassino tinha conhecimentos de cirurgia, o que incluía a maioria dos que exerciam a profissão médica, mas a polícia tampouco descartava os peleteiros, cozinheiros, barbeiros e, em resumo, qualquer um que estivesse familiarizado com facas. Também informava que o rosto do assassino fora visto em sonhos pelo vidente da Rainha Vitória.

Andrew suspirou. O vidente sabia mais sobre o assassino do que ele mesmo, que praticamente esbarrara nele momentos antes de cometer o crime.

— Desde quando você se preocupa com os rumos do Império, primo? — perguntou um sorridente Charles às suas costas. — Ah, vejo que o que lhe interessa são as matérias sensacionalistas.

— Bom dia, Charles — cumprimentou Andrew, deixando o jornal na mesa como se apenas o folheasse por tédio.

— A cobertura que estão fazendo dos assassinatos dessas pobres putas é incrível — comentou o primo, pegando um reluzente cacho de uvas na fruteira e sentando-se na cadeira à sua frente. — Mas confesso que também fico intrigado com a importância que estão dando a um assunto tão desagradável: o responsável pela investigação é Fred Abberline, o melhor cão de caça da Scotland Yard. Está claro que o caso ficou grande demais para a Polícia Metropolitana.

Andrew fingiu concordar distraído, observando pela janela como a brisa desmanchava uma nuvem em forma de dirigível. Não queria parecer muito interessado no assunto para não chamar a atenção do primo, mas no fundo estava ansioso para saber tudo o que se relacionava com aqueles crimes, que pareciam circunscritos ao bairro de sua amada. Que cara Charles faria se lhe dissesse que na noite anterior havia cruzado com aquele assassino desumano num beco escuro de Whitechapel? O mais triste do caso era que, apesar disso, seria incapaz de dizer qualquer coisa sobre ele, exceto que se tratava de um indivíduo enorme e que fedia como o diabo.

— De qualquer forma, apesar da intervenção da Scotland Yard, por enquanto só há suspeitas, algumas bastante ridículas — continuou o primo, arrancando uma uva do cacho e brincando com ela entre os dedos. — Sabe que há suspeitas sobre um dos índios do espetáculo de Buffalo Bill que vimos na semana passada e até do ator Richard Mansfield, que está apresentando *O Médico e o Monstro* no Liceu? Uma obra que recomendo, aliás: a transformação de Mansfield no palco é realmente arrepiante.

Andrew prometeu que iria ver a peça, jogando o resto da maçã na mesa.

— Enfim — Charles parecia recapitular com certo cansaço para encerrar o assunto —, os pobres-diabos de Whitechapel formaram grupos de vigilância para patrulhar as ruas. É que Londres está crescendo tão rapidamente que as forças policiais se mostram incapazes de cobrir suas necessidades. Todo mundo quer viver nesta maldita cidade. O povo vem dos condados mais remotos em busca de uma vida melhor e acaba explorado numa fábrica, pegando tifo ou na marginalidade para poder pagar o aluguel exorbitante de um porão ou de algum outro buraco malventilado. Na verdade, o que mais me surpreende é que os assassinatos e roubos sejam tão poucos, tendo em vista a impunidade com que podem ser cometidos. Se os criminosos tivessem algum tipo de organização, Londres seria deles, Andrew, não tenha dúvida. Não me surpreende que a Rainha tenha receio de uma revolta popular, uma revolução, ao estilo da que padeceram os nossos vizinhos franceses, que termine com o pescoço dela e os de toda sua família na guilhotina. Seu Império não passa de uma fachada que cada vez mais precisa de escoras para não desabar. Nossas ovelhas e bois pastam na Argentina, nosso chá é cultivado pelos chineses e indianos, o ouro é fornecido pela África do Sul e pela Austrália, o vinho que bebemos vem da Espanha e da França. Diga-me, primo: o que é verdadeiramente nosso, exceto o crime? Com uma sublevação organizada, os criminosos poderiam tomar conta do nosso país, Andrew. Felizmente, a maldade e o senso comum raramente se juntam.

Andrew gostava de ouvir o primo divagar dessa forma descomprometida, fingindo não levar suas próprias palavras a sério. No fundo admirava seu espírito contraditório, que lembrava uma casa dividida em infinitos aposentos, sem comunicação entre si, de modo que o que ocorria em um não tinha qualquer repercussão nos restantes. Por isso, o primo era capaz de captar, em meio ao luxo que o cercava, as feridas mais purulentas do mundo e no segundo seguinte esquecê-las, enquanto não conseguia ter uma cópula bem-sucedida, para dar um exemplo simples, depois de visitar um matadouro ou um hospital de mutilados. Dentro de Andrew, criado, ao que parece, à semelhança das conchas, tudo se perdia e reverberava. Era isso que, no fundo, os distinguia e complementava: Charles raciocinava, ele, sentia.

— O fato é que esses crimes selvagens estão transformando Whitechapel num lugar pouco recomendável para passar a noite, primo — sentenciou Charles, desfazendo-se da pose despreocupada, inclinando o corpo sobre a mesa e encarando-o significativamente. — E ainda mais com uma puta.

Andrew olhou para ele sem conseguir esconder a surpresa.

— Você sabe? — perguntou.

O primo sorriu.

— Os criados falam, Andrew. Você já deveria saber que nossos segredos mais íntimos circulam como rios subterrâneos sob o luxuoso chão que pisamos — disse, sapateando alegoricamente sobre o tapete.

Andrew suspirou. Seu primo não havia deixado o jornal ali por acaso. Na verdade, provavelmente nem mesmo estava dormindo. Charles se deleitava com esse tipo de joguinho. Certo de que ele viria, não era difícil imaginá-lo escondido atrás de um dos muitos biombos que cortavam a enorme sala, esperando pacientemente que seu atordoado primo caísse na emboscada que lhe havia preparado, como acontecera.

— Não quero que o meu pai saiba, Charles — pediu.

— Fique tranquilo, primo. Sei o alvoroço que isso causaria na família. Mas me diga, você está apaixonado por essa moça ou é só um capricho?

Andrew ficou em silêncio. O que podia dizer?

— Não precisa responder — disse o primo num tom resignado. — Acho que não entenderia nenhuma das duas respostas. Só espero que você saiba o que está fazendo.

Andrew, indubitavelmente, não sabia o que fazia, mas não conseguia deixar de fazê-lo. Toda noite, como uma mariposa atraída pela luz, ia ao miserável quartinho do Miller's Court e se deixava arder, sem vontade própria, no incêndio incontrolável que era Marie Kelly. Faziam amor a noite inteira, possuídos por um anseio irrefreável, como se tivessem sido envenenados no almoço e não soubessem de quantas horas de vida ainda dispunham, ou como se o mundo, atrás da porta, estivesse desmoronando com a chegada repentina da peste. E Andrew logo entendeu que se deixasse moedas suficientes na mesinha de cabeceira, os dois podiam continuar ardendo meigamente além do amanhecer, pois seu dinheiro preservava da luz aquele delírio e até desterrava para longe Joe, o marido de Marie Kelly, em quem evitava pensar enquanto passeava com ela, oculto sob roupas modestas, pelo emaranhado de ruas enlameadas em que parecia consistir Whitechapel. Eram passeios tranquilos e agradáveis, cheios de encontros com colegas e conhecidos da moça, a sofrida infantaria de uma guerra sem trincheiras, um rebanho de pobres-diabos que se levantava da cama toda manhã para enfrentar um mundo adverso movido unicamente pelo instinto de sobrevivência dos animais e que, com o tempo, Andrew acabou admirando cheio de fascinação, como se fossem flores exóticas, insólitas em seu mundo. Começou a ter a certeza de que a vida ali era mais real, elementar e compreensível que no feudo luxuosamente atapetado em que transcorria sua existência.

Às vezes, tinha de abaixar a boina até as sobrancelhas para não ser identificado pelos grupos de jovens endinheirados que certas noites invadiam o bairro. Chegavam em carruagens luxuosas e percorriam as ruas em tropel, altivos e irreverentes como conquistadores, em busca de algum bordel miserável entre cujas paredes pudessem desatar impunemente seus mais baixos instintos. Segundo um boato que Andrew ouvira com frequência nos salões de fumantes de West End, o que se podia fazer com as pobres putas de Whitechapel só estava limitado pelo dinheiro e pela imaginação. Observando as ruidosas migrações daqueles bandos de jovens, Andrew sentia um inesperado instinto de proteção, que só podia indicar que, de maneira inconsciente, havia começado a ver Whitechapel como um território do qual devia cuidar. No entanto, pouco podia fazer contra aquelas invasões bárbaras, exceto deixar-se tomar pela tristeza e pela impotência e tentar esquecê-las nos braços de sua amada, que cada dia lhe parecia mais bonita, como se ela, com seus amorosos cuidados, tivesse recuperado o brilho com que havia nascido e que a vida lhe roubara.

Mas todos sabem que não existe paraíso sem serpente, e quanto mais doces eram os momentos que passava com sua amada mais amargo era o gosto que ficava nos lábios de Andrew ao entender que aquilo que obtinha de Marie Kelly era a única coisa que poderia obter; mas isso lhe parecia insuficiente, e cada dia ansiava por mais, porque aquele amor impossível de exportar de Whitechapel não deixava de ser, apesar de sua inegável intensidade, fortuito e ilusório. E, enquanto nas ruas uma turba enlouquecida tentava linchar o sapateiro judeu apelidado de Avental de Couro, Andrew imolava sua raiva e seu medo no corpo de Marie Kelly, perguntando-se se a avidez da amada se devia à compreensão dela de que tinham embarcado numa paixão não merecida, que a única coisa que podiam fazer era apertar avidamente a rosa daquela felicidade imprevista tentando ignorar a dor que seus espinhos causavam, ou se, pelo contrário, era sua maneira de dizer-lhe que estava disposta a salvar aquele amor da extinção a que parecia condenado, mesmo que para isso tivesse que mudar o curso do próprio universo. Mas, se fosse isto, disporia ele da mesma força, teria a fé necessária para empreender uma batalha que parecia perdida de antemão? Por mais que tentasse, Andrew era incapaz de imaginar Marie Kelly circulando em seu mundo de senhoritas refinadas cujos únicos objetivos na vida eram demonstrar a pujança de seus ventres, enchendo os lares de crianças, e entreter os amigos de seu amado esposo com sua destreza ao piano. Conseguiria Marie Kelly exercer esse papel enquanto tentava, ao mesmo tempo, não afundar na maré de repúdio social que sem dúvida tentaria afogá-la, ou acabaria perecendo, como uma flor exótica fora de sua estufa?

Só os jornais, que continuavam abordando os crimes das putas, conseguiam distraí-lo dos temores que o atormentavam em segredo. Certa manhã, enquanto tomava o café, deparou com a reprodução de uma carta que o assassino tivera a ousadia de enviar à Agência Central de Notícias, em que afirmava que não o pegariam facilmente e prometia que iria continuar matando, experimentando sua bela faca nas mulheres de Whitechapel. A carta, escrita com pertinente tinta vermelha, vinha assinada por Jack, o Estripador, um nome claramente mais inquietante e vistoso, Andrew foi obrigado a reconhecer, que o pouco imaginativo apelido de Assassino de Whitechapel, como era conhecido até aquele momento. A nova alcunha alardeada pela imprensa, que remetia indevidamente ao vilão dos romances baratos Jack Pés Ligeiros e sua forma de agir com as mulheres, foi rapidamente aceita por todos, como Andrew comprovou ao ouvi-la uma e outra vez onde quer que fosse, sempre pronunciado num tom de excitação perversa, como se para as tristes almas de Whitechapel fosse emocionante e até moderno que um assassino implacável ficasse rondando pelo bairro com uma faca bem afiada. Além disso, em decorrência daquela missiva inquietante, os escritórios da Scotland Yard viram-se subitamente inundados por uma torrente de cartas similares — nelas, o suposto assassino caçoava da polícia, vangloriava-se puerilmente de seus crimes e proferia futuras ameaças —, o que fez Andrew deduzir que a Inglaterra transbordava de indivíduos desejosos de dar alguma emoção às suas vidas sentindo-se assassinos de mentira, sujeitos comuns cujas almas estavam emporcalhadas de instintos sádicos e pulsões doentias que, felizmente, nunca germinariam de outra forma. Além de confundirem a investigação policial, aquelas cartas estavam transformando, num impulso involuntariamente conjunto, o sujeito vulgar em quem ele esbarrara na passagem de Hanbury Street numa criatura monstruosa destinada, parece, a encarnar os temores mais ancestrais do homem. Talvez tenha sido essa proliferação incontrolável de aspirantes à autoria de suas macabras obras que animou o verdadeiro assassino a superar-se na noite de 30 de setembro, matando na serraria da galeria Dutfield a sueca Elizabeth Stride, a puta que o pusera na pista de Marie em sua primeira incursão ao bairro, e, apenas uma hora depois, em Mitre Square, Catherine Eddowes, a quem teve tempo de abrir um canal do púbis ao esterno, extirpar o rim esquerdo, um punhado de vísceras e até roubar seu nariz.

Assim começou um frio outubro, em que um véu de luto cheio de resignação fatalista cobriu os infelizes moradores de Whitechapel que, apesar dos esforços da Scotland Yard, sentiam-se mais do que nunca abandonados à própria sorte. Nos olhos das putas podiam-se ler seu desamparo e também uma estranha submissão ao seu terrível destino. A vida se transformou numa longa e tensa espera, em que Andrew abraçava com força o corpo trêmulo de Marie Kelly e lhe sussurrava com doçura que não se preocupasse, que bastava manter-se afastada do território de caça do Estripador, aquele habitat de galerias e ruelas desertas em que ele perambulava com sua faca sedenta, até que a polícia conseguisse apanhá-lo. Mas suas palavras não tinham o menor efeito numa transtornada Marie Kelly que, para afastá-las das ruas inseguras, começou a abrigar outras putas no pequeno quartinho do Miller's Court, o que acabou causando uma discussão com Joe durante a qual o marido quebrou uma janela. Na noite seguinte, Andrew deu-lhe o dinheiro necessário para consertar o buraco por onde se infiltrava a lâmina de frio. No entanto, ela se limitou a guardá-lo na mesinha e a deitar-se aplicadamente na cama para que ele a possuísse. Mas agora só oferecia um corpo, um fogo que esfriava e um olhar sofrido e desafortunado que nos últimos dias seus olhos não paravam de destilar, no qual ele acreditava ver um desesperado pedido de socorro, um apelo silencioso para que ele a tirasse dali antes que fosse tarde demais.

Andrew, com suma torpeza, fingia ignorar esse desejo ostensivo, como se de repente tivesse esquecido que tudo cabe num olhar, porque não se sentia capaz de mudar o rumo do universo, o que significava para ele uma empreitada ainda maior: enfrentar o próprio pai. Talvez por isso mesmo, como uma censura muda à sua covardia, ela começou a sair em busca de clientes e a passar as noites se embebedando com as colegas no Britannia, em que amaldiçoavam em coro a impotência da polícia e o poder daquele monstro dos infernos que continuava caçoando deles ao enviar para George Lusk, um encrenqueiro socialista que se havia autonomeado presidente do Comitê de Vigilância de Whitechapel, uma caixa de papelão que continha um rim humano. Irado consigo mesmo por sua falta de coragem, toda noite Andrew via a jovem chegar embriagada ao quartinho. Então, antes que despencasse no chão ou se encolhesse como um cão junto ao calor da lareira, ele a pegava nos braços e a colocava na cama, agradecendo que nenhuma faca tivesse atravessado seu caminho naquela noite. Mas sabia que ela não podia continuar se expondo daquela forma, por mais que o assassino estivesse há algumas semanas sem matar e mais de oitenta policiais patrulhassem o bairro, e só ele poderia impedir que ela continuasse. Por isso, sentado na escuridão, enquanto sua amada tecia seus pesadelos etílicos cheios de cadáveres estripados, Andrew fazia uma firme promessa de enfrentar o pai no dia seguinte, mas no dia seguinte limitava-se a rondar em volta do gabinete dele, sem coragem de entrar. E ao anoitecer, cabisbaixo e envergonhado, às vezes com uma garrafa na mão, voltava ao quartinho de Marie Kelly para receber a censura silenciosa de seu olhar. Andrew se lembrava então de tudo o que lhe dissera, das palavras exaltadas com que pretendera selar sua união: que a estivera esperando durante dezoito, cem, quinhentos anos, não sabia; que tinha absoluta certeza de que a procurara em cada uma de suas encarnações, se é que as teve, porque eles dois eram duas almas destinadas a se encontrar no labirinto do tempo, e comentários de teor similar que agora, sob as novas circunstâncias, Marie Kelly certamente só podia considerar como uma tentativa patética de revestir com um sofisticado romantismo o que era apenas desejo bruto de animal de montaria ou, pior ainda, de esconder a excitação que aquelas excursões turísticas pelo lado miserável do mundo lhe provocavam. "Onde está todo o seu amor agora, Andrew?", parecia lhe dizer com seus olhos de gazela assustada, antes de sumir em direção ao Britannia para, horas depois, de lá voltar aos trancos e barrancos.

Até que na fria noite de 7 de novembro, ao vê-la partir mais uma vez para a taberna, algo aconteceu dentro de Andrew. Talvez devido ao álcool, que, às vezes, quando é bebido na dose justa, dá a algumas pessoas uma lucidez provisória, talvez porque já houvesse passado tempo suficiente para que essa lucidez eclodisse por si própria, o fato é que Andrew afinal percebeu que sem Marie Kelly sua vida não teria mais nenhum sentido; portanto, não perderia nada se lutasse por um futuro ao lado dela. Invadido por uma súbita coragem, livre repentinamente do entulho de folhas secas que entupia seus pulmões, saiu do quarto batendo a porta atrás de si e em passos rápidos dirigiu-se para o lugar onde Harold costumava esperá-lo, passando as noites de prazer do amo encolhido como uma coruja na boleia do coche, espantando o frio com uma garrafa de conhaque.

Nessa noite seu pai descobriria que o filho caçula estava apaixonado por uma puta.

V

Sim, já sei que ao começar esta história anunciei o surgimento de uma prodigiosa máquina do tempo, e garanto que ela vai aparecer, como também teremos valentes exploradores e ferozes tribos indígenas, imprescindíveis em qualquer romance de aventuras. Mas tudo isso chegará no seu devido tempo: será que não é necessário, antes de começar qualquer jogo, colocar as peças nas casas correspondentes? Certamente, de modo que me permitam continuar arrumando o tabuleiro, sem pressa, mas sem descanso, e voltar ao jovem Andrew, que podia ter aproveitado o longo caminho até a mansão Harrington para esvaziar a cabeça, mas que em vez disso preferiu enchê-la ainda mais terminando a garrafa que trazia no bolso. De nada adiantaria, no fundo, enfrentar o pai com um discurso coerente e ideias claras, pois tinha certeza de que não haveria qualquer possibilidade de manter um diálogo civilizado sobre o assunto. Do que precisava era anestesiar-se o mais possível, só conservando um resquício de sobriedade para que a língua não travasse ao falar. Nem valia a pena despir-se e colocar as roupas elegantes que sempre tinha a precaução de deixar na cadeira, enroladas em uma trouxa. Nessa noite não seria mais preciso guardar nenhum segredo. Quando chegaram à mansão, Andrew desceu do coche, pediu a Harold que não saísse dali e correu para a casa. Ao vê-lo subir a escadaria com aqueles farrapos, o cocheiro balançou a cabeça cheio de consternação, perguntando-se se os gritos do senhor Harrington chegariam até ali.

Andrew só se lembrou de que nessa noite seu pai promovia uma reunião com empresários quando uma dúzia de homens atônitos viu-o irromper na biblioteca aos tropeções. A situação não era a que ele esperava, mas tinha álcool demais correndo nas veias para se intimidar. Procurou o pai naquela turma de homens bem-vestidos até localizá-lo perto da lareira, ao lado de seu irmão Anthony. Os dois o examinavam da cabeça aos pés, desconcertados, com uma taça em uma das mãos e um charuto na outra. Mas sua indumentária era o de menos, como logo descobririam, pensou Andrew, que no fundo gostou de ter público. Já que estava decidido a imolar-se, melhor que fosse rodeado de testemunhas do que a sós com o pai no gabinete. Limpou ruidosamente a garganta sob o olhar atento do público e disse:

— Pai, vim lhe comunicar que estou apaixonado.

Exceto pelo pigarro de algum convidado, o silêncio mais absoluto esperou a manifestação do patriarca.

— Andrew, não creio que este seja o momento mais adequado para... — começou a dizer o pai, visivelmente irritado, antes que Andrew o interrompesse com um gesto inesperadamente autoritário.

— Garanto, pai, que o momento é tão ruim quanto qualquer outro — disse, tentando manter o equilíbrio para não concluir sua temerária atuação rolando pelo solo.

O pai forjou uma expressão de desgosto, mas se obrigou a fazer silêncio. Andrew tomou fôlego. Havia chegado o momento de destruir sua vida para sempre.

— E a mulher que roubou meu coração... — revelou — é uma prostituta de Whitechapel chamada Marie Kelly.

Depois de soltar esta, lançou um sorriso desafiador aos presentes. Houve expressões espantadas, mãos na cabeça, várias manifestações de espanto, mas ninguém disse nada: era William Harrington quem devia falar, claro, pois estavam assistindo a uma peça dramática com apenas dois personagens. Todos olharam para o anfitrião. O pai balançou a cabeça com os olhos fixos nos desenhos do tapete, emitiu um grunhido rouco, incontido, e depositou a taça às apalpadelas na prateleira da lareira, como se de repente estivesse atrapalhado.

— Ao contrário do que muitas vezes ouvi os senhores afirmarem, cavalheiros — continuou Andrew, ignorando o ataque de ira que começava a crescer no interior de seu pai —, as putas não levam essa vida por vício. Garanto que qualquer uma delas preferiria encontrar um trabalho decente, mas não têm outra alternativa, podem acreditar em mim, eu sei do que estou falando. — Os colegas do pai continuaram exercitando sua habilidade para demonstrar surpresa sem abrir a boca. — Passei muito tempo com elas nestas últimas semanas. E as vi lavando-se de manhã nos bebedouros dos cavalos, dormindo sentadas quando não conseguiam uma cama, amarradas na parede com uma corda...

E, à medida que ia falando assim sobre as putas, Andrew percebeu que o que sentia por Marie Kelly era mais profundo do que havia imaginado, e olhou com infinita piedade para todos aqueles indivíduos de vidas metódicas, de existências insípidas e carentes de arroubos, que jamais considerariam prático lançar-se à deriva de uma paixão selvagem. Ele poderia explicar-lhes o que era perder a cabeça, arder num desvario. Ele poderia dizer-lhes como era o amor por dentro, porque já o tinha aberto como uma fruta, destampando-o como a um relógio para examinar o mecanismo que o habitava, as engrenagens que faziam com que seus ponteiros dividissem o tempo. Mas Andrew não pôde falar disso nem de qualquer outra coisa, porque nesse momento o pai, soltando grunhidos coléricos, atravessou a sala em passos arrastados, quase fisgando o tapete com sua bengala, e em seguida lhe desferiu uma enérgica bofetada no rosto. Andrew deu dois passos para trás, surpreso com o golpe. Quando se deu conta do que tinha acontecido, alisou a bochecha dolorida, tentando refazer o sorriso de desafio. Por alguns segundos, que para todos os presentes pareceram eternos, pai e filho sustentaram os olhares no centro da sala, até que o primeiro disse:

— A partir desta noite só tenho um filho.

Andrew tentou fazer com que seu rosto não denotasse nenhuma expressão.

— Como preferir — disse com frieza. Depois, dirigindo-se aos outros, insinuou uma reverência. — Cavalheiros, com licença, tenho de sumir para sempre deste lugar.

Virou-se com a maior altivez que pôde e deixou o aposento. O frio da noite atenuou o choque. No fundo, pensou, enquanto descia a escadaria tentando não tropeçar, o que havia acontecido, ignorando o público inesperado, mas incluindo a raivosa bofetada, era exatamente o que ele esperava. Seu ofendido pai acabava de deserdá-lo. Diante da metade dos empresários mais ricos de Londres, ainda por cima, numa demonstração *in situ* de sua célebre cólera, desta vez exercida sobre seu próprio rebento sem o menor remorso. Agora Andrew não tinha mais nada, exceto seu amor por Marie Kelly. Se antes daquele desastroso encontro ainda guardava uma mínima esperança de que, comovido com a história, o pai transigisse, e até lhe permitisse levar sua amada para lá, afastando-a ao máximo do monstro que rondava Whitechapel, agora estava claro que precisavam sobreviver por seus próprios meios. Subiu na carruagem e ordenou a Harold que voltassem para Miller's Court. O cocheiro, que estivera aguardando o desenlace do drama andando em círculos em torno da carruagem, voltou a subir na boleia e a atiçar os cavalos, tentando imaginar o que havia acontecido no interior da casa, e a seu favor devemos dizer que, baseando-se nas pistas que sua perspicácia lhe permitira reunir, reconstruiu a cena com assombrosa fidelidade.

Quando a carruagem parou no lugar de sempre, Andrew desceu da cabine e correu para a Dorset Street, ansioso por abraçar Marie Kelly e dizer-lhe o quanto a amava. Tinha abandonado tudo por ela. No entanto, não sentia pesar, apenas uma ligeira incerteza diante de seu destino. Mas estava confiante. Não tinha dúvida de que poderia contar com Charles. O primo lhe emprestaria dinheiro para alugar uma casa em Vauxhall ou Warwick Street, pelo menos até que eles encontrassem um trabalho decente que lhes permitisse manter-se pelos próprios meios. Marie Kelly poderia trabalhar em algum ateliê de costura; e ele, o que sabia fazer? Não importava, era um jovem forte e bem-disposto, alguma coisa encontraria. O importante era que tinha enfrentado o pai, o resultado era o de menos. Sem usar palavras, Marie Kelly lhe pedira que a tirasse de Whitechapel, e era isso o que ia fazer, com ou sem ajuda. Os dois sairiam dali, daquele bairro maldito, daquela embaixada do inferno.

Consultou o relógio quando parou ofegante diante do arco de entrada de Miller's Court. Eram cinco da madrugada. Marie Kelly já devia ter voltado ao quarto, provavelmente tão bêbada quanto ele. Seria divertido fazer amor entre as brumas do álcool, pensou Andrew, falando com gestos e grunhidos como os primatas de Darwin. Entusiasmado como um menino, entrou na área dos apartamentos. A porta do quarto número 13 estava fechada. Bateu várias vezes, sem obter resposta. A moça devia estar dormindo, mas isso não era nenhum problema. Com cuidado para não se cortar nos pedaços de vidro presos na esquadria, Andrew introduziu a mão pelo buraco da janela e liberou o ferrolho, como tinha visto a própria Marie Kelly fazer desde que perdera a chave não sabia onde.

— Marie, sou eu, Andrew — disse, abrindo a porta.

Permitam-me agora interromper a narração para advertir que tudo o que ocorreu a seguir é difícil de relatar, pois o número de sensações que Andrew experimentou parece muito elevado se consideramos os poucos segundos que durou a cena. Por isso, é preciso que levem em conta a flexibilidade do tempo, sua capacidade de esticar ou encolher como um acordeão, indiferente aos ponteiros do relógio. Tenho certeza de que devem ter sentido algo assim diversas vezes em suas próprias vidas, dependendo de que lado da porta do banheiro estivessem. No nosso caso, o tempo se estendeu na cabeça de Andrew, fabricando uma eternidade com um punhado de segundos. É por esse ângulo que irei relatar a cena, e por isso peço-lhes que não atribuam à minha inépcia narrativa as discrepâncias que, sem dúvida, observarão entre os acontecimentos e sua correlação no tempo.

A princípio, depois de abrir a porta e dar o primeiro passo para o interior do quarto, Andrew não entendeu o que estava vendo, ou, mais exatamente, negou-se a aceitar o que via. Durante esse tempo, breve e eterno, como já conviemos, Andrew se manteve a salvo, mas em algum canto de sua mente que ainda funcionava começou a germinar a certeza de que aquela visão que tinha à sua frente ia matá-lo, porque ninguém pode contemplar uma coisa como aquela e continuar vivo, pelo menos não totalmente vivo. E o que tinha à sua frente, digamos logo, sem rodeios, era Marie Kelly e ao mesmo tempo não era, pois ele não conseguia aceitar que Marie Kelly fosse aquilo que jazia na cama, entre as muitas manchas de sangue espalhadas pelos lençóis e pelo travesseiro. Andrew não podia comparar a cena que o esperava no quartinho com qualquer outra coisa que tivesse visto antes, porque, como a maioria dos homens, nunca vira um corpo humano minuciosamente mutilado. E quando sua mente afinal aceitou que, embora em sua agradável vida de festas no campo e chapéus caros nada permitisse imaginar algo assim, estava diante de um cadáver despedaçado com todo primor, nem mesmo teve tempo de sentir o pertinente nojo; isso porque, aceito o fato, Andrew não conseguiu interromper a cadeia de deduções assustadoras que o levou à inevitável conclusão de que aquele corpo devastado devia pertencer à sua amada. O Estripador, porque aquilo só podia ser obra dele, tinha fatiado a pele de seu rosto, deixando-o irreconhecível, e embora fosse tentador, Andrew não podia negar que aquele cadáver era o de Marie Kelly. Uma estratégia pueril, além de pouco prática: pelo tamanho e compleição, mas sobretudo pelo lugar em que se encontrava, aquele corpo destroçado só podia ser o dela. Foi invadido então pela dor, uma dor terrível e atroz, evidentemente, mas que mesmo assim era apenas um pálido reflexo do que chegaria a ser com o passar do tempo, pois ainda estava amortecida pelo aturdimento que embargava Andrew, e que de certa forma o protegia. Uma vez convencido de que se achava diante do cadáver de sua amada, obrigou-se, por uma espécie de lealdade póstuma, a encarar aquele horror com um olhar afetuoso, mas não conseguiu observar senão com repulsa o rosto esfolado, entre cujas nesgas de pele despontava um sorriso exagerado e macabro de caveira. Mas não havia sido aquela caveira a destinatária última de seus beijos apaixonados? Então, como podia repeli-la? O mesmo acontecia com aquele corpo que durante tantas noites ele havia reverenciado e que agora, pelo fato de estar aberto ao meio e semiesfolado, lhe causava repugnância. Essa reação fez Andrew entender que, de alguma maneira, aquilo já tinha deixado de ser Marie Kelly, apesar de estar constituído pela mesma matéria, porque o Estripador, em sua ânsia de descobrir como era feita por dentro, reduzira a jovem a um simples invólucro de carne, roubando sua humanidade. Após essa última reflexão, chegou o momento de Andrew observar, com fascinação e horror, os detalhes concretos, como o volume marrom-escuro que estava entre os pés, e que possivelmente era o fígado; ou o seio sobre a mesinha, e que ali, extraviado, longe de seu habitat, pareceria um bolinho redondo e tenro se não estivesse coroado por um mamilo violáceo. Tudo parecia ter sido disposto com um cuidado minucioso que revelava a espantosa calma com que o assassino havia agido. O calor que fazia no quarto, e no qual só agora reparava, sugeria que o filho da puta se permitira até acender um bom fogo para trabalhar aquecido. Andrew fechou os olhos: já tinha visto o suficiente. Não queria saber mais. Além de mostrar-lhe quanta crueldade e indiferença em relação a seus semelhantes podia ter o homem, que atrocidades ele podia cometer se dispusesse de tempo, imaginação e uma boa faca, o assassino também lhe dera uma horrenda e brutal lição de anatomia, pois pela primeira vez Andrew tomava consciência de que a vida, a verdadeira vida, não tinha nada a ver com a maneira como cada qual preenche seus dias, com os lábios que beija, as medalhas que lhe conferem ou os sapatos que remenda. A vida, a verdadeira vida, acontecia calada em nosso interior, fluía como um rio subterrâneo, transcorria como um milagre sigiloso do qual apenas os cirurgiões e os legistas eram testemunhas, e talvez também aquele assassino desumano, porque só eles sabiam que, em última instância, a Rainha Vitória e o mendigo mais miserável de Londres eram iguais: um complicado mecanismo de ossos, órgãos e tecidos cujo combustível era o sopro de Deus.

Esta é a pormenorizada exposição do que Andrew sentiu naqueles instantes muito breves em que permaneceu diante do corpo de Marie Kelly. Descrito assim, parece que passou horas contemplando-a, coisa que afinal de contas não deixa de ser verdade para ele. Finalmente, entre as brumas da dor e do nojo que o dominavam, infiltrou-se a culpa, porque Andrew logo assumiu a responsabilidade por aquela morte. Ele poderia tê-la salvado, mas chegara tarde. Era o preço de sua covardia. Deu um gemido de raiva e impotência ao imaginar sua amada submetida àquele esquartejamento feroz. De repente, percebeu que devia sair dali antes que alguém o visse, se não queria que o relacionassem com o crime. Podia ser até que o assassino ainda rondasse pelos arredores, admirando sua obra macabra, escondido em algum lugar, e não tivesse objeções em somar outro cadáver ao lote. Deu uma olhada de despedida em Marie Kelly, sem se atrever a tocá-la, e com um esforço supremo de vontade obrigou-se a sair do quartinho, abandonando-a ali.

Quase flutuando, fechou a porta às suas costas, deixando tudo tal como havia encontrado. Procurou a saída do conjunto de apartamentos, mas, sentindo um brusco e intenso enjoo, mal conseguiu chegar até o arco de pedra da entrada. Ali, semiajoelhado, vomitou em meio a fortes ânsias. Quando terminou de expulsar tudo o que tinha dentro de si, que, excetuando o álcool que havia bebido aquela noite, não era muito, apoiou as costas na parede, sentindo o corpo flácido, gelado e sem forças. Nessa posição podia ver o quartinho número 13, o paraíso no qual havia sido tão feliz, que agora escondia da noite o corpo esquartejado de sua amada. Deu alguns passos, comprovando que o enjoo havia diminuído o suficiente para lhe permitir andar sem cair, e chegou à Dorset Street cambaleando.

Transtornado demais para se orientar, começou a perambular às cegas, emitindo gemidos e soluços. Nem mesmo se incomodou em procurar a carruagem, pois, agora que sabia que não seria bem recebido em sua casa, não tinha nenhum endereço para dizer a Harold. Percorreu ruelas e ruelas, deixando-se levar exclusivamente pela vontade de seus pés. Quando calculou que já estava fora de Whitechapel, procurou um beco solitário e despencou exausto e trêmulo entre as latas de lixo. Ali, encolhido como um feto, foi deixando que transcorresse o que restava da noite. Como previ antes, à medida que o aturdimento foi se extinguindo, a dor recrudesceu. Sua desolação cresceu até traduzir-se num mal-estar físico. De repente, seu corpo era um lugar em que lhe doía estar, como se tivesse se transformado num daqueles caixões com o interior cheio de pregos. Quis fugir de si mesmo, desligar-se da matéria doentia de que era feito, mas estava preso naquela carne ferida. Apavorado, perguntou-se se teria de conviver para sempre com aquela dor. Havia lido em algum lugar que nos olhos dos mortos gravava-se a última imagem vista. Teria ficado retratado nas pupilas de Marie Kelly o riso selvagem do Estripador? Não sabia, mas tinha certeza de que, se essa regra fosse verdadeira, ele seria a exceção. Quando morresse, tanto fazia o que ainda tivesse de ver, seus olhos mostrariam o rosto mutilado de Marie Kelly.

Sem vontade nem forças para fazer nada além de ficar ali prostrado pela dor, Andrew permitiu que as horas transcorressem sem afetá-lo. Às vezes, levantava a cabeça de entre as mãos e soltava para o mundo um grito de raiva que expressava sua revolta contra tudo o que havia acontecido, e que já não podia mudar, outras vezes proferia um desconexo desafio ao Estripador, que talvez o tivesse seguido e o aguardasse com sua faca na entrada do beco, rindo do medo dele, mas de modo geral se limitava a choramingar sofridamente, alheio a tudo, náufrago em seu próprio horror.

A chegada da manhã, que foi varrendo preguiçosamente a escuridão, devolveu-lhe parte do juízo. O murmúrio da vida começou a chegar-lhe aos ouvidos, vindo da entrada do beco. Levantou-se com dificuldade e, tiritando de frio, envolto no miserável casaco de seu criado, dirigiu-se para a rua, que estava incrivelmente movimentada.

Reparando nas bandeirolas penduradas nas fachadas dos prédios, Andrew se deu conta de que era o dia da posse do prefeito. Tentou acertar o passo dentro do possível e se misturou com as pessoas. Estava com as roupas sujas, mas não chamava mais atenção do que qualquer mendigo. Não sabia onde se encontrava, mas isso não tinha importância, já que tampouco sabia aonde ir nem o que fazer. A primeira taberna que apareceu foi para ele um destino tão bom quanto qualquer outro. Era preferível a deixar-se levar por aquela maré humana até o Palácio da Justiça para ver James Whitehead, o novo prefeito, chegar numa carruagem. O álcool o ajudaria a espantar o frio que avançava em suas vísceras, embaralhando seus pensamentos o suficiente para que deixassem de ser perigosos. O lugar estava um pouco vazio. Um forte cheiro de salsichas e bacon vinha da cozinha, embrulhando seu estômago, de modo que se refugiou no reservado mais afastado dos fogões e pediu uma garrafa de vinho. Precisou expor um punhado de libras na mesa para vencer a desconfiança do garçom. Enquanto esperava, observou o público, reduzido a alguns fregueses que bebiam em silêncio, alheios ao tumulto que reinava na rua. Um destes cruzou o olhar com ele, e Andrew sentiu uma descarga de puro terror. Seria o Estripador? Teria sido seguido até ali? Acalmou-se ao perceber que se tratava de um homem pequeno demais para representar uma ameaça para quem quer que fosse, mas seu pulso continuava tremendo na hora de pegar a garrafa. Agora sabia do que o homem era capaz, qualquer homem, mesmo aquele indivíduo insignificante que bebia sossegadamente o conteúdo de sua caneca. Talvez não tivesse talento para pintar a Capela Sistina, mas certamente ninguém podia garantir que não contasse com o espírito necessário para estripar uma pessoa e arrumar as vísceras em volta do corpo. Olhou pela janela. As pessoas iam e vinham, continuavam suas vidas sem o menor respeito. Por que não paravam para entender que o mundo tinha se transformado, que não era mais um lugar habitável? Deu um suspiro profundo. O mundo só havia mudado para ele. Reclinou-se no banco e decidiu se embebedar, depois veria. Deu uma olhada em seu dinheiro. Calculou que tinha o suficiente para esgotar as reservas etílicas daquela espelunca, de modo que por ora qualquer outro plano podia esperar. Esparramado no banco, atarefado em aniquilar o menor pensamento que sua mente se atrevesse a urdir, Andrew foi deixando que o dia transcorresse para os outros, a cada minuto mais insensível, mais perto do precipício da inconsciência. Mas ainda não estava atordoado o suficiente para não ouvir os gritos de um jornaleiro.

— Comprem o *Star*! Edição especial: Jack, o Estripador, preso!

Andrew se levantou com um pulo. O Estripador, preso? Não podia acreditar. Espiou pela janela, e tentando aguçar a vista dentro do possível olhou a rua até distinguir um rapaz vendendo jornais parado numa esquina. Chamou-o com urgência e comprou um exemplar pela janela. Com as mãos trêmulas, afastou umas poucas garrafas e abriu o jornal sobre a mesa. Não tinha ouvido mal. "Jack, o Estripador, preso!", anunciava a manchete. Dado seu estado de embriaguez, ler a notícia foi um trabalho lento e frustrante, mas com paciência, fechando e abrindo os olhos, conseguiu decifrá-la. A matéria começava informando que na noite anterior Jack, o Estripador, havia cometido seu último crime. A vítima era uma prostituta de origem galesa chamada Marie Jeannette Kelly, encontrada no quarto que alugava em Miller's Court, no número 26 da Dorset Street. Andrew evitou o parágrafo seguinte, em que detalhavam com toda minúcia as horríveis mutilações que o assassino fizera, e foi diretamente para a narração da captura. Segundo o jornal, o assassino que durante quatro meses havia aterrorizado East End fora capturado por George Lusk e seus homens uma hora depois de cometer o horrível crime. Ao que parece, uma testemunha que preferia permanecer no anonimato ouviu os gritos de Marie Kelly e alertou o Comitê de Vigilância que, embora infelizmente tenha chegado tarde demais a Miller's Court, conseguiu cercar o Estripador quando ele fugia pela Middlesex Street. A princípio, o assassino tentou negar os fatos, mas teve de admiti-los quando, ao ser revistado, encontraram em um de seus bolsos o coração ainda quente da vítima. O homem se chamava Bryan Reese e trabalhava como cozinheiro no navio mercante *Slip*, que chegara em julho ao porto de Londres, proveniente de Barbados, e partiria para o Caribe na próxima semana. Ao ser interrogado por Frederick Abberline, o detetive encarregado da investigação, Reese reconheceu a autoria dos cinco crimes a ele imputados e chegou a manifestar contentamento por ter contado, para sua sangrenta despedida, com a intimidade de um quarto e de um bom fogo, cansado de ter sempre que matar em plena rua. "Percebi que devia seguir aquela puta bêbada assim que cruzei com ela", declarou com satisfação o assassino, que também afirmava ter matado a própria mãe, que, tal como suas vítimas, exercia a prostituição, e, portanto, teve força suficiente para empunhar uma faca, embora este detalhe, que poderia explicar sua conduta, não tenha sido confirmado. A notícia vinha acompanhada de uma fotografia do assassino, e assim Andrew finalmente pôde ver o rosto do indivíduo no qual esbarrara na escura passagem de Hanbury Street. Seu aspecto o decepcionou. Era um sujeito comum, um pouco corpulento, usava costeletas cacheadas e um bigode farto ladeando o lábio superior. Apesar do semblante um pouco sombrio, que provavelmente se devia mais às condições em que tinha sido fotografado do que a outra coisa, Andrew foi obrigado a reconhecer que aquele indivíduo podia ser tanto um assassino desumano como um padeiro honesto. Certamente, distava muito da aparência monstruosa que a imaginação dos londrinos lhe dera. As páginas seguintes traziam outras notícias relacionadas com o assunto, como a demissão do comissário Sir Charles Warren, ao reconhecer a incompetência da polícia no caso, ou as declarações dos estupefatos colegas de Reese no cargueiro, mas Andrew já sabia de tudo o que queria saber, e voltou para a página inicial. Como deduziu, ele havia chegado ao quartinho de Marie Kelly logo depois que o assassino havia saído e momentos antes que aparecesse a turba capitaneada por Lusk, como se todos os envolvidos seguissem uma espécie de coreografia. Não quis nem pensar no que aconteceria se tivesse adiado sua fuga por alguns minutos e o Comitê de Vigilância o encontrasse ali, diante do cadáver de Marie Kelly. Apesar de tudo, pensou, teve sorte. Arrancou a primeira página, dobrou-a, guardou-a no bolso do casaco e pediu outra garrafa para comemorar, que, apesar de ter o coração irreparavelmente destroçado, pelo menos não fora espancado por uma horda enfurecida.

Oito anos depois, Andrew voltava a tirar aquele recorte do bolso. O tempo o tinha amarelado tanto quanto fizera com ele. Quantas vezes o lera, revendo as atrozes mutilações de Marie Kelly como uma penitência imposta? Dos anos transcorridos só se lembrava disso. O que fizera depois? Difícil dizer. Lembrava vagamente que, após percorrer as tabernas e *pubs* dos arredores, Harold o encontrara inconsciente naquela espelunca e o levara para casa. Ali passou vários dias na cama, queimando de febre. Não fez outra coisa senão delirar e tecer pesadelos nos quais o cadáver de Marie Kelly costumava aparecer deitado na cama, com as vísceras espalhadas pelo quarto seguindo uma ordem indecifrável, ou, então, ele próprio a estripava com uma enorme faca, diante do olhar aprovador de Reese. Numa das clareiras que se abriram em meio às brumas da febre, reconheceu o pai todo empertigado na beirada da cama, desculpando-se por sua atitude. Mas era fácil desculpar-se agora que não havia nada a aceitar, agora que só tentava se integrar no abatimento teatral em que, por deferência a ele, a família decidira imergir, incluindo Harold. Andrew mandou seu progenitor ir embora, fazendo com a mão um gesto irritado, o qual, para sua maior raiva, o orgulhoso William Harrington não hesitou em tomar como uma bênção, a julgar pelo sorriso satisfeito com que saiu do quarto, como se tivesse acabado de fechar um bom acordo. William Harrington queria limpar sua consciência, e foi isso o que fez, quisesse ele ou não. Agora já podia deixar esse assunto de lado e continuar com seus negócios. E, no fundo, para Andrew tanto fazia: ele e o pai nunca se entenderam, e não iriam convencê-lo a esta altura.

A febre baixou tarde demais para o enterro de Marie Kelly, mas não para a execução do assassino. Apesar dos protestos de alguns médicos, defensores da tese de que a monstruosa mente do tal Reese era uma pedra preciosa digna de ser estudada pela ciência, pois nas calosidades e dobras de seu cérebro deviam estar inscritos os crimes que ele era destinado a perpetrar desde o nascimento, o Estripador foi enforcado na prisão de Wandworth. Andrew compareceu quase incógnito e viu como o verdugo tirava a vida de Reese sem que isso restituísse a de Marie Kelly nem a de nenhuma de suas colegas. As coisas não funcionavam assim, o Criador não entendia de permutas, só de retribuições. No máximo, alguma criança pôde ter nascido em algum lugar no momento exato em que a corda rompia o pescoço do Estripador, mas ressuscitar os mortos era outra coisa. Talvez por isso muitos começaram a duvidar do Seu poder, e até a questionar se tinha sido realmente Ele quem fabricara o mundo. Naquela mesma tarde o retrato de Marie Kelly, que estava pendurado na biblioteca dos Winslow, se queimou com a faísca que saltou de um lampião. Pelo menos foi o que seu primo explicou, que chegara a tempo de abafar o incêndio.

Andrew agradeceu o gesto de Charles, mas a história não podia terminar tão facilmente, eliminando o motivo pelo qual tudo começara. Não, aquilo não poderia ser apagado. Graças à generosidade do pai, Andrew voltou à sua antiga vida, mas agora via pouca utilidade em ser novamente herdeiro da enorme fortuna que o pai e o irmão continuavam a acumular. Isso não ia curá-lo por dentro, mas logo descobriu que aquele dinheiro podia ajudar se o dilapidasse nos salões de ópio da Poland Street. De tanto beber ficou imune ao álcool, mas o ópio proporcionava um esquecimento muito mais eficaz e benéfico; não sem motivo os gregos já o usavam contra diversos males. Andrew se acostumou a passar o dia nos salões de ópio, sugando seu cachimbo numa das centenas de colchões que, separados por exóticos cortinados, mobiliavam os aposentos. Naqueles cômodos revestidos de espelhos manchados de cocô de moscas, cujos limites pareciam imprecisos devido à fraca luz emitida pelos lampiões a gás, Andrew esquecia sua dor nos labirintos de um sonho etéreo e interminável, enquanto um malaio esguio enchia de quando em quando o fornilho de seu cachimbo, até que Harold ou o primo abriam a cortina e o tiravam de lá. Se Coleridge empregava o ópio para amenizar o tormento ridículo das cáries, por que não iria ele usá-lo para mitigar a dor atroz de seu coração partido, dizia a Charles quando este o advertia contra os perigos do vício. O primo, como sempre, tinha razão, e, embora Andrew tenha deixado de ir aos salões de ópio à medida que seu sofrimento foi se atenuando, durante algum tempo se viu obrigado a andar pelo mundo com os bolsos secretamente cheios de frascos de láudano.

Essa fase durou dois ou três anos, até que finalmente a dor desapareceu, dando lugar a uma coisa que era ainda pior: o vazio, a letargia, a insensibilidade. Tudo o que acontecera havia acabado com ele, aniquilado sua vontade de viver, tinha obstruído os personalíssimos condutos por meio dos quais se comunicava com a realidade, deixando-o cego e surdo, jogado num canto do universo onde nada acontecia. Transformou-se num autômato, numa criatura sombria que vivia por inércia, sem intenção, simplesmente porque a vida, a vida verdadeira, nada tinha a ver com a forma como preenchia seus dias, transcorria calada em seu interior como um milagre sigiloso, quisesse ele ou não. Transformou-se, enfim, numa alma penada que durante o dia ficava encerrada em seu quarto e à noite percorria o Hyde Park como um espectro que não se interessava mais pelos assuntos dos vivos, a tal ponto que até o desabrochar de uma flor lhe parecia um ato irrefletido, vão, sem finalidade. Durante esse tempo, o primo se casou com uma das irmãs Keller, não lembrava se Victoria ou Madeleine, e comprou uma elegante casa em Elystan Street, mas ainda assim o visitava quase diariamente e algumas vezes o arrastava até seus bordéis favoritos, desejando que algumas das meninas recém-chegadas tivesse a chama necessária entre as pernas para que o espírito entorpecido do primo voltasse a se animar. No entanto, tudo era inútil, nada ajudava a resgatar Andrew do poço no qual insistia em permanecer. Nos olhos do seu primo, Charles, cuja perspectiva agora adotarei, se me permitirem este maldisfarçado balé de pontos de vista num mesmo parágrafo, em busca de efeito dramático, via a resignação de quem aceitou o papel de vítima. Apesar de tudo, o mundo também precisava de mártires, cujas vidas proclamassem a crueldade do Criador, sua criatividade na hora de traçar destinos brutais. Podia ser, até, que o primo encarasse o que acontecera com ele como uma oportunidade para explorar sua alma, aventurar-se em suas regiões mais inóspitas e obscuras. Quantas pessoas passam pelo mundo sem experimentar o sofrimento em estado puro? Andrew tinha sentido a felicidade mais plena e a agonia mais atroz, havia amortizado sua alma, por assim dizer, explorando-a em sua totalidade. E agora, comodamente deitado em sua dor como um faquir em seu colchão de pregos, parecia esperar não sabia o quê; talvez os aplausos que lhe indicassem que a peça havia terminado, porque Charles tinha certeza de que o primo só estava ainda vivo porque se sentia obrigado a passar por todo aquele sofrimento, pouco importava se para estudar empiricamente a dor ou expiar sua culpa. Quando julgasse que já havia cumprido sua meta, faria uma reverência e deixaria definitivamente o palco. Por isso, cada vez que ia à mansão Harrington e o encontrava lá, prostrado em algum canto, mas respirando como os vivos, Charles suspirava aliviado. E quando voltava a casa de mãos vazias, sentindo que tudo o que podia fazer por ele seria inútil, pensava fascinado no mistério da vida, cujo curso era tão frágil e caprichoso que podia mudar com a simples aquisição de um quadro. Será que poderia alterar de novo seu rumo? Será que poderia encaminhar a vida do primo em outra direção antes que fosse tarde demais? Não sabia. Sua única certeza era de que, diante da indiferença geral, se ele não tentasse ninguém iria se incomodar em fazê-lo.

No quartinho de Dorset Street, Andrew abriu o recorte e o leu pela última vez, como se fosse uma oração, o inventário das mutilações de Marie Kelly. Depois tornou a dobrá-lo e o guardou no bolso do casaco. Observou a cama, que não mostrava nenhum sinal do que tinha acontecido oito anos antes. Mas isso era a única coisa que havia mudado; todo o resto estava igual: o espelho enegrecido, em cujas vísceras o crime ficaria imortalizado, os vidrinhos de perfume de Marie Kelly, o baú com sua roupa, até as cinzas da lareira pertenciam ao mesmo fogo que o Estripador acendeu para tornar o esquartejamento mais confortável. Não lhe ocorria um lugar mais apropriado para tirar a própria vida. Colocou o cano do revólver sob a mandíbula e deslizou o dedo pelo gatilho. Aquelas paredes voltariam a se manchar de sangue e, na remota lua, sua alma afinal ocuparia o espaço que lhe correspondia no leito de Marie Kelly.

VI

Com o cano do revólver na base da mandíbula e o dedo encostado na curvatura do gatilho, Andrew pensou que era curioso ter chegado a esse ponto, ter resolvido infligir a morte a si mesmo, com as próprias mãos, quando durante a maior parte da vida se limitara a fazer como os outros: temê-la, pressenti-la em cada doença, senti-la espreitando ao redor, como imperatriz pérfida de um mundo de precipícios e gumes afiados, de gelo escorregadio e cavalos traidores, zombando da ridícula fragilidade daqueles que se haviam autoproclamado reis da Criação. Toda essa angústia para poder abraçá-la agora, pensou. Mas assim eram as coisas, bastava que a vida lhe parecesse um exercício estéril, sem recompensa, para querer deixá-la para trás; e isto só se podia conseguir de uma maneira. E devia reconhecer que a vaga apreensão que o inquietava não era de índole metafísica. O fato de morrer, em si, não o assustava nem um pouco, pois o medo da morte, fosse ela uma ponte para algum lugar bíblico ou uma tábua maliciosamente estendida sobre o nada, sempre nasce da certeza de saber que o universo não morrerá conosco, mas seguirá seu curso, como o cachorro continua vivendo depois da retirada do carrapato. Em linhas gerais, apertar o gatilho significava abandonar o jogo, abortando qualquer possibilidade de que viessem cartas melhores na próxima rodada. Mas Andrew duvidava que isso pudesse acontecer. Havia perdido a fé. Não acreditava que o destino guardasse para ele alguma retribuição que o compensasse pelo que sofrera, sobretudo porque tinha certeza de que tal recompensa não existia. Seu medo tinha uma causa muito mais pueril: a dor que a bala provavelmente ia causar destroçando seu queixo. Aquilo não ia ser agradável, certamente, mas fazia parte do plano, portanto, tinha de aceitar. Sentiu o peso do dedo descansando no gatilho e apertou os dentes, disposto a pôr o ponto final em sua calamitosa existência.

Nesse instante bateram na porta. Andrew abriu os olhos, surpreso. Quem podia ser? Será que o senhor McCarthy o vira chegar e vinha lhe pedir dinheiro para consertar a janela? As batidas recrudesceram. Maldito agiota. Se ele se atrevesse a enfiar o focinho pelo buraco do vidro, não hesitaria em atirar. O que importava a esta altura continuar respeitando aquela ridícula norma que proibia atirar no próximo, principalmente tratando-se do senhor McCarthy?

— Andrew, sei que você está aí. Abra.

Com uma careta de aborrecimento, Andrew reconheceu a voz do primo Charles. Ele, sempre Charles, seguindo-o a todo lugar, vigiando-o. Teria preferido o senhor McCarthy. Em Charles não podia atirar. Como o primo o teria encontrado? Por que não desistia se ele já havia desistido?

— Vá embora, Charles, estou ocupado — gritou.

— Não faça isso, Andrew! Descobri uma forma de salvar Marie!

Salvá-la? Andrew riu, melancólico. Era obrigado a reconhecer que o primo tinha criatividade, mas aquilo já beirava o mau gosto.

— Lembre-se que Marie está morta — informou. — Foi assassinada neste quarto miserável há oito anos. Quando pude salvá-la, não o fiz. E como iremos salvá-la agora, Charles, viajando no tempo?

— Exatamente — respondeu o primo, e enfiou alguma coisa por baixo da porta.

Andrew olhou para aquilo com vaga curiosidade. Parecia um folheto.

— Leia, Andrew — pediu o primo, falando agora através do buraco da janela. — Por favor, faça isso.

Andrew sentiu certa vergonha de que o primo o visse daquele jeito, com o revólver ridiculamente apertado contra a mandíbula, que talvez fosse o lugar menos apropriado para desferir um tiro. Consciente de que ele não iria embora, abaixou a arma soltando um suspiro de desgosto, deixou-a sobre a cama e se levantou para pegar o papelzinho.

— Certo, Charles, você ganhou — resmungou. — Vejamos o que é isso.

Levantou o papel do chão e o examinou. Tratava-se de um folheto azul-celeste esmaecido. Leu-o sem conseguir acreditar que aquilo fosse verdade. O que tinha na mão era o anúncio de uma empresa chamada Viagens Temporais Murray, dedicada, por incrível que parecesse, a fazer viagens no tempo. O texto dizia o seguinte:

Está cansado de viajar no espaço?
Agora você pode viajar na quarta dimensão, através do tempo.
Aproveite nossa oferta de lançamento e viaje para o ano 2000.
Seja testemunha do futuro, de uma época que só seus netos verão.
Por cem libras você pode passar três horas no ano 2000.
Veja com seus próprios olhos a guerra entre autômatos
e humanos que mudará o destino do mundo,
não espere que alguém lhe conte.

O texto vinha acompanhado por uma ilustração que pretendia representar com mais boa vontade que sucesso uma batalha encarniçada entre dois poderosos exércitos. Mostrava uma paisagem composta por algo que presumivelmente eram edifícios destruídos, um campo de escombros diante do qual os dois bandos se dividiam. Um deles era evidentemente humano, o outro parecia formado por estranhas figuras humanoides que davam a impressão de serem feitas de metal. O desenho era demasiado rudimentar para se deduzir alguma outra coisa.

Que diabo era aquilo? Nessas circunstâncias, Andrew não tinha alternativa, senão abrir a porta do quartinho. Charles entrou e fechou-a atrás de si. Soprava as mãos por causa do frio, mas sorria abertamente, mostrando seu contentamento por ter abortado o suicídio do primo. Pelo menos, por enquanto. A primeira coisa que fez foi se apoderar da pistola que estava em cima da cama.

— Como sabia que eu estava aqui? — inquiriu Andrew, enquanto o primo fazia poses diante do espelho do quartinho, empunhando ferozmente a arma.

— Você me decepciona, primo — respondeu Charles, despejando na mão as balas do carregador e metendo-as no bolso do casaco. — A cristaleira de seu pai estava aberta, faltava uma pistola, e hoje é 7 de novembro. Onde mais poderia procurá-lo? Só faltou você marcar o caminho com migalhas de pão.

— É — admitiu Andrew, reconhecendo para si mesmo que Charles tinha razão. Não se preocupara exatamente em apagar os rastros.

Charles girou a pistola, agarrou-a pelo cano e a entregou ao primo.

— Pronto. Agora pode disparar quantas vezes quiser.

Andrew pegou a arma com má vontade e guardou-a no bolso, fazendo aquele objeto incômodo desaparecer da cena o quanto antes. Teria de se matar em outra ocasião, que remédio! Charles o observava com um ar a um só tempo de escárnio e censura, esperando alguma explicação, mas Andrew não se sentia com forças para convencê-lo de que o suicídio era a única solução que havia encontrado para seu problema. Decidiu desviar o assunto interessando-se pelo panfleto antes que o primo decidisse lhe passar um sermão.

— E isto aqui? É uma brincadeira? — perguntou, agitando o papelzinho. — Onde você o imprimiu?

Charles balançou a cabeça.

— Não é brincadeira nenhuma, primo. A empresa Viagens Temporais Murray existe. Tem sede na Greek Street, no Soho. E o que faz, como explica o anúncio, é organizar viagens temporais.

— Mas pode-se viajar no tempo...? — balbuciou Andrew, incrédulo.

— Tenho certeza que sim, primo — respondeu Charles sem nenhum laivo de gracejo na voz. — Eu fiz isso.

Olharam-se em silêncio por alguns segundos.

— Não acredito — replicou finalmente Andrew, procurando na expressão grave do primo algum pequeno gesto que o delatasse, mas ele se limitou a encolher os ombros.

— Não estou mentindo — afirmou. — Madeleine e eu viajamos ao ano 2000 na semana passada.

Andrew soltou uma gargalhada, mas a seriedade do primo fez sua risada se apagar lentamente.

— Você está brincando, não?

— De jeito nenhum — respondeu Charles. — Mas nem vale tanto a pena, o ano 2000 é um ano sujo e frio, e o homem está em guerra contra as máquinas. Mas não vê-lo é como perder a ópera de que todos falam.

Andrew ouvia ainda assombrado.

— Mesmo assim é uma experiência única — acrescentou o primo. — Pensando bem, é excitante por tudo o que significa. Madeleine até recomendou às amigas. Ela gostou muito das botas dos soldados humanos. Tentou comprar umas para mim em Paris, mas não encontrou. Ainda é cedo demais, acho.

Andrew leu de novo o folheto, comprovando que o anúncio continuava prometendo a mesma coisa.

— Continuo sem acreditar que... — balbuciou.

— Entendo, primo, entendo você. Mas, enquanto você perambulava pelo Hyde Park como um fantasma, o mundo continuou seu curso, sabe? O tempo também passa quando você não olha para ele. E, acredite, por incrível que pareça, durante este último ano em todos os salões só se falou em viagens temporais. Tornou-se o tema de debate por excelência desde que foi publicado, na primavera passada, o romance que provocou tudo isso.

— Romance? — perguntou Andrew, cada vez mais perplexo.

— Exatamente. *A máquina do tempo*, de H. G. Wells. É um dos livros que lhe emprestei. Não leu?

Desde que Andrew se recusou a continuar com as peregrinações por tabernas e bordéis com que Charles tentava recuperá-lo para a vida e se enclausurou em casa, o primo costumava levar-lhe livros em suas visitas, geralmente obras recém-publicadas de autores desconhecidos que, inspirados pelo frisson científico que abalava o século, escreviam sobre máquinas que faziam os milagres mais rebuscados. Eram conhecidas como "romances científicos", a tradução que os ingleses deram às "viagens extraordinárias" de Júlio Verne, expressão que se impôs com uma rapidez incrível e que era usada para designar qualquer história fantástica que tentasse se justificar por meio da ciência. Segundo o primo, os romances científicos tinham retomado o espírito que iluminava as obras de Bergerac e Samósata e substituído as velhas histórias de castelos cheios de fantasmas. Andrew se lembrava de alguns dos artefatos delirantes que apareciam nesses livros, como o elmo contra pesadelos, uma espécie de capacete que funcionava ligado a uma pequena máquina a vapor que sugava os maus sonhos e os devolvia transformados em sonhos prazerosos. E se lembrava, principalmente, da máquina que aumentava as coisas, que um cientista judeu empregava com insetos: a imagem de Londres atacada por uma praga de moscas do tamanho de dirigíveis que entortavam as torres e esmigalhavam os edifícios só de pousar neles era ridiculamente aterradora. Em outros tempos, Andrew teria devorado todos aqueles livros, mas de seu obstinado desinteresse pelo universo não podia excluir, contra sua vontade, o mundo da ficção: não desejava bálsamos de nenhum tipo, queria olhar diretamente para o abismo do nada, e, assim, Charles tampouco pôde chegar até Andrew usando a passagem secreta da literatura. Andrew imaginou que o livro do tal Wells que o primo mencionava devia estar no fundo de seu baú, sepultado sob uma avalanche de romances similares apenas folheados.

Ao ver sua expressão alterada, Charles balançou a cabeça com uma aflição teatral, fez um gesto para que voltasse para a cadeira, pôs a outra em frente e sentou-se nela. Ligeiramente inclinado, como um padre pronto para receber a confissão de um de seus fiéis, começou a resumir o argumento do romance que segundo ele havia revolucionado a Inglaterra. Andrew ouvia com ceticismo. Como se podia deduzir do título, era protagonizado por um cientista que inventara uma máquina do tempo com a qual viajava através dos séculos. Por meio do simples gesto de baixar a alavanca do artefato, o inventor se lançara velozmente para o futuro e, boquiaberto, observava como, à sua volta, lesmas corriam como lebres, árvores surgiam da terra como bicas d'água, estrelas giravam num céu que passava do dia para a noite num suspiro... Nessa fabulosa e enlouquecida travessia, chegava até o ano 802701, para descobrir que a sociedade se desmembrara em duas raças antagônicas: os belos e inúteis *elois* e os *morlocks*, criaturas monstruosas que viviam nos subterrâneos alimentando-se dos vizinhos de cima, que criavam como gado. Ao ouvir isso, Andrew fez um esgar de nojo que fez o primo rir, e em seguida Charles começou a explicar que o argumento em si não tinha muita importância: era só uma desculpa para traçar uma caricatura pueril da sociedade de sua própria época. O que havia agitado as mentes dos ingleses era que Wells tratava o tempo como uma quarta dimensão, transformando-o numa espécie de túnel fabuloso pelo qual era possível viajar.

— Todo mundo sabe que um objeto tem três dimensões — explicou Charles, pegando o chapéu e girando-o nas mãos com gestos de ilusionista: — altura, largura e comprimento. Mas para que esse objeto exista de verdade, para que este chapéu faça parte desta realidade em que nos encontramos agora, precisa ter mais uma coisa: duração. Além de estender-se no espaço, precisa perdurar no tempo. Não vemos este chapéu só porque ocupa um espaço, mas também porque ocupa um tempo, o que impede que se desmanche diante dos nossos olhos. Vivemos, pois, num universo tetradimensional. Se considerarmos, então, que o tempo é como as outras dimensões, o que nos impediria de percorrê-lo? De fato, estamos fazendo isso. Tanto você quanto eu, assim como os nossos chapéus, estamos avançando no tempo, embora de um modo tediosamente linear, sem pular um único segundo, caminhando inexoravelmente até a nossa morte. O que Wells se pergunta no livro é por que não podemos acelerar nossa viagem, ou mesmo dar meia-volta e viajar em sentido contrário, para essa região que denominamos passado e que no fundo não passa de um fio enrolado do nosso novelo? Se o tempo é uma dimensão espacial, por que não podemos nos deslocar livremente por ela, como fazemos pelas outras três?

Satisfeito com a explicação, Charles voltou a deixar o chapéu na cama. Depois observou Andrew, dando-lhe tempo para assimilar o que acabava de dizer.

— Confesso que quando li o romance me pareceu que era um modo bastante engenhoso de dar verossimilhança a uma ideia que não passava de fantasia — prosseguiu algum tempo depois, diante do silêncio do primo —, mas não esperava que a ciência a achasse plausível. O livro se transformou num sucesso fulminante, Andrew, todo mundo falava dele. Nos clubes, nos salões, nas universidades, nos intervalos das fábricas, não se comentava outra coisa. Não se falava mais da crise nos Estados Unidos e de como podia afetar a Inglaterra, nem da pintura de Waterhouse ou das peças de Oscar Wilde. Agora, as pessoas discutiam se as viagens no tempo eram ou não possíveis. Até as mulheres fizeram uma pausa em suas reuniões feministas, seduzidas pelo assunto. Especular sobre como seria o mundo do amanhã ou debater os eventos do passado que deveriam ser alterados tornou-se o passatempo favorito da Inglaterra, na maneira mais efetiva de amenizar a hora do chá. Eram discussões estéreis, claro, porque jamais se poderia chegar a uma conclusão definitiva, exceto nos círculos científicos, onde estava transcorrendo um debate ainda mais acalorado sobre cujo desenrolar os jornais informavam quase diariamente. Mas o que não se podia negar é que o romance de Wells acendera a faísca, despertara na sociedade o desejo de viajar para o futuro, de ir além do que o nosso frágil e perecível corpo permitiria. Todos queriam viajar para o futuro, e o ano 2000 se transformou na meta mais lógica, o ano que todo mundo queria ver, pois um século era tempo mais do que suficiente para que inventassem tudo o que restava por inventar e o mundo se transformasse num lugar maravilhosamente irreconhecível, mágico, quem sabe até melhor. Tudo isso, no fundo, parecia apenas um jogo inócuo, um desejo ingênuo. Mas deixou de sê-lo quando em outubro passado a Viagens Temporais Murray abriu suas portas. Anunciaram tal fato com estardalhaço, nos jornais, em cartazes pelas ruas: Gilliam Murray podia tornar realidade os nossos sonhos, podia nos levar ao ano 2000. Embora a passagem fosse cara, formaram-se longas filas na frente do prédio. Vi gente que sempre havia sustentado a tese de que era impossível viajar no tempo aguardando diante de suas portas como crianças cheias de esperanças. Ninguém queria perder a oportunidade, ninguém. Madeleine e eu não conseguimos lugar na primeira expedição, só na segunda. E viajamos para o futuro, Andrew. Este homem à sua frente esteve a cento e cinco anos deste momento, e depois voltou. Este casaco ainda tem manchas de cinza, cheiros da guerra do futuro, eu até peguei um cascalho no chão sem ninguém ver, uma pedra que colocamos na cristaleira da sala, ao lado das bandejas de Shefeers, e que deve ter uma réplica submersa em algum prédio de Londres ainda intacto.

Andrew se sentia como um barco no meio de um redemoinho. Achava incrível que se pudesse viajar no tempo, que o homem não estivesse condenado a ver somente a época em que havia nascido, um terreno demarcado pela vida do seu coração e pela resistência de seu corpo, mas pudesse visitar outros períodos, outros momentos que não lhe pertenciam, saltando por cima de sua própria morte, da confusa fila dos seus descendentes, profanando o santuário do futuro, chegando até onde só os sonhos ou a imaginação podiam chegar. E pela primeira vez em anos notou que a curiosidade se agitava dentro dele, que alguma coisa do mundo que existia além da muralha de indolência atrás da qual se refugiava havia despertado seu interesse. Mas logo se obrigou a apagar aquele tímido fogo antes que atingisse proporções de incêndio. Ele estava de luto, era um homem que carregava no peito um coração inutilizado e uma alma entorpecida, uma criatura livre de emoções, um exemplar acabado da raça humana que já havia sentido tudo o que havia para sentir. Não existia no vasto mundo qualquer motivo pelo qual viver, não podia existir, não sem ela.

— É surpreendente, Charles — suspirou com tédio, fingindo indiferença diante daquelas travessias contra a natureza —, mas, o que isto tem a ver com Marie?

— Não percebe, primo? — respondeu Charles quase escandalizado. — Esse empresário pode viajar ao futuro. Tenho certeza de que se você lhe oferecer dinheiro suficiente, ele poderá organizar uma viagem particular ao passado. Então, você vai ter alguém em quem atirar.

Andrew abriu a boca ridiculamente.

— O Estripador? — perguntou com um fio de voz.

— Exato — respondeu Charles. — Se viajar ao passado, você mesmo poderá salvar Marie.

Andrew se segurou na cadeira para não cair. Seria possível? Podia viajar ao passado, à noite de 7 de novembro de 1888, e salvar Marie?, perguntou-se, tentando vencer o estupor. Pensar que existia uma possibilidade de que isso fosse verdade o deixava aturdido, não só pelo milagre que significava retroceder no tempo, mas pelo fato de voltar a uma época em que ela ainda estava viva e poder abraçar novamente um corpo que tinha visto despedaçado. Sobretudo, ficava comovido com o fato de que alguém lhe oferecesse a oportunidade de salvá-la, de corrigir seu erro, de alterar aquilo que durante todos aqueles anos havia aprendido a assumir como algo que não se podia mudar. Sempre havia suplicado ao Criador que lhe permitisse fazê-lo. Ao que parecia, estivera rezando para a pessoa errada. Estavam no século da ciência.

— Não perdemos nada tentando, Andrew — ouviu o primo afirmar. — O que me diz?

Andrew olhou para o chão durante alguns minutos, lutando para ordenar o tumulto de emoções que o assaltava. Não podia acreditar que existisse tal possibilidade, mas, se existisse, como se negar a aproveitá-la? Era o que sempre havia desejado, a oportunidade que estivera esperando por oito anos. Ergueu a cabeça e com o rosto transfigurado olhou o primo.

— Certo — disse num sussurro rouco.

— Excelente, Andrew — comemorou Charles, dando-lhe uma palmada no ombro. — Excelente.

O primo sorriu sem muita convicção e depois voltou a olhar para os próprios sapatos, tentando digerir tudo aquilo: iria viajar para as paragens conhecidas do passado, para os momentos já trilhados de sua existência, para suas próprias lembranças.

— Bem — disse Charles, consultando o relógio de bolso —, agora vamos jantar. Não é recomendável viajar ao passado com o estômago vazio.

Deixaram o quartinho e se dirigiram para o coche de Charles, que o esperava junto ao arco de entrada. Nessa noite, como se fosse uma noite como outra qualquer, fizeram o itinerário habitual. Jantaram no Café Royal — Charles adorava a torta de carne que faziam lá —, foram se aliviar no prostíbulo de madame Norrell — Charles gostava de estrear as novas aquisições antes que passassem por muitas mãos — e acabaram na taberna Colaridges — Charles julgava seu catálogo de espumantes superior ao de qualquer outro lugar —, bebendo até o amanhecer. Antes que o álcool lhes turvasse a mente, explicou que tinha viajado ao ano 2000 num trem enorme chamado *Cronotilus*, movido através dos séculos por uma imponente caldeira de vapor, mas Andrew era incapaz de se interessar pelo futuro: sua mente se encontrava ocupada justamente com o contrário, em imaginar como seria viajar no sentido inverso, para o passado. Assim poderia salvar Marie, garantira o primo, enfrentando o Estripador. Andrew havia passado os últimos anos acumulando uma raiva densa contra aquele monstro que sempre considerou irrecuperável, mas que agora teria a oportunidade de liberar. No entanto, não era a mesma coisa desafiar um homem depois de executado, pensou, do que enfrentá-lo de verdade, naquela espécie de combate pugilístico que Murray organizaria. Apertou a pistola que tinha no bolso ao relembrar a textura rochosa do homem em quem esbarrara em Hanbury Street e tentou ganhar coragem dizendo a si mesmo que, embora nunca tivesse disparado em ninguém, havia treinado a pontaria em garrafas, pombos e coelhos. Se ficasse calmo, tudo correria bem. Miraria tranquilamente no coração ou na cabeça, dispararia sem pressa e veria o Estripador morrer pela segunda vez. Sim, faria isso. Mas nessa ocasião, como se alguém apertasse uma porca solta na maquinaria do universo, melhorando seu funcionamento, a morte devolveria a vida a Marie Kelly.

VII

Apesar de ainda ser cedo, o Soho fervilhava de vida. Charles e Andrew tiveram de abrir passagem em meio à multidão que lotava as ruas, composta de homens de chapéus-cocos e mulheres com chapeuzinhos enfeitados de penas nos quais, às vezes, se aninhava algum pássaro artificial. De braços dados, os casais percorriam as calçadas, entravam e saíam das lojas, ou, então, esperavam uma oportunidade para atravessar a rua, pela qual desfilava, com a lentidão de uma corrente de lava, um compacto emaranhado de luxuosas carruagens, pequenos cabriolés, bondes de dois andares e carroças abarrotadas de tonéis, frutas ou volumes misteriosos, que bem poderiam ser cadáveres roubados do cemitério, escondidos debaixo de uma lona. Parados nas esquinas, sujos e esfarrapados, havia pintores, atores e saltimbancos de segunda categoria, que exibiam seu duvidoso talento na esperança de chamar a atenção de algum agente desocupado. Charles não tinha parado de discursar desde o café da manhã, mas Andrew mal conseguia ouvir devido ao estridente fragor das rodas dos veículos contra o calçamento, ao qual se acrescentava a desagradável gritaria dos vendedores ambulantes e dos aspirantes a artistas. Ele se limitava a ser levado pelo primo através daquela manhã esmaecida, imerso numa espécie de letargia, da qual só era resgatado pela doce lufada que lhe chegava quando cruzava com alguma das violeteiras que andavam entre a multidão carregando seus cestos perfumados.

Assim que se aventuraram pela Greek Street, avistaram o modesto prédio onde se localizava a empresa Viagens Temporais Murray. Era um antigo teatro que havia sido remodelado pelo novo dono, que não hesitara em infamar a fachada neoclássica com motivos que de um modo ou de outro aludiam ao tempo. A entrada tinha uma pequena escada que, escoltada por colunas, dava acesso ao interior através de uma elegante porta de madeira lavrada, encimada por um frontão decorado com uma gravura em que Cronos fazia girar a roda zodiacal. O deus do tempo, representado como um sinistro ancião cuja longa barba se derramava em cascata sobre o peito até quase roçar o umbigo, estava cercado por uma sanefa esculpida com desenho de ampulhetas, motivo que se repetia nos arcos que emolduravam as amplas janelas do segundo andar. Entre o frontão e o lintel, pomposas letras de mármore rosáceo anunciavam para quem soubesse ler que aquele lugar tão pitoresco era a sede da empresa Viagens Temporais Murray.

Charles e Andrew observaram que as pessoas evitavam o trecho da calçada ocupada pelo prédio singular. Quando chegaram à entrada, entenderam por quê. Um cheiro nauseabundo alterou sua expressão, fazendo-os querer vomitar o café da manhã que acabaram de tomar na intimidade de algum canto discreto. O fedor vinha de uma pasta viscosa que dois operários, mascarados com lenços e munidos de escovas e baldes de água com sabão, se esforçavam para eliminar de parte da fachada. Removida pelas cerdas da escova, aquela substância escura, fosse o que fosse, jorrava para a calçada com o aspecto de um repugnante escarro negro.

— Lamentamos o incômodo, cavalheiros — desculpou-se um dos empregados tirando o lenço do rosto. — Algum filho da mãe sujou esta fachada com excremento de vaca, mas logo estará limpa de novo.

Depois de trocar olhares interrogativos, Andrew e Charles tiraram seus lenços e, cobrindo o rosto como ladrões de estrada, passaram rapidamente pelo pórtico. No vestíbulo, um exército de vasos com rosas e gladíolos estrategicamente colocados mantinha o fedor sob controle. O recinto, tal como a fachada do edifício, asfixiava o visitante com sua transbordante iconografia temporal. O centro do lugar era ocupado por uma gigantesca escultura mecânica que consistia num pedestal enorme do qual se elevavam até as penumbras do teto dois braços articulados, aracnídeos, que sustentavam uma ampulheta do tamanho de um bezerro, feita de vidro esculpido com rebites e ganchos de ferro. Seu conteúdo não era areia, mas uma espécie de serragem azulada que caía graciosamente de um hemisfério para o outro, e até emitia uma leve e evocativa iridescência à medida que a luz dos lampiões mais próximos incidia sobre ela. Mediante algum truque de engrenagens ocultas, os braços se encarregavam de virar o relógio toda vez que a totalidade do conteúdo enchia o receptáculo inferior, de maneira que a falsa areia nunca parava de fluir, como uma advertência de que o tempo tampouco o fazia. Conviviam com aquela colossal escultura que ocupava o lugar mais importante do vestíbulo outros artefatos também dignos de nota, menos espetaculares, porém mais nobres, pois haviam sido concebidos muitos séculos antes, como as armações de cubos cheios de paletas e rodas dentadas que dormitavam no fundo da sala e que, conforme dizia a plaquinha fixada nos pedestais, eram as primeiras tentativas de relógios mecânicos. Além dessa distinta quinquilharia, espalhavam-se pelas paredes centenas de relógios, dos tradicionais *stoelklok* holandeses, enfeitados com sereias e querubins, até relógios austro-húngaros com pêndulo de segundos, que enchiam o ar com um tiquetaquear laborioso e asfixiante que deve ter se tornado a interminável sinfonia das vidas dos empregados do lugar, sem cuja consoladora presença deviam sentir-se desvalidos aos domingos.

Ao vê-los vaguear pela sala, uma senhorita deixou sua mesa situada num dos cantos e foi recebê-los. Caminhava com a graça de um roedor, marcando seus passinhos pelo compasso unânime dos relógios. Depois de cumprimentá-los com cortesia, informou com entusiasmo que ainda havia lugares para a terceira expedição ao ano 2000, se eles desejassem podiam fazer uma reserva. Abrindo seu mais encantador sorriso, Charles recusou o convite da jovem, dizendo que estavam ali com o propósito de falar com Gilliam Murray. Após uma breve hesitação, a moça confirmou que o senhor Murray se encontrava no prédio e que, apesar de suas múltiplas ocupações, poderia fazer com que os recebesse, gesto que Charles agradeceu abrindo ainda mais o sorriso. Assim que conseguiu tirar os olhos daquela fileira de dentes perfeitos, a jovem virou-se e pediu que a seguissem. No fundo da sala havia uma escada de mármore que levava às dependências superiores. Guiados pela moça, Charles e Andrew percorreram um longo corredor abarrotado de tapeçarias que representavam diversas cenas da guerra do futuro. Como não podia deixar de ser, o corredor também estava repleto de uma imprescindível variedade de relógios que, pendurados nas paredes ou espalhados sobre cômodas e aparadores, exalavam no ar o incômodo pólen dos seus tique-taques. Ao chegar à imponente porta do gabinete de Murray, a moça pediu que aguardassem ali, mas Charles, fazendo pouco caso do pedido e puxando o primo, entrou atrás dela.

O tamanho do aposento surpreendeu Andrew tanto quanto a desordenada distribuição dos móveis e os numerosos mapas que cobriam as paredes e lembravam o interior daquelas tendas em que os marechais de campo orquestram as guerras. Precisaram olhar várias vezes para notar que Gilliam Murray estava deitado sobre um tapete, brincando com um cachorro.

— Bom dia, senhor Murray — cumprimentou Charles, adiantando-se à secretária. — Meu nome é Charles Winslow e este é meu primo Andrew Harrington. Gostaríamos de falar com o senhor, se não estiver muito ocupado.

Gilliam Murray, um sujeito enorme que usava um chamativo terno lilás, respondeu ao irônico comentário de Charles com um sorriso, aceitando a provocação esportivamente, mas era o tipo de sorriso misterioso de quem tem a manga cheias de ases que não vão demorar a aparecer.

— Sempre disponho de um minuto do meu tempo para atender a dois cavalheiros tão ilustres — disse, levantando-se do tapete.

Ao vê-lo em pé à sua frente, Andrew e Charles constataram que Gilliam Murray parecia um sujeito ampliado por alguma espécie de feitiço. Tudo nele tinha o dobro do tamanho normal, a começar pelas mãos, que pareciam capazes de dominar touros pelos chifres, até a cabeça, mais apropriada a um Minotauro. Mas, apesar de sua fabulosa constituição, o empresário não se movia desajeitadamente, mas sim com uma agilidade surpreendente e até sensual. Tinha o cabelo cor de trigo, cuidadosamente penteado para trás, e imensos olhos azuis, nos quais crepitava um fogo intenso que anunciava um espírito ambicioso e arrogante, um fogo que ele aprendera a moderar com o amplo mostruário de sorrisos amáveis que seus lábios carnudos eram capazes de gerar.

Com um gesto, o gigante os levou até o gabinete no fundo do recinto, guiando-os pelo caminho que conseguira encontrar, provavelmente após uma exploração conscienciosa, entre os numerosos globos terrestres e mesinhas espalhadas por toda parte, abarrotadas de livros e cadernos. Andrew notou que tampouco faltavam os inevitáveis relógios. Além dos que estavam nas paredes e invadiam as prateleiras da biblioteca, havia uma enorme cristaleira que armazenava relógios de sombra portáteis, relógios de sol, elaboradas clepsidras e outros artefatos que marcavam a evolução do tempo. Andrew, porém, achou que Gilliam exibia aqueles objetos com o malicioso intuito de mostrar como era ridículo o esforço vão do homem de capturar o que não podia ser capturado, essa força absoluta, misteriosa e indomável que é o tempo. Com sua variada coleção de relógios, o empresário parecia querer dizer que o homem só conseguira eliminar a natureza metafísica e transformar esse artefato num vulgar instrumento para não chegar tarde aos compromissos.

Charles e Andrew se sentaram em duas confortáveis poltronas de estilo jacobino dispostas em frente à escrivaninha, um móvel majestoso com pés bulbosos e atrás do qual Murray se sentou, ficando emoldurado pela imensa janela que se abria às suas costas. E, a julgar pelo caudal de luz que atravessava os vidros chumbados e inundava o escritório com uma alegre atmosfera campestre, Andrew chegou até a pensar que o empresário dispunha de seu próprio sol, enquanto o resto do mundo continuava imerso em uma manhã mirrada.

— Espero que nos perdoem esse fedor inoportuno da entrada — desculpou-se Gilliam com uma expressão de contrariedade. — É a segunda vez que besuntam a fachada com excrementos. Talvez seja algum grupo organizado que tenta dificultar o funcionamento da nossa empresa com esse método repugnante — conjeturou, encolhendo pesarosamente os ombros, como se quisesse enfatizar o desconcerto que o assunto lhe provocava. — Nem todos pensam que as viagens no tempo são benéficas para a nossa sociedade, como podem ver. No entanto, era a própria sociedade que as demandava, desde a publicação do maravilhoso livro do senhor Wells. Não posso, porém, extrair qualquer conclusão desses detestáveis atos de vandalismo, porque seus autores não deixam mensagens reivindicatórias nem nada parecido. Eles se limitam simplesmente a emporcalhar nossa fachada.

Depois de dizer isso, Gilliam Murray ficou com o olhar perdido. Durante alguns segundos, permaneceu presa de suas reflexões; depois pareceu se lembrar de onde estava e, endireitando-se no assento, observou seus convidados sem reservas.

— Mas, digam, cavalheiros, em que posso ajudá-los.

— Eu gostaria que organizasse uma viagem privada para mim até o outono de 1888, senhor Murray — respondeu Andrew, que parecia estar esperando com impaciência que o gigante lhes cedesse a palavra.

— O Outono do Terror? — perguntou Murray, surpreso.

— Sim, mais exatamente a noite de 7 de novembro.

Gilliam ficou olhando-o em silêncio durante alguns segundos. Finalmente, sem se preocupar em disfarçar sua decepção, abriu uma das gavetas da escrivaninha e tirou um maço de papéis amarrados com uma fita. Depositou-o sobre a mesa com certa contrariedade, como se estivesse mostrando-lhes um peso que o mortificava e que precisava suportar silenciosamente.

— Sabe o que é isto, senhor Harrington? — suspirou. — São as cartas e solicitações de particulares que recebemos diariamente. Há gente que quer passear pelos jardins suspensos da Babilônia, outros que preferem conhecer Cleópatra, Galileu ou Platão, ou, ainda, ver com os próprios olhos a Batalha de Waterloo, a construção das pirâmides ou a crucificação de Cristo. Todos querem viajar para seu momento histórico favorito, como quem dá um endereço ao cocheiro. Acham que o passado está à nossa disposição. O senhor quer viajar para 1888. Não duvido que tenha suas razões, da mesma forma que os autores de todas estas solicitações, mas receio que não possa fazer sua vontade.

— Só precisaria recuar oito anos, senhor Murray — replicou Andrew. — E estou disposto a pagar o que me pedir.

Murray riu com amargura.

— Não é questão de distâncias temporais. Tampouco de dinheiro. Se fosse por isso, senhor Harrington, tenho absoluta certeza de que chegaríamos a um acordo. O problema é de índole, digamos, técnica: não podemos viajar livremente para qualquer época, nem do passado, nem do futuro.

— Só conseguem nos levar para o ano 2000? — exclamou Charles, visivelmente decepcionado.

— Exatamente, senhor Winslow — lamentou-se Murray, dirigindo um olhar aflito para Charles. — Mas esperamos ampliar nossas ofertas mais adiante; por enquanto, como pode ver em nossa publicidade, o único destino que oferecemos é 20 de maio do ano 2000, exatamente o dia em que ocorre a batalha final entre os autômatos, dirigidos pelo malvado Salomón, e o exército humano, liderado pelo bravo Capitão Shackleton. Não achou o destino suficientemente emocionante, senhor Winslow? — perguntou com certa ironia, dando a entender que não se esquecia facilmente das fisionomias de quem participava de suas expedições.

— Sim, senhor Murray — respondeu Charles após uma ligeira hesitação. — Foi realmente emocionante. Só que eu pensava…

— Que podíamos viajar em qualquer direção da corrente temporal — concluiu o empresário. — Sim, sim, sei. No entanto, não é assim. Receio que o passado fuja a nossa competência.

Depois de dizer isto, Murray olhou para eles com sincera desolação, como se estivesse quantificando os danos que suas palavras tinham produzido nos convidados.

— O problema, cavalheiros — suspirou, reclinando-se na poltrona —, é que não viajamos no tempo pela corrente temporal, como o personagem de

Wells, mas sim pelo que há fora dela. Viajamos no tempo por fora do tempo, por assim dizer. Viajamos pela sua casca.

Ficou em silêncio e olhando fixamente para a frente, sem piscar, com a tranquilidade própria dos gatos.

— Não entendo — disse Charles afinal.

Gilliam Murray assentiu, como se não esperasse outra resposta.

— Vou dar um exemplo simples: pode-se percorrer uma construção por dentro, atravessando seus aposentos. Mas também se pode percorrê-la caminhando pela cornija, não é verdade?

Charles e Andrew concordaram com certa displicência, um pouco incomodados com o tratamento de crianças idiotas que Murray parecia dar a eles.

— Por incrível que pareça — prosseguiu o anfitrião —, não decidi pesquisar a possibilidade de viajar no tempo estimulado pelo livro do senhor Wells. Se os senhores leram o romance, sabem que Wells se limita a lançar um desafio à comunidade científica, propondo um caminho para suas pesquisas, mas no que se refere ao funcionamento de seu invento, ao contrário de seu colega Verne, ele evita habilmente qualquer explicação realista e opta por descrever a máquina recorrendo à sua extraordinária imaginação, uma coisa perfeitamente lícita, embora se trate de uma obra de ficção. No entanto, até que a ciência não demonstre que um artefato assim é possível, sua máquina será apenas um brinquedo. Mas conseguirá demonstrar algum dia? Quero pensar que sim: os avanços que os nossos cientistas obtiveram ao longo deste século me deixam tremendamente otimista. Os senhores hão de convir que vivemos numa época única. Uma época em que o homem questiona Deus todos os dias. Quantas maravilhas a ciência nos proporcionou nos últimos anos? Muitas dessas invenções se limitam a facilitar nossa vida, como a calculadora mecânica, a máquina de escrever ou o elevador elétrico, mas outras nos fazem sentir poderosos porque descartam o impossível. Hoje em dia podemos percorrer longas distâncias sem ter de dar um único passo graças à locomotiva, e logo poderemos enviar nossa voz ao outro lado do país sem ter de nos deslocar fisicamente, como já estão fazendo os americanos por meio do assim chamado telefone. Embora sempre haja quem se oponha ao progresso, quem considere sacrílego que o ser humano supere seus próprios limites, eu, pessoalmente, considero que a ciência enobrece o homem reafirmando seu domínio sobre a natureza, do mesmo modo que a educação ou a moral nos ajudam a dominar nossa selvageria primitiva. Observem este cronômetro, por exemplo — disse, apanhando uma caixinha de madeira que descansava num canto da mesa. — Hoje são fabricados em série, todos os navios do mundo dispõem de um. Mas nem sempre se navegou com cronômetro, pois, por mais que agora nos pareça um objeto que sempre esteve aqui, fazendo parte do nosso cotidiano, o almirantado britânico teve de oferecer um prêmio de vinte mil libras esterlinas a quem conseguisse criar um método para determinar a longitude no mar, porque nenhum relojoeiro era capaz de fabricar um relógio que suportasse sem transtornos os balanços de uma embarcação. Um tal John Harrison ganhou o concurso, depois de dedicar quarenta anos de sua vida a solucionar o árduo problema. Quando chegou o momento de receber a recompensa, tinha quase oitenta anos. Não acham fascinante? Por trás de cada invenção pulsa o esforço de um homem, uma vida dedicada à solução de um problema, a conceber um artefato que sobreviverá a ele, que vai fazer parte de um mundo que continuará sem ele. Enquanto houver homens que não se contentem em comer frutas das árvores ou esmurrar tambores implorando por chuva e decidam usar sua inteligência para superar o papel de meros parasitas da obra de Deus, a ciência não sucumbirá. Por isso, não tenho a menor dúvida de que muito em breve, assim como poderemos dispor de carruagens aladas que nos vão permitir voar como os pássaros, qualquer pessoa poderá adquirir uma máquina como a imaginada por Wells e viajar ao ponto do tempo que desejar. Os homens do futuro vão levar uma vida dupla, trabalhando num banco durante a semana e dedicando os domingos a fazer amor com a bela Nefertiti ou ajudar Aníbal a conquistar Roma. Os senhores imaginam como um invento desses transfiguraria a nossa sociedade? — Gilliam observou-os atentamente por alguns segundos, antes de largar a caixinha de novo sobre a mesa, onde ficou com a tampa aberta, como uma ostra ou um anel de noivado. Em seguida, acrescentou: — Mas, por ora, enquanto a ciência procura a maneira de tornar realidade esses sonhos, temos uma outra coisa que nos faz viajar no tempo, embora infelizmente não nos permita escolher o destino.

— A que se refere? — inquiriu Andrew.

— Estou me referindo... à magia — revelou Gilliam num tom cavernoso.

— Magia? — perguntou Andrew sem saber o que dizer.

— Sim, magia — repetiu o anfitrião, movendo os dedos misteriosamente no ar, ao mesmo tempo que imitava o som do vento descendo pelo tubo de uma lareira —, mas não a magia que se vê nos teatros, nem aquela que esses farsantes do Amanhecer Dourado apregoam. Estou me referindo à verdadeira magia. Os senhores acreditam em magia, cavalheiros?

Andrew e Charles hesitaram, um pouco confusos com o rumo que a conversa estava tomando, mas Gilliam não necessitava de nenhuma resposta.

— É claro que não — lamentou. — Por isso evito mencioná-la sempre que possível. Prefiro que os meus clientes pensem que viajamos ao futuro por meio da ciência. Todo mundo acredita na ciência. Hoje a ciência goza de mais credibilidade do que a magia. São os tempos modernos. Mas a magia existe, garanto.

Então, para surpresa de Andrew e Charles, levantou-se agilmente da cadeira e deu um assobio agudo. O cachorro, que havia permanecido o tempo todo deitado no tapete, alheio aos assuntos dos homens, levantou-se de imediato e trotou alegremente até o dono.

— Cavalheiros, quero apresentar-lhes Eterno — disse, enquanto o dito-cujo girava excitado em torno dele. — Gostam de cachorros? Podem acariciá-lo sem medo.

Como se isso fosse algum pré-requisito que deviam cumprir para que Gilliam continuasse seu discurso, Charles e Andrew se levantaram e passaram as mãos pelo lombo do animal, um nervoso exemplar de Golden Retriever que tinha pelos suaves e bem-cuidados.

— Cavalheiros — disse então Murray —, saibam que estão acariciando um milagre. Porque, como acabo de dizer, a magia existe. E até pode ser tocada. Que idade os senhores dariam ao Eterno?

Charles possuía vários cachorros em sua propriedade e desde pequeno estava habituado à sua presença; portanto, não lhe pareceu uma pergunta difícil de responder. Examinou a dentadura do cachorro com ar de perito e respondeu, sem vacilar:

— Um ano, dois no máximo.

— De fato — confirmou Gilliam, ajoelhando-se para coçar o pescoço do animal com extrema ternura —, um ano é sua idade aparente, certo? Sua idade no tempo real.

Andrew aproveitou a ocasião para buscar o olhar do primo, ansioso para saber o que ele achava daquilo. Charles acalmou-o com um sorriso sereno.

— Como já disse — continuou Murray, levantando-se —, eu não decidi criar minha empresa devido ao livro de Wells. Foi pura coincidência, embora não possa negar que essa obra tenha me beneficiado enormemente, já que

Wells despertou na sociedade um desejo oculto. Sabem o que torna tão atraentes as viagens pelo tempo? O fato de todos nós desejarmos realizá-las. Viajar no tempo é um dos sonhos do homem. Mas os senhores iriam proclamar isso, cavalheiros, antes de ler o livro do senhor Wells? Desconfio que não. E eu também não, garanto. O senhor Wells, de algum modo, acabou concretizando um desejo abstrato, expressando em palavras esse anseio sempre latente no homem.

Murray fez uma pausa, para que seus argumentos pousassem sobre os convidados, como a poeira se assenta nos móveis depois que se sacode um tapete.

— Antes de criar esta empresa, eu trabalhava com meu pai — continuou em seguida. — Nossa atividade era financiar expedições. Fomos uma das centenas de sociedades que enviam seus exploradores para os recantos mais ignotos do planeta com a intenção de coletar conhecimentos etnográficos ou arqueológicos, que depois alimentam as revistas científicas, ou compilar insetos e flores exóticos para algum museu de ciências ansioso para encher suas vitrines com os delírios do Criador. Mas, além do negócio em si, tínhamos o desejo de conhecer com a maior precisão possível o mundo em que vivíamos. Tínhamos, por assim dizer, inquietações espaciais. Mas nunca se sabe o que o destino nos reserva, não é mesmo, cavalheiros?

Sem esperar resposta, Gilliam Murray fez um gesto indicando que o acompanhassem. Por meio do arquipélago de mesinhas e globos terrestres, e sempre seguido por Eterno, conduziu-os até uma das paredes laterais. Ao contrário das outras, repletas de estantes nas quais se espremiam atlas, tratados de geografia, estudos de astronomia e um sem-fim de obras de disciplinas ignotas, aquela parede estava coberta por uma camada de mapas dispostos segundo a data em que haviam sido cartografados. A coleção propunha uma viagem que começava com reproduções dos mapas renascentistas inspirados nos estudos de Ptolomeu, nos quais o mundo, como um inseto com as patas amputadas, parecia desconcertantemente diminuto, reduzido a pouco mais que uma Europa amorfa; depois prosseguia com o mapa do geógrafo alemão Martin Waldseemüler, em que a América se separava do continente asiático, e finalizava com os trabalhos de Abraham Ortelius e Gerhardus Mercator, que mostravam um mundo cheio, cujas dimensões eram semelhantes ao atual. Se andassem da esquerda para a direita, tal como Murray os guiava, a disposição cronológica criava um efeito parecido com o de uma flor se abrindo ou um gato se espreguiçando, pois o mundo parecia crescer literalmente diante de seus olhos, desdobrar-se com intrigante obstinação, transformar-se num lugar cada vez mais espaçoso à medida que os navegantes e exploradores ampliavam suas fronteiras. Andrew achou fascinante pensar que alguns séculos antes ninguém imaginava que o mundo continuasse do outro lado do Atlântico, que suas verdadeiras dimensões dependiam, na verdade, da firmeza e da sorte dos exploradores que com suas perigosas viagens vestiam o vazio medieval habitado por monstros; mas, por outro lado, lamentou que o tamanho do mundo tivesse deixado de ser um mistério, que só existissem as terras e os oceanos que os últimos mapas registravam, um mundo oficial, sabido, confinado em suas próprias medidas, ao qual só restava dar as costas. Murray os fez parar diante do enorme mapa que fechava a coleção.

— Cavalheiros, neste momento os senhores estão provavelmente diante do mapa mais preciso que poderão encontrar em toda a Inglaterra — informou Gilliam sem esconder seu orgulho —, porque o mantenho constantemente atualizado. Cada vez que cartografam um pedaço desconhecido do mundo, mando desenhar este mapa de novo e queimo a cópia anterior. Considero que é um gesto simbólico, como se apagasse assim a minha ideia antiga e inexata do planeta. Muitas das expedições que veem aqui foram possíveis graças aos nossos recursos.

O mapa incomodava a vista, pois estava profusamente rabiscado com linhas de distintas cores que, como explicou Gilliam, representavam todas as expedições realizadas até então pelo homem, cujas vicissitudes havia anotado na margem esquerda do desenho, na certa com um deleite doentio. Mas bastava dar uma olhada no mapa para perceber que a fidelidade com que descrevia as sinuosas trajetórias de cada viagem se mostrava, afinal, inútil, pois era praticamente impossível segui-las devido ao constante entrecruzamento provocado pela absurda obstinação do anfitrião em representar todas as expedições, das mais antigas, como a de Marco Polo, refletida em uma linha dourada que serpenteava pela Índia, China, Ásia Central e pelo arquipélago malaio, até as mais recentes, como a realizada por Sir Francis Younghusband, que viajara de Pequim a Caxemira, atravessando a cordilheira Karakoram, com suas íngremes montanhas ornadas de geleiras. Não eram apenas os continentes que estavam rabiscados. Também havia linhas que fugiam das áreas de terra para emular sobre os mares as trilhas espumosas de alguns navios célebres, como as que as caravelas do almirante Colombo abriram no Atlântico, ou as que, ao tentarem encontrar um atalho para a China, o *Erebus* e o *Terror* desenharam no oceano Ártico. Ambas as trilhas desapareciam abruptamente, como na realidade tinham feito os próprios navios ao ultrapassar o estreito de Lancaster, suposta porta da Passagem do Noroeste. Incapaz de decifrar aquela urdidura de traços, Andrew optou por seguir a linha azul que sulcava a ilha de Bornéu, um éden chuvoso ocupado por gibões e crocodilos encravado no sudeste da Ásia, marcando o tortuoso périplo de Sir James Brooke, conhecido como "o leopardo de Sarawak", nome que lhe era familiar porque o explorador aparecia nos romances de Sandokan sob a forma de um cruel exterminador de piratas. Mas logo Gilliam lhes pediu que concentrassem a atenção na parte mais intrincada do mapa, o continente africano, onde se entrelaçavam todas as expedições que haviam tentado descobrir as míticas fontes do Nilo. Ali, as travessias da holandesa Alexine Tinné, as do casal Baker, as que Burton e Speke realizaram, as mais célebres de Livingstone e Stanley e tantas outras compunham uma confusa meada que não revelava grande coisa além da sedução que o continente negro sempre exercera sobre os adeptos do chapéu *salacot*.

— A história de como descobrimos as viagens no tempo começou há exatamente vinte e dois anos — disse então Gilliam em tom evocativo.

E como se já tivesse ouvido aquilo muitas outras vezes, Eterno deitou-se junto aos pés do dono, Charles sorriu encantado diante daquele começo que tanto prometia e Andrew esboçou uma expressão de desespero, consciente de que ia ter de se armar de paciência antes de saber se poderia ou não salvar Marie Kelly.

VIII

Permitam-me agora que eu faça um pequeno malabarismo narrativo e relate em primeira pessoa o que Gilliam Murray contou a eles em terceira, como se fosse uma passagem extraída de algum romance de aventuras, que no fundo é como o empresário gostava de considerar sua história. Naquela época, início da segunda metade do século XIX, descobrir o nascimento das míticas fontes do Nilo, que Ptolomeu situara nas montanhas da Lua, a cordilheira que se elevava imponente no coração da África, tornou-se o principal objetivo da maioria das sociedades exploradoras. No entanto, os exploradores modernos não pareciam ter melhor sorte do que Heródoto, Nero e os demais personagens que tinham procurado infrutiferamente esse lugar ao longo da história. A expedição de Richard Burton e John Speke só conseguira indispor os dois exploradores, e a de David Livingstone tampouco havia lançado qualquer luz sobre o assunto. Livingstone estava com disenteria quando foi encontrado por Henry Stanley em Ujiji, mas, apesar disso, negou-se a voltar com ele à metrópole e partiu em nova expedição, dessa vez ao lago Tanganika, da qual teve de retornar em liteira, alquebrado pela febre e no limite de suas forças. O explorador escocês morreu em Chitambo e fez sua última viagem como cadáver, embalsamado no maternal tronco de um *myongo* que seus carregadores demoraram nove meses para transportar até a ilha de Zanzibar, de onde foi repatriado para a Grã-Bretanha. Em 1878, enterraram-no na abadia de Westminster com todas as honras, mas, apesar de seus indiscutíveis êxitos, a localização da nascente do Nilo continuava sendo um mistério, e todo mundo, da Real Sociedade Geográfica ao mais insignificante museu de ciências, queria ter a glória de descobrir aquela fugidia localização.

Os Murray não podiam almejar menos do que isso. Assim, ao mesmo tempo que o *New York Herald* e o *London Daily Telegraph* subvencionavam a nova expedição de Stanley, eles enviaram um de seus melhores exploradores ao inóspito continente africano.

Ele se chamava Oliver Tremanquai, e além de ter realizado várias expedições bem-sucedidas ao Himalaia, era um exímio caçador. Entre as feras abatidas por sua pontaria havia de tigres indianos a ursos balcânicos, passando por elefantes do Ceilão. Também era um homem profundamente religioso que, embora nunca tivesse atuado como missionário, não desperdiçava a menor oportunidade de evangelizar qualquer silvícola que passasse por seu caminho, enumerando os méritos de seu deus como quem vende uma pistola. Entusiasmado com sua nova missão, Tremanquai partiu de Zanzibar, onde conseguira carregadores e mantimentos. No entanto, poucos dias depois de partir continente adentro, os Murray perderam o contato com ele. As semanas transcorriam lentamente, sem que recebessem nenhum sinal. O que havia acontecido com o explorador? Com grande pesar, os Murray se resignaram a dá-lo por perdido, já que não podiam mandar nenhum Stanley procurá-lo porque todos os seus homens estavam ocupados.

Dez meses depois, logo após ser realizado um funeral simbólico em sua memória, com o consentimento de sua mulher, que até aquele momento resistia a submergir sob as vestes de luto, Tremanquai irrompeu na sede da empresa. Como não podia deixar de ser, provocou o rebuliço próprio de um fantasma. Estava terrivelmente magro, tinha olhos de alucinado e seu corpo, sujo e fedorento, fazia crer que não tinha passado os últimos meses exatamente tomando banhos de rosas. Como se podia supor por sua lamentável aparência, quase um espantalho, a expedição fora um completo fracasso já desde o começo, pois caiu na emboscada de uma tribo somali assim que entrou na selva. Tremanquai nem sequer teve tempo de apontar seu rifle para aquelas sombras felinas que a mata cuspia antes que uma saraivada de flechas o derrubasse. Na intimidade da selva, longe dos olhos da civilização, a expedição foi brutal e minuciosamente massacrada. Os agressores o deram por morto, assim como o resto de seus homens, mas Tremanquai era um sujeito endurecido pela vida: para matá-lo era preciso um pouco mais de esforço do que aqueles selvagens tinham feito. De maneira que passou semanas vagando pela selva, ferido e febril, usando seu rifle como muleta, com algumas flechas ainda cravadas no corpo, até que em sua lastimável peregrinação deu com uma pequena aldeia cercada por uma paliçada. Esgotado, desabou em frente a uma estreita entrada que havia na cerca, como um destroço largado pela maré.

Acordou alguns dias depois em um desconfortável colchão de palha, completamente nu e com múltiplos ferimentos que mortificavam seu corpo, sepultados sob emplastros de aspecto repugnante. A encarregada de lhe aplicar aqueles cataplasmas verdosos era uma moça cujos traços não conseguiu relacionar a nenhuma das tribos que conhecia. Tinha um corpo longo e sinuoso, com quadris estreitos e busto quase inexistente, revestido por uma pele escura que emitia um leve brilho mate. Depois percebeu que os homens também tinham uma compleição igualmente longilínea, com uma musculatura quase imperceptível, sob a qual se insinuava um delicado esqueleto. Como não sabia a que tribo pertenciam, Tremanquai decidiu batizá-los à sua maneira. Chamou-os junquianos, por achá-los magros e flexíveis como juncos. Tremanquai era um excelente atirador, mas tinha uma péssima imaginação. As fisionomias etéreas dos junquianos o surpreenderam, tanto quanto os enormes olhos escuros que ensombreciam seus rostos de marionetes sofisticadas, mas, à medida que avançava sua convalescença, encontrou mais motivos de assombro, da língua impossível que eles usavam para se comunicar — uns sons abafados que sua garganta, curtida na imitação dos mais estranhos dialetos, era incapaz de reproduzir — à uniformidade de idades que os igualava, passando pela ausência na aldeia dos objetos cotidianos mais imprescindíveis, como se a vida daqueles selvagens transcorresse em outro lugar ou tivessem conseguido reduzi-la a um único ato: o de respirar. Mas se havia uma pergunta que Tremanquai se fazia cada vez com mais frequência era a seguinte: como os junquianos sobreviviam à obstinada perseguição das tribos vizinhas? Eles estavam em número bastante reduzido, não davam a impressão de ser fortes nem ferozes e a única arma que parecia existir na aldeia era o seu rifle.

Certa noite entendeu como faziam. Um dos vigias veio avisar que os ferozes massais haviam cercado a aldeia. Da palhoça onde o tinham abrigado em companhia de sua guardiã, Tremanquai viu seus etéreos salvadores se juntarem no centro do pátio, bem em frente à entrada estreita, que estranhamente carecia de porta. Ordenados e frágeis, como se estivessem dispostos ao sacrifício, os junquianos deram-se as mãos e começaram a entoar um intrincado canto. Vencida sua perplexidade, Tremanquai pegou o rifle e se arrastou até a janela com a intenção de, na medida do possível, defender seus anfitriões. Na aldeia quase não havia tochas acesas, mas o fulgor da lua perfilava suficientemente o mundo para que um caçador experiente como ele pudesse acertar seus alvos. Apontou na direção da porta, esperando que se conseguisse abater alguns massais os outros talvez achassem que a aldeia estava defendida por homens brancos e batessem em retirada. Para sua surpresa, a moça baixou sua arma com suavidade, dizendo-lhe sem palavras que sua intervenção não seria necessária. Tremanquai ia protestar, mas o sereno olhar da junquiana o fez pensar melhor. Da janela, dividido entre o pavor e o atordoamento, viu a selvagem investida dos massais, que passavam desordenadamente pela porta, enquanto seus anfitriões se limitavam a esperar a chegada das lanças sem parar de entoar aquele canto tão desagradável. O explorador se preparou para assistir a uma matança consentida. Então aconteceu uma coisa que Tremanquai descreveu com a voz trêmula e incrédula, como se as palavras lhe parecessem inverossímeis apesar de saírem de sua própria boca. O ar se abriu. Não sabia explicar melhor. Era como arrancar um pedaço de papel de parede, disse, e revelar o reboco, que havia embaixo. A diferença era que embaixo não havia nenhum reboco, mas sim outro mundo. Um mundo que a princípio, devido à sua posição, o explorador não conseguiu ver, mas de onde emanava um pálido resplendor que atenuava a escuridão que o cercava. Atônito, viu que os primeiros massais despencavam no buraco que havia surgido subitamente entre eles e suas vítimas e desapareciam da realidade, do mundo que Tremanquai habitava, como se tivessem se volatizado no ar. Ao ver que seus irmãos eram devorados pela noite, os outros massais fugiram, cheios de pavor. O explorador balançou a cabeça lentamente, assustado com o que acabara de ver. Agora entendia por que aquele povo conseguira sobreviver à perseguição das tribos vizinhas.

Aos tropeções, saiu da cabana e se aproximou do buraco que os cânticos de seus anfitriões tinham aberto na malha da realidade. Colocando-se de frente, observou que a abertura, que ondulava como uma cortina, era maior do que parecia. Nascia no chão, ultrapassava bastante sua cabeça e tinha uma largura que permitiria a passagem de uma carreta sem dificuldade. Suas bordas oscilavam levemente sobre a paisagem, ocultando-a e desvelando-a como as ondas fazem com a margem. Fascinado, Tremanquai olhou através da abertura como se fosse por uma janela. Do outro lado havia um mundo distinto do nosso, uma espécie de planície de pedra rosada atravessada por um vento inclemente que varria a superfície arrastando areia; ao fundo, turvadas pela poeira espessa que inundava o ar, distinguiu umas montanhas lúgubres. Desconcertados e cegos, os massais vagavam por aquele mundo, cambaleantes, transpassando uns aos outros com suas lanças enquanto o número dos que ainda restavam em pé ia se reduzindo. Tremanquai observou encantado aquela grotesca dança de morte, sentindo que seu cabelo era acariciado por um vento que não pertencia a seu mundo, assim como a estranha poeira que invadia suas fossas nasais.

Os junquianos, que continuavam concentrados no centro do pátio, voltaram a entoar aquele cântico horrível, e o buraco começou a se fechar, encolhendo-se lentamente diante dos olhos alucinados de Tremanquai, até desaparecer por completo. O explorador passou a mão tolamente pelo ar onde antes se havia aberto o orifício. De repente, parecia que nunca existira coisa alguma entre ele e o coro de junquianos, o qual começou a se desagregar, encaminhando-se cada um para algum ponto da aldeia, como se nada de especial tivesse acontecido. No entanto, para Tremanquai o mundo como ele o conhecia havia mudado para sempre. Entendeu que agora só tinha duas opções. Uma era encarar seu mundo, que sempre havia considerado único, como um mundo a mais entre os muitos que existiam e que, ao que parece, se sobrepunham uns aos outros como páginas de um livro, de tal forma que bastava enfiar uma adaga na lombada para fabricar uma passagem que atravessasse todas elas. A outra opção era mais simples: enlouquecer.

Nessa noite o explorador não dormiu. Quem poderia? Ficou deitado no colchão, com os olhos bem abertos e o corpo tenso, atento a qualquer ruído proveniente da escuridão. O fato de estar em uma aldeia de feiticeiros, contra os quais não faziam efeito seu rifle nem seu deus, enchia-o de um medo atroz. Assim que conseguiu dar mais de um passo sem ficar enjoado, fugiu da aldeia dos junquianos. Levou várias semanas para retornar ao porto de Zanzibar. Ali se arranjou como pôde, até que conseguiu esconder-se no casco de um navio que zarpava rumo a Londres. Dez meses depois de partir, estava de volta, mas o que vivera o havia transformado, bastava vê-lo. Tratava-se, então, de uma odisseia terrível na qual Sebastian Murray, naturalmente, não acreditou. Não sabia o que podia ter sucedido com seu melhor explorador durante o tempo que passara desaparecido, mas estava claro que não daria nenhum crédito à história dos junquianos e suas absurdas fendas no ar. Aquilo não passava de delírio de um louco. E o próprio Tremanquai lhe deu razão quando demonstrou ser incapaz de levar uma vida normal com sua ex-viúva e suas duas filhas. É bem provável que a mulher preferisse continuar levando flores ao cemitério a conviver com aquele desconhecido incapacitado para a vida que a África lhe devolvera, e que se limitava a alternar entre estados de apatia e imprevisíveis acessos de alienação que subitamente transtornavam o até então tranquilo lar. Seus contínuos desvarios, que às vezes o levavam a correr nu pelas ruas ou a atirar pela janela nos chapéus dos transeuntes, eram uma ameaça constante à calma do bairro, e acabaram por condená-lo ao sanatório de doentes mentais do Hospital de Guy, onde se limitaram a deixá-lo esquecido em uma cela.

Mas a solidão não foi completa. Sem que seu pai soubesse, Gilliam Murray ia visitá-lo no hospital sempre que podia, movido pela tristeza de ver um de seus melhores homens naquele estado lamentável, mas também pela emoção que sentia ao ouvi-lo contar aquela história fantástica. O rapaz, na época com vinte anos, ia visitar o explorador com o enlevo de um menino que assiste a um espetáculo de teatro de fantoches, e Tremanquai nunca o decepcionava. Sentado em sua cama, com o olhar perdido nas manchas de umidade das paredes, contava a ele, de maneira praticamente espontânea, a história dos junquianos, enriquecendo-a sempre com novos e extraordinários detalhes, contente por dispor de público e tempo mais que suficientes para enriquecer sua fantasia. Durante algum tempo, Gilliam pensou que ele recuperaria a razão, mas após quatro anos de reclusão Tremanquai decidiu se enforcar em sua cela. Deixou um bilhete em um pedaço de papel sujo. Nele, com uma letra retorcida que tanto podia ser sua caligrafia habitual como estar deformada por seu sofrimento interior, comunicava com ironia que partia para outro mundo, que era apenas mais um dos muitos que existiam.

A essa altura, Gilliam havia começado a trabalhar na empresa do pai, e embora a história de Tremanquai, apesar das visitas que fazia, nunca tivesse deixado de parecer-lhe uma loucura, ou talvez por isso mesmo, pois contagiar-se de sua loucura era a melhor homenagem que podia lhe fazer, enviou, escondido do pai, dois de seus exploradores à África, em busca dos inexistentes junquianos. Samuel Kaufman e Forrest Austin eram dois boas-vidas, amigos de farras e bebedeiras, que haviam conseguido transformar em fiasco todas as suas expedições, mas eram os únicos de quem o pai não sentiria falta e os únicos que partiriam dando de ombros para o continente negro, em busca de uma tribo de feiticeiros cantores capazes de abrir no ar portais para outros mundos. Também eram os únicos a quem, devido à sua manifesta ineficácia, ele podia se permitir o luxo de confiar uma missão tão estéril como a busca dos junquianos, que não passava de uma modesta homenagem que fazia à memória do desventurado Oliver Tremanquai. Assim, Kaufman e Austin partiram da Inglaterra praticamente em segredo. Nem eles nem o próprio Gilliam podiam suspeitar que iriam transformar-se nos exploradores mais famosos de sua época. Fiéis ao procedimento padrão, assim que puseram os pés na África começaram a registrar seus avanços por meio de telegramas, que Gilliam lia por alto e amontoava em uma gaveta de sua mesa com um sorriso de piedade.

Tudo mudou quando, três meses depois, recebeu uma mensagem anunciando que finalmente haviam encontrado os junquianos. Não podia acreditar! Gilliam se perguntou se não estariam lhe pregando uma peça, como castigo por ter se livrado deles enviando-os para aquela estrambótica missão. Mas os detalhes que os telegramas traziam eram uma prova de que não estavam tentando enganá-lo, já que coincidiam exatamente com aqueles que, como recordava, faziam parte da narração de Oliver Tremanquai. Assim, apesar de seu espanto, Gilliam foi obrigado a concluir que tanto Tremanquai quanto eles haviam dito a verdade: os junquianos existiam. A partir de então, aqueles telegramas se tornaram para Gilliam Murray o principal motivo para levantar-se de manhã. Aguardava sua chegada com verdadeiro entusiasmo, e os lia e relia em seu escritório, com a porta trancada, sem querer ainda dividir aquela assombrosa descoberta com alguém, nem mesmo o pai.

Segundo os telegramas, uma vez localizada a aldeia, Kaufman e Austin não tiveram grandes problemas em ser aceitos como hóspedes. Os junquianos, na verdade, pareciam concordar com tudo, incapazes de se opor a qualquer coisa. Do mesmo modo, tampouco se mostravam muito interessados em sua presença ali. Limitavam-se simplesmente a tolerá-los. Kaufman e Austin, por sua vez, não necessitavam de mais do que isso, e em vez de desanimar ante a dificuldade de realizar a parte principal de sua missão, que era comprovar se aqueles selvagens realmente podiam abrir passagens para outros mundos, armaram-se de paciência e enfrentaram a situação como se fossem férias remuneradas. Embora não o dissessem abertamente, não foi difícil para Gilliam imaginá-los passando os dias deitados ao sol, atarefados em esvaziar as caixas de uísque que, embarcadas enquanto ele se forçava a fazer de conta que não via nada, tinham sido levadas na expedição. Por incrível que pareça, não podiam ter encontrado melhor estratégia, pois a letargia etílica em que permaneciam imersos e as danças e brigas que continuamente protagonizavam nus, sobre a relva, estimulou a aproximação dos junquianos, intrigados com o líquido ambarino que provocava aqueles alegres arrebatamentos. Compartilhar o uísque fez surgir uma agreste camaradagem entre eles que Gilliam festejou em seu escritório, pois, sem dúvida, constituía o primeiro passo para uma futura convivência. Não se enganou, mas fazer essa aproximação evoluir para um vínculo de confiança e afeto mútuo lhe custou vários carregamentos do melhor uísque escocês, e ainda continuava se perguntando se realmente eram necessários tantos litros para um número tão reduzido de selvagens.

Finalmente, certa manhã, recebeu o ansiado telegrama em que Kaufman e Austin relatavam que tinham sido conduzidos pelos junquianos ao centro da aldeia, onde, no que lhes pareceu um belo gesto de agradecimento e amizade, abriram diante deles o buraco para o outro mundo. Para descrever a abertura e a paisagem rosada que se entrevia por ela, os exploradores usavam quase as mesmas palavras que Tremanquai havia empregado cinco anos antes, mas o jovem Gilliam já não podia ouvi-las como se fizessem parte de um conto fantástico: agora sabia que aquilo estava realmente acontecendo. Então sentiu-se repentinamente constrangido, asfixiado, e não porque estivesse encerrado em seu pequeno escritório, com a porta trancada. Sentia-se oprimido entre as paredes de um universo que agora sabia que não era o único. Mas essa opressão logo terminaria, pensou. Dedicou então alguns minutos à memória do pobre Oliver Tremanquai. Supôs que tinham sido suas fortes convicções religiosas que o haviam impedido de assimilar tudo o que tinha visto, não lhe dando outra saída a não ser o tortuoso atalho da loucura. Felizmente, aquela dupla de ineptos que eram Kaufman e Austin possuía mente muito mais simples, o que os eximia de ter o mesmo destino. Releu o telegrama centenas de vezes. Os junquianos não apenas existiam, como também praticavam uma coisa que Gilliam, ao contrário de Tremanquai, preferia qualificar como magia em vez de feitiçaria. Diante de Kaufman e Austin se abria agora um mundo desconhecido. E, evidentemente, eles não podiam resistir a explorá-lo.

Gilliam leu os próximos telegramas lamentando não tê-los acompanhado. Com o beneplácito dos junquianos, que os deixavam à vontade, Kaufman e Austin começaram realizando breves incursões ao mundo do outro lado, cujas peculiaridades não deixavam de relatar. Consistia, fundamentalmente, em uma vasta planície de pedra rosada, ligeiramente luminescente, que se estendia sob um céu sempre coberto por uma névoa muito densa. Se havia um sol atrás dela, os raios não conseguiam atravessá-la. A única luz provinha, portanto, do curioso material do solo, de maneira que a paisagem estava envolta em uma penumbra triste que fundia o dia e a noite num crepúsculo eterno e dificultava a visão a longa distância, embora se pudesse ver as próprias botas com todos os detalhes. De vez em quando, um vento iracundo açoitava a planície, provocando uma tempestade de areia que deixava tudo ainda mais turvo. Em seguida, observaram uma coisa curiosa: quando atravessavam o buraco, os relógios paravam de funcionar. No entanto, os adormecidos mecanismos voltavam a se espreguiçar misteriosamente ao retornar à realidade. Era como se tivessem decidido coletivamente não contabilizar o tempo que seus donos haviam estado no outro mundo. Kaufman e Austin se entreolharam, e não é difícil imaginá-los dando de ombros estupidamente. Depois de passar uma noite, segundo seus cálculos, no acampamento que montaram junto ao buraco para vigiar os junquianos, fizeram outra descoberta. Enquanto estavam lá dentro, não precisavam se barbear: os pelos paravam de crescer. Também observaram que um corte que Austin levara no braço pouco antes de atravessar o buraco, de repente parou de sangrar, de maneira que ele até se esqueceu de enfaixá-lo. Não se lembrou mais do ferimento até que, de volta à aldeia, voltou a sangrar. Fascinado, Gilliam anotou esse fato extraordinário em sua caderneta, com o que acontecia com os pelos e os relógios. Tudo isso sugeria uma impossível claudicação do tempo. Começou a fazer maquinações em seu escritório enquanto Kaufman e Austin se abasteciam de armas e mantimentos e partiam em direção à única coisa que quebrava a monotonia da planície: as lúgubres montanhas que se insinuavam fantasmagóricas no horizonte.

Como os relógios continuavam imprestáveis, decidiram medir a duração da viagem tomando como referência os períodos de sono, mas esse método logo se revelou ineficaz, pois, às vezes, o sono era abortado pelo vento, que surgia de improviso e com tanta força que os obrigava a permanecer acordados escorando a barraca, e outras vezes, ao contrário, o cansaço acumulado os derrubava cada vez que faziam alguma parada para comer ou recuperar as forças. De modo que só puderam dizer que, depois de um tempo razoável, nem muito nem pouco, alcançaram as ansiadas montanhas. Elas eram feitas da mesma pedra luminescente que a planície, mas apresentavam um aspecto lúgubre que lembrava uma dentadura podre e rachada. Seus picos pontiagudos fendiam a nuvem de neblina que ocultava o céu e em algumas partes notaram cavidades que deviam ser cavernas. Sem um plano melhor, decidiram escalar a encosta até a montanha mais próxima. Não demoraram muito. Uma vez conquistado o topo de um pequeno morro, tiveram uma visão mais abrangente da planície. A distância havia reduzido o buraco a um ponto brilhante no horizonte. Ali estava o caminho de volta, esperando-os, agora servindo de guia. A possibilidade de que os junquianos o fechassem não os preocupava, já que haviam tomado a precaução de levar consigo o uísque que restava. Foi então que notaram outros pontos brilhantes que cintilavam no horizonte. A neblina reduzia sua luz, mas parecia haver pelo menos meia dúzia deles. Tratava-se de novos buracos que conduziam a outros mundos? Descobriram a resposta na própria caverna que se dispuseram a explorar. Assim que entraram, perceberam que alguém habitava aquele lugar. Por todo lado encontraram sinais de vida: restos de fogueiras, vasilhas, ferramentas e outros utensílios de uso diário, todas as coisas de que Tremanquai sentira falta na aldeia dos junquianos. No fundo da caverna, descobriram um recinto mais estreito e escuro, com as paredes cobertas de pinturas. A maioria representava cenas cotidianas dos junquianos. A julgar pelas longilíneas figuras que as protagonizavam, só podiam ser eles os autores. Aparentemente era ali, naquele mundo em penumbras, que levavam suas vidas. A aldeia não era mais do que um lugar de passagem, um assentamento ocasional, um dos muitos que provavelmente possuíam espalhados por outros mundos. Kaufman e Austin não acharam muito significativas aquelas pinturas de cenas campestres. Só duas chamaram fortemente sua atenção. Uma, que ocupava uma parede inteira, pretendia ser, conforme deduziram, um mapa daquele mundo, ou ao menos da parte que a tribo conseguira explorar e que se reduzia aos arredores das montanhas. Porém, o que mais os fascinou foi que aquele mapa rudimentar indicava a localização de alguns buracos e, se não o estavam interpretando mal, também o que continham. A representação era simples: uma estrela amarela simbolizava o buraco, e as figuras pintadas a seu lado, seu conteúdo. Ao menos era isso o que cabia deduzir do ponto cercado de palhoças que supostamente reproduzia o buraco pelo qual haviam chegado ali e a aldeia que se encontrava do outro lado, no mundo a que eles pertenciam. Sem contar aquela, estavam marcadas no mapa mais quatro aberturas, menos do que as que se insinuavam no horizonte. Aonde aqueles buracos conduziriam? Por preguiça ou fastio, só haviam pintado o conteúdo das aberturas mais próximas à caverna. Uma delas dava a entender que em seu interior transcorria uma espécie de guerra entre dois tipos de figuras: umas que pareciam humanas, outras feitas de quadradinhos e retângulos. O restante das representações era ainda mais cifrado, de modo que Kaufman e Austin só puderam determinar que aquele mundo tinha dezenas de buracos como o que eles haviam franqueado, mas que jamais saberiam aonde iam dar, a menos que os atravessassem pessoalmente, pois os rabiscos dos junquianos pareciam tão misteriosos quanto o sonho de um cego. A segunda pintura que chamou sua atenção estava bem em frente e representava um grupo de junquianos fugindo do que parecia um animal enorme. A fera era quadrúpede, corpulenta e tinha cauda de dragão e um lombo coberto de espinhos. Kaufman e Austin se entreolharam, assustados com a ideia de compartilhar aquele mundo com feras cuja simples representação já dava pavor. Como seria encontrá-la na realidade? A descoberta, no entanto, não os fez recuar. Cada um deles levava um rifle e munição suficiente para abater um exército daqueles monstros, caso existissem mesmo e não fossem algum tipo de invenção alegórica dos junquianos. Também levavam uísque, aquela bebida mágica para infundir a coragem que lhes faltava, ou pelo menos transformar a possibilidade de morrer devorados por uma fera do tamanho de um elefante num contratempo fácil de enfrentar. Do que mais necessitavam?

Decidiram, assim, continuar a exploração, partindo rumo à abertura que mostrava a guerra entre as figuras, por ser a mais próxima das montanhas. Foi uma travessia cansativa, agitada por repentinas tempestades de areia que os obrigavam a montar a barraca e esconder-se dentro dela se não quisessem acabar areados como dois candelabros de prata. Mas pelo menos não depararam com nenhuma fera enorme. Quando alcançaram o buraco, obviamente, não sabiam quanto tempo havia transcorrido, mas estavam exaustos. O tamanho e as características daquele eram similares aos do buraco por onde haviam ingressado no território brumoso. A única diferença com relação ao outro era que seu interior não mostrava uma aldeia de palhoças toscas, mas uma cidade em ruínas. Praticamente não restava um único edifício em pé, mas o tipo de construção não lhes pareceu estranho. Ficaram alguns minutos ainda fora do buraco, estudando a paisagem de escombros como quem observa uma cristaleira, para ver se detectavam algum sinal de vida ou qualquer outra coisa reveladora, mas nada parecia alterar a calma que dominava aquela cidade tão minuciosamente devastada. Que tipo de guerra seria capaz de produzir uma destruição tão terrível? Finalmente, depois de recuperar com alguns goles de uísque a coragem que a espantosa visão havia enfraquecido, Kaufman e Austin encasquetaram seus *salacots* e saltaram com bravura para o outro lado do buraco. Imediatamente sentiram um cheiro forte e familiar. Com um estúpido sorriso de emoção, perceberam que não era o cheiro de nada concreto, era simplesmente o cheiro do seu mundo, que sem se dar conta haviam deixado de sentir durante a estada na planície rosada.

Com os rifles a postos, foram avançando cautelosamente por aquelas ruas obstruídas por barricadas de escombros, sobressaltados com aquele espetáculo de devastação, até que algo os obrigou a parar. Atônitos, Kaufman e Austin contemplaram o novo obstáculo que impedia a passagem, que era, nada mais, nada menos, o campanário do Big Ben. Como a cabeça cortada de um peixe, o campanário jazia parcialmente destruído no meio da rua, a enorme esfera do relógio parecendo um olho que os fitava com resignada tristeza. Essa descoberta os fez lançar um olhar abalado para os lados, fitar cada construção desmoronada com um repentino afeto, observar com o coração repleto de nostalgia o horizonte irregular de entulhos expelindo escuros penachos de fumaça que riscavam o céu daquela Londres arrasada. Nenhum dos dois conseguiu reprimir as lágrimas. E continuariam ali pelo resto de seus dias, chorando diante do cadáver de sua amada cidade, não fosse um estranho som que vinha de algum lugar. Eram batidas produzida por algo metálico.

Com os rifles novamente a postos, seguiram o ruído até chegar a um montículo de escombros, que escalaram sem fazer barulho, meio escondidos. Do camarote improvisado puderam observar, sem ser vistos, os causadores daquele fragor metálico. Eram uns estranhos seres de ferro, vagamente humanos, que se moviam graças ao que parecia ser um pequeno motor a vapor preso às costas, a julgar pela fumaça que soltavam de tanto em tanto pelas junções. O som de sino enlouquecido que havia despertado sua atenção era provocado pelos pesados pés de ferro quando se chocavam com algum dos muitos restos metálicos espalhados pelo chão. A princípio, os atônitos exploradores não entenderam o que eram aquelas coisas, até que Austin tirou dentre os escombros algo que parecia uma folha de jornal. Desdobrou-a com os dedos trêmulos. Nela aparecia uma fotografia dos seres que estavam logo abaixo. A manchete falava do irrefreável avanço do exército de autômatos e acabava pedindo aos leitores que não perdessem a fé na resistência humana, liderada pelo bravo capitão Derek Shackleton. Porém, o que mais os surpreendeu foi a data do jornal. O exemplar a que pertencia aquela folha extraviada havia sido impresso em 3 de abril do ano 2000. Kaufman e Austin balançaram as cabeças simultaneamente, de maneira muito lenta e da esquerda para a direita, mas não tiveram tempo de expressar sua surpresa de forma mais sofisticada, porque um pedaço de viga se desprendeu do montículo e caiu pesadamente na rua, provocando um forte estrondo que chamou a atenção dos autômatos. Depois de trocar olhares de pavor, Kaufman e Austin puseram os pés em movimento. Correram o mais rápido que puderam, sem olhar para trás, em direção ao buraco por onde tinham entrado. Conseguiram atravessar sem problemas, mas nem por isso deixaram de correr. Só pararam quando suas pernas foram incapazes de sustentá-los. Montaram a barraca e se esconderam lá dentro, tentando acalmar-se e digerir o que tinham visto, naturalmente com a inestimável ajuda do uísque. Estava claro que havia chegado a hora de voltar para aldeia e informar Londres de tudo o que havia acontecido, contando que Gilliam Murray conseguiria explicar o que eles tinham visto.

As vicissitudes, porém, não acabaram aí. Na volta à aldeia, foram atacados pela enorme fera com o lombo pontilhado de espinhos, cuja possível existência haviam esquecido. Quando a viram, quiseram eliminá-la. Gastaram quase toda a munição dos rifles tentando, porque as balas ricocheteavam uma e outra vez na couraça de espinhos sem causar o menor dano. Finalmente decidiram atirar nos olhos, o único ponto fraco que encontraram, e isso acabou afugentando a fera. Depois de livrar-se dela, Kaufman e Austin chegaram ao buraco sem mais incidentes e escreveram imediatamente a Londres, contando tudo o que haviam descoberto.

Ao receber essas notícias, Gilliam Murray zarpou imediatamente para a África. Encontrou-se com eles na aldeia dos junquianos, e com o mesmo espanto de Tomé ao tocar nas chagas de Cristo ressuscitado, caminhou pela Londres devastada do ano 2000. Permaneceu vários meses com os junquianos, embora na verdade não pudesse dizer exatamente quantos, já que passou longas temporadas estudando a planície rosada e verificando tudo o que os exploradores haviam contado. Tal como afirmaram em seus telegramas, naquele mundo sombrio os relógios paravam de funcionar, não eram necessárias lâminas de barbear e não havia qualquer sinal que indicasse a passagem do tempo, o que o fez concluir que, por incrível que pudesse parecer, os momentos passados lá dentro eram como pausas em sua existência, descansos que podiam dilatar sua inexorável travessia para a morte. Comprovou que aquilo não era nenhum desvario de sua cabeça quando, ao voltar para a aldeia, o cãozinho que levara consigo correu para se reunir com seus irmãos, todos filhotes da mesma ninhada, e topou com um grupo de cachorros adultos. Gilliam não precisava fazer a barba uma única vez enquanto estudava a planície, mas Eterno, o filhotinho, encarnava de um modo muito mais espetacular a ausência de tempo que imperava naquele mundo. Também deduziu que os buracos não conduziam a outros universos, como pensara a princípio, mas a épocas diversas de um mesmo mundo, que não era outro senão o seu. A planície rosada estava fora da corrente temporal, fora do tempo, do cenário em que transcorria a vida do homem, das plantas e do resto dos animais. E os seres que habitavam a planície, aquelas criaturas que Tremanquai havia batizado de junquianos, conheciam a forma de irromper na corrente temporal abrindo buracos ao longo dela, aberturas que o homem podia utilizar para viajar no tempo, atravessar de uma época para outra. Ao tomar consciência disso, a excitação e o medo invadiram Gilliam. Era a descoberta mais importante da humanidade: ele tinha descoberto o que havia debaixo do mundo, o que havia por trás da realidade. Tinha descoberto a quarta dimensão.

Como era a vida!, pensou. Tinha começado procurando a nascente do Nilo e acabara encontrando uma passagem secreta para o ano 2000. Mas as maiores descobertas aconteciam assim. Por acaso o *Beagle* não viajara movido por espúrios interesses econômicos e estratégicos? Seus descobrimentos teriam sido bem mais modestos se a bordo não estivesse um jovem naturalista sensível o suficiente para notar as diferenças entre os bicos dos tentilhões. A história da seleção natural, porém, iria revolucionar o mundo. E também de forma casual ele havia descoberto a quarta dimensão.

Mas de que adiantava descobrir alguma coisa se não podia compartilhá-la com o mundo? Gilliam queria levar as pessoas da metrópole até o ano 2000, para que vissem com os próprios olhos o que o futuro lhes reservava. A questão era como: não podia fretar navios cheios de londrinos rumo a uma aldeia indígena perdida no coração da África, onde os junquianos habitavam naquele momento. A única maneira era levar o buraco para Londres. Seria possível fazer isso? Ele não sabia, mas não perderia nada tentando. Deixou Kaufman e Austin vigiando os junquianos e retornou a Londres, onde mandou construir uma caixa de ferro forjado do tamanho de um quarto, e com ela e mais de mil litros de uísque voltou para a aldeia com o propósito de fazer a permuta que transformaria a ideia que se tinha do mundo. Bêbados como gambás, os junquianos atenderam seu capricho de entoar os cantos mágicos no interior da sinistra caixa. Quando o buraco germinou em seu interior, obrigaram-nos a sair e fecharam a pesada tampa. Esperaram até que o uísque derrubasse o último junquiano que ainda restava em pé, e em seguida empreenderam a volta.

A travessia foi difícil, e Gilliam não respirou tranquilo até conseguirem embarcar a imensa caixa em Zanzibar. Na viagem de navio para a metrópole, mal dormiu. Passou quase toda a travessia na coberta, olhando com afeto a tenebrosa caixa que tanto desconcertava os demais passageiros, perguntando-se se depois de tudo aquilo não estaria vazia. Poderiam roubar o buraco? A impaciência para responder a essa pergunta o corroía por dentro, transformando a volta em uma travessia infinita. Não acreditou quando finalmente atracaram no porto de Liverpool. Abriu a caixa assim que chegou a seu escritório, no maior dos segredos. E o buraco continuava lá! Tinham-no roubado mesmo! O passo seguinte foi mostrá-lo a seu pai.

— Que diabo é isto? — exclamou Sebastian Murray, ao ver o buraco estalando dentro da caixa.

— Foi isto que enlouqueceu Oliver Tremanquai, pai — respondeu Gilliam, mencionando o explorador com carinho. — Tome cuidado.

O pai empalideceu. Mesmo assim, atravessou o buraco e viajou com ele para o futuro, àquela Londres devastada entre cujas ruínas os humanos se escondiam como ratos. Quando se recuperaram da surpresa, os dois concordaram que teriam de comunicar aquela descoberta ao mundo, e que a melhor forma de fazer isso seria transformar o buraco em um negócio: levar pessoas para conhecerem o ano 2000 proporcionaria o dinheiro necessário para financiar tanto as próprias viagens quanto a exploração da quarta dimensão. A primeira coisa que fizeram foi criar uma rota segura para o buraco que levava ao futuro, eliminando os perigos, instalando pontos de vigilância e aplainando o terreno para ser percorrido sem problemas por um bonde de trinta lugares. Infelizmente, o pai não viveu o suficiente para ver a empresa Viagens Temporais Murray abrir as portas, mas Gilliam se consolava pensando que pelo menos o pai havia conhecido o futuro que se encontrava além da própria morte.

IX

Quando terminou de relatar sua história, o empresário ficou em silêncio e observou os dois convidados com interesse. Andrew supôs que ele esperava algum tipo de reação de sua parte, mas não sabia o que dizer. Estava confuso. Não conseguia acreditar que tudo o que seu anfitrião contara fosse algo mais do que o enredo de um romance de aventuras. Aquela planície rosada lhe parecia tão real quanto Liliput, a ilha do Pacífico Sul onde Lemuel Gulliver naufragou e que era habitada por pessoas minúsculas, de 15 centímetros de altura. No entanto, pelo sorriso deslumbrado que adornava o rosto de Charles, deduziu que seu primo acreditava. Afinal, ele tinha viajado ao ano 2000, o que importava se foi de bonde, por uma planície rosada em que o tempo não passava?

— E agora, cavalheiros, se fizerem a gentileza de me acompanhar, vou lhes mostrar algo que só mostro às pessoas em quem confio — anunciou Gilliam, reiniciando aquela espécie de visita guiada por seu vasto gabinete.

Com Eterno orbitando a seu redor, dirigiram-se a outra parede, na qual havia uma pequena coleção de fotografias e algo que, oculto por uma cortininha vermelha, era, provavelmente, mais um mapa. Andrew constatou com surpresa que as fotos haviam sido tiradas na quarta dimensão, embora pudessem ter sido tiradas em qualquer deserto, já que nenhuma câmera, pelo que parecia, podia captar as cores do mundo, nem deste nem de qualquer outro. Era preciso usar a imaginação, portanto, para dar àquela areia esbranquiçada o caráter de rosada. A maioria das fotografias registrava momentos prosaicos da expedição: Gilliam e os supostos Kaufman e Austin montando as barracas, tomando café durante um descanso, acendendo uma fogueira, posando diante das fantasmagóricas montanhas, difíceis de intuir atrás da neblina espessa. Tudo muito normal. Somente uma das fotografias fez Andrew pensar que realmente estava contemplando um mundo desconhecido. Nela apareciam Kaufman e Austin — barrigudo e robusto o primeiro, magro como uma estaca o segundo — sorrindo exageradamente com os chapéus inclinados, os rifles levantados e uma bota apoiada na enorme cabeça de um dragão de conto de fadas, que jazia abatido na areia como um troféu de caça. Estava prestes a se inclinar sobre a fotografia para olhar melhor aquele vulto indefinido quando um chiado desagradável o sobressaltou. A seu lado, Gilliam estava puxando o cordão dourado que descerrava a cortina de seda, revelando o que havia embaixo.

— Cavalheiros, posso afirmar que não encontrarão nenhum mapa igual a este em toda a Inglaterra — anunciou, cheio de orgulho. — É uma reprodução exata do desenho encontrado na caverna junquiana, ampliado por nossas explorações posteriores, naturalmente.

Mais do que um mapa, o que a cortininha de teatro de fantoches mostrou parecia um desenho de uma criança imaginativa. Preponderava, evidentemente, a cor rosa, que representava a planície. No centro ficavam as montanhas, mas a tenebrosa cordilheira não era o único acidente geográfico representado no mapa. No canto direito do desenho, por exemplo, via-se o risco trêmulo de um rio, e ao seu lado uma mancha verde-clara que talvez simbolizasse um bosque ou um prado. Andrew não pôde deixar de pensar que aqueles símbolos, próprios dos mapas convencionais que cartografavam os territórios do mundo que habitava, pareciam incongruentes num desenho que pretendia representar a quarta dimensão. Porém, o que mais se destacava no mapa eram os pontos dourados que salpicavam a planície e que, obviamente, reproduziam os buracos. Dois deles, o que levava para o ano 2000 e o segundo, que os Murray possuíam agora, estavam unidos por um sinuoso traço vermelho que representava o trajeto do bonde temporal.

— Como podem ver, há numerosos buracos, mas ainda desconhecemos aonde levam. Algum deles levará ao outono de 1888? Talvez, quem sabe — disse Gilliam, olhando significativamente para Andrew. — Kaufman e Austin estão tentando chegar à abertura que se encontra perto da entrada do ano 2000, mas ainda não encontraram um jeito de passar pela manada de feras que pasta no vale que fica bem no meio do caminho.

Enquanto Andrew e Charles estudavam o mapa, Gilliam se ajoelhou e começou a acariciar o cachorro.

— Ah, a quarta dimensão! Que mistérios terá esse território? — murmurou, sonhador. — A única coisa que sei é que lá dentro, para dizer de maneira poética, nossa vela não se consome. Sim, Eterno aparenta ter um ano, mas nasceu há quatro. Imagino que deveria ser esta sua idade, se não fosse pelo fato de que grande parte desses anos, o tempo passado na planície, parece não contar. Eterno me acompanhou em minhas pesquisas na África, e desde que chegamos a Londres dorme ao meu lado toda noite, dentro do buraco. Não o batizei assim gratuitamente, cavalheiros, e, enquanto estiver comigo, farei todo o possível para que ele faça jus ao nome.

Andrew não conseguiu evitar um calafrio quando olhou para o cão.

— O que representa essa construção? — perguntou Charles, apontando para o símbolo de um castelo perto das montanhas.

— Ah, isso — disse Gilliam, incomodado. — É o palácio de Sua Majestade.

— Da rainha? — surpreendeu-se Charles. — Ela tem um palácio na quarta dimensão?

— De fato, senhor Winslow. É, por assim dizer, um agradecimento por sua generosa contribuição a nossas explorações — Gilliam refletiu por alguns instantes, sem saber se devia dar mais informações. Finalmente, acrescentou: — Desde que organizamos uma viagem particular para ela e seu séquito ao ano 2000, Sua Majestade se interessou pelas peculiares leis que regem a quarta dimensão e, bem..., ela nos comunicou seu desejo de dispor de uma residência na planície na qual pudesse passar temporadas quando suas obrigações permitissem, como quem vai descansar em um balneário. Passa alguns meses por ano lá, de modo que creio que seu reinado será longo... — disse, sem se preocupar em esconder a irritação por ter tido de fazer aquela concessão, enquanto ele, provavelmente, devia se conformar passando suas temporadas com Eterno em uma miserável tenda de campanha. — Mas para mim tanto faz. A única coisa que quero é que me deixem em paz. O Império pensa em conquistar a lua. Muito bem, que o faça... Mas o futuro é meu!

Fechou a cortininha e os levou novamente até sua mesa. Convidou-os a se sentar e ocupou a poltrona, enquanto Eterno, o cachorro que sobreviveria aos homens, com exceção do próprio Gilliam, da rainha e dos felizes empregados de seu palácio intemporal, se deitava a seus pés.

— Bem, cavalheiros, espero ter respondido por que só podemos levá-los ao dia 20 de maio do ano 2000, onde a única coisa que podem ver é a batalha mais decisiva da raça humana — disse com ironia depois de sentar-se.

Andrew bufou. Aquilo não interessava a ele, em absoluto, pelo menos enquanto fosse incapaz de sentir qualquer outra coisa além de dor. Continuava na mesma, ao que parecia. Teria de dar prosseguimento ao suicídio assim que Charles se distraísse. Alguma hora ele teria de dormir.

— Então não é possível viajar ao ano 1888? — ouviu o primo perguntar, parecendo não se dar por vencido.

— Imagino que não seria difícil se vocês dispusessem de uma máquina do tempo — respondeu Gilliam, dando de ombros.

— Vamos ter de esperar que a ciência a invente logo, Andrew — lamentou Charles, dando-lhe uma palmadinha no joelho e se levantando da poltrona.

— Talvez já tenha sido inventada, cavalheiros — soltou de repente Gilliam.

Charles virou-se para ele.

— O que quer dizer?

— Hum, é apenas uma suspeita... — respondeu o empresário —, mas o fato é que, quando abrimos a nossa empresa, houve uma pessoa que se opôs ao nosso negócio com uma obstinação especial. Insistia que as viagens temporais implicavam muitos riscos, que era melhor ir devagar. Sempre suspeitei que dizia isso porque tinha uma máquina do tempo e queria fazer experiências com ela antes de anunciá-la ao público. Ou talvez quisesse guardá-la só para si, e ser o único dono do tempo.

— A quem se refere? — perguntou Andrew.

Gilliam se recostou na poltrona, sorrindo com presunção.

— Estou me referindo ao senhor Wells, obviamente — respondeu.

— Mas o que o levou a pensar isso? — replicou Charles. — Wells só fala em seu livro de viagens ao futuro. Nem sequer levanta a possibilidade de viajar ao passado.

— Por isso mesmo, senhor Winslow. Imaginem, cavalheiros, que os senhores constroem uma máquina do tempo, a invenção mais importante da humanidade. Dado seu incrível poder, precisam mantê-la em segredo, evitar que caia em mãos inadequadas que queiram usá-la em seu próprio benefício, mas será que resistiriam à tentação de contar sua descoberta ao mundo? Um romance poderia ser o veículo perfeito para transmitir o segredo sem que ninguém desconfiasse de que é mais do que ficção, não acham? Ou, se a vaidade não os convence como motivo, imaginem que o que ele busca não é satisfazer o próprio ego. Imaginem que precisa de algum tipo de ajuda. Talvez *A máqui-*

na do tempo seja apenas um chamado, uma garrafa jogada no mar, um pedido de auxílio a alguém que saiba interpretá-lo. Quem sabe? De qualquer forma, cavalheiros, Wells, na verdade, considerou a possibilidade de viajar ao passado, e com a intenção de alterá-lo, que imagino ser o mesmo propósito seu, senhor Harrington.

Andrew se sobressaltou, como se o tivessem surpreendido cometendo um delito. Gilliam deu um sorriso zombeteiro e em seguida vasculhou uma gaveta de sua escrivaninha. Finalmente, jogou na mesa um exemplar do *Science Schools Journal* de 1888. O número, manuseado e amassado, trazia na capa o título *Os argonautas do tempo*, de H. G. Wells. Entregou-o a Andrew, pedindo-lhe cuidado, pois era um número esgotado.

— Há precisamente oito anos, quando ainda um jovenzinho recém-chegado a Londres para conquistar o mundo, Wells publicou uma narrativa em forma de folhetim intitulada *Os argonautas do tempo*, protagonizada por um cientista louco chamado Moses Nebogipfel, que viajava ao passado para cometer um assassinato. Talvez Wells tenha pensado que se excedeu e, ao recuperar a ideia para o romance, decidiu eliminar as viagens ao passado, para não sugestionar os leitores, e centrar-se exclusivamente nas viagens ao futuro, protagonizadas por um indivíduo muito melhor que Nebogipfel, como sabem, e cujo nome não é mencionado no romance. Talvez Wells não tenha resistido a dar essa piscadela disfarçada.

Andrew e Charles se entreolharam e em seguida se voltaram para o empresário, que pegou uma caderneta e rabiscou algo.

— Este é o endereço do senhor Wells — disse, entregando uma folha a Andrew. — Os senhores não vão perder nada indo lá verificar se minhas suspeitas são verdadeiras.

X

Deixaram o edifício da Viagens Temporais Murray flutuando no perfume de rosas que inundava o vestíbulo. Uma vez na rua, subiram na primeira carruagem que encontraram e deram ao cocheiro um endereço em Woking, condado de Surrey, onde residia o escritor H. G. Wells. A conversa com Gilliam Murray havia deixado Andrew em profundo silêncio, levando-o, só Deus sabe, a que obscuras reflexões, mas como a viagem duraria pelo menos três horas, Charles não viu necessidade de se apressar para romper aquele mutismo. Preferia dar ao primo o tempo necessário para desanuviar sua mente. Haviam sido emoções demais naquele dia, e ainda faltavam outras tantas mais. Sua relação com Andrew, de qualquer modo, era marcada por frequentes e imprevisíveis períodos de silêncio, nos quais havia aprendido a relaxar, de maneira que fechou os olhos e deixou-se embalar pelo vaivém da carruagem em sua fuga da metrópole.

Talvez o silêncio não os incomodasse, mas imagino que para vocês, que de alguma forma também viajam na carruagem, pode ser um tanto constrangedor, de modo que, em vez de falar da substância e da qualidade daquele silêncio invulnerável, profanado apenas pelos rangidos doentios da carruagem, ou descrever os quartos traseiros dos cavalos, em que estava ancorado o olhar ensimesmado de Andrew, e como nem sequer posso lhes contar de maneira emocionante o que passava pela cabeça dele, onde a possibilidade de resgatar Marie Kelly se esvaía lentamente porque, embora tivessem encontrado a maneira de viajar literalmente no tempo, pelo visto ainda não se podia mirar num alvo, vou aproveitar a pausa na ação para relatar a vocês algo que ficou pendente no começo desta história, e que só eu posso contar, já que se trata de um episódio que os ocupantes da carruagem desconhecem. Estou me referindo à vertiginosa ascensão social de seus respectivos pais, William Harrington e Sidney Winslow, protagonizada pelo primeiro com sua característica mistura de sorte e tosca mestria, que ambos decidiram guardar como um segredo, mas que não podem esconder de mim, que vejo tudo, ainda que não queira.

Eu não faria a menor objeção em expor aqui minhas impressões sobre William Harrington, mas pouco importam minhas opiniões. É melhor ficarmos com a ideia que o próprio Andrew tem sobre seu genitor, bastante próxima da realidade. Para ele, o pai era um guerreiro empresarial, capaz das façanhas mais extraordinárias no campo de batalha dos negócios, como será visto a seguir, mas no corpo a corpo do cotidiano, em que se travam os combates que realmente nos humanizam, permitindo-nos manifestar nossa bondade ou nossa generosidade, parecia incapacitado para qualquer coisa que não fossem as mesquinharias mais notáveis, como já vimos. William Harrington pertencia ao grupo de indivíduos dotados de uma autoconfiança que é, ao mesmo tempo, uma dádiva e uma condenação, uma segurança tão inabalável que, ao menor descuido, acaba se transformando em arrogância extrema, ofuscante. Era, enfim, desses que, se por acaso se pendurarem de cabeça para baixo num galho de árvore, vão achar que o mundo está invertido, ou, se preferirem, desses que acham que Deus criou o Sol com o único propósito de fazer suas nêsperas amadurecerem, e com isso creio desnecessário acrescentar algo mais.

William Harrington chegou da Crimeia em um mundo dominado pelas máquinas. Mas entendeu logo que tanta maquinaria não conseguiria abolir o velho modo de fazer as coisas, pois até os vidros do Palácio de Cristal — aquela baleia translúcida ancorada no Hyde Park que acumulava em seu ventre um plâncton de fetos mecânicos — eram feitos à mão. Aquele não era, certamente, o caminho que devia seguir se queria enriquecer, meta que fixara com a inconsciência própria de seus vinte e poucos anos numa noite em que dormia ao lado de sua jovem esposa, a filha mais que pacata de um fabricante de fósforos para quem havia começado a trabalhar. Enfurnado em uma existência cujo curso insosso era fácil de prever, rolava na cama, perguntando-se se não deveria talvez se amotinar contra aquele destino tão vulgar. Por que diabo sua mãe o trouxera ao mundo, se a maior emoção de sua vida tinha sido acabar manco por causa de uma baioneta? Qual seria sua sina: fazer número ou entrar para a história? Sua lamentável atuação na Crimeia parecia apontar para a primeira opção, mas William Harrington alojava no peito um espírito demasiadamente voraz para se contentar com isso. "Pelo que sei, temos apenas uma vida", pensou: "o que eu não fizer nesta, não farei em outra."

Na manhã seguinte, chamou seu cunhado Sidney, um jovem esperto e capaz que claramente estava desperdiçando a vida com a contabilidade da pequena empresa familiar, para dizer-lhe que o destino dele era brilhar ao seu lado. Mas para empreender a ascensão social que William profetizava precisavam esquecer os fósforos e montar seu próprio negócio, o que não seria difícil se aproveitassem as economias que Sidney eventualmente possuísse. Durante uma longa bebedeira, William convenceu o cunhado a deixá-lo usar aquele dinheiro dizendo que em sua vida tediosa não viriam nada mal umas pitadas de aventura empresarial. Eles tinham pouco a perder e muito a ganhar. O mais importante era encontrar um negócio que rendesse lucros abundantes e rápidos, concluiu. Para sua surpresa, Sidney lhe deu razão e pôs seu imaginativo cérebro para trabalhar. Na reunião seguinte, apareceu com os projetos do que garantia ser uma invenção revolucionária. Ele a chamava de *Ajudante de solteiro,* e era uma poltrona pensada para os amantes da literatura erótica, que trazia incorporado um oportuno suporte de livro mecânico capaz de virar as páginas por si só, de modo que seu ocupante não tivesse de prescindir de nenhuma das mãos. O artefato, como William pôde verificar nos detalhados desenhos de Sidney, também dispunha de outros complementos, como uma pequena cuba e até uma esponja, acessórios destinados a eximir o cliente de abandonar a leitura para se levantar da poltrona. Sidney estava convencido de que aquele produto os deixaria ricos, mas William não tinha tanta certeza: era evidente que seu cunhado confundira as próprias necessidades com as necessidades do mundo. Mas quando conseguiu convencê-lo que aquela sofisticada poltrona não era tão imprescindível para o Império como ele pensava, coisa que não foi tarefa fácil, voltaram ao ponto de partida, sem uma ideia decente nas mãos.

Desesperados, espiaram o tráfico de mercadorias das colônias. Que produto faltava importar, a que necessidade os ingleses ainda precisavam satisfazer? Olharam em volta com atenção, mas não parecia faltar nada. Sua Majestade, com seus incontáveis tentáculos, já exauria do mundo tudo o que o país requeria. Mas careciam de alguma coisa, é óbvio, só que era uma necessidade que ninguém se atreveria a reconhecer em voz alta.

Descobriram-na passeando pelas ruas comerciais de Nova York, para onde haviam ido em busca de inspiração. Estavam prestes a voltar ao hotel para mergulhar seus castigados pés em uma bacia de água com sal quando repararam num produto que estava numa vitrine. Atrás do vidro se amontoavam alguns estranhos pacotes de quinhentas resmas de papel manilha tratadas com umidificante. "Papel terapêutico Gayetti", leram no verso. Para que diabo servia aquilo? Descobriram a resposta nas instruções coladas na vitrine, que sem o menor pudor mostravam o desenho de uma mão passando habilmente o produto na região mais recôndita de um traseiro. Pelo visto, o tal Gayetti tinha achado que chegara a hora de dar um descanso às espigas de milho e aos impressos paroquiais. Depois da surpresa, William e Sidney trocaram um olhar de cumplicidade. Era isso! Não era preciso ser nenhum lince para adivinhar a calorosa acolhida que os milhares de traseiros ingleses, danificados pela aspereza dos jornais, dariam àquele presente dos céus. A cinquenta centavos cada um, em pouco tempo iam ficar ricos. Compraram a quantidade necessária para abastecer uma pequena loja que adquiriram em uma das principais ruas de Londres, entulharam a vitrine com uma montanha de pacotes, colaram no vidro um cartaz que detalhava a maneira correta de usar o produto e ficaram atrás do balcão esperando que lhes arrancassem das mãos aquela invenção tão maravilhosa e oportuna. Mas ninguém cruzou a porta do estabelecimento no dia da inauguração, tampouco nos dias seguintes, que logo se converteram em semanas.

William e Sidney demoraram três meses para aceitar a derrota. Seus sonhos de prosperidade se desmantelaram brutalmente mal haviam nascido, deixando-os, isso sim, com papel terapêutico suficiente para não ter de se preocupar em arranjar catálogos das Lojas Sears pelo resto da vida. Às vezes, porém, o mundo tem sua própria e intrincada lógica, e assim que o desastroso negócio foi fechado, começou a funcionar. Nos cantos mais escuros das tabernas, nas esquinas dos becos, em suas próprias casas, de madrugada, William e Sidney eram acossados por todo tipo de gente que, em voz baixa e olhando com receio ao redor, encomendava pacotes de seu milagroso papel antes de sumir apressadamente nas sombras. Surpresos com o teor clandestino que seu negócio precisou adotar, os jovens empresários se acostumaram a percorrer a cidade nas profundezas da noite, mancando um e bufando o outro, para fazer suas furtivas entregas longe de olhares indiscretos. Em pouco tempo se habituaram a deixar seu vergonhoso produto nas portas das casas, a bater com a bengala nas janelas do jeito combinado, a jogar pacotes das pontes à passagem de sigilosas barcaças, a entrar em parques solitários para apanhar um maço de libras embaixo de um banco, a assobiar como pintassilgos ou canário junto às grades das mansões. Toda Londres queria usar o maravilhoso papel Gayetti sem que o vizinho tomasse conhecimento, coisa que William soube aproveitar aumentando o preço do produto até atingir, com o tempo, uma cifra realmente obscena, que ainda assim a maioria de seus clientes continuava pagando.

Em dois anos puderam comprar duas luxuosas casas no bairro de Brompton, que pouco depois abandonaram, para se estabelecer em Kensington, pois, com sua coleção de bengalas luxuosas, William considerava aquela mudança progressiva de imóveis o símbolo de seu sucesso na vida. Espantado ao ver que o temerário ato de confiar suas economias nas mãos do cunhado lhe tivesse rendido uma elegante mansão em Queen's Gate, de cuja varanda podia ver o melhor lado de Londres, Sidney se dispôs a aproveitar o que tinha, entregando-se aos prazeres familiares que as paróquias tanto apregoavam. Encheu o lar de crianças, livros e telas de artistas promissores, arranjou dois serviçais e também aperfeiçoou até transformar em desdém a aversão que sempre havia sentido pelo povo, agora que se considerava a salvo dele. Definitivamente, adaptou-se com discrição a sua nova vida de criatura rica, pouco lhe importando que tudo aquilo se baseasse no ignóbil negócio de papel para banheiro; mas William era diferente. Seu espírito ambicioso e arrogante não lhe permitia acomodar-se. Necessitava do aplauso do público, da reverência do mundo. Em outras palavras, queria que as pessoas importantes de Londres o convidassem para participar de suas caçadas como se fosse um deles, coisa que não ocorria por mais que se pavoneasse pelos salões de fumo distribuindo cartões. Diante dessa situação imutável, foi se alojando em sua alma um amargo rancor contra aquela camarilha enriquecida que o deixava no mais miserável ostracismo enquanto limpavam seus ilustres traseiros com o suave papel que ele fornecia. Essa hostilidade transbordou em uma das poucas festas a que foram convidados, quando alguém, estimulado pelo álcool, quis exibir sua argúcia concedendo-lhes o título de Limpadores Oficiais do Reino. Antes mesmo que soasse a primeira gargalhada, William Harrington se atirou como um furacão contra o insolente almofadinha que disse aquilo, e teve tempo de fraturar-lhe o nariz com o punho da bengala antes que Sidney conseguisse tirá-lo de lá.

Essa festa marcou o antes e o depois em suas vidas, pois William Harrington extraiu dela uma lição amarga, porém útil: o papel terapêutico, ao qual devia tudo e que tanto bem-estar lhe proporcionava, era um estigma que marcaria sua existência para sempre, a menos que ele o evitasse. Então, atiçando sua intuição com o ódio que o dominava, começou a investir parte de seus lucros em negócios menos ignominiosos, como a incipiente ferrovia, reunindo em poucos meses a maioria das ações de várias oficinas de consertos de locomotivas. Seu passo seguinte foi comprar uma empresa naval falida chamada Fellowship, insuflar-lhe sangue novo e transformá-la no negócio mais rentável entre os que exploravam o oceano. Em pouco menos de dois anos seu pequeno império de empresas flutuantes, que Sidney administrava com a graça serena de um maestro de orquestra, conseguiu que seu nome deixasse de ser associado ao papel terapêutico, cujos últimos pedidos cancelou, submetendo toda Londres a uma triste e silenciosa desolação. Na primavera de 1872, Annesley Hall o convidou para sua primeira caça à raposa em sua mansão de Newstead, à qual compareceram todos os homens probos de Londres dispostos a aplaudir seus extraordinários lucros, e na qual, infelizmente, faleceu o espirituoso jovem que fizera a brincadeira às suas costas naquela festa remota. Segundo a notícia que apareceu na imprensa, o desafortunado atirou acidentalmente no próprio pé com sua escopeta. Foi mais ou menos nessa época que William Harrington resgatou o uniforme de soldado do baú e mandou pintar seu retrato com ele, sorrindo como se seu peitilho deserto estivesse empedrado de galões, para saudar todo aquele que entrasse em sua mansão com um olhar de dono e senhor daquela parte do universo em frente ao Hyde Park.

Este, e não outro, é o segredo que os pais guardam com tanto zelo, e cuja crônica, com seu ar de peça ligeira, julguei apropriada para amenizar-lhes a cansativa viagem. Mas desconfio que acabamos cedo demais. O silêncio continua imperando na carruagem, e é possível que dure muito mais, pois quando Andrew quer, pode levar horas para voltar ao mundo, a menos que alguém o queime com um atiçador em brasa ou derrame em cima dele uma bacia de óleo fervente, objetos que Charles não costuma carregar. De modo que não tenho outra opção, a menos que queira descrever os pouco interessantes quartos traseiros dos cavalos, senão alçar voo de novo e adiantar-nos ao destino dos dois, a casa do senhor Wells. Não apenas não estou preso ao ritmo tortuoso do coche, como já puderam deduzir, por algumas das minhas intervenções, como sou capaz de correr tanto quanto os raios de luz, e por isso, *voilà*, num abrir e fechar de olhos, ou talvez menos, estamos flutuando sobre o telhado de uma modesta casa de três andares e jardim em Woking, cercada por urzais e álamos prateados, cuja frágil fachada estremece levemente com a veloz passagem dos trens que partem para Lynton.

XI

Descubro logo que o instante escolhido para irromper na vida do escritor Herbert George Wells não é o melhor. Para não enfastiá-los demais, poderia resumir sua descrição física dizendo que o famoso escritor era um jovem magro e pálido, que já tivera dias melhores. Porém, dos numerosos personagens que pululam no aquário desta história, Wells é, talvez contrariado, quem mais reviravoltas dará, o que me obriga a ser um pouco mais preciso ao delinear seu retrato. Não bastasse sua assustadora magreza e a mortiça brancura de pele, Wells deixara crescer um bigode na última moda, fino e com pontas curvas, que parecia grande demais, pesado e incongruente em seu rosto infantil. O referido bigode se abatia como uma ameaça sobre uma boca de traço primoroso e um tanto feminina que, ao aliar-se com seus olhos claros, forjava uma expressão que poderia ser qualificada de angelical se não fosse pelo risinho travesso que rondava os lábios. Em resumo, Wells parecia feito de porcelana, com os olhos risonhos atrás dos quais se agitava uma inteligência viva e aguda. Para os amantes do detalhe ou carentes de imaginação, acrescentarei que pesava pouco mais de cinquenta quilos, calçava quarenta e três, penteava-se com uma acentuada risca à esquerda, e o cheiro de seu corpo, geralmente frutado, tinha nesse dia um leve toque de suor fermentado, pois algumas horas antes estivera percorrendo os caminhos vicinais de Surrey com sua nova esposa numa bicicleta para duas pessoas, o invento da moda que logo conquistou o coração do casal porque não precisava de forragem nem estábulo e nunca se afastava do lugar em que a deixavam. Pouco mais posso acrescentar a seu respeito sem incorrer em uma vivissecção ou na exposição de detalhes íntimos, como a modesta envergadura e a inclinação para sudeste de seu membro viril.

Nesse exato momento ele estava sentado à mesa da cozinha, onde costumava escrever, com uma revista nas mãos. Seu corpo, tenso e muito rígido na cadeira, revelava a luta interna que o ocupava, pois Wells, embora pudesse parecer que não fazia outra coisa além de deixar-se cobrir lentamente pela bela renda de sombras dentadas que o sol da tarde arrancava da árvore do jardim, estava tentando conter a fúria que o invadia. Respirou fundo, uma, duas, três vezes, invocando desesperadamente uma calma que o apaziguasse. Não conseguiu. Prova disso foi que jogou a publicação que estava lendo contra a porta da cozinha. A revista planou com a estupidez de uma pomba ferida até aterrissar a dois metros de seus pés. Wells olhou-a da cadeira com certa tristeza, bufou, balançou a cabeça e finalmente se levantou para apanhá-la do chão, censurando-se por aquele excesso de cólera, impróprio para uma criatura civilizada. Colocou-a na mesa e sentou-se de novo à sua frente com o gesto resignado de quem sabe que aceitar de bom grado os reveses da fortuna é sinal de valentia e lucidez.

A revista em questão era um exemplar da *The Speaker*, que trazia uma crítica devastadora de sua última obra, *A ilha do doutor Moreau*, outro romance popular de cunho científico sob cuja casca se escondia uma de suas obsessões preferidas: a do sonhador derrotado por seus próprios sonhos. O romance era protagonizado por um náufrago chamado Prendick que, para sua infelicidade, fora arrastado pelo mar até uma ilha que não figurava em nenhum mapa, e que era o domínio de um cientista louco desterrado da Inglaterra por causa de suas brutais experiências com animais. Nessa ilhota esquecida, o doutor a que o título aludia se transformara numa espécie de deidade primitiva para uma tribo formada pelos aberrantes frutos de sua loucura, os resultados monstruosos de sua pretensão de transformar bestas selvagens em humanos. A obra era uma tentativa de ir além de Darwin, ao fazer com que o disparatado doutor quisesse modificar a vida evitando o curso lento e natural da evolução, além de ser uma homenagem pessoal a Jonathan Swift, seu autor de cabeceira, pois a cena em que Prendick voltava à Inglaterra e informava ao mundo sobre o fantasmagórico éden de que havia fugido era praticamente uma repetição do episódio em que Gulliver descreve o país dos *houyhnhnm*. Embora Wells, ao terminá-la, não tivesse ficado muito satisfeito com a obra, que fora crescendo em suas mãos de maneira quase espasmódica mediante o encadeamento um tanto confuso de imagens mais ou menos impactantes, e estivesse preparado para uma possível surra por parte da crítica, o fato é que nada disso diminuía a dor das pancadas. A primeira estocada o pegara de surpresa, pois viera de sua própria esposa, que via a morte do cientista nas mãos do puma deformado que ele tentara transformar em mulher como uma crítica ao movimento feminista. Como era possível que Jane pensasse isso? Na semana anterior recebera a segunda punhalada, dessa vez do *Saturday Review*, um jornal que sempre havia considerado amável nas opiniões. Para sua maior irritação, a crítica azeda era assinada por Peter Charlmers Mitchell, um jovem e promissor zoólogo que fora seu colega em South Kensington e que agora, traindo a afável camaradagem entre os dois, afirmava sem nenhuma delicadeza que o livro de Wells queria simplesmente horrorizar. A crítica em *The Speaker* ia ainda mais longe, tachando o autor de pervertido ao insinuar que obviamente o próximo passo de quem tivesse sucesso na experiência de dar a um animal a aparência externa de um ser humano seria manter relações sexuais com dita aberração. "O senhor Wells tem talento, mas o coloca a serviço de um propósito absolutamente aviltante", afirmava o crítico. Wells se perguntava quem de fato tinha a cabeça emporcalhada com tais ideias distorcidas, ele ou o autor daquela crítica.

Wells estava farto de saber que as resenhas desfavoráveis causavam apenas danos morais, não passavam de ventos incômodos, mas fracos, que não perturbavam o percurso do livro. Esta que estava à sua frente, que com tanta leviandade qualificava seu romance de fantasia perversa, até impulsionaria as vendas, aplainando ainda mais o caminho para sua próxima publicação. No entanto, as feridas infligidas à autoestima de um autor podiam ter consequências fatais a longo prazo, pois a arma mais poderosa de um escritor, aquilo que lhe dava forças, era sua intuição, e se a crítica se unia para desprestigiar seu faro, esse escritor, tivesse ou não talento, ficaria reduzido a uma criatura insegura desempenhando seu papel com uma cautela insensata, uma absurda prudência que terminaria reprimindo seu possível gênio. Os que labutam nos jornais e suplementos literários deveriam lembrar que toda obra é, em geral, uma união de esforço e esperança, a encarnação de um empenho solitário, de um sonho às vezes longamente incubado, quando não uma aposta desesperada destinada a dar sentido à existência, antes de nela cuspirem sem dó nem piedade, instalados em suas confortáveis atalaias. Mas não poderiam enfrentá-lo. Não, certamente não. Não conseguiriam deixá-lo confuso, porque ele tinha o cesto.

Contemplou o cesto de vime que descansava em uma das prateleiras da cozinha, e imediatamente sentiu que seu espírito abatido começava a se reerguer, provocante, desafiador. O efeito que o cesto lhe causava era instantâneo. Por isso nunca se separava dele, arrastando-o de um lado para outro, apesar das suspeitas que aquele transporte constante despertava em todos que o cercavam. Wells nunca acreditara em talismãs nem em objetos mágicos, mas o modo incongruente como o cesto tinha irrompido em sua vida, ao lado dos auspiciosos acontecimentos que sua presença começara a gerar, obrigaram-no a abrir uma exceção. Viu que Jane o enchera de verduras, e isto, em vez de irritá-lo, o divertiu, pois ao dar-lhe aquele simplório uso doméstico ela camuflara seu caráter mágico, redobrando graciosamente sua utilidade. Além de dar sorte e transmitir-lhe confiança em si mesmo, além de encarnar o espírito de superação pessoal toda vez que ele evocava a extraordinária pessoa que havia trançado aquelas fibras, o cesto também servia de cesto.

Muito mais calmo, Wells fechou a revista. Não ia permitir que ninguém obscurecesse suas conquistas, com as quais devia sentir-se satisfeito. Tinha trinta anos, e após um angustiante e interminável período lutando contra os elementos sua vida, finalmente, estava estabilizada. A espada tinha sido temperada, adquirindo, de todas as formas possíveis, o aspecto que teria pelo resto da vida. Faltava apenas afiá-la, aprender a manejá-la e mesmo, se necessário, dar-lhe sangue para beber de vez em quando. De tudo o que ele poderia ser, parecia claro que seria escritor, o que já estava sendo. Os três romances que havia publicado testemunhavam isso. Escritor. Soava bem. E era uma ocupação que não o desagradava nem um pouco, pois já havia pensado nela quando na infância como segunda opção, depois de professor. Agitar consciências em cima de um estrado sempre fora seu desejo, mas também podia fazer isso numa vitrine, talvez de modo mais confortável e com alcance muito maior.

Escritor. Soava bem, sim. Soava muito bem.

Quando conseguiu se acalmar, Wells deslizou um olhar de contentamento em torno de si, pelos domínios que a literatura lhe proporcionara. Era uma casa modesta, mas ainda assim impossível de adquirir alguns anos antes, quando sobrevivia dos artigos que conseguia publicar em jornais locais e das extenuantes aulas, e só a fé que o cesto lhe transmitia o mantinha em pé diante do desalento. Não podia deixar de compará-la com a casa de Bromley, em Kent, onde crescera, aquela toca miserável sempre fedorenta ao óleo de parafina que seu pai passava nas tábuas do piso para dizimar os exércitos de baratas com que eram obrigados a conviver. Lembrou-se com desagrado da horrorosa cozinha que havia no porão, com aquele fogão a lenha tão mal-localizado, e do quintal, onde ficava o fétido reservado, um simples buraco no solo a que se chegava por um caminho de terra batida que sua mãe detestava percorrer quando a bexiga a obrigava, porque suspeitava que suas idas e vindas eram espiadas pelos empregados do senhor Cooper, o vizinho alfaiate. Lembrou da trepadeira na cerca do fundo, pela qual costumava subir para observar o senhor Covell, o açougueiro, que tinha o hábito de perambular pelo jardim ensanguentado até os cotovelos, segurando despreocupadamente na mão uma faca ainda gotejante da matança, como um assassino apático. Ao longe, despontando entre os telhados, também podia ver a igreja e o cemitério, repleto de lápides rachadas e cobertas de musgos, sob uma das quais descansava o tenro corpinho de sua irmã Frances que, como afirmava a mãe, tinha sido envenenada por seu vizinho, o infame senhor Munday, durante uma macabra sessão de chá.

Ninguém poderia suspeitar, nem mesmo ele, que naquela cova pudessem confluir as circunstâncias necessárias para a gestação de um escritor; mas foi o que aconteceu, embora tenha sido um parto lento e acidentado. Wells levou exatamente vinte e um anos e três meses para transformar seus sonhos em realidade. Pelas suas contas, obviamente, pois Wells costumava destacar, como se falasse com seus biógrafos futuros, o dia 5 de junho de 1874 como aquele em que, de um modo talvez desnecessariamente brutal, foi revelada sua vocação. Nesse dia sofreu um terrível acidente, e esse acontecimento, cujo enorme significado o passar dos anos deixou evidente, também o convenceu de que na hora de esculpir nosso futuro pouco importava nossa vontade, pois os caprichosos cinzéis do acaso é que realmente lhe davam forma. Como quem desdobra um origami para desvelar os passos que sua construção exigiu, Wells podia desmontar o instante da existência que estava levando agora e descobrir as peças que tinham participado de sua fabricação. Aliás, percorrer a árvore genealógica que sustentava cada momento era uma coisa que ele gostava de fazer frequentemente, porque esse exercício de dissecação metafísica costumava lhe oferecer o mesmo consolo que sentia quando recitava a tabuada de multiplicar para fixar o mundo com as escoras da matemática toda vez que este lhe parecia um magma inconstante. Assim estabeleceu o ponto de partida, a faísca fortuita que desencadeou os acontecimentos que iriam transformá-lo em escritor, uma coisa que a princípio podia parecer desconcertante: os venenosos lançamentos de seu pai, lentos e eficazes, no campo de críquete. Mas, por menos que puxasse aquele fio, acabava desmanchando o tapete inteiro: se seu pai não tivesse a habilidade necessária para realizar aqueles lançamentos mortíferos, não o convidariam para ingressar no time oficial do condado; e se não tivesse entrado no time, não passaria as tardes bebendo com seus companheiros em The Bell, a taberna próxima de sua casa; e se não houvesse desperdiçado suas tardes ali, esquecido da pequena loja de porcelanas que tocava com sua mãe no térreo da casa, não faria amizade com o filho do dono; e se não tivesse estabelecido esse laço de afeto com o rapagão, o dono não tomaria, ao encontrar seus filhos na partida de críquete a que foram uma tarde, a liberdade de pegar o pequeno Bertie nos braços e jogá-lo para o alto; e se não o tivesse jogado, ele não escorregaria de suas mãos; e se não tivesse escorregado, aquele Wells de oito anos não quebraria a tíbia ao bater numa das cavilhas que prendiam as cordas da barraca de cerveja; e se não houvesse fraturado a perna, sendo obrigado a passar o verão inteiro na cama, não teria o álibi perfeito para entregar-se à única distração a seu alcance naquelas circunstâncias: a leitura, entretenimento insano que em qualquer outra situação levantaria as suspeitas de seus pais, impedindo-o de descobrir Dickens, Swift ou Washington Irving, escritores que plantaram uma semente em seu espírito que, com o passar do tempo e apesar das limitadas regas e cuidados que pôde lhe proporcionar, terminaria germinando.

Às vezes, com a intenção de aquilatar ainda mais o que tinha, para que seu brilho não diminuísse nem um pouco, Wells se perguntava o que teria sido dele se aquela milagrosa cadeia de acontecimentos que o jogara nos braços da literatura não tivesse acontecido. E a resposta era sempre a mesma. Se aquele insólito encadeamento não se produzisse, Wells tinha certeza de que estaria agora trabalhando em uma farmácia ou algo assim, mortificado pelo tédio e sem acreditar que sua contribuição ao caldeirão da vida fosse aquela ninharia. Como seria viver sem uma meta, sem um propósito claro? Como seria viver sabendo que nada podia lhe dar a plenitude? Não concebia infelicidade maior que a de andar à deriva pelo mundo, cego e insatisfeito, construindo à base de golpes de sorte e decisões sempre confusas uma existência anódina, irrelevante, intercambiável com a do vizinho, e só aspirando à felicidade tediosa, débil e escorregadia dos simples. Mas, felizmente, as jogadas letais que seu pai era capaz de fazer no campo de críquete o resgataram da mediocridade, reduzindo sua exposição aos vaivéns da vida, tornando-o alguém com um propósito, fazendo dele um escritor.

Não foi fácil, porém, chegar a isso. Era como se, no instante em que teve esse vislumbre de seu destino, no momento exato em que soube para onde devia encaminhar seus passos, também começasse a soprar, como um complemento imprescindível, o vento destinado a dificultar seu avanço. Um vento feroz, incansável, encarnado na figura de sua mãe, pois Sarah Wells, além de ser uma das criaturas mais infelizes do planeta, parecia ter como única missão na vida fazer do pequeno Bertie e de seus irmãos mais velhos, Fred e Frank, homens úteis, o que para ela significava ser escriturário, tecelão ou qualquer outra variante desses abnegados atlas que sustentam o peso do mundo com orgulhosa discrição. Wells a decepcionara com sua resolução de ser um pouco mais do que isso, mas ela não devia dar muita importância a esse desgosto, porque era como chover no molhado. O pequeno Bertie já tinha decepcionado a mãe no instante de seu nascimento, ao ter a desfaçatez de sair de suas vísceras munido do instrumental próprio dos varões, quando ela, nove meses antes, havia aberto a porta do quarto para seu repugnante marido com a condição de que este lhe engendrasse uma menina para substituir a anterior.

Não é de estranhar que após um começo tão conturbado a relação de Wells com sua mãe prosseguisse da mesma maneira. Uma vez terminado o agradável recreio que a fratura da perna lhe proporcionou, generosamente dilatado pelo médico do povoado que, sem que ninguém lhe pedisse, aprumou mal o osso e teve de quebrá-lo de novo para consertar o erro, o pequeno Bertie entrou na academia de Bromley, por onde já haviam passado seus dois irmãos sem que o senhor Morley, o professor, pudesse tirar o menor partido deles. O rapaz, no entanto, logo demonstrou que nem todas as flores do mesmo galho precisam ter o mesmo cheiro. O senhor Morley ficou tão surpreso com a deslumbrante inteligência daquele Wells caçula que até fez vista grossa para a dívida da matrícula, mas tal favorecimento não evitou que sua mãe o arrancasse daquele habitat de giz e carteiras em que se sentia tão confortável e o mandasse como aprendiz para a fábrica de tecidos de Rodgers & Denyer, em Windsor. Depois de dois meses lá, trabalhando das sete e meia da manhã às oito da noite, com uma breve pausa para o almoço, em um porão estreito ao qual a luz nunca chegava, Wells receou que seu brio juvenil começasse a murchar lenta e indevidamente, como estava acontecendo com seus irmãos mais velhos, que não lembravam mais os indivíduos alegres e resolutos que haviam sido. Assim, fez tudo o que estava a seu alcance para demonstrar ao mundo que não tinha talento para ser funcionário de fábrica de tecidos, ou seja, abandonou-se mais do que nunca a seus frequentes estados de devaneio, a tal ponto que os patrões não tiveram mais remédio senão despedir aquele jovem que confundia os pedidos e passava a maior parte do dia abobalhado num canto. Graças à intervenção de um primo de segundo grau de sua mãe, mandaram-no então ajudar um parente que administrava uma escola em Wookey, onde também poderia completar sua formação como professor. Infelizmente, aquele trabalho, muito mais próximo de suas aspirações, terminou mal havia começado, quando descobriram que o diretor do centro era um estelionatário que obtivera o posto falsificando suas qualificações acadêmicas. E o já não tão pequeno Bertie ficou novamente exposto às obsessões de sua mãe, que voltou a afastá-lo de seu destino guiando-o por um caminho equivocado. De maneira que, com quatorze anos recém-completados, Wells começou a trabalhar como aprendiz na farmácia do senhor Cowap, que tinha ordem de formá-lo balconista. No entanto, o farmacêutico logo percebeu que aquele rapaz era excepcional demais para ser desperdiçado naquele trabalho, de modo que o deixou nas mãos de Horace Byatt, diretor da escola secundária de Midhurst, que estava à caça de alunos brilhantes para proporcionar a seu estabelecimento a respeitabilidade acadêmica que lhe faltava. Não foi difícil para Wells destacar-se num corpo discente composto fundamentalmente de rapazes medíocres, chamando de imediato a atenção de Byatt, que fez um trato com o farmacêutico com o objetivo de oferecer àquele talentoso rapaz a melhor formação possível. Mas sua mãe logo se manifestou contra a conjuração tramada por aqueles dois filantropos ociosos que pretendiam levar o pequeno Bertie à perdição e mandou o filho para outra fábrica de tecidos, dessa vez em Southsea. Lá Wells passou dois anos, num estado de profunda aflição, tentando entender por que aquele vento feroz insistia em derrubá-lo do cavalo toda vez que enveredava pelo caminho correto. A vida no Empório dos Tecidos de Edwin Hyde estranhamente se parecia com uma temporada no inferno: consistia em treze horas de trabalho duro que concluíam com o enclausuramento no sufocante barracão que servia de dormitório, onde os empregados dormiam tão amontoados que até seus sonhos se confundiam. Alguns anos antes, convencida de que a incompetência do marido terminaria levando o negócio de porcelanas à falência, sua mãe aceitara o posto de governanta na mansão de Uppark, uma fazenda abandonada atrás da colina de Karting Down na qual trabalhara como ama quando jovem e para onde Wells lhe mandava, de seu cativeiro, cartas desesperadas e muito ressentidas, que por respeito não reproduzirei aqui, nas quais se alternavam as súplicas mais infantis com as mais imaginativas argumentações, numa tentativa inútil de convencê-la a tirá-lo de lá. Aflito, vendo como o futuro que tanto ansiava escorria de suas mãos, Wells explorava os pontos fracos da determinação de sua mãe. Perguntava a ela como pensava que ia poder ajudá-la na velhice com o miserável salário de operário, enquanto com os estudos que pretendia cursar poderia alcançar uma magnífica posição; chamava-a de intolerante e obtusa, e até ameaçava suicidar-se ou cometer atos ainda piores que manchariam para sempre o nome da família. Mas nada daquilo fez sua mãe retroceder de seu empenho em transformá-lo num honrado tecelão. Foi necessário que seu antigo protetor, Horace Byatt, sobrecarregado pelo aumento de alunos, fosse resgatá-lo, oferecendo-lhe um cargo de professor em sua escola por vinte libras no primeiro ano e quarenta nos sucessivos, cifras que ele foi logo alardear com desespero para a mãe, que consentiu contrariada que abandonasse a fábrica, exausta de tanto esforço inútil para evitar que o filho se desencaminhasse. Aliviado, Wells começou a trabalhar com gratidão sob as ordens de seu salvador, cujas expectativas ansiava cumprir, empregando o dia em dar aulas aos alunos menores e a noite em terminar seus estudos de magistério e devorar com verdadeira gula tudo o que encontrava sobre biologia, física, astronomia e outras matérias do ramo das ciências. Seu esforço titânico foi recompensado com a obtenção de uma bolsa de estudos na Escola Normal de Ciências, em Londres, onde ensinava ninguém menos que o professor Huxley, o célebre fisiologista que havia sido assistente de Darwin em suas célebres pelejas dialéticas com o bispo Wilberforce.

Apesar de tudo, não se pode dizer que Wells tenha ido para Londres com o espírito muito alegre. Pelo contrário, estava imerso num profundo pesar por não contar com o apoio dos pais naquela importante aventura. Sua mãe, com certeza, desejava que fracassasse nos estudos, confirmando assim sua crença de que os Wells só serviam para o ofício de tecelão, pois era impossível que surgisse um gênio de um material tão discutível como a semente de seu marido. O pai, por sua vez, era o exemplo vivo de que se podia desfrutar o fracasso tanto quanto a felicidade. Durante o verão que tinham passado juntos, Wells constatou com pavor que seu progenitor, apesar de privado do refúgio do críquete devido à idade, continuava ligado à única coisa que dera sentido à sua existência, vagando como um desventurado fantasma pelos campos com uma sacola abarrotada de luvas de rebater, boxes, pads e bolas, enquanto, como se ele não tivesse nada a ver com isso, a loja de porcelanas afundava como um galeão destruído a golpes de canhão no meio do oceano. Tal como estavam as coisas, Wells tampouco se importou muito de ter de se hospedar numa pensão cujos convivas pareciam competir entre si para ver quem era capaz de produzir o som mais original.

Estava tão acostumado a ver que o mundo sempre lhe oferecia o pior lado que, quando sua tia Mary Wells lhe propôs que se hospedasse em sua casa, na Euston Road, não conseguiu evitar uma desconfiança instintiva, pois se tratava de um lar aparentemente normal, quente e acolhedor, envolto numa plácida harmonia, que não parecia combinar com os cenários sórdidos em que sua existência se desenvolvera até então. Estava tão grato à tia por lhe oferecer uma trégua naquela batalha interminável que era sua vida, que considerou quase uma obrigação pedir a mão de sua filha, Isabel, a mocinha doce e bondosa que perambulava sigilosamente pela casa. Mas Wells logo percebeu que tinha se precipitado na decisão. Após o casamento, que se resolveu com a rapidez e o desapego de um ato burocrático, não apenas constatou o que já suspeitava, que sua prima nada tinha que ver com ele, como também descobriu que Isabel fora educada para ser uma esposa-modelo, ou seja, para satisfazer a todas as necessidades do marido, menos, é claro, aquelas que o afligiam no leito, onde se comportava com a frieza de um mecanismo excelente para a procriação, mas inabilitado para o gozo. Apesar de tudo, o minguado apetite sexual da esposa não deixava de ser um mal menor, facilmente reparável com a visita a outros leitos, e Wells logo descobriu que o mundo estava excelentemente abastecido de adoráveis tálamos cujas portas sua hipnótica oratória podia abrir, de maneira que se dedicou a aproveitar a vida, que agora parecia ir às mil maravilhas. Imerso naquele falso epicurismo que o guinéu semanal de sua bolsa lhe permitia, Wells não apenas se entregou aos prazeres da carne, à exploração de disciplinas a que até então não se aventurara — como a literatura e a arte — e a gozar de cada segundo de sua temporada tão arduamente conquistada em South Kensington, como também julgou que era o momento certo para revelar ao mundo seu sonho mais oculto, publicando uma breve história de ficção no *Science Schools Journal*.

A história se intitulava *Os argonautas do tempo* e era protagonizada por um cientista louco, o doutor Nebogipfel, que inventara uma máquina do tempo e a empregava para viajar ao passado e cometer um assassinato. A ideia da viagem no tempo não era original — Dickens já a usara em seu *Conto de Natal* e o americano Edgar Allan Poe em *Uma história das montanhas Ragged*; mas em ambos os relatos sempre se viajava num estado de sonho ou alucinação.

Esse cientista, por seu lado, viajava voluntariamente e usando para isso, pela primeira vez, um artefato mecânico. A proposta de Wells, enfim, transbordava de originalidade. No entanto, essa primeira e cautelosa tentativa de se afirmar como escritor não alterou o curso do mundo, que continuou transcorrendo com sua habitual normalidade, fato que o decepcionou. Ainda assim, esse primeiro conto lhe trouxe o leitor mais especial que já tivera e talvez viesse a ter. Poucos dias depois da publicação, Wells recebeu um cartão de um admirador que havia lido sua história e lhe pedia que aceitasse seu convite para tomar um chá. O nome que se lia no cartão o fez estremecer: Joseph Merrick, mais conhecido como o Homem Elefante.

XII

Wells ouvia falar de Merrick desde que passou pelas aulas de biologia de South Kensington. Para os estudiosos do corpo humano e seus mecanismos, Merrick era algo assim como a obra máxima da Natureza, seu diamante mais bem-esculpido, a prova viva de até onde podia chegar sua criatividade. O chamado Homem Elefante tinha uma doença que deformava seu corpo de modo atroz, transformando-o em uma criatura grotesca que chegava às raias do monstruoso. O estranho mal que o afligia, objeto de atenção da comunidade médica, fazia crescer descontroladamente os membros, ossos e órgãos da metade direita de seu corpo, mantendo a esquerda praticamente inalterada. O lado direito do crânio, por exemplo, tinha uma enorme proeminência que subvertia a linha da cabeça e imprensava metade do rosto, reduzindo-o a um mar de dobras e protuberâncias ósseas, chegando a deslocar a orelha. Por isso, Merrick era incapaz de gerar outra expressão além de uma ferocidade lânguida de totem. Tal assimetria fazia com que sua coluna se inclinasse para a direita, onde o peso dos órgãos era exageradamente maior, envolvendo cada um de seus movimentos numa aura grotesca. Como se não bastasse, a doença também havia transformado sua pele em uma casca grossa e rugosa, como um papelão ressecado pelo sol, cheio de crateras, saliências e papilomas verrugosos. Embora, a princípio, custasse a acreditar na existência de um ser assim, Wells comprovou a veracidade daqueles boatos nas fotografias que circulavam clandestinamente pelas salas de aula, roubadas ou compradas do pessoal do Hospital de Londres, onde Merrick se encontrava agora, depois de passar metade da vida sendo exibido em circos miseráveis e feiras ambulantes. Essas fotografias, nebulosas e coalhadas de sombras, nas quais Merrick, mais que visto, era vagamente imaginado, se cruzavam em seu percurso de mão em mão com uma caravana de fotos de mulheres com pouca roupa e, embora por razões distintas, provocavam um frêmito similar.

Ter sido convidado para tomar chá com aquele ser causava em Wells uma estranha sensação em que se misturavam assombro e inquietação. Mesmo assim, chegou pontualmente ao Hospital de Londres, uma sólida e austera construção localizada em Whitechapel. O vestíbulo fervilhava de enfermeiras e médicos que iam e vinham, ocupados não se sabia com o quê. Wells procurou um canto em que não incomodasse muito, perturbado com aquela harmoniosa azáfama que, como integrantes de um balé, todos pareciam obedecer. Talvez alguma das enfermeiras que passavam diante de seus olhos carregando ataduras estivesse de volta para uma sala de cirurgia em que alguém se debatia entre a vida e a morte, mas nem por isso acelerava o passo além daquele ritmo serenamente apressado desenvolvido na convivência com situações extremas. Wells já observava atônito havia um bom tempo aquele compassado formigueiro, sentado no lugar que conquistara, quando apareceu o doutor Tresves, o cirurgião que cuidava de Merrick. Frederick Tresves era um homem de uns trinta e cinco anos, baixinho e exaltado, que entrincheirava seu rosto infantil atrás de uma barba espessa, aparada com um escrúpulo botânico.

— Senhor Wells? — perguntou, tentando disfarçar o evidente desconcerto que a insultante juventude do outro lhe provocava.

Wells confirmou, sem reprimir um dar de ombros à guisa de desculpa por não ter a venerável maturidade que pelo visto Tresves exigia dos convidados de seu paciente. Imediatamente se arrependeu daquele gesto absurdo, já que não havia sido ele quem solicitara o encontro com o célebre hóspede do hospital, mas exatamente o contrário.

— Obrigado por aceitar o convite do senhor Merrick — disse Tresves, estendendo-lhe a mão.

Depois de superar o desconcerto inicial, o cirurgião rapidamente assumiu seu papel de intermediário. Wells apertou com extremo respeito sua mão ágil e vivaz, acostumada a pousar em lugares vedados à maioria dos mortais.

— Por acaso eu poderia me negar a conhecer a única pessoa que leu meu conto? — brincou.

Tresves assentiu distraído, como se a vaidade dos escritores e as brincadeiras a esse respeito lhe fossem completamente indiferentes. Tinha preocupações maiores. O mundo diariamente inventava novas e engenhosas doenças que exigiam sua atenção, a habilidade sobrenatural de suas mãos, sua enérgica segurança nas salas de cirurgia. Com um movimento de cabeça quase marcial, indicou que o seguisse por uma escada até o andar superior do hospital. Devido à torrente de atarefadas enfermeiras que vinha em sentido contrário, foi uma subida trabalhosa, em que Wells temeu ser atropelado em mais de uma ocasião.

— Nem todo mundo tem acesso a Joseph, por razões óbvias — Tresves praticamente vociferou. — Mas isso, por estranho que pareça, não o entristece. Às vezes penso que para ele o pouco que pôde obter da vida é mais do que suficiente. No fundo, sabe que são as suas excepcionais doenças que lhe permitem ter encontros com qualquer pessoa importante da cidade, coisa impensável para qualquer um de Leicester.

Wells recebeu com certo horror a reflexão de Tresves, mas se absteve de fazer qualquer comentário a respeito, porque percebeu que ele tinha razão. A aparência de Merrick o condenara a uma vida de ostracismo e privações, mas era justamente isso que agora lhe permitia conviver com a nata da sociedade londrina, se bem que seria preciso ver se para ele aquela carga de imperfeições não era um preço excessivamente alto para circular no meio da aristocracia.

No andar superior reinava a mesma movimentação, mas bastaram dois desvios por corredores escuros para Tresves tirar seu acompanhante daquele tumulto cadenciado. Com passos decididos, conduziu Wells por uma sucessão de intermináveis corredores cada vez mais solitários. Era evidente que aquele despovoamento gradual ocorria porque, à medida que avançavam pelos interstícios do hospital, as salas e gabinetes iam ficando cada vez mais especializados, o que restringia notavelmente tanto a circulação de pacientes como a de enfermeiros, mas Wells não pôde deixar de comparar aquela extinção de vida com a inquietante desolação em volta do esconderijo do monstro nas histórias infantis. Só faltava uma trilha de pássaros caídos e ossos nus.

Tresves aproveitou o passeio para contar como conhecera seu extraordinário paciente, num tom de voz monocórdio, isento de emoção, que denunciava o tédio por ter de repetir aquele discurso uma e outra vez. Havia encontrado Merrick quatro anos antes, exatamente quando foi nomeado cirurgião-chefe do hospital. Em um descampado próximo se instalara um circo cuja atração principal, o Homem Elefante, era o assunto discutido em toda Londres. A julgar pelos boatos, tratava-se do homem mais deformado do mundo. Tresves sabia que os proprietários dos circos costumam ser dados à fabricação caseira de monstros, com o uso de disfarces e maquiagens difíceis de distinguir com pouca luz, mas também reconhecia com amargura que tais espetáculos eram o último refúgio que restava para aqueles que tiveram a infelicidade de nascer com alguma malformação que lhe granjeava o desprezo da sociedade. O cirurgião foi ao circo sem muitas expectativas, levado unicamente por um prurido profissional de que não conseguia fugir. Mas o Homem-Elefante não era nenhum truque. Depois da apresentação um tanto penosa de um casal de trapezistas, as luzes diminuíram e os timbales se entregaram a um arremedo de música tribal, um preâmbulo pomposo que, mesmo assim, conseguiu transmitir ao público a sensação de calafrio unânime. Então Tresves assistiu, atônito, à irrupção no picadeiro da estrela do circo, e descobriu que a realidade era pior do que os boatos que ouvira. As deformidades da pessoa que caminhava capengando pelo picadeiro eram tão espantosas que haviam remodelado seu corpo até transformá-la em um ser estranho, assimétrico, semelhante a uma gárgula. Ao final do espetáculo, Tresves convenceu o dono do circo a deixá-lo conversar em particular com a criatura. Em seu modesto trailer, o médico achou que se encontrava diante de um retardado, certo de que os bulbos do crânio deviam ter avariado seu cérebro, mas estava enganado. Bastou trocar duas palavras com Merrick para perceber que sob sua horrível aparência se escondia uma pessoa culta, educada e sensível. Ele mesmo lhe explicou que o chamavam de Homem Elefante devido a uma protuberância carnuda que no passado se projetava a partir do seu nariz e do lábio superior, uma espécie de pequena tromba de vinte centímetros com a qual lhe era impossível comer, e que haviam extirpado toscamente alguns anos antes. Tresves ficou profundamente comovido com a doçura daquela criatura que, apesar das agressões e vexames que havia sofrido, não parecia guardar qualquer rancor contra a humanidade, a mesma humanidade sem rosto que ele próprio odiava com tanta facilidade, inevitavelmente, quase como um ato reflexo, toda vez que não conseguia uma carruagem ou ficava sem camarote no teatro.

Quando, uma hora depois, o cirurgião deixou o circo, estava disposto a fazer tudo o que estivesse a seu alcance para tirar Merrick de lá e oferecer-lhe uma existência digna. Seus motivos eram óbvios: não figurava nos registros de nenhum outro hospital do mundo qualquer rastro de um ser com uma deformação tão grave quanto a de Merrick. Fosse qual fosse sua estranha doença, ela escolhera, entre todos os habitantes do planeta, se aninhar exclusivamente em seu corpo. Isso tornava aquele infeliz um ser único, um espécime insólito de borboleta que precisava viver protegido do mundo atrás de um vidro. Era evidente que Merrick precisava abandonar quanto antes aquele circo em que estava apodrecendo e ir para as mãos da ciência. Mas Tresves não imaginava que para realizar esse louvável objetivo que assumira em um arroubo de piedade teria de empreender uma árdua cruzada que o deixaria exausto. Começou levando Merrick à Sociedade de Patologia, mas isso só serviu para que seus ilustres membros submetessem o paciente às mais variadas explorações e acabassem travando debates tão acalorados quanto estéreis sobre a natureza de sua misteriosa doença, discussões que costumavam desembocar em trocas de insultos com os quais sempre havia quem aproveitasse para desenterrar antigas rixas. O desentendimento entre seus colegas, no entanto, mais do que desencorajá-lo, o animou, pois afinal valorizava ainda mais a vida de Merrick, tornando cada vez mais urgente seu resgate do incerto mundo do espetáculo. Seu próximo passo foi tentar interná-lo no hospital em que trabalhava, onde poderia ser convenientemente estudado. Infelizmente, nenhum hospital aceitava doentes crônicos. A diretoria do centro aplaudiu o propósito do cirurgião, mas estava de mãos amarradas. O próprio Merrick, diante das dificuldades, chegou a sugerir que lhe conseguisse um emprego de faroleiro ou algum outro que pudesse exercer afastado do mundo. Mas Tresves não se deu por vencido. Desesperado, recorreu à imprensa, e em poucas semanas conseguiu fazer com que a triste situação do indivíduo conhecido como Homem Elefante comovesse o país. Choveram doações, mas Tresves não queria apenas dinheiro: queria um lar decente para Merrick. Decidiu, então, recorrer à Família Real, os únicos que estavam acima das absurdas leis que manietavam a sociedade, e conseguiu que o Duque de Cambridge e a Princesa de Gales concordassem em conhecer a criatura. A refinada educação e a transbordante doçura de Merrick fizeram o resto. Foi assim que o Homem Elefante acabou alojado, na qualidade de hóspede vitalício, na ala do hospital em que agora se encontravam.

— Aqui Joseph é feliz — disse Tresves num tom subitamente sonhador. — Os exames que lhe fazemos de vez em quando são infrutíferos, mas isso não parece significar nada para ele. Joseph está convencido de que sua enfermidade foi causada pelo elefante que derrubou sua mãe quando esta, já em avançado estado de gestação, assistia a um desfile. O mais triste, senhor Wells, é que é uma batalha de Pirro. Consegui um lar para Merrick, mas não sei como fazer com que a doença estacione. Seu crânio aumenta dia a dia, temo que em breve o pescoço não consiga mais sustentar o incrível peso de sua cabeça.

A frieza com que Tresves antecipava a morte de Merrick, somada ao lúgubre abandono em que parecia imersa aquela ala do hospital, levou Wells a um estado sufocante de angústia.

— Eu gostaria que seus últimos dias transcorressem na maior tranquilidade possível — continuou o cirurgião, insensível à palidez de seu acompanhante. — Mas parece que estou pedindo demais. Certas noites, os moradores do bairro se reúnem debaixo da janela para insultá-lo ou zombar dele. Agora até o acusam de matar aquelas putas que apareceram estripadas no bairro. Será que o mundo perdeu o juízo? Merrick é incapaz de machucar uma mosca. Já lhe disse que é incrivelmente sensível. Sabe que devora os romances de Jane Austen? E uma vez o surpreendi escrevendo poemas. Tal como o senhor, prezado Wells.

— Eu não escrevo poemas, escrevo contos — murmurou Wells sem muita convicção, como se a angústia crescente o fizesse duvidar de tudo.

Tresves lhe lançou um olhar hostil, contrariado com sua preocupação em estabelecer diferenças em uma matéria que lhe era tão insignificante como a literatura.

— Por isso tolero estas visitas — disse, depois de balançar a cabeça como quem dá condolências, retomando seu discurso no ponto em que o havia deixado —, porque sei que lhe fazem bem. Imagino que as pessoas vêm visitá-lo porque, diante de sua aparência, até os mais infelizes percebem que têm que dar graças a Deus. Joseph, em compensação, encara o assunto de outra forma. Às vezes tenho a sensação de que para ele essas visitas constituem uma espécie de passatempo sinistro. Todo sábado, depois de vasculhar os jornais da semana, Joseph me entrega uma lista de cidadãos que deseja convidar para tomar chá, aos quais envio obedientemente seu cartão. Costumam ser aristocratas, empresários ricos, figuras públicas, pintores, atores e outros artistas mais ou menos conhecidos... Personagens, enfim, que conseguiram uma posição de certo relevo na sociedade e a quem, segundo ele, falta uma última prova a superar: enfrentar sua aparência. Como já lhe expliquei, Joseph está tão terrivelmente deformado que costuma despertar duas emoções contrárias em quem o vê: pena ou repulsa. Creio que a reação dos convidados mostra a Joseph que tipo de pessoas são, se têm bom coração ou se, pelo contrário, estão dominados por medos e complexos.

Afinal se detiveram em frente a uma porta que havia no fim do corredor.

— É aqui — anunciou Tresves, caindo em um silêncio reverente por alguns instantes. Em seguida buscou os olhos de Wells e acrescentou, num tom entre solene e intimidatório: — Atrás desta porta está à sua espera provavelmente o ser mais horrendo que jamais viu ou verá. Mas depende do senhor encontrar um monstro ou um desventurado.

Wells sentiu um ligeiro enjoo.

— Ainda pode voltar pelo mesmo caminho, talvez não goste do que vai descobrir sobre si mesmo.

— Não se preocupe comigo — balbuciou Wells.

— Como queira — disse Tresves, com a indiferença de quem lava as mãos.

Tirou uma chave do bolso, abriu a porta e com um suave porém autoritário empurrão o fez entrar.

Wells avançou contendo o fôlego. Mal teve tempo de dar dois passos quando ouviu que o cirurgião fechava a porta às suas costas. Engolindo em seco, observou o lugar onde Tresves praticamente o havia jogado ao concluir de vez o seu papel de coadjuvante naquela atordoante cerimônia. Estava em um amplo alojamento constituído de vários quartos contíguos, cheios de móveis ordinários e corriqueiros. Aquele mobiliário comum se aliava com a benigna luz da tarde que as janelas vertiam no aposento para compor uma imagem prosaica, inesperadamente acolhedora, que não combinava muito com a ideia que se tinha da habitação de um monstro. Wells permaneceu alguns instantes parado, imaginando que seu anfitrião apareceria a qualquer momento, mas já que isso não aconteceu, e sem saber o que se esperava dele, decidiu dar uma tímida volta pelos quartos. Logo teve a incômoda sensação de que Merrick espiava seus movimentos escondido atrás de algum dos biombos, mas mesmo assim continuou perambulando entre os móveis, intuindo que aquilo era um passo do ritual. Sua inspeção, no entanto, continuava sem detectar a singularidade do ser que ocupava aquelas dependências. Não havia ratos esfolados pendurados em lugar algum, nem os restos da armadura de nenhum valoroso cavalheiro. Num dos cômodos deparou, contudo, com uma mesinha e duas cadeiras arrumadas para um chá. Aquela imagem inofensiva o perturbou ainda mais, pois não podia deixar de compará-la com os patíbulos nas praças esperando a chegada do condenado, agitando sinistramente seus mastros sob a brisa da primavera. Reparou então no curioso objeto que se encontrava sobre uma mesinha junto à parede, bem perto de uma das janelas. Tratava-se da maquete de uma igreja feita de papelão. Wells se aproximou dela e admirou cheio de assombro aquele trabalho requintado. Fascinado com os detalhes primorosos da maquete, demorou a notar que se recortava na parede a tortuosa sombra de um corpo desconjuntado, curvado para a direita e coroado com um crânio descomunal.

— É a igreja do outro lado da rua. Tive de inventar as partes que não consigo ver da janela.

A voz soou arrastada e viscosa.

— É linda — conseguiu murmurar, dirigindo-se à silhueta torta que a luz projetava na parede.

A sombra moveu com algum esforço sua pesada cabeça, revelando sem querer a dificuldade de Merrick até mesmo para fazer o simples gesto de humildade com que as pessoas diminuíam a importância de seu trabalho. Depois desse exaustivo movimento, limitou-se a ficar em silêncio, dobrado sobre sua bengala, e Wells entendeu que não podia continuar dando-lhe as costas. Havia chegado o momento de virar-se e enfrentar a aparência de seu anfitrião. Tresves lhe avisara que Merrick prestava uma atenção especial à primeira reação dos convidados, aquela reação que brotava quase por reflexo, involuntária, e que por isso mesmo ele considerava mais autêntica e confiável do que a expressão que em seguida, uma vez recuperados da surpresa, todos usavam para se esconder. Naqueles segundos, Merrick tinha o estranho privilégio de entrever as almas de seus convidados, e dava na mesma o que alguém fingisse ser durante a conversa posterior, pois a primeira reação já o teria condenado ou redimido. Wells não podia prever como o aspecto de Merrick o afetaria, se seria dominado pela piedade ou pelo asco, e receando que fosse por este, apertou a mandíbula com toda a força, criando em seu rosto tensão suficiente para que nenhuma expressão pudesse se estampar nele. Não queria sequer revelar surpresa, só pretendia ganhar o máximo de tempo possível até que sua mente conseguisse digerir o que visse e pudesse estabelecer de um modo racional o sentimento que despertava numa pessoa como ele um ser tão minuciosamente deformado como parecia ser Merrick. Se afinal sentisse repulsa, aceitaria o fato de bom grado, e mais tarde, quando saísse dali, refletiria sobre ele. Então Wells respirou fundo, firmou os pés no terreno inconsistente e mole em que o piso se convertera e girou lentamente para olhar seu anfitrião de frente.

A imagem lhe cortou a respiração. Exatamente como Tresves havia adiantado, as malformações de Merrick lhe davam uma aparência aterradora.

As fotografias que vira na universidade, e que amorteciam a grotesca aparência sob um piedoso manto de névoa, não o tinham preparado para aquilo. Ele se apoiava em uma bengala e usava um terno cinza-escuro, e, paradoxalmente, esses objetos, ao tentar humanizá-lo, deixavam-no ainda mais monstruoso. Com os dentes até então fortemente apertados, Wells ficou rígido à sua frente, lutando para não ceder ao tremor por que seu corpo ansiava. Seu coração ameaçava perfurar o peito, e um fio de suor gelado começou a escorrer por suas costas, mas não conseguiu definir se aqueles sintomas eram desencadeados pelo horror ou pela lástima. Com a forçada tensão de seu rosto, sentiu os lábios tremerem, como se tentasse compor uma expressão de horror, mas ao mesmo tempo notou que os olhos se umedeciam, por isso não soube que carta escolher. Esse exame mútuo durou uma eternidade, durante a qual Wells desejou verter uma lágrima, uma gota que resumisse sua dor, que o mostrasse diante de Merrick e de si mesmo como uma alma sensível e compassiva, mas aquela umidade que se formava em seus olhos não chegou a transbordar.

— Prefere que coloque meu capuz, senhor Wells? — perguntou delicadamente Merrick.

Aquela voz peculiar, que dava uma consistência fluida às suas palavras, como se estivessem flutuando em um regato enlameado, voltou a surpreender Wells. Já haveria transcorrido o tempo que Merrick costumava esperar para ver a reação de seus convidados?

— Não... não é necessário — murmurou.

O anfitrião voltou a balançar arduamente sua descomunal cabeça, num gesto que Wells quis entender que era de aprovação.

— Vamos tomar o chá então, senão esfria — disse, dirigindo-se à mesa que estava posta no centro do aposento.

Wells demorou a reagir, surpreso com a maneira como Merrick era obrigado a caminhar. Para aquele ser tudo constituía um esforço, constatou ao ver as complexas manobras que ele foi obrigado a realizar para sentar-se. Reprimiu o impulso de ajudá-lo, por receio de que Merrick se melindrasse com um gesto que habitualmente se fazia com anciãos ou aleijados. Acreditando estar fazendo a coisa certa, Wells se limitou a sentar-se à sua frente com a maior naturalidade possível. Também se obrigou a ficar calado enquanto o observava servindo o chá.

Cumprindo o papel de anfitrião, Merrick tentava fazer a maioria dos gestos com a mão que não fora afetada pela enfermidade, a esquerda, mas nem por isso excluía a direita, para a qual reservava pequenas ações auxiliares dentro da cerimônia. Wells observou como aquela mão, grande e tosca como uma pedra bruta, era capaz de abrir o açucareiro ou oferecer-lhe o prato de biscoitos, e teve de aplaudir em seu íntimo a insólita destreza que Merrick havia conseguido com ela.

— Obrigado por ter vindo, senhor Wells — disse o anfitrião quando conseguiu superar o extenuante desafio de servir o chá sem derramar uma única gota —, porque assim me dá a oportunidade de dizer-lhe pessoalmente o quanto gostei de seu conto.

— É muito gentil, senhor Merrick — respondeu Wells.

Quando o conto foi publicado, intrigado com a pouca repercussão que teve, Wells o leu e releu pelo menos uma dúzia de vezes, tentando encontrar as causas do unânime desinteresse dos leitores. Imbuído por um inflexível espírito crítico, avaliou a consistência da trama, a progressão dramática, a posição, a conveniência e até o número de palavras empregadas, para ver se não era uma cifra supersticiosa ou cabalística, e acabou tratando aquele seu primeiro e provavelmente último texto de ficção da forma insensível e mesmo desdenhosa que um Pantocrator ouviria as gracinhas irritantes de um macaco capuchinho. Seu conto era, ele agora via com clareza, uma merda ignóbil: o texto imitava com descaramento o estilo pseudogermânico de Nathaniel Hawthorne, e o protagonista, o doutor Nebogipfel, era uma cópia barata e exagerada dos já por si mesmos bastante exagerados cientistas loucos que povoavam as novelas góticas. Mesmo assim, agradeceu a Merrick os elogios com um sorrisinho falsamente modesto, temendo que fossem os únicos que seus escritos obteriam em toda a vida.

— Uma máquina do tempo... — disse Merrick, deleitando-se com essa combinação de palavras que achava tão sugestiva. — O senhor tem uma imaginação prodigiosa, senhor Wells.

Wells voltou a agradecer o elogio, um pouco assustado. Quantos elogios mais ele poderia aguentar antes de pedir para mudar de assunto?

— Se eu tivesse uma máquina como a do doutor Nebogipfel — continuou Merrick, sonhador —, viajaria ao Antigo Egito.

Wells teve a impressão de que esse era um comentário afetuoso. Como qualquer pessoa, aquela criatura também tinha sua época histórica favorita, como certamente devia ter uma fruta, uma estação e uma canção prediletas.

— Por quê? — perguntou com um sorriso amável, oferecendo-lhe a oportunidade de discorrer a respeito de seus gostos.

— Porque os egípcios adoravam deuses com cabeças de animais — respondeu Merrick, não sem certa vergonha.

Wells ficou olhando-o com cara de bobo. Não sabia o que o surpreendera mais, se o desejo ingênuo que havia na resposta de Merrick ou o pudico acanhamento que acompanhava essa resposta, como se reprovasse aquele desejo de preferir ser um deus, objeto de adoração, a ser o monstro desprezado que era na realidade. Se alguém tinha o direito de sentir ódio e rancor do mundo, pensou Wells, era precisamente ele. No entanto, Merrick censurava seu descontentamento, como se devesse encontrar motivos suficientes para a felicidade no raio de luz que entrava pela janela e aquecia suas costas ou na frota de nuvens que deslizava pelo céu. Sem saber o que dizer, Wells apanhou um biscoitinho do prato e mordiscou-o com uma concentração desproporcional, como se estivesse testando o funcionamento de seus dentes.

— Por que acha que o doutor Nebogipfel não usou sua máquina para viajar também ao futuro? — perguntou então Merrick, com sua voz escorregadia, que parecia untada com ricota. — Não tinha curiosidade? Eu às vezes me pergunto como será o mundo dentro de cem anos.

— É... — murmurou Wells, sem saber o que responder tampouco a isso.

Merrick era o tipo de leitor que conseguia esquecer com uma terrível facilidade que existe uma mão puxando os fios dos personagens que dançam nesses teatrinhos que são os romances. Na infância, ele também tinha sido um leitor assim. Mas um dia decidiu ser escritor, e desse momento em diante foi impossível mergulhar nas histórias dos livros com o mesmo abandono inocente: tinha compreendido que os atos e impressões dos personagens não pertencem a eles. Todos os seus pensamentos e ações obedecem na verdade ao ditame de um ser superior, de alguém que, na solidão de um quarto, manipula as peças que havia disposto sobre o tabuleiro, geralmente com uma enorme frieza que não corresponde às emoções que pretende provocar nos leitores. Os romances não são pedaços de vidas, são artefatos mais ou menos regulados cuja função é reproduzir pedaços de vidas, mas vidas irreais, aperfeiçoadas, em que os tempos mortos e os atos infrutíferos e vãos que formam qualquer existência são substituídos por episódios emocionantes e significativos. Às vezes Wells sentia saudade daquela maneira despreocupada de ler da infância, mas, depois de conhecer os bastidores do cenário, só conseguia ler assim fazendo um enorme esforço de sugestão. Uma vez escrita sua primeira história, não havia retorno. Ele se transformara em um enganador, e inevitavelmente só podia ter receio dos outros enganadores. Por um momento Wells pensou em responder a Merrick que devia fazer aquela pergunta ao próprio Nebogipfel, mas acabou desistindo: não podia ter certeza de que seu anfitrião fosse encarar essa resposta como a simpática brincadeira que pretendia ser. E se fosse sua ingenuidade o que realmente impedia Merrick de distinguir a realidade de uma mera obra de ficção? E se fosse essa triste incapacidade, e não a empatia, o que lhe permitia sentir tão intensamente as histórias que lia? Nesse caso, sua resposta iria parecer simplesmente uma brincadeira cruel destinada a criticar sua inocência. Por sorte, Merrick em seguida lhe fez outra pergunta, mais fácil de responder:

— O senhor acredita que inventarão uma máquina para viajar no tempo?

— Duvido que seja possível — respondeu Wells, cortante.

— Mas o senhor escreveu sobre isso, senhor Wells! — escandalizou-se o anfitrião.

— Justamente por isso, senhor Merrick — explicou, procurando o modo mais simples de sintetizar as numerosas reflexões em que se apoiava sua concepção da literatura. — Garanto que se uma máquina do tempo fosse uma coisa possível eu jamais teria escrito sobre isso. Só me interessa escrever sobre assuntos impossíveis.

Depois de dizer isso, lembrou-se do que Luciano de Samósata afirma em *Uma história verídica*: "Escrevo sobre o que não vi, nem constatei, nem soube por outros, e também sobre o que não existe nem tem fundamento para existir", uma frase que lhe ficou na memória porque resumia perfeitamente sua ideia de literatura. De fato, como disse ao anfitrião, ele só se interessava em escrever sobre assuntos impossíveis. Para os outros já havia Dickens, quis acrescentar, mas não o fez. Tresves lhe dissera que Merrick era um grande leitor. Não queria ofendê-lo caso Dickens fosse um de seus autores preferidos.

— Lamento então que por minha culpa não possa escrever sobre alguém metade homem, metade elefante — murmurou Merrick.

O comentário do anfitrião voltou a desarmá-lo. Depois, Merrick ergueu a vista para a janela. Wells não sabia se ele pretendia com esse gesto expressar tristeza ou convidá-lo a examinar sua aparência com total liberdade. Fosse como fosse, de um modo inconsciente, seus olhos se cravaram nele sem o menor recato, quase com fascinação, constatando o que já estava farto de saber: que Merrick estava certo; se não estivesse diante dele, jamais pensaria que um ser assim pudesse existir. Exceto, talvez, na falsa realidade dos romances.

— O senhor vai ser um grande escritor, senhor Wells — vaticinou o anfitrião sem deixar de olhar pela janela.

— Eu gostaria, mas não acredito — respondeu Wells, que depois daquela desastrosa primeira tentativa começava a duvidar seriamente da própria capacidade.

Merrick se voltou para ele.

— Observe minhas mãos, senhor Wells — disse, expondo-as à sua frente. — Acreditaria que estas mãos conseguem construir uma igreja de papelão?

Wells olhou com indulgência as mãos díspares do anfitrião. A direita era enorme e grotesca, enquanto a esquerda parecia pertencer a uma menina de dez anos.

— Acho que não — reconheceu.

Merrick balançou pesadamente a cabeça, em sinal de concordância.

— O que conta é nossa vontade, senhor Wells — disse, esforçando-se para dar um tom taxativo à sua voz mortiça. — Só a nossa vontade.

Isso poderia parecer um clichê na boca de qualquer outro, mas dito por quem estava à sua frente constituía uma verdade indiscutível. Aquele ser era uma prova irrefutável de que a vontade do homem podia mover montanhas e escancarar mares. Naquela ala do hospital, naquele refúgio do mundo, a vontade era mais que nunca a distância que separava o possível do impossível. Se Merrick havia construído aquela igreja de papelão com suas mãos deformadas, do que não seria capaz ele, que não tinha nenhum outro impedimento para fazer o que quisesse além de sua própria insegurança?

Não teve mais remédio senão lhe dar razão, o que pareceu satisfazer Merrick, a julgar pelo modo como se mexeu na cadeira. E então lhe confessou, com a vergonha embargando ainda mais sua voz de menino moribundo, que a igreja de papelão era um presente para uma atriz de teatro com quem estava se correspondendo havia alguns meses. Referiu-se a ela como senhora Kendall e, como deduziu Wells, tratava-se de uma de suas maiores benfeitoras. Não foi difícil imaginá-la como uma mulher de boa posição, sensível às variadas misérias do mundo desde que acontecessem longe de sua casa, que encontrou na desgraça do chamado Homem Elefante um modo mais original de empregar o dinheiro que costumava destinar às causas beneficentes. Quando Merrick lhe explicou que estava ansioso por sua volta dos Estados Unidos, onde se encontrava passando uma temporada, para poder conhecê-la em pessoa, Wells só pôde sorrir, comovido com o sentimento amoroso que, consciente ou inconscientemente, crepitava naquelas palavras. Mas também sentiu uma tristeza tremenda, e desejou que o trabalho retivesse a senhora Kendall na América por mais algum tempo, para que Merrick continuasse a se alimentar da miragem de suas cartas e não tivesse de descobrir tão cedo que os amores impossíveis são possíveis apenas nos livros.

Quando terminaram o chá, Merrick ofereceu um charuto a Wells, que aceitou de bom grado. Levantaram-se e se aproximaram da janela para contemplar o cair da tarde. Por alguns instantes ambos se limitaram a olhar a rua e a igreja do outro lado, cuja fachada Merrick devia conhecer de cor. As pessoas iam e vinham, um vendedor apregoava a mercadoria que transportava em sua carroça, as carruagens sacolejavam na pavimentação irregular da rua, salpicada com o legado pestilento das centenas de cavalos que passavam por ali diariamente. Wells reparou que Merrick observava aquela erupção de vida em movimento com uma espécie de temor reverencial. Parecia ruminar alguma coisa.

— Sabe, senhor Wells? — disse afinal. — Às vezes não consigo deixar de encarar a vida como um espetáculo em que eu não tenho nenhum papel. Se soubesse como eu invejo todas essas pessoas...

— Garanto que não merecem sua inveja, senhor Merrick — replicou Wells. — Essas pessoas que vê não passam de bolinhas de poeira. Quando morrerem, ninguém vai se lembrar delas nem do que fizeram. O senhor, no entanto, vai entrar para a história.

Merrick pareceu refletir um instante sobre essas palavras, examinando o reflexo deformado que o vidro da janela lhe devolvia, como uma advertência amarga da sua condição.

— Pensa que isso me consola? — disse com uma tristeza melancólica.

— Deveria consolar — respondeu Wells —, pois o tempo dos egípcios já acabou, senhor Merrick.

O anfitrião não respondeu. Continuou olhando para a rua, mas era impossível para Wells deduzir pelo seu rosto, onde a enfermidade havia cristalizado para sempre uma expressão brutal, o efeito que suas palavras, possivelmente um tanto duras, embora necessárias, tinham provocado nele. Não podia aplaudir que seu anfitrião se regozijasse com a própria tragédia. Sabia que o único consolo que Merrick poderia obter estava em sua deformidade, que ao mesmo tempo o marginalizava e tornava-o um ser único, dando-lhe um lugar na história.

— Talvez tenha razão, senhor Wells — disse afinal Merrick, sem tirar os olhos de seu reflexo disforme. — Talvez seja melhor eu me resignar a não esperar grandes coisas de um mundo como o nosso, no qual as pessoas temem tudo o que é diferente. Às vezes penso que se um anjo aparecesse na frente de um padre, este não hesitaria em dar-lhe um tiro.

— Imagino que sim — disse Wells, sentindo seu lado de escritor vibrar com a imagem que seu anfitrião acabava de descrever. E como este continuava absorto no próprio reflexo, preferiu despedir-se: — Muito obrigado pelo chá, senhor Merrick.

— Espere — reagiu Merrick. — Quero lhe dar um presente.

Vasculhou em um pequeno aparador por alguns minutos, até que conseguiu achar o que procurava. Wells viu com certo desconcerto que se tratava de um cesto de vime.

— Quando confessei à senhora Kendall que o sonho da minha vida era ser cesteiro, ela mandou um artesão vir me ensinar — explicou Merrick, embalando meigamente o cesto nas mãos, como se contivesse um recém-nascido ou um ninho de pássaros. — Era um homem simpático e humilde, que tinha um negócio na Pennington Street, perto das docas. Desde o primeiro momento me tratou como se minha aparência não fosse diferente da dele. No entanto, quando viu minhas mãos, disse que era impossível que eu pudesse exercer um ofício delicado como a cestaria. Sentia muito, mas era evidente que nós dois íamos perder tempo. Mas nunca se perde tempo tentando conquistar um sonho, não é mesmo, senhor Wells? "Ensine-me", pedi, "só depois poderemos saber se você está certo ou errado."

Wells observou o trançado perfeito do cesto que Merrick segurava com tanta reverência em suas mãos deformadas.

— Depois fiz muitos outros cestos, que dei de presente a alguns dos meus convidados. Mas este é especial, porque foi o primeiro. Quero que o senhor o leve, senhor Wells — disse, entregando-lhe o cesto —, para que nunca se esqueça de que a única coisa que conta é a nossa vontade.

— Obrigado... — balbuciou Wells, comovido. — Para mim é uma honra, senhor Merrick, uma grande honra.

Despediu-se com um sorriso afetuoso e se encaminhou para a porta.

— Uma última pergunta, senhor Wells — ouviu Merrick dizer às suas costas.

Wells se virou para encará-lo, esperando que não fosse pedir o endereço do maldito Nebogipfel para lhe enviar outro cesto.

— Acha que foi mesmo Deus quem nos fez? — perguntou Merrick com mais desesperança que tristeza.

Wells se forçou a conter um suspiro de abatimento. O que podia responder? Considerou algumas possibilidades quando, de repente, Merrick emitiu um estranho som, uma espécie de tosse ou grunhido que sacudiu seu corpo de cima a baixo, parecendo que ia desmontá-lo. Assustado, Wells ouviu aquele pigarro retumbante se repetir, brotando descontroladamente de sua garganta, até que entendeu o que estava acontecendo. Não havia nada de grave com Merrick. Só estava rindo.

— Era brincadeira, senhor Wells, simplesmente uma brincadeira — explicou, interrompendo seus grasnidos ao ver a reação assustada do convidado. — O que seria de mim se não pudesse rir da minha aparência?

Sem esperar a resposta de Wells, foi para a mesa de trabalho e sentou-se diante da maquete inacabada da igreja.

— O que seria de mim? — ouviu-o murmurar para si mesmo, com uma amarga melancolia. — O que seria de mim?

Ao vê-lo manipulando o papelão, concentrado no movimento desajeitado de suas mãos, Wells foi dominado por uma enorme e súbita piedade. E não conseguia acreditar que aquela criatura, tão extremamente ingênua e doce, convidasse pessoas públicas para tomar chá com a intenção de submetê-los à macabra prova que Tresves havia insinuado. Não tinha dúvida de que Merrick só procurava obter, naquele contato controlado com o mundo, algumas migalhas de carinho e compreensão. Parecia muito mais correto pensar que aqueles propósitos obscuros lhe haviam sido atribuídos pelo próprio Tresves, talvez para amedrontar os visitantes indesejados, ou para livrar Merrick de sua aura de extrema ingenuidade sugerindo um humor malicioso que ele não possuía. Aliás, pensou Wells, que sabia perfeitamente que de modo geral o homem age obedecendo a impulsos espúrios, talvez um intuito mais egoísta e ambicioso iluminasse o cirurgião: o de aparecer para o mundo como a única pessoa que soube ver a alma de sua criatura, à qual se aferrava desesperadamente, cônscio de que assim garantia um lugar a seu lado no pedestal da história. Wells se irritou com Tresves por se aproveitar de que o rosto de Merrick fosse uma máscara aterradora que não podia tirar, uma máscara que não tinha como refletir suas verdadeiras emoções, para lhe atribuir as intenções que bem entendesse, sabendo que ninguém poderia desmenti-las, a não ser o próprio Merrick. E, agora que o ouvira rir, Wells se perguntou se, afinal de contas, o assim chamado Homem Elefante não lhe estivera mostrando um amplo sorriso desde que entrou no quarto, um sorriso destinado a acalmar a inquietação que seu aspecto causava nos convidados, um sorriso gentil e terno, um sorriso que o mundo jamais desconfiaria existir.

Quando saiu do quarto, sentiu uma lágrima escorrendo por seu rosto.

XIII

E assim irrompeu em sua vida aquele cesto de vime, que logo depois começou a abalar um admirado Wells com lufadas de boa sorte, tirando de seu terno a poeira das desgraças passadas. Pouco depois de ganhar o cesto ele se formou com louvor em ciências, na área de zoologia, começou a dar cursos de biologia no Instituto Universitário por Correspondência, ocupou o cargo de redator-chefe do *University Correspondent* e passou a escrever notas e colunas para o *Educational Times*, juntando em pouco tempo uma quantia surpreendente que o ajudou a recuperar-se da desilusão provocada pela pouca repercussão de seu conto e renovou sua autoconfiança. Habituou-se, então, a reverenciar o cesto todas as noites, olhando-o longa e afetuosamente e acariciando com os dedos o trançado firme de suas fibras, um ritual singelo que continuava praticando, às escondidas de Jane, e que lhe bastava para inflamar seu espírito e sentir-se invencível, poderoso, capaz de atravessar o Atlântico a nado ou abater um tigre com as próprias mãos.

Mas Wells teve pouco tempo para usufruir de seus rendimentos, porque, assim que os membros de sua esfarrapada família se deram conta de que o pequeno Bertie estava começando a se tornar um sujeito rico, encarregaram-no de preservar a desconjuntada e ameaçada coesão deles. Sem pensar em reclamar, Wells assumiu resignado o papel de guardião do clã, sabendo que nenhum de seus outros integrantes estava mais capacitado para fazê-lo: o pai finalmente se livrara do incômodo peso que era para ele a loja de porcelanas e foi morar em uma casa de campo em Nyewood, uma minúscula aldeia ao sul de Rogate, de onde podia avistar a colina de Karting Down e os álamos de Uppark, e nessa pequena casa foi se amontoando com o tempo o resto da família, como detritos arrastados pela maré da vida. O primeiro a chegar foi o irmão Frank, que alguns anos antes havia deixado a tecelagem para se tornar mascate de relógios, ocupação em que não teve muito sucesso, como demonstravam os dois enormes baús que trouxe com ele, arrebanhando um bom espaço do pouco que havia na casinha de Nyewood, de cujo interior brotava um zumbido constante e irritante, produzido pelos relógios que não conseguira vender e que palpitavam ali dentro como uma colônia de ruidosas aranhas mecânicas. Logo em seguida veio Fred, que fora despedido sem a menor consideração da empresa em que trabalhava assim que o filho do patrão teve a idade necessária para ocupar a cadeira que seu crédulo irmão estivera esquentando sem saber. Ao se verem novamente juntos, e com um teto sobre suas cabeças, os irmãos se dedicaram a lamber mutuamente suas feridas e, contagiados pela inconsciente atitude paterna, não demoraram a encarar com bom humor aquele último açoite da vida. E finalmente chegou a mãe, que por causa de uma repentina surdez que a tornara inútil e suscetível foi expulsa de seu querido paraíso de Uppark. Frances foi a única que não voltou, talvez porque suspeitasse que lá não ia dispor de tanto espaço quanto em seu pequeno ataúde de menina. Mas de qualquer forma eram muitos, e continuar suas maratonas de aulas ao mesmo tempo que precisava proteger das feras aquele ninho agitado pela balbúrdia dos relógios de Frank, aquele lazareto de alegres derrotados que cheirava a fumo picado e cerveja derramada, exigia de Wells um esforço tão terrível que acabou se traduzindo em um vômito sanguinolento que o derrubou na escadaria da estação de Charing Cross.

O diagnóstico era claro: tuberculose. Embora tenha se recuperado rapidamente, aquele ataque tinha sido uma advertência: a vida de insônia e esforços que levava precisava terminar se não quisesse que o próximo ataque fosse mais do que um aviso. Wells aceitou o fato com espírito prático. Havia calculado que, com vento a favor, dispunha de recursos suficientes para se manter, de modo que não foi difícil planejar uma nova estratégia de vida. Largou o ensino e se propôs a viver unicamente da escrita, o que lhe permitiria trabalhar em casa sem outros horários e pressões além dos que ele mesmo se imporia. Levaria, enfim, a vida tranquila que sua delicada saúde pedia. Dedicou-se então a inundar de artigos os jornais locais, escreveu outro ensaio para a *Fortnightly Review* e, depois de muito insistir, conseguiu que lhe dessem um espaço nas páginas do *Pall Mall Gazette*. Eufóricos com os sucessos obtidos, e buscando o precioso ar puro que seus castigados pulmões exigiam, mudaram-se para uma casa de campo próxima a North Downs, em Sutton, uma das poucas regiões que ainda não haviam sido invadidas pelos subúrbios londrinos. Por algum tempo, Wells julgou que sua vida ia consistir naquela existência plácida e resguardada, mas se enganou novamente: aquilo não passava de um simulacro de paz. O destino, ao que parece, devia considerá-lo uma de suas marionetes mais divertidas, pois decidiu alterar mais uma vez o curso de sua vida, só que agora revestindo a nova reviravolta com o simpático e popular verniz dos amores irremediáveis.

Amy Catherine Robbins, que ele apelidara de Jane, era uma ex-aluna com quem havia estabelecido um relacionamento amável nas salas de aula e a quem, no trajeto que casualmente tinham de fazer juntos até a estação de Charing Cross para tomar seus respectivos trens, Wells não pôde deixar de enfeitiçar com sua graciosa eloquência, sem outra intenção além de deleitar-se com o vaidoso prazer de fascinar com a palavra uma moça tão bonita e adorável. Mas aquelas conversas amenas e sem propósito acabaram dando frutos inesperados. Foi Isabel, a própria esposa, quem o fez ver isso quando lhe disse, na volta de um fim de semana em Putney a convite de Jane e sua mãe, que, fosse porque ele a seduzira intencionalmente ou por pura obra do acaso, aquela mocinha se apaixonara perdidamente por ele. Wells só conseguiu arquear uma sobrancelha quando a esposa exigiu que ele parasse de falar com a ex-aluna se queria mesmo que seu casamento sobrevivesse. Escolher entre aquela mulher que repelia suas carícias e a risonha e aparentemente desinibida Jane não era uma decisão muito difícil, de modo que Wells empacotou seus livros, suas coisas e o cesto de vime e se mudou para uma toca miserável em Mornington Place, situada em um bairro deteriorado do noroeste de Londres, na fronteira entre Euston e Camden Town. Ele bem que gostaria de ter abandonado seu lar instigado por uma paixão veemente, mas dessa parte quem se encarregava era Jane. Ele saiu de casa movido simplesmente pela lúdica curiosidade que seu corpinho lhe provocava insinuando-se sob os vestidos e, sobretudo, tentado pela possibilidade de mudar sua rotina, de tentar uma outra vida agora que já podia prever como transcorreria a que tinha.

Sua primeira impressão, entretanto, foi de que o amor o fizera cometer um grande erro. Não apenas tinha ido parar no pior lugar possível para seus torturados pulmões, um bairro de ar envenenado em que a fuligem de carvão transportada pelos ventos se misturava fatalmente com a fumaça que as locomotivas que iam para o norte cuspiam ao passar, como a mãe de Jane, ainda por cima, convencida de que sua pobre filha havia caído nas garras de um degenerado, já que Wells ainda continuava casado com Isabel, foi morar com eles, decidida a minar a paciência do casal com suas contínuas e virulentas recriminações. Esses imprevistos, aos quais terei de acrescentar sua inquietante certeza de que não conseguiria manter com seus artigos nada menos do que três lares, levou Wells a pegar o cesto e a trancar-se com ele dentro de um dos armários da casa, único espaço livre da inoportuna presença da senhora Robbins. Lá, escondido entre casacos e chapéus, acariciou o vime durante horas, tentando reativar sua magia perdida, como Aladim com sua lâmpada maravilhosa.

Podia parecer uma estratégia absurda ou desesperada, e até patética, mas o fato é que, um dia depois de ter acariciado o cesto, Lewis Hind, responsável pelas páginas de literatura do suplemento semanal da *Gazette,* mandou chamá-lo. Precisava de alguém que pudesse escrever peças de ficção com certo ar científico, pequenos contos que refletissem e mesmo vaticinassem até onde podia chegar a irrefreável erupção de invenções que parecia decidida a transformar incessantemente a fisionomia do século. Hind estava convencido de que ele era a pessoa certa para isso. O que estava propondo, enfim, era que ele desempoeirasse seu sonho de infância e fizesse uma nova tentativa para se transformar em escritor. Wells aceitou a oferta e em poucos dias criou um conto intitulado "O bacilo roubado", que satisfez plenamente Hind e lhe rendeu cinco guinéus. O conto também chamou a atenção de William Ernest Henley, diretor da *National Observer*, que logo depois lhe ofereceu suas páginas, na certeza de que aquele jovem seria capaz de produzir histórias muito mais ambiciosas se dispusesse de mais espaço para escrever. A oportunidade de escrever para uma revista tão prestigiosa, que naquele momento estava publicando o folhetim *O negro do* Narcissus, de seu admirado Conrad, entusiasmou e amedrontou Wells na mesma medida. Não se tratava mais de notas, nem de colunas, nem de pequenas histórias. Agora sua imaginação poderia fluir livremente, como devia ser, pois o espaço que lhe ofereciam era na medida de um escritor.

Wells aguardou o encontro com Henley em um estado de nervos que beirava o colapso. Desde que fora convocado pelo mítico diretor da *National Observer*, mergulhara inquieto entre as muitas ideias que acumulava na mente em busca de uma original e atrativa o suficiente para surpreender o aguerrido editor, mas nenhuma delas lhe parecia digna da proposta. O dia do encontro se aproximava, e Wells continuava sem uma boa história para sugerir. Foi então que recorreu ao cesto, e nesse momento reparou que, embora parecesse vazio, estava cheio de histórias. O cesto era uma cornucópia que bastava sacudir um pouco para que vertesse uma torrente de ideias. Era, evidentemente, uma imagem exagerada, com a qual Wells estava apenas disfarçando de forma poética o que de fato lhe sucedia quando olhava para o cesto: inevitavelmente, se lembrava da conversa com Merrick e, por incrível que pareça, cada vez que pensava nela descobria, como uma pepita no leito de um rio lamacento, uma ideia válida para sustentar um romance. Era como se Merrick, de forma deliberada ou por puro acaso, o tivesse abastecido de ideias e tramas suficientes para vários anos, enquanto fingiam que estavam apenas tomando chá. Wells lembrou-se de seu desgosto porque o doutor Nebogipfel não se atreveu a viajar para o futuro, entrar no mistério intrigante do amanhã, e a desculpa de então podia ser remediada agora que ele contava com maior bagagem, proporcionada por seus numerosos artigos.

Assim, sacrificou sem a menor consideração o enfadonho Nebogipfel e substituiu-o por um respeitável cientista a quem nem sequer deu nome, deixando-o no anonimato para que qualquer inventor pudesse sentir-se representado, para encarnar a ideia arquetípica do cientista do novo século que chegava. E na tentativa de tornar sua ideia da viagem no tempo algo mais que uma simples fantasia pueril, aplicou-lhe o leve verniz científico que usara nas histórias que havia escrito para o Hind, lançando mão de uma teoria que já desenvolvera em ensaios anteriores publicados na *Fortnightly Review*: o tratamento do tempo como quarta dimensão de um universo tridimensional apenas na aparência. Essa ideia podia tornar-se muito mais majestosa se a usasse para ilustrar o funcionamento do artefato que permitiria ao protagonista de seu romance passear como quisesse pela corrente temporal. Alguns anos antes, Henry Slade, um médium norte-americano que, além de alardear sua capacidade de comunicação com os espíritos dos mortos, introduzia em seu chapéu de mágico nós, búzios e conchas de moluscos para em seguida extrair uma versão idêntica, mas com as espirais em sentido contrário como se as tivesse tirado do interior de um espelho, fora acusado e julgado por fraude. Slade afirmava que seu chapéu escondia uma passagem secreta para a quarta dimensão, o que explicava a insólita inversão dos objetos. Para surpresa de muitos, o médium foi defendido por alguns físicos prestigiosos, como o catedrático de física e astronomia Johann Zöllner, que argumentaram que algo que talvez parecesse fraude em uma perspectiva tridimensional não o era num mundo que incorporasse uma quarta dimensão. O julgamento atraiu a atenção de toda a Londres, e isso, somado aos estudos do matemático Charles Hinton, que havia idealizado o hipercubo, um cubo defasado no tempo e que reunia cada instante que havia existido, mas todos acontecendo ao mesmo tempo, e que obviamente a obsoleta visão tridimensional do homem não o deixava ver, fez Wells perceber que a ideia da quarta dimensão pairava no ar. Ninguém sabia muito bem em que consistia tal coisa, mas o enunciado era tão enigmático e sugestivo que a sociedade ansiava por, e mesmo exigia, sua existência. Para a maioria, o mundo conhecido era um lugar tedioso e hostil, mas isso se devia simplesmente ao fato de que não se podia captá-lo em sua totalidade. Agora as pessoas se consolavam pensando que, da mesma forma que um assado insípido se tornava mais apetitoso com uma boa guarnição, o universo melhoraria se imaginassem que não era apenas aquilo que viam, havia uma parte oculta e misteriosa com a qual podia ser ampliado. A quarta dimensão dava, enfim, um toque de magia ao prosaico orbe que habitavam, falava da existência de um mundo alternativo que podia alojar os desejos que o mundo oficial rejeitava. E era uma suspeita baseada em fatos evidentes, como a criação da Sociedade para a Pesquisa Psíquica, que acabava de ser fundada na própria Londres. Por outro lado, nessa época Wells tinha de suportar quase diariamente os entediantes debates sobre a natureza do tempo entre seus colegas da Escola de Ciências. Como se costuma dizer, uma coisa levou a outra, e já que cada iluminado transformava a quarta dimensão em seu quarto de brinquedos particular, não foi difícil para ele combinar as duas ideias e desenvolver sua teoria do tempo entendido como uma dimensão espacial, pela qual era tão possível deslocar-se como pelas outras três.

Quando entrou no escritório de Henley já via o romance com uma clareza assombrosa, o que lhe permitiu explicá-lo com a convicção e a veemência de um pregador. A história do viajante no tempo consistiria em duas partes. A primeira conteria a explicação sobre o funcionamento da máquina que o cientista ofereceria ao grupo de convidados que escolhera para apresentar sua invenção, integrado por um médico, um prefeito, um psicólogo e alguns representantes da classe média, e sua incredulidade a derrotar. Ao contrário de Verne, que precisou de capítulos inteiros para expor detalhadamente o funcionamento de seus artefatos, como se ele mesmo duvidasse de sua verossimilhança, a explicação por ele pretendida seria concisa e breve, matizada com exemplos simples que permitiriam aos leitores assimilar uma ideia provavelmente muito abstrata. Como todos sabem, diria o inventor, as três dimensões espaciais — comprimento, largura e altura — são definidas referindo-se a três planos, cada um em ângulo reto com os outros. Entretanto, em condições naturais, o deslocamento do homem por seu mundo tridimensional não é completo. Ele pode mover-se sem problemas pelo comprimento e pela largura, mas não pode vencer a lei gravitacional para se deslocar livremente para cima ou para baixo, a não ser usando um balão aerostático. Da mesma forma, o homem também está preso à passagem do tempo, pelo qual só pode se deslocar de forma mental — pode viajar ao passado mediante a memória, e ao futuro empregando a imaginação —, mas conseguiria libertar-se dessa prisão se dispusesse de uma máquina que, como o balão aerostático, lhe permitisse vencer o impossível, ou seja, projetar-se fisicamente para o futuro acelerando a velocidade temporal, ou retroceder ao passado, diminuindo-a. Para ajudar seus convidados a captar a ideia de uma quarta dimensão que fosse coerente com as já conhecidas, o inventor daria o exemplo do barômetro: o mercúrio sobe e desce ao longo dos dias, mas a linha que representa seu movimento não é traçada em nenhuma dimensão admitida do espaço, mas na dimensão do tempo.

A segunda parte do romance relataria a viagem que o protagonista, depois de despedir-se de seus convidados, realizaria para experimentar sua máquina, e que seria, em homenagem à memória de Merrick, rumo aos misteriosos oceanos do futuro, um futuro sobre o qual traçou algumas rápidas porém sugestivas pinceladas para o editor da *Nacional Observer*. Henley, um sujeito enorme, quase um gigante, que uma intervenção cirúrgica malfeita na juventude havia condenado a vagar pelo mundo apoiado em uma muleta, e em quem Stevenson se inspirou para descrever Long John Silver, fez uma expressão de dúvida. Falar sobre o futuro era arriscado. Nos círculos literários diziam que o próprio Verne havia escrito um romance intitulado *Paris no século XX*, em que mostrava o mundo de amanhã, mas Jules Hetzel, seu editor, se recusou a publicá-lo por considerar que sua ideia do ano 1960, com réus sendo executados com uma descarga elétrica e uma rede de "telégrafos fotográficos" que permitia enviar o fac-símile de um documento a qualquer parte do mundo, era tão ingênua quanto pessimista. E ao que parece Verne não foi o único a vaticinar o futuro. Muitos outros também tentaram, e fracassaram da mesma maneira. Mas Wells não se deixou amedrontar pelas palavras de Henley. Inclinou-se na cadeira e contra-atacou, garantindo que as pessoas desejavam ler sobre o futuro e que alguém devia ter a coragem de publicar o primeiro romance que falasse dele.

E foi assim que em 1893 *A história do viajante do tempo* começou a sair em capítulos na prestigiosa *National Observer*. No entanto, para compreensível desespero de Wells, o romance não chegou a ser publicado por inteiro, já que a revista foi vendida por seus proprietários e o novo conselho de administração promoveu o expurgo próprio desses casos, no qual pereceram tanto Henley quanto seu projeto literário. Felizmente, Wells não teve tempo para se regozijar com o próprio azar, pois Henley, como seu *alter ego* stevensoniano, era um osso duro de roer e pouco depois assumiu o leme da *New Review*, cujas páginas lhe ofereceu para prosseguir o projeto do viajante do tempo, chegando a convencer o obstinado editor William Heinemann a publicar o romance em sua casa editorial.

Animado pelo irredutível Henley, Wells se propôs a concluir dignamente sua fustigada obra. Mas, como começava a ser costume, foi uma empreitada trabalhosa, dificultada pelos obstáculos habituais, dessa vez de natureza bem menos gloriosa. Estimulado pelos médicos, voltara a viver com Jane no campo, nas acomodações de uma modesta pensão em Sevenoaks. Mas com a caravana de caixas e baús encabeçada pelo cesto de vime, como um traste que não se podia jogar fora, também viajava a senhora Robbins. A essa altura, a mãe de Jane havia aperfeiçoado seu papel de sanguessuga a um ponto inexprimível, prejudicando até mesmo a saúde de sua filha, que o incessante bombardeio de reprimendas havia reduzido a pouco mais que um farrapo pálido e ressecado. Como vocês hão de imaginar, essa mulher não necessitava de qualquer ajuda adicional em sua infindável guerra contra Wells, mas mesmo assim encontrou um inesperado aliado na proprietária da pensão, quando esta descobriu que em suas acomodações arrendadas não se consumava toda noite um matrimônio, mas sim o ímpio concubinato de uma mocinha pacata com um depravado condenado num processo de divórcio. Batalhando em duas frentes, Wells tinha dificuldade para conseguir a concentração necessária para avançar no romance. Seu único consolo era que o trecho da obra a que, aos trancos e barrancos, tentava dar forma, a viagem do protagonista para o futuro, lhe interessava muito mais que a parte já escrita, pois permitia conduzir o romance para o terreno da alegoria social, no qual podia refletir as inquietações políticas que fervilhavam dentro dele.

Convencido de que no futuro longínquo a humanidade teria conseguido desenvolver-se plenamente tanto no nível científico quanto no espiritual, o Viajante do Tempo sulcava as estepes do amanhã montado em sua máquina, até parar no ano 802701, uma data escolhida ao acaso, suficientemente remota para confirmar suas predições *in situ*. Iluminado pelo trêmulo resplendor de um lampião a parafina e amedrontado pelas ameaças da zeladora que a brisa de agosto trazia até sua janela, Wells descreveu sem esmorecimento e com dificuldade a incursão do inventor em um mundo que parecia um jardim de sonhos. Para completar o encanto, aquele éden era habitado pelos *elois*, humanos extremamente belos e delicados, o primoroso resultado da evolução humana que, além de superar as fraquezas da espécie, também aproveitara para se livrar da feiura, da estupidez e dos demais lastros estéticos. Como o viajante pôde constatar ao se misturar entre eles, os frágeis *elois* levavam uma vida aprazível, em harmonia com a natureza, sem leis nem governos, livres também de doenças, agruras econômicas ou qualquer outro tipo de complicação que tornasse a sobrevivência um estorvo. Tampouco pareciam conhecer o conceito de propriedade privada: tudo se dividia naquele pomar, naquela espécie de paraíso social que encarnava os melhores prognósticos do Iluminismo sobre o devir da civilização. Como um demiurgo benevolente e um tanto romântico, Wells chegou a fazer com que o inventor mantivesse uma relação amistosa com uma *eloi* chamada Weena, que depois de ter sido salva por ele de morrer afogada no rio, não parava de segui-lo por toda parte, encantada como uma menina pelo carisma do estranho. Frágil e miúda como uma bonequinha de Dresden, Weena aproveitava qualquer descuido do inventor para enfeitá-lo com grinaldas ou encher seus bolsos de flores, gestos que traduziam uma gratidão que ela não podia expressar em sua língua, que, embora sonora e doce, era decepcionantemente opaca para o inventor.

E, uma vez pintado esse quadro idílico, Wells começou a destruí-lo com uma desumana e irônica lucidez. Algumas horas de convivência com os *elois* bastaram para o viajante entender que as coisas não eram como pareciam: ele estava entre seres indolentes, sem inquietações culturais nem espírito de superação, incapazes até mesmo de gerar sentimentos elaborados, um bando de vagabundos imbuídos de um hedonismo que beirava a idiotia. A raça humana, ao se ver livre das ameaças que faziam a coragem fermentar na alma dos homens, havia desembocado naqueles parasitas emocionais, mergulhados em uma existência decadente e praticamente testemunhal, pois a inteligência não aflora onde não há mudança nem necessidade de mudança. Como não bastasse, o inesperado desaparecimento de sua máquina do tempo fez o inventor suspeitar de que os *elois* não eram os únicos habitantes daquele mundo. Evidentemente, devia existir outra presença, dotada da força necessária para arrastar sua máquina do lugar em que a deixara e escondê-la no interior de uma enorme esfinge que enfeitava a paisagem. E não estava enganado: debaixo da superfície daquele paraíso de mentira moravam os *morlocks*, criaturas simiescas, temerosas da luz do dia, que, como ele logo descobriria com horror, haviam regredido a um estado de canibalismo selvagem. Eram os *morlocks* que alimentavam os *elois*, com o propósito de cevar os vizinhos de cima para depois devorá-los em seu mundo subterrâneo. Mas, apesar de seus condenáveis gostos culinários, o viajante foi forçado a reconhecer que era também naquela raça feroz que, a duras penas, sobrevivia a inteligência da humanidade, reduzida a um triste resquício de raciocínio que a operação das máquinas que funcionavam em seus túneis ajudava a conservar.

Com receio de ficar preso no futuro, sem possibilidade de voltar à sua época, o inventor não teve outro remédio senão seguir os passos de Eneias, Orfeu e Hércules e descer aos infernos do reino dos *morlocks*, em busca de sua máquina, com a qual, uma vez recuperada, empreendeu uma louca fuga através do tempo, aprofundando-se no amanhã, até encalhar em uma praia tétrica que se estendia sob um céu enegrecido. Uma rápida olhada naquele novo futuro, tomado pelo ar rarefeito que ardia nos pulmões, mostrou que a vida ali se cindira em duas espécies: umas enormes e bastante barulhentas borboletas brancas e uns monstruosos caranguejos dotados de garras ameaçadoras dos quais preferiu fugir. Intrigado, não mais pelo destino do homem, cuja existência parecia ter sido apagada sem remissão, mas pela sorte da própria Terra, o inventor prosseguiu sua viagem avançando em saltos de mil anos. Na parada seguinte, a mais de trinta milhões de anos de sua época, encontrou um planeta desolado que praticamente havia parado de girar, um pião cansado, ensombrecido pelo sol, que expirava languidamente. Uma preguiçosa nevasca tentava sepultar sob sua alva mortalha uma paragem da qual havia desertado qualquer som que indicasse vida. Agora o gorjeio dos pássaros, o balido das ovelhas, o zumbido dos insetos e os latidos dos cães que teciam a partitura do mundo eram apenas uma duvidosa lembrança na memória do viajante. Então reparou que uma estranha criatura cheia de tentáculos chapinhava no mar avermelhado que havia em frente, e um leve temor varreu sua dolorosa tristeza, fazendo-o subir de novo em sua máquina. Lá sentado, com o tempo em suas mãos, foi invadido por um tédio mortal. Não tinha mais curiosidade de ver os lúgubres quadros que poderiam esperá-lo no futuro, nem de retroceder ao passado, agora que sabia que todas as conquistas do homem eram obviamente inúteis, e decidiu que chegara o momento de voltar para a época a que verdadeiramente pertencia. Na viagem de regresso, fechou os olhos, pois não podia ver como o mundo voltava a ficar verde à sua volta, como o sol recuperava seu sufocante fulgor, como se erguiam de novo as casas e os prédios que testemunhavam as conquistas e as modas da arquitetura humana, no momento em que o movimento para trás transformava a extinção em um falso renascimento; só voltou a abri-los quando se viu cercado pelas familiares paredes de seu laboratório. Então puxou a alavanca, e o mundo deixou de ser uma vaga nebulosa e recuperou sua consistência habitual.

De volta à sua época, ouviu vozes e barulho de pratos na sala de jantar, e descobriu que tinha detido a máquina exatamente na quinta-feira seguinte à sua partida. Depois de ficar alguns minutos recuperando o fôlego, o inventor apareceu diante de seus convidados, movido menos pelo desejo de compartilhar sua história do que pelo perfumado aroma do assado, que constituía uma tentação irresistível depois da dieta de frutas a que fora submetido no futuro. Depois de saciar a fome com um apetite selvagem, para assombro dos convidados que observavam atônitos sua palidez cadavérica, os muitos cortes em seu rosto e as estranhas manchas que enfeitavam seu casaco, o viajante começou, enfim, a relatar sua aventura. É óbvio que ninguém acreditou em sua fabulosa história, por mais que mostrasse as estranhas flores brancas que conservava nos bolsos ou o lamentável estado de sua máquina. No epílogo do livro, Wells deixa o narrador, um dos convidados do Viajante do Tempo, acariciando as estranhas flores enquanto faz uma reflexão esperançosa: mesmo quando a inteligência e a força tiverem desaparecido, a gratidão continuará pulsando no coração do homem.

Quando finalmente veio à luz, em maio de 1895, com o título *A máquina do tempo*, o romance causou um grande alvoroço. Em agosto, Heinemann já havia reproduzido seis mil cópias em brochura e mil e quinhentas em capa dura, e todo mundo falava do livro, mas não pelo que tinha de mais convulsivo. Wells se esforçara para oferecer uma visão tão metafórica quanto demolidora das consequências últimas da rígida sociedade capitalista. Quem não iria vislumbrar nos *morlocks* o resultado evolutivo da classe operária, embrutecida pelas péssimas condições de trabalho e as extenuantes jornadas de sol a sol, um trabalho que o mundo discretamente ia deslocando para lugares subterrâneos, reservando a superfície para o pavoneio das classes altas? Com o intuito de sacudir a consciência dos leitores, Wells tinha invertido os papéis sociais, fazendo com que os *elois,* inúteis e belos como os reis carolíngios, fossem o alimento dos *morlocks* que, apesar de sua deformidade e barbárie, presidiam a cadeia alimentar. No entanto, para sua surpresa, todas as tentativas de conscientizar a população empalideceram diante da excitação social desencadeada pela ideia da viagem no tempo. Mas uma coisa era certa: fosse pelo motivo que fosse, aquele romance escrito em condições tão desfavoráveis, que precisara ser publicado com um catálogo publicitário para dar um aspecto de livro a uma obra de pouco mais de quarenta mil palavras, abriu-lhe as portas da glória, ou pelo menos o deixou perto delas. O que era muito mais do que esperava quando escreveu a primeira daquelas quarenta mil palavras.

A primeira coisa que fez quando se viu transformado em autor de sucesso foi queimar todos os exemplares que conseguiu encontrar de *Os argonautas do tempo*, aquele desvario juvenil, como um assassino apagando os vestígios de seu crime. Não queria que descobrissem que a perfeição que todos atribuíam à sua máquina do tempo era resultado de uma longa experimentação, que ela não tinha surgido do nada em sua mente presumivelmente extraordinária. Em seguida, tratou de aproveitar a fama, mas não lhe foi fácil. Era um autor de sucesso, sim, mas um autor de sucesso com uma família extensa para manter. Embora ele e Jane tivessem se casado e agora morassem em uma casa com jardim em Woking — entre as chapeleiras de Jane, como um patinho entre frangotes, viajara o cesto —, Wells não podia permitir-se baixar a guarda. Uma pausa para descansar era impensável. Precisava continuar escrevendo, qualquer coisa, o que quer que fosse, aproveitando que as vitrines das livrarias estavam à sua disposição.

Não foi problema para Wells, é claro. Bastou recorrer ao cesto. De dentro dele, como um mágico vasculhando a cartola, Wells tirou outro romance, intitulado *A visita maravilhosa.* Nele narrava como um anjo despencou do céu numa noite de agosto, quente e úmida, e caiu nos pântanos de uma cidadezinha chamada Sidderford. Ao saber da chegada daquela ave extraordinária o vigário da cidade, ornitólogo amador, saiu com sua escopeta disposto a caçá-la, e chegou até a destruir sua formosa plumagem com um tiro, antes de se apiedar daquele ser e transportá-lo para a sede da paróquia e curá-lo. Essa convivência familiar fez o vigário entender que, embora diferente, o anjo era uma criatura admirável e doce, com quem tinha muito a aprender.

Tanto quanto em *A ilha do doutor Moreau*, romance que escreveria alguns meses depois, o argumento dessa obra não lhe pertencia, mas Wells tentou não ver o fato como espoliação, mas como uma singular homenagem à memória daquele homem excepcional chamado Joseph Merrick, que havia falecido, da horrenda maneira profetizada por Tresves, dois anos depois da inesquecível cerimônia do chá. E certamente lhe parecia uma homenagem mais respeitosa do que a do próprio cirurgião que, pelo que tinha ouvido, agora exibia seu esqueleto retorcido em um museu montado no Hospital de Londres. Tal como lhe disse naquela tarde, Merrick tinha entrado para a história.

E *A máquina do tempo*, essa obra rebuscada que tanto lhe devia, talvez conseguisse fazer a mesma coisa com ele. Quem podia saber. Por enquanto, lhe proporcionara mais de uma surpresa, pensou, recordando a máquina do tempo, idêntica à que tinha descrito em seu conto, agora escondido no sótão.

O crepúsculo havia começado a suavizar o mundo, envolvendo-o em uma luz acobreada que enobrecia tudo o que tocava, incluindo Wells que, sentado e quieto na cozinha, parecia uma escultura de si mesmo feita de farinha. Balançou a cabeça para espantar as lembranças que a virulenta crítica do *Speaker* tinha desencadeado e apanhou o envelope que naquela tarde aparecera em sua caixa de correio. Esperava que não fosse outra carta de algum jornal convidando-o a prever o futuro. Desde a publicação de *A máquina do tempo* a imprensa parecia tê-lo transformado em oráculo oficial; não paravam de exortá-lo a exibir seus supostos dotes adivinhatórios em suas páginas.

Mas depois de abrir o envelope viu que dessa vez não solicitavam nenhum vaticínio. O que tinha nas mãos era um folheto publicitário da empresa Viagens Temporais Murray, acompanhado de um cartão em que Gilliam Murray o convidava a participar da terceira expedição ao ano 2000. Wells trincou os dentes para não lançar uma série de impropérios, amassou o folheto e jogou-o longe, como tinha feito instantes antes com a revista.

A bola de papel traçou um voo errático até bater no rosto de um homem que se supunha não devia estar ali. Wells olhou assustado para o intruso que havia aparecido em sua cozinha. Era um homem jovem e elegante, que agora passava a mão onde a bola de papel o acertara e balançava resignadamente a cabeça, como se estivesse censurando a travessura de um menino. Com ele, um pouco atrás, havia outro sujeito, cujos traços eram tão parecidos com os do primeiro, que, certamente, devia existir algum parentesco entre eles. O escritor observou o que estava mais à frente, hesitando entre pedir desculpas por tê-lo acertado com a bola de papel e perguntar que raios queriam em sua cozinha. Mas não teve tempo de fazer nenhuma das duas coisas porque o homem tomou a iniciativa.

— Senhor Wells, suponho — disse, erguendo o braço e apontando-lhe um revólver.

XIV

Um jovem com cara de pássaro. Foi o que Andrew achou do autor de *A máquina do tempo*, o romance que tinha revolucionado toda a Inglaterra enquanto ele rondava pelos bosques do Hyde Park como um fantasma. Ao encontrarem a porta principal fechada, em vez de bater, Charles levou-o com passos furtivos até os fundos, e depois de atravessarem um pequeno jardim bastante descuidado irromperam na modesta e estreita cozinha em que estavam agora.

— Quem são vocês e o que estão fazendo na minha casa? — perguntou o escritor sem se decidir a levantar-se da cadeira, talvez porque assim seu corpo ficava menos exposto à pistola apontada em sua direção, que sem dúvida era a responsável por sua pergunta ter sido formulada naquele tom incongruentemente educado.

Sem deixar de mirar o escritor, o primo virou-se e olhou para ele, fazendo-lhe um sinal com a cabeça. Era sua vez de entrar no espetáculo. Andrew conteve um suspiro de descontentamento. Achava excessivo irromper na casa do escritor de arma na mão e lamentava não ter aproveitado o trajeto para traçar o plano que seguiriam ao chegarem à casa, deixando tudo por conta do primo que, levado pelo improviso, conseguira criar uma situação verdadeiramente constrangedora. Mas era tarde para recuar, de modo que Andrew caminhou em direção a Wells, também decidido a improvisar. Não tinha a menor ideia do que fazer. Só sabia que sua intervenção devia ser compatível com a atitude séria e resoluta do primo. Tirou o recorte do casaco e com o gesto brusco que a situação exigia colocou-o na mesa, entre as mãos do escritor.

— Quero impedir que isto ocorra — disse, dando um tom taxativo às palavras.

Wells olhou o recorte sem muito interesse, depois contemplou os dois intrusos, oscilando o olhar de um para o outro como um pêndulo, e finalmente concordou em ler o papel. Ficou alguns instantes imerso na leitura, sem que seu rosto demonstrasse qualquer expressão.

— Lamento dizer que esse trágico fato já ocorreu, portanto, faz parte do passado. E o passado, como sabem, é imutável — disse com displicência, devolvendo o recorte a Andrew.

Após um instante de hesitação Andrew pegou o papelzinho amarelado e um tanto desconcertado voltou a guardá-lo no bolso. Visivelmente incomodados com a íntima proximidade forçada pela estreiteza da cozinha, em que não parecia caber nem um alfinete — estavam enganados: cabia mais um corpo, se fosse magro o suficiente, como um daqueles novos modelos de bicicleta que começavam a causar furor, muito mais leves que os anteriores, graças à incorporação de raios de alumínio, um quadro tubular em forma de losango e pneus modernos —, os três se limitaram a se entreolhar estupidamente, como atores que de repente tivessem esquecido como a cena continuava.

— O senhor está errado — disse Charles, subitamente iluminado. — O passado não é imutável. Não se dispusermos de uma máquina capaz de viajar no tempo.

Wells olhou-o com um misto de pena e cansaço.

— Entendo — murmurou, como se acabasse de perceber, com uma entediada decepção, do que tratava tudo aquilo. — Mas vocês estão muito enganados se pensam que eu disponho de uma. Sou um simples escritor, cavalheiros. — Deu de ombros, em um gesto de desculpa. — Não tenho nenhuma máquina do tempo. Apenas imaginei uma.

— Não acredito — replicou Charles.

— É a verdade — suspirou Wells.

Charles procurou o olhar de Andrew, como se ele pudesse dizer-lhe de que modo continuar com aquele delírio. Mas tinham chegado a um beco sem saída. Andrew estava a ponto de lhe pedir que baixasse a arma quando uma mulher entrou na cozinha com uma bicicleta. Era uma mocinha magra e baixa, surpreendentemente bonita, que parecia ter sido criada com um capricho inusitado por um deus cansado de modelar espécimes vulgares. Mas o que realmente chamou a atenção de Andrew foi a máquina que trouxe, um desses artefatos chamados bicicletas que estavam desbancando os cavalos porque permitiam percorrer as estradas campestres quase sem esforço e em um agradável silêncio. Charles, no entanto, não se deixou distrair pela curiosidade. Identificou imediatamente a mocinha como a esposa de Wells e em apenas um segundo agarrou-a pelo braço e encostou o cano da pistola em sua têmpora esquerda. Agiu com tamanha rapidez e desenvoltura que surpreendeu Andrew, como se tivesse passado a vida ensaiando aqueles movimentos.

— Vou lhe dar outra chance — disse Charles, dirigindo-se ao escritor que havia empalidecido subitamente.

Travou-se a seguir um diálogo tão frívolo quanto idiota, que narrarei tal qual sucedeu, apesar de sua pouca relevância, simplesmente porque não tenho intenção de dar brilho adicional a nenhum dos episódios deste relato:

— Jane — disse Wells, com um fio de voz quase inaudível.

— Bertie — respondeu Jane, desconcertada.

— Charles... — começou Andrew.

— Andrew — interrompeu Charles.

Depois, silêncio. A luz do entardecer afiando suas sombras. A cortininha da janela tremulando ligeiramente. A brisa arrancando um resmungo fantasmal ao sacudir os galhos da árvore que se erguia como uma lança retorcida no jardim. Uma macilenta roda de fantasmas balançando a cabeça, envergonhados com o tosco dramatismo da cena, caso isso fosse um romance de Henry James, quem, aliás, também haverá de aparecer nesta história.

— Certo, cavalheiros — exclamou enfim Wells em tom amistoso, levantando-se resolutamente da cadeira. — Acho que podemos resolver isso de um modo civilizado, sem que ninguém saia ferido.

Andrew lançou um olhar suplicante para o primo.

— Depende de você, Bertie — sorriu ironicamente Charles.

— Solte-a e eu lhes mostrarei minha máquina do tempo.

Andrew encarou atônito o escritor. Então eram corretas as suspeitas de Gilliam Murray? Wells possuía mesmo uma máquina do tempo?

Com um sorriso satisfeito, Charles libertou Jane, que atravessou a pouca distância que a separava de seu querido Bertie para atirar-se em seus braços.

— Calma, Jane — tranquilizou-a o escritor, acariciando seu cabelo, paternalmente. — Tudo vai dar certo.

— E então? — impacientou-se Charles.

Wells se desfez suavemente do abraço de Jane e olhou para Charles com visível antipatia.

— Sigam-me até o sótão.

Compondo uma espécie de cortejo fúnebre com Wells à frente, subiram por uma escada rangente que parecia prestes a se desmilinguir sob seus pés. O sótão fora construído aproveitando-se o vão entre o telhado e o segundo andar; por isso, devido ao teto baixo e inclinado e à profusão de cacarecos luxuriosamente misturados que o abarrotavam, transmitia uma incômoda sensação de asfixia. Em um canto, perto da janela que servia de respiradouro, por onde caíam os últimos raios de sol, achava-se o estranho artefato que devia ser a máquina do tempo, a julgar pela devoção com que o primo a contemplou, só faltando ajoelhar-se diante dela. Andrew também se aproximou do artefato, para examiná-lo num misto de curiosidade e receio.

À primeira vista, a máquina capaz de derrubar os muros que encerravam o homem no presente lhe pareceu uma espécie de trenó sofisticado. No entanto, a base oblonga de madeira sobre a qual havia sido atarraxada demonstrava que o fim daquele ferro-velho não era deslocar-se no espaço, pois só poderia fazer isso se fosse arrastada, e por seu tamanho não parecia exatamente fácil de mover. Estava cercada por uma barra de latão que ficava à altura da cintura, uma proteção mínima que era preciso saltar para chegar à tosca poltrona que ocupava o centro da estrutura. O assento parecia uma cadeira de barbeiro a que foram incorporados uns braços de madeira exoticamente esculpidos e estava forrado com um veludo vermelho bastante chamativo. Em frente, sustentado por duas barras também de latão, adornadas com graciosos motivos florais, havia um cilindro de tamanho médio, que fazia as vezes de painel de comando, com três telas que mostravam, respectivamente, os dias, os meses e os anos. De uma roda fixada no lado direito do cilindro surgia uma delicada alavanca de vidro. Como não parecia haver na máquina qualquer outra manivela ou coisa similar, Andrew deduziu que seu funcionamento dependia exclusivamente daquela alavanca solitária. Atrás da poltrona havia uma complicada engrenagem, semelhante a um alambique, da qual brotava um eixo que sustentava pelo centro o enorme prato que parecia resguardar a máquina, sem dúvida a peça mais espetacular. Maior que um escudo espartano, o objeto era profusamente adornado com símbolos misteriosos, e tudo indicava que provavelmente girasse. Por fim, no painel de controle, estava fixada uma plaquinha em que se lia: "Construído por H. G. Wells."

— O senhor também é inventor? — perguntou boquiaberto Andrew.

— Claro que não, não seja ridículo — replicou Wells, com uma irritação fingida. — Já lhe disse que sou apenas um simples escritor.

— Então, se não a construiu, de onde tirou esta máquina?

Wells suspirou, aborrecido por ter que dar explicações àqueles desconhecidos. Charles disse em tom ameaçador:

— Meu primo lhe fez uma pergunta, senhor Wells.

O escritor olhou-o cheio de raiva e depois voltou a suspirar.

— Assim que publiquei meu romance — disse, entendendo que não lhe restava outra alternativa a não ser obedecer aos intrusos —, um cientista entrou em contato comigo. Disse que trabalhava secretamente havia anos em uma máquina para viajar no tempo, de aparência muito similar à que eu descrevia no meu livro. Estava a ponto de terminá-la e queria mostrá-la a alguém, mas não sabia a quem. Achava, não sem razão, que se tratava de um invento perigoso, capaz de despertar a cobiça de qualquer um. Meu romance o convenceu de que eu era a pessoa mais indicada para confiar seu segredo. Por fim, nos encontramos algumas vezes, com o propósito de conhecer-nos, de ver se realmente podíamos confiar um no outro, e logo descobrimos que sim, porque, entre outras coisas, tínhamos opiniões muito parecidas sobre os inúmeros perigos que viajar no tempo poderia acarretar. Acabou de construí-la aqui mesmo, neste sótão. E esta plaquinha foi sua carinhosa maneira de agradecer minha colaboração. Não sei se estão lembrados do meu livro, mas esta maravilha não se parece em absoluto com o trambolho horrendo que ilustra a capa. Tampouco funciona da mesma maneira, obviamente. Mas não me perguntem como funciona: não sou um homem de ciência. Quando chegou o momento de experimentá-la, decidimos que tal honra caberia a ele; eu supervisionaria a operação aqui no presente. Como não sabíamos se a máquina resistiria a mais de uma viagem, decidimos viajar para uma época remota, mas nos preocupamos que também fosse calma. Escolhemos a era anterior à chegada dos romanos, quando poderíamos encontrar neste mesmo lugar bruxas e druidas, uma época que, *a priori*, não devia implicar demasiados perigos, a menos que os druidas quisessem nos sacrificar a alguma deidade. Meu amigo subiu na máquina, ajustou a data combinada e puxou a alavanca. Vi-o desaparecer diante de meus olhos. Duas horas depois, a máquina voltou, sozinha. Estava em perfeito estado, mas o assento tinha inquietantes gotas de sangue ainda fresco. Depois disso nunca mais voltei a ver meu amigo.

Fez-se um silêncio sepulcral.

— E o senhor, não experimentou? — afinal perguntou Charles, deixando momentaneamente de apontar a arma para Jane.

— Sim — reconheceu Wells, não sem alguma vergonha. — Mas fiz apenas pequenas viagens exploratórias, de quatro ou cinco anos ao passado. E não me arrisquei a alterar nada, temendo as consequências que isso poderia ter na malha do tempo. Nem sequer me atrevi a entrar no futuro. Não sei, não tenho o espírito aventureiro do inventor do meu romance, tudo isso é demais para mim. Na verdade, estou pensando em destruí-la.

— Destruí-la? — escandalizou-se Charles. — Por quê?

Wells deu de ombros, dando a entender que não tinha uma resposta muito clara para a pergunta.

— Não sei o que aconteceu com meu amigo — respondeu. — Talvez haja alguém vigiando o tempo, disposto a atirar sem consideração em todo aquele que pretender mudar o passado em seu próprio benefício, quem sabe. Ou talvez o desaparecimento dele tenha sido apenas um acidente. De qualquer forma, não sei o que fazer com esta insólita herança. — Apontou para a máquina com uma expressão consternada, como se fosse uma cruz que era obrigado a carregar toda vez que saía para passear. — Não me atrevo a revelar sua existência porque não posso imaginar como isso transformaria o mundo, se seria para o bem ou para o mal. Os senhores já se perguntaram o que torna os homens responsáveis? Eu lhes direi: o fato de terem uma única oportunidade de fazer cada coisa. Se existissem máquinas que nos permitissem corrigir até nossos erros mais estúpidos, viveríamos em um mundo cheio de irresponsáveis. Na verdade, só posso dar a ela um uso pessoal bastante ridículo, tendo em vista seu potencial. E se algum dia a tentação me vencer e eu decidir empregá-la para fins pessoais, para mudar alguma coisa do passado ou viajar ao futuro com a intenção, por exemplo, de roubar alguma invenção incrível que possa melhorar meu presente? Estaria traindo o sonho do meu amigo... — Deixou escapar um suspiro de abatimento. — Como veem, esta máquina tão extraordinária começa a se tornar um problema para mim.

Depois disso olhou Andrew dos pés à cabeça, longamente, com uma atenção um tanto intimidatória, como se fosse fabricar-lhe um ataúde com o olho.

— No entanto, o senhor quer usá-la para salvar uma vida — refletiu quase para si mesmo. — Que intenção mais nobre pode haver? Talvez, se eu lhe permitir e o senhor conseguir, a existência da máquina se justifique.

— Exato. O que pode haver de mais nobre do que salvar uma vida? — ratificou Charles, uma vez que a inesperada aprovação de Wells parecia ter deixado o primo mudo. — Garanto que Andrew conseguirá. — Colocou-se a seu lado e deu-lhe uma palmada no ombro com entusiasmo. — Meu primo vai acabar com o Estripador e salvar Marie Kelly.

Wells hesitou. Olhou para a esposa, pedindo sua aprovação.

— Ah, Bertie, ajude-o — exclamou Jane, cheia de entusiasmo —, é tão romântico.

Wells olhou de novo para Andrew, tentando esconder a pontada de inveja que o comentário de sua esposa provocara em seu íntimo. Mas no fundo sabia que Jane estava certa ao usar aquela palavra para adjetivar o gesto que o jovem queria realizar. Em sua existência metódica não cabiam amores do tipo que provoca cataclismos, que desencadeia guerras com a imprescindível presença de cavalos gigantescos de madeira; amores, enfim, que podem levar à morte por qualquer erro. Não, ele nunca saberia em que consistia aquilo. Nunca saberia o que era perder o controle, arder em chamas, render-se ao instinto. Mesmo assim, apesar de sua incapacidade para entregar-se a essas paixões tão fogosas quanto maléficas, apesar de seu espírito prático e controlado, que só se arriscava em namoricos inofensivos que jamais pudessem degenerar em obsessões insalubres, Jane o amava, e isso, de repente, lhe pareceu um milagre inexplicável, um milagre pelo qual devia agradecer.

— Certo — concedeu, repentinamente bem-humorado. — Façamos assim: vamos acabar com o monstro e salvar a garota!

Contagiado por aquele entusiasmo crescente, Charles tirou do bolso de seu atônito primo o recorte sobre a morte de Marie Kelly e se aproximou do escritor para lê-lo juntos.

— O crime ocorreu no dia 7 de novembro de 1888, por volta das cinco da madrugada — explicou. — Seria preciso apenas que Andrew chegasse alguns minutos antes e esperasse o Estripador, escondido nas imediações do quarto de Marie Kelly, para atirar nele assim que o filho da mãe aparecesse.

— Parece um bom plano — reconheceu Wells. — Mas temos de levar em conta que a máquina só se desloca no tempo, não no espaço. Isto significa que não vai sair daqui. Precisaremos prever uma margem de algumas horas para que seu primo tenha tempo suficiente de chegar a Londres.

Alegre como uma criança, Wells foi até a máquina e manuseou o painel de comando.

— Pronto — exclamou, quando terminou de ajustar os controles. — Preparei-a para transportar seu primo para o dia 7 de novembro de 1888. Agora só temos de esperar até as três da madrugada para iniciar a viagem, desse modo ele poderá chegar a Whitechapel com tempo suficiente para impedir o crime.

— Perfeito! — exclamou Charles.

Depois os quatro se entreolharam em silêncio, sem saber como empregar as horas que faltavam para a viagem na máquina. Felizmente, havia uma mulher entre eles.

— Já jantaram, cavalheiros? — perguntou Jane, fazendo jus ao espírito prático próprio de seu sexo.

Uma hora depois Charles e Andrew descobriram empiricamente que o escritor tinha se casado com uma excelente cozinheira. Apertados em volta da mesa daquela pequena cozinha, devorando um dos assados mais saborosos que já haviam provado, era mais fácil deixar as horas correrem até que a noite mergulhasse na madrugada. Durante o jantar Wells se interessou pelas viagens ao ano 2000 e Charles não lhe poupou detalhes. Com a sensação de estar narrando a trama de um daqueles romances malucos de que tanto gostava, contou como eles haviam atravessado a quarta dimensão em um bonde temporal chamado *Cronotilus*, até alcançar a devastada Londres do futuro, onde, escondidos atrás de umas pedras, os turistas temporais assistiram à última batalha entre o malvado Salomão e o bravo capitão Derek Shackleton. Mas as perguntas que Wells fazia eram tantas que ao terminar seu relato Charles teve de lhe perguntar por que não havia participado de alguma das expedições, uma vez que se interessava tanto pelo desenrolar daquela guerra no futuro. Wells emudeceu de repente, e no silêncio que se seguiu Charles percebeu que o ofendera sem querer.

— Perdoe a minha pergunta, senhor Wells — desculpou-se. — Só agora me dou conta de que não é todo mundo que tem cem libras sobrando.

— Ah, não se trata de dinheiro — interrompeu-o Jane. — O senhor Murray convidou Bertie várias vezes para participar de suas viagens, mas ele nunca aceitou.

Disse isto olhando para Wells, talvez na esperança de que seu marido se animasse a explicar o porquê daquelas recusas sistemáticas. O escritor, no entanto, se limitou a fixar os olhos no cordeiro com um esgar funesto.

— É evidente que ninguém gostaria de viajar em um trem lotado se pudesse fazer o mesmo trajeto em uma luxuosa carruagem — interveio então Andrew.

Os três olharam o jovem, e depois de alguns segundos em que se interrogaram mutuamente com o olhar, assentiram lentamente.

— Mas vamos falar do que realmente interessa — disse então Wells, subitamente animado, limpando-se da gordura do cordeiro com um guardanapo. — Numa das viagens exploratórias que fiz com a máquina, desloquei-me seis anos rumo ao passado e apareci neste mesmo sótão quando ainda viviam na casa os inquilinos anteriores. Se bem me lembro, havia um cavalo amarrado no jardim. Sugiro que o senhor desça silenciosamente pela trepadeira, para não acordar os donos. Em seguida, pegue o cavalo e dirija-se a Londres o mais rápido que puder. Quando matar o Estripador, volte para cá. Suba na máquina, marque a data de hoje e puxe a alavanca para baixo. Está claro?

— Sim, muito claro... — conseguiu balbuciar Andrew.

Charles, reclinado na cadeira, olhou-o com ternura.

— Você vai alterar o passado, primo... — disse, sonhador. — Não consigo acreditar.

Jane trouxe uma garrafa de xerez e serviu-o em taças aos convidados. Beberam lentamente, consultando vez por outra seus relógios com visível impaciência, até que o escritor disse:

— Bem, chegou a hora de reescrever a história.

Deixou a taça na mesa e com um solene movimento de cabeça guiou-os de novo até o sótão. Lá, a máquina continuava à espera.

— Tome, primo — disse Charles, entregando a pistola a Andrew. — Já está carregada. Quando for atirar no filho da mãe, aponte para o peito, é mais seguro.

— No peito — repetiu Andrew, pegando a pistola com a mão trêmula e guardando-a rapidamente no bolso, para que nem Wells nem o primo tivessem tempo de notar o medo que sentia.

Ambos o puxaram pelo braço e o conduziram cerimoniosamente até a máquina. Andrew passou as pernas por cima da barra de latão e se sentou. Estava envolvido por uma nuvem de irrealidade, que, no entanto, não o impediu de reparar, com um misto de repulsa e temor, nas gotas escuras que adornavam a cadeira.

— Agora, preste atenção — pediu Wells em tom autoritário. — Procure não manter contato com ninguém, nem com sua amada, por mais vontade que tenha de voltar a vê-la. Limite-se a matar o Estripador e a voltar pelo mesmo caminho que veio, antes que seu eu do passado apareça. Não sei que consequências esse encontro *contra natura* poderia ter, mas imagino que causaria uma catástrofe na malha do tempo, um cataclismo que possivelmente destruiria o mundo. Então, me diga: entendeu?

— Entendi, não se preocupe — murmurou Andrew, mais intimidado com a severidade que Wells empregava com ele do que pelas fatais consequências que, se não tomasse cuidado, seu capricho de salvar Marie Kelly provocaria.

— Outra coisa — disse Wells, voltando à carga, agora em tom menos autoritário. — A viagem não vai ser como no meu livro. Infelizmente você não verá os caracóis girando para trás. Desconfio que pequei por tentar ser poético. Os efeitos da viagem no tempo são bem menos bonitos. Quando acionar a alavanca, o senhor vai observar um crepitar de energia, que quase imediatamente será substituído por um brilho que o deixará cego. Mais nada. Depois, simplesmente, estará em 1888. É possível que após o deslocamento sofra enjoos ou náuseas, mas espero que isso não prejudique sua pontaria — concluiu com ironia.

— Não vou esquecer — murmurou Andrew, visivelmente amedrontado.

Wells assentiu satisfeito. Pelo visto, já não restavam mais conselhos a dar, pois começou a remexer em uma prateleira abarrotada de trastes que havia por perto. Os outros o observaram em silêncio.

— Se o senhor não se importa — disse, quando finalmente encontrou o que procurava —, vamos guardar seu recorte nesta caixinha. Quando voltar, a abriremos para ver se conseguiu mudar o passado. Se sua missão for bem-sucedida, suponho que a manchete anunciará a morte de Jack, o Estripador.

Andrew concordou sem muita convicção e entregou-lhe o recorte. Charles então se aproximou dele, pôs solenemente a mão em seu ombro e lhe deu um sorriso de incentivo, no qual Andrew imaginou ver também uma ponta de preocupação. Quando o primo se retirou, Jane se aproximou da máquina e lhe desejou boa sorte, dando um beijo de leve em seu rosto. Wells assistiu à cerimônia com um sorriso radiante, visivelmente satisfeito.

— Você é um pioneiro, Andrew — disse quando terminaram as demonstrações de apoio, como se julgasse que cabia a ele fechar o ato com um desses comentários que se gravam em mármore. — Aproveite o passeio. Se as viagens temporais se tornarem corriqueiras nas próximas décadas, provavelmente alterar o passado será considerado crime.

Depois, para inquietar ainda mais Andrew, pediu aos outros que retrocedessem alguns passos, para não serem chamuscados pela energia que se formaria ao redor da máquina assim que seu ocupante puxasse a alavanca. Andrew os viu afastarem-se tentando disfarçar o desamparo que sentia. Respirou fundo, lutando para superar tanto o medo quanto o orgulho que o dominavam. Iria salvar Marie, disse para si mesmo com o intuito de tomar coragem. Iria viajar ao passado, à noite de sua morte, e atirar no assassino antes que este tivesse tempo de estripá-la, mudando assim a história e eliminando, de passagem, os oito anos de sofrimento que padecera. Olhou a data registrada no painel, aquela data maldita que tinha arruinado sua vida. Não conseguia acreditar que pudesse salvá-la, mas para vencer seu ceticismo só precisava puxar a alavanca. Só isso. Então daria na mesma se acreditava ou não nas viagens no tempo. Pousou no comando a mão trêmula, coberta de suor, e sentiu a temperatura do vidro esfriando a palma como uma coisa incompreensível, absurda pelo que tinha de sensação familiar, prosaica. Olhou com gravidade para as três figuras que aguardavam ansiosas junto à porta do sótão.

— Em frente, primo — animou-o Charles.

E Andrew puxou a alavanca.

A princípio, não aconteceu nada. Mas logo ouviu uma espécie de ronco sutil e constante, uma leve vibração no ar que lhe deu a sensação de estar ouvindo a digestão do mundo. De repente, aquele ruído sonolento deu lugar a um rangido sobrenatural, e um resplandecente golpe de luz azul cortou a escuridão do sótão. A este se seguiu outro, precedido pela mesma explosão ensurdecedora, e depois outra, e outra, chispando em todas as direções, como se quisessem testar as dimensões do cômodo. De repente, Andrew se viu no centro de uma tempestade de relâmpagos, azulados e incessantes, em cuja borda estavam Charles, Jane e Wells, que tinha esticado os braços para a frente, num gesto que Andrew não soube se era uma tentativa de proteger os outros das violentas faíscas ou de impedir que corressem em seu auxílio. O ar, talvez o mundo, quem sabe o tempo, ou tudo de uma vez, se partia diante de seus olhos. A própria realidade se rachava. Então, de supetão, e tal como lhe avisara o escritor, um intenso clarão deixou-o cego, fazendo o sótão desaparecer. Cerrou os dentes para reprimir um grito, ao mesmo tempo que foi tomado por uma sensação de queda.

XV

Precisou piscar pelo menos uma dúzia de vezes para recuperar a visão. À medida que o sótão foi se reconstruindo diante de seus olhos, aparentemente sem anomalias, seu coração descontrolado começou a se apaziguar. Percebeu com alívio que não sentia náusea nem enjoo. Até o medo, quando descobriu que não tinha morrido calcinado pelos relâmpagos — dos quais só restava o cheiro de mariposa queimada flutuando no ar —, havia começado a se desvanecer. Apenas uma sensação incômoda, causada pela tensão, enrijecia seu corpo, mas não queria expurgá-la, pois no fundo a considerava mais do que oportuna. Não estava lá para um piquenique no campo. Iria alterar o passado, mudar o que já havia acontecido. Ele, Andrew Harrington, iria subverter o tempo. Por acaso não era melhor manter-se alerta, em guarda?

Quando os efeitos do clarão finalmente se extinguiram, permitindo-lhe ver com mais nitidez, decidiu sair da máquina, tentando fazer o mínimo de barulho. A consistência do chão o surpreendeu, como se esperasse que o passado, simplesmente por ser uma porção de tempo já consumada, devesse ser feito de fumaça, névoa ou alguma outra substância igualmente imaterial ou rarefeita. Mas, como confirmou sapateando de leve no chão, aquela realidade era tão sólida e real como a que tinha deixado para trás. Estaria em 1888? Passou um olhar desconfiado pelo sótão, que continuava envolto em penumbra, e até saboreou várias baforadas de ar com cara de prazer, atento ao gosto, como se procurasse provas, algum detalhe que confirmasse que se encontrava no passado, que tinha mesmo viajado no tempo. Encontrou-o ao olhar pela janela: a rua continuava tal como se lembrava, mas não viu em lugar nenhum a carruagem que os levara até lá, e no jardim da casa avistou um cavalo que não estava ali antes. Seria um simples pangaré amarrado numa cerca o que marcaria a diferença entre uma data e outra? Considerou a prova muito pobre e insossa. Desapontado, examinou com atenção o céu, uma tela escura e calma na qual, como um punhado de grãos atirados a esmo, espalhavam-se as estrelas. Tampouco lá notou qualquer anomalia. Depois de alguns instantes de observação inútil deu de ombros, pensando que não tinha obrigatoriamente que encontrar diferenças espetaculares a seu redor, pois só havia retrocedido oito anos no tempo.

Depois balançou a cabeça. Não podia se distrair com investigações de entomologista. Tinha uma missão a cumprir e não havia exatamente tempo de sobra. Abriu a janela e após testar a resistência da trepadeira começou a descer por ela, seguindo as instruções de Wells, tentando fazer o mínimo de barulho possível para não alertar os ocupantes da casa. A descida não foi nenhum problema, e uma vez no chão, ele se aproximou tranquilamente do cavalo que o observara deslocar-se pela trepadeira sem se alterar. Andrew acariciou suavemente sua crina, para exorcizar as suspeitas que ainda pudessem restar no animal. Estava sem arreios, mas encontrou uma sela e apetrechos de montaria pendurados na cerca. Mal conseguia acreditar em sua sorte. Começou a selar o animal com movimentos calmos, para não assustá-lo, mas sem deixar de vigiar a casa, que estava totalmente às escuras. Depois pegou o animal pelas rédeas e o levou até a rua, tranquilizando-o com sussurros carinhosos. Ele próprio se maravilhava pela calma com que estava agindo. Montou, deu uma última olhada ao redor, constatando que tudo continuava decepcionantemente sossegado, e seguiu rumo a Londres.

Só quando tinha se afastado bastante e era já uma mancha veloz na noite Andrew tomou consciência de que em breve iria se encontrar com Marie Kelly. Isso o agitou por dentro, restaurando seu nervosismo. Sim, por incrível que parecesse, nesse tempo ela ainda estava viva. A essa hora ainda não havia sido assassinada. Devia estar no Britannia, embebedando-se para esquecer o covarde amante, antes de dirigir seus passos cambaleantes para os braços da morte. Mas lembrou que não podia vê-la, não podia abraçá-la, não podia esconder a cabeça na curva de seu pescoço e aspirar seu tão desejado perfume. Não, Wells lhe havia proibido isso porque um simples gesto de carinho poderia alterar a malha do tempo, levar o mundo à destruição. Tinha de se limitar a matar o Estripador e a voltar pelo mesmo caminho, como ordenara o escritor. Sua atuação devia ser rápida e calculada, como uma extirpação cirúrgica cujas consequências só se veriam quando o paciente acordasse, ou seja, quando ele retornasse à sua época.

Whitechapel estava imerso em tétrico silêncio. Ficou surpreso por não perceber qualquer sinal de agitação, até que se deu conta de que naqueles dias Whitechapel era um bairro maldito e aterrorizado, por cujas ruelas ainda rondava, espalhando a morte com sua faca, o monstro conhecido como Jack, o Estripador. Diminuiu o ritmo ao entrar na Dorset Street, ciente de que naquele silêncio compacto o som dos cascos nos paralelepípedos devia soar como o estrondo de uma forja. Apeou a alguns metros da entrada dos apartamentos de Miller's Court e amarrou o animal a uma grade de ferro à qual o resplendor dos lampiões não chegava, para que sua presença passasse o mais despercebida possível. Em seguida, depois de se certificar de que não havia mais ninguém na rua, atravessou com rapidez o arco de entrada que conduzia aos apartamentos. Todos os inquilinos estavam dormindo, não havia nenhuma luz que pudesse guiá-lo naquela espessa escuridão, mas Andrew conhecia tão bem aquele lugar que podia percorrê-lo de olhos vendados. À medida que se internava naquele cenário tão familiar, começou a ser invadido por uma lúgubre melancolia, que chegou ao auge quando parou na frente do quartinho de Marie Kelly, igualmente às escuras. Mas a nostalgia foi varrida por uma profunda estupefação quando percebeu que, ao mesmo tempo que estava ali, diante do modesto quarto que fora seu paraíso e seu inferno, também era esbofeteado por seu pai na mansão Harrington. Naquela noite, devido a um milagre da ciência, havia dois Andrews no mundo. Perguntou-se se seu outro eu também estaria sentindo a mesma coisa, mediante alguma comichão na pele ou uma pontada nas vísceras, como já ouvira dizer que acontecia com irmãos gêmeos.

Um ruído de passos tirou-o de suas reflexões. Com o coração aos saltos, correu para se esconder atrás da quina do apartamento vizinho. Tinha pensado naquele esconderijo desde o primeiro momento, pois, além de considerá-lo o mais seguro, estava a meio metro da porta do quarto de Marie, uma distância razoável tanto para poder ver com clareza como para abrir fogo contra o Estripador, caso não se atrevesse a se aproximar mais dele. Uma vez escondido, de costas contra o muro, tirou a pistola do bolso e aguçou o ouvido, atento ao avanço dos passos. Os pés que o haviam sobressaltado compunham uma melodia apagada, errática, própria de um ferido ou de um bêbado. Logo percebeu que aqueles passos só podiam pertencer à sua amada, e estremeceu como uma folha recebendo o sopro de um vento repentino. Nessa noite, como em muitas das anteriores, Marie Kelly voltava cambaleante do Britannia, mas dessa vez seu outro eu não estava ali para despi-la, deitá-la e agasalhar seu sonho etílico, que transcorria dentro de seu crânio como um regato cheio de bonecas espatifadas. Avançou a cabeça, devagar. Suas pupilas haviam se acostumado à escuridão o suficiente para distinguir a figura cambaleante de sua amada parada em frente à porta do quartinho. Teve de se conter para não correr em sua direção. Com os olhos úmidos, viu-a aprumar o corpo numa tentativa de vencer a tontura provocada pelo álcool, ajeitar o chapeuzinho que ameaçava cair por causa dos constantes vaivéns e depois introduzir um braço pelo buraco da janela para lutar com o trinco durante intermináveis segundos, até conseguir abri-lo. Em seguida, desapareceu dentro do quarto, batendo a porta com um ruído extemporâneo, e logo o brilho tênue de uma luz ceifou parte da escuridão que se aglomerava diante da porta.

Andrew se encostou na parede e enxugou as lágrimas, mas não teve tempo para outra coisa porque, de repente, novos passos o sobressaltaram. Alguém andava outra vez pelo beco de entrada. Levou alguns segundos para perceber que só podia ser o Estripador. Ouviu suas botas avançando pelos paralelepípedos com uma cautela gelada que arrepiava a alma. Eram movimentos de um predador confiante, implacável, que sabe que sua presa não tem escapatória. Voltou a espiar, e com um frêmito de pavor viu um homem enorme se aproximando sem pressa do quartinho de sua amada, examinando o lugar com um olhar escrutinador. Sentiu uma estranha vertigem: ele já havia lido na imprensa o que estava acontecendo agora diante de seus olhos. Era como assistir a uma peça de teatro cujo enredo sabia de cor, na qual só faltava ver como seria o desempenho dos atores. O homem parou diante da porta e deu uma discreta olhada na parte quebrada da janela, como se quisesse respeitar cuidadosamente cada passo da notícia que, embora ainda não tivesse sido escrita, Andrew levara durante oito anos no bolso do casaco; uma notícia que agora, devido à sua acrobacia no tempo, parecia mais um vaticínio dos fatos do que sua descrição. Mas, ao contrário daquela noite, ele estava ali, disposto a interferir. Visto dessa forma, o que ia fazer lhe pareceu como retocar um quadro já terminado, algo assim como acrescentar uma nova pincelada em *As Três Graças* ou na *Moça com Brinco de Pérola*.

Depois de descobrir com alvoroço que sua vítima não estava acompanhada, o Estripador deu um último olhar ao redor e pareceu ficar satisfeito, até exultante, com a oportuna calma que reinava no lugar, que lhe permitiria cometer seu crime numa inesperada e agradável intimidade. Essa atitude instigou Andrew, fazendo-o sair impulsivamente de seu esconderijo sem sequer considerar a possibilidade de atirar dali. De repente, achou que acabar com ele a distância e com a higiênica mediação de uma arma era um ato muito frio, impessoal e frustrante. A fúria que o dominava exigia arrancar-lhe a vida de um modo mais íntimo. Talvez o estrangulasse com as próprias mãos, golpeando-o com a culatra da pistola até matá-lo, ou qualquer outra forma em que pudesse se envolver mais em sua destruição, sentindo como aquela vida maldita iria se extinguindo pouco a pouco, ao ritmo que ele marcasse. Mas, à medida que caminhava decididamente em direção ao monstro, Andrew percebeu que, por mais que ansiasse acabar com ele corpo a corpo, a descomunal envergadura do oponente e sua inexperiência em brigas desse tipo desaconselhavam qualquer estratégia que não incluísse a arma que levava junto à coxa.

Da porta do quartinho o Estripador observou sua aproximação com serena curiosidade, talvez se perguntasse de onde havia surgido aquele indivíduo. Andrew parou prudentemente a uns cinco metros de distância, como um menino com medo de se aproximar em demasia da jaula e ser atacado pelo leão. Não conseguia distinguir seu rosto na escuridão, mas talvez fosse melhor assim. Levantou o revólver e, seguindo a recomendação de Charles, apontou para o peito. E se tivesse atirado nesse instante, sem hesitações, sem pensar no que fazia, como se aquilo fosse apenas mais um movimento da impulsiva coreografia que parecia estar seguindo, tudo transcorreria sem problemas, teria sido um ato rápido e calculado como uma extirpação cirúrgica. Mas, infelizmente, Andrew parou para pensar no que estava fazendo, tomou repentina consciência de que ia atirar em um homem, não em um cervo ou em uma garrafa, e o fato de que matar alguém fosse um ato tão simples e impetuoso, ao alcance de qualquer um, pareceu deixá-lo aflito, imobilizando seu dedo no gatilho. O Estripador inclinou a cabeça, entre surpreso e zombeteiro, e então Andrew viu a mão que empunhava a pistola começar a tremer. Isso acabou de minar sua determinação e encorajou o Estripador, que aproveitou esses instantes de dúvida para, com um gesto rápido, tirar uma faca de dentro do casaco e jogar-se sobre ele em busca de sua jugular. Ironicamente, foi essa investida animal que descongelou o dedo de Andrew. Um estampido repentino, breve, quase lacônico, rompeu o silêncio da noite. O homem levou o disparo no meio do peito. Com a pistola ainda apontada, Andrew viu-o retroceder alguns passos, cambaleando. Então abaixou a arma, quente e fumegante, surpreso tanto por tê-la usado como por continuar intacto depois de repelir o ataque inesperado. Mas isso não era totalmente verdadeiro, pois logo sentiu uma ardência no ombro esquerdo. Sem deixar de olhar para o Estripador, que continuava se contraindo à sua frente como um urso em pé, explorou com os dedos a origem da dor e descobriu que a faca, embora extraviada em seu caminho para a jugular, havia rasgado seu casaco à altura do ombro e afundado em sua carne. Mas, apesar do alegre entusiasmo com que o sangue jorrava, não parecia um corte muito profundo. O Estripador, enquanto isso, demorava a confirmar se o tiro havia ou não sido mortal. Depois de um balé bêbado, começou a se dobrar sobre si mesmo, enquanto a faca, empapada com seu sangue, escorregava de sua mão e ricocheteava nos paralelepípedos até desaparecer nas sombras. Em seguida, depois de soltar um grunhido rouco, fincou um joelho na terra, como se tivesse reconhecido em seu assassino os traços de um príncipe, e sua garganta alardeou algumas variantes do gemido anterior, um pouco mais agudos e descontínuos. Finalmente, quando Andrew, já farto daquele dramalhão agônico, considerava a possibilidade de derrubá-lo com um pontapé, o homem desabou no chão com surpreendente brutalidade, ficando estendido ali aos seus pés.

Ia se ajoelhar para examinar seus sinais vitais quando Marie Kelly, decerto alarmada pela refrega, abriu a porta do quartinho. Antes que pudesse reconhecê-lo, e vencendo a tentação de contemplar seu rosto oito anos depois de morta, Andrew virou-se. Abandonando o corpo, correu para a saída do beco enquanto a ouvia gritar: "Assassino, assassino!" Permitiu-se olhar por cima do ombro assim que alcançou o arco de entrada, e viu-a ajoelhada em um tremulante círculo de luz, fechando com um gesto de ternura os olhos do homem que, em um tempo longínquo, num mundo que agora adquiria a consistência de um sonho, a mutilara até deixá-la irreconhecível.

O cavalo estava à sua espera onde o tinha deixado. Ofegando com a corrida, montou e fugiu para longe dali. Apesar de sua agitação, conseguiu se orientar no labirinto de ruelas e encontrar o caminho de volta. Somente quando estava fora de Londres começou a se acalmar, a digerir o que tinha feito. Havia assassinado um homem, mas pelo menos o fizera em defesa própria. Além disso, não se tratava de um homem qualquer. Ele havia matado Jack, o Estripador, havia salvado Marie Kelly, alterado o que já tinha ocorrido. Bateu no cavalo com força, ansiando chegar à sua época e verificar os resultados de seu ato. Se tudo tivesse corrido bem, Marie não apenas estaria viva como provavelmente seria sua esposa. Teria um filho com ela? Dois, três? Açulou o cavalo ainda mais, exigindo até o limite de suas forças, como se receasse que aquele idílio presente se desvanecesse como uma miragem se demorasse muito a alcançá-lo.

Woking continuava no mesmo silêncio tranquilo que tanto o inquietara algumas horas antes, mas agora agradecia por aquela calma que ia lhe permitir concluir sua missão sem maiores incidentes. Desceu rapidamente do cavalo e abriu a cancela, mas de repente algo o fez parar: uma figura o aguardava junto à porta da casa. Imediatamente, Andrew lembrou-se do que havia acontecido com o amigo de Wells e entendeu que devia ser algum vigilante do tempo, com ordem de executá-lo por ele ter alterado o passado. Tentando não deixar-se levar pelo pânico, tirou a pistola do bolso o mais rápido que pôde e apontou para o peito do homem, como o primo havia recomendado fazer com o Estripador. Ao ver que estava armado, o intruso se atirou para um lado e andou pelo jardim até mergulhar na escuridão. Andrew tentou acompanhar seus movimentos felinos com a pistola, sem saber muito bem o que fazer, até que o viu escalar a cerca com agilidade e pular para a rua.

Só quando ouviu o repicar dos passos se afastando abaixou a arma e tentou se acalmar respirando pausadamente. Seria aquele homem o assassino do amigo de Wells? Não sabia, mas, agora que havia fugido, tampouco tinha muita importância. Andrew se esqueceu dele e empreendeu a escalada da trepadeira. Teve de subir valendo-se de um só braço, já que o ferimento do outro começava a palpitar dolorosamente cada vez que o submetia a algum esforço. Mesmo assim, conseguiu chegar ao sótão, onde a máquina do tempo estava à sua espera. Exausto e um pouco tonto com a perda de sangue, desabou na poltrona, registrou a data de retorno no painel do artefato e, depois de se despedir do ano 1888 com um olhar afetuoso, acionou a alavanca de vidro sem mais delongas.

Dessa vez não sentiu medo quando os relâmpagos o envolveram, somente a agradável sensação de quem volta para casa.

XVI

Quando as chispas finalmente cessaram, deixando no ar agitado umas tristes plumas de fumaça, como se tivesse ocorrido uma batalha de travesseiros no sótão, Andrew se surpreendeu ao encontrar Charles, Wells e a esposa encurralados junto à porta, na mesma posição em que os tinha deixado. Cumprimentou-os com um sorriso deliberadamente triunfal, mas o enjoo e a dor cada vez mais intensa do ferimento o transformaram em uma expressão desfalecida. Quando se levantou para descer da máquina, os outros puderam ver o sangue que ensopava escandalosamente seu braço esquerdo, ameaçando pingar no chão.

— Santo Deus, Andrew! — exclamou o primo, correndo para ele. — O que houve com você?

— Não foi nada, Charles — respondeu, apoiando-se nele um pouco cambaleante. — Só um arranhão.

Wells puxou-o pelo outro braço, e os dois o ajudaram a descer as escadas do sótão. Tentou caminhar com os próprios pés, mas ao ver que os outros ignoravam seus esforços optou por deixar-se conduzir mansamente até uma pequena sala, como também se deixaria levar nos ombros por uma horda de demônios para os quintos do inferno. Tampouco podia fazer outra coisa, já que a tensão acumulada, a perda de sangue e a extenuante galopada se aliaram para esgotar todas as suas energias. Colocaram-no com cuidado na poltrona perto da chaminé, na qual ardia um fogo reconfortante. Depois de examinar o ferimento fazendo o que Andrew entendeu como um esgar de contrariedade, Wells disse à esposa que trouxesse ataduras e tudo o que fosse necessário para estancar a hemorragia. Só lhe faltou pedir que se apressasse ao máximo, antes que aquele forte jorro de sangue conseguisse fazer um dano irreparável no tapete. Quase de imediato, o vigor benéfico do fogo afugentou os calafrios do rapaz, mas também parecia adormecê-lo. Felizmente, Charles teve a ideia de colocar uma taça entre as suas mãos e ajudou a levá-la aos lábios, conseguindo que a bebida dissipasse um pouco do mal-estar e da espessa lassidão que o dominavam. Logo depois reapareceu Jane, que se dispôs a curar o ferimento com sua habilidade de enfermeira curtida na frente de batalha. Cortou a manga do casaco com uma tesoura e aplicou uma série de pomadas e curativos sobre a facada que o obrigaram a cerrar os dentes, assaltado por um ardor intenso. Arrematou o serviço envolvendo-o firmemente com uma bandagem, e em seguida se afastou alguns passos para admirar sua obra com complacência. Só então, solucionado o problema mais urgente, a diversificada equipe de salvamento formou uma roda ansiosa em volta da poltrona em que Andrew jazia um pouco prostrado. Esperavam que ele contasse o que havia acontecido. Como uma coisa que sonhara, Andrew se lembrou então do Estripador estendido no chão e de Marie fechando-lhe os olhos. Isto só podia significar que havia sido bem-sucedido.

— Consegui — anunciou, tentando fazer o entusiasmo se sobrepor à fadiga. — Matei Jack, o Estripador.

Suas palavras desencadearam uma explosão de alegria que Andrew recebeu com visível surpresa. Foi soterrado por uma avalanche de palmadinhas entusiastas, e em seguida os outros começaram a se abraçar e aplaudir, entregues a uma apoteose de exaltação mais própria de uma comemoração de fim de ano ou de um rito pagão. Quando tomaram consciência do exagero da reação, todos se acalmaram e voltaram a fitá-lo com afeto e curiosidade. Andrew sorriu para eles, um pouco tímido, e finalmente, já que ninguém parecia disposto a acrescentar mais nada, avaliou o ambiente com o olhar, procurando qualquer coisa que revelasse as supostas mudanças que sua pincelada podia ter causado na tela do presente. Seus olhos pousaram na caixa de charutos ainda sobre a mesa, que como bem se lembrava continha o recorte. Todos seguiram seu olhar.

— Bem — disse Wells, lendo seus pensamentos. — O senhor jogou uma pedra em um lago tranquilo, e está impaciente para ver as ondas que seu gesto provocou na superfície. Não vamos adiar mais. Chegou a hora de comprovar se realmente mudou o passado.

Reassumindo o papel de mestre de cerimônias, Wells foi até a mesa, ergueu a caixinha com solenidade e entregou-a a Andrew ao mesmo tempo que abria a tampa, como um rei mago oferecendo seu lote de incenso. Andrew apanhou o recorte tentando evitar que sua mão tremesse muito e, ao sentir que seu coração suspendia os batimentos, começou a desdobrá-lo. Mas, quando terminou, viu a mesma manchete que lia havia anos. Um rápido passar de olhos revelou que seu conteúdo também era idêntico: como se nada houvesse acontecido, o artigo relatava o brutal assassinato de Marie Kelly por Jack, o Estripador e a posterior captura deste pelo Comitê de Vigilância do bairro. Andrew olhou para Wells, desconcertado. Não podia ser.

— Mas eu o matei — protestou, sem muita convicção —, isto não é verdade...

Wells estudou o recorte, pensativo. Todas os olhares se concentraram nele, à espera de algum parecer que esclarecesse a situação. Depois de alguns segundos absorto no recorte, o escritor deixou escapar um murmúrio de compreensão. Levantou-se bruscamente e sem olhar para ninguém empreendeu um taciturno passeio pela casa. Devido às estreitas dimensões da habitação, teve de se resignar a dar várias voltas em torno da mesa, com as mãos enterradas nos bolsos e assentindo com aprovação de vez em quando, como se quisesse comunicar aos presentes o modo como o entendimento ia abrindo passagem em sua mente. Finalmente, parou diante de Andrew com um sorriso sombrio.

— O senhor salvou a moça, senhor Harrington. — Apontou para ele com um sereno convencimento. — Não tenha dúvida disto.

— Mas, então... — balbuciou Andrew —, por que continua morta?

— Porque é necessário que continue morta para que o senhor viaje no tempo para salvá-la — exclamou o escritor, como quem ressalta uma obviedade.

Andrew piscou, sem chegar a compreender bem o que Wells tentava insinuar.

— Pense: por acaso o senhor teria vindo à minha casa se ela estivesse viva? Não entende que ao matar o assassino e impedir que ela morra estripada também eliminou suas razões para viajar no tempo? E se não houver viagem, também não haverá mudança. Os dois acontecimentos, como pode ver, são inseparáveis — explicou Wells, agitando o recorte que, ao perseverar com a manchete original, confirmava sua teoria.

Andrew balançou lentamente a cabeça e olhou para os outros, que pareciam imersos na mesma confusão que ele.

— Não é tão complicado — provocou Wells, caçoando do embaraço de sua plateia. — Vou explicar de outra maneira. Imagine o que deve ter acontecido depois de seu regresso na máquina do tempo: seu outro eu deve ter chegado ao quarto de Marie Kelly, mas dessa vez não a terá encontrado com as vísceras ao léu, mas viva, diante do cadáver de um homem que a polícia logo identificará como Jack, o Estripador. Por sorte, um justiceiro fantasma vindo do nada o assassinou antes que sua amada passasse a engrossar a lista de vítimas. E graças a esse desconhecido, Andrew poderá viver feliz com ela, embora esse Andrew ironicamente nunca saberá que deve isso ao senhor, ou seja, a si mesmo. — Depois de dizer isto, o escritor olhou-o com expectativa, com a ansiedade de um menino que espera ver uma árvore brotar imediatamente após ter plantado uma semente. Ao notar que Andrew continuava olhando confuso para ele, acrescentou: — É como se seu ato tivesse provocado uma bifurcação no tempo, como se houvesse criado uma espécie de universo alternativo, um mundo paralelo, por assim dizer. E nesse mundo Mary Kelly está viva e é feliz ao lado de seu outro eu. Infelizmente, o senhor está no universo errado.

Andrew viu que Charles assentia, cada vez mais satisfeito com a explicação de Wells, e depois se virava para ele, esperando encontrá-lo igualmente convencido. Mas Andrew precisava de mais alguns segundos para refletir sobre as palavras do escritor. Abaixou a cabeça e tentou ignorar os olhares inquisitivos dos outros para examinar o assunto com calma. Como nada parecia ter mudado em sua realidade, a viagem na máquina do tempo não apenas podia ser considerada inútil, como sua própria existência podia ser questionada. Mas ele sabia que tinha sido real. Não podia esquecer a silhueta de Marie, nem o estampido do tiro ou o coice que a pistola dera em seu braço, e, muito menos, podia esquecer o ferimento em seu ombro, aquele feio rasgão que trouxe consigo como marca indiscutível e que impedia que tudo o que tinha acontecido se transformasse em um sonho. Sim, tudo aquilo tinha acontecido realmente, e o fato de não poder ver seus efeitos não significava que não tivesse ocorrido, como Wells percebeu logo. Do mesmo modo que as raízes de uma árvore, ao esbarrar numa rocha, procuram um novo caminho por onde crescer, as consequências de seu ato, que não podiam se evaporar no ar, tinham criado outra realidade, um mundo paralelo a este no qual ele era feliz ao lado de Marie Kelly, um mundo que não existiria se não tivesse viajado no tempo. Isto significava que havia salvado sua amada, embora não pudesse desfrutar nada dela além da consoladora satisfação de saber que impedira sua morte, que fizera tudo o que estava a seu alcance para reparar seu erro. Pelo menos seu outro eu se beneficiaria, pensou com certa resignação. Aquele outro Andrew, que no fundo era também ele, que era carne de sua carne, teria a oportunidade de realizar seus sonhos ponto por ponto. Teria a oportunidade de torná-la sua esposa, de amá-la apesar da oposição do pai e do falatório dos vizinhos, e desejou ser consciente do milagre que isto significava e que aquele Andrew mais afortunado, durante os oito anos que passara se torturando, a tivesse adorado incansavelmente em cada segundo de sua existência, povoando a terra com os incessantes frutos de tanto amor.

— Entendo — disse num murmúrio, sorrindo levemente para os outros.

Wells não conseguiu reprimir um gesto de triunfo.

— Folgo em saber que tenha entendido — exclamou, enquanto Charles e Jane lhe davam outra palmadinha animadora no ombro. — Sabem por que sempre evitei me ver durante minhas viagens ao passado? — perguntou Wells sem se importar se alguém estava ouvindo. — Porque, se o fizesse, em algum momento da minha vida eu teria de entrar pela porta para cumprimentar a mim mesmo, coisa que felizmente, graças à minha prudência, nunca ocorreu.

Depois de abraçar o primo várias vezes, voltando à euforia anterior, Charles ajudou-o a levantar-se da poltrona, enquanto Jane ajeitava maternalmente seu casaco.

— Talvez os sons que nos assustam à noite, aqueles rangidos que atribuímos aos móveis, sejam apenas os passos de algum eu futuro que vela nossos sonhos sem se atrever a interrompê-los — divagava Wells, alheio ao entusiasmo geral.

Só quando Charles lhe estendeu a mão pareceu sair de seu transe poético.

— Muito obrigado por tudo, senhor Wells — disse Charles. — Lamento ter entrado em sua casa como fiz. Espero que me desculpe.

— Não se preocupe, não se preocupe; já está esquecido — respondeu o escritor fazendo um gesto vago com a mão, como se houvesse descoberto que o fato de terem apontado uma arma para ele tivesse algo de medicinal, de revitalizador.

— O que vai fazer com a máquina; destruí-la? — atreveu-se a perguntar timidamente Andrew.

Wells olhou-o com um sorriso indulgente.

— Creio que sim — respondeu —, agora que ela provavelmente já cumpriu a missão para a qual foi inventada.

Andrew concordou, sem conseguir evitar que essas palavras taxativas o comovessem. Não considerava que sua tragédia fosse a única em que aquele invento que tinha ido parar nas mãos de Wells merecesse ser usado, mas gostou de saber que o escritor, sem sequer conhecê-lo, se solidarizasse com seu drama a ponto de considerá-lo um excelente motivo para infringir as leis temporais, para chegar até a malha do tempo e pôr o mundo em perigo.

— Eu também acho melhor, senhor Wells — disse, quando se recuperou da emoção —, pois suas suspeitas estão corretas. Há alguém que vigia o tempo, resguardando o passado. Topei com um desses vigilantes ao retornar, na porta de sua própria casa.

— Sério? — surpreendeu-se Wells.

— Sim, mas felizmente consegui afugentá-lo — respondeu Andrew.

Em seguida, abraçou o escritor com sincero afeto. Charles e Jane assistiram satisfeitos àquela cena que, não fosse pela rigidez com que Wells recebeu o abraço de Andrew, seria francamente enternecedora. Quando finalmente o abraço terminou, Charles se despediu do casal e levou o primo até a saída da casa, para que não voltasse a se jogar em cima do perturbado escritor.

Andrew atravessou o jardim com os sentidos em alerta e a mão direita no bolso, apertando a pistola, temendo que o vigilante do tempo o tivesse seguido até sua época e o estivesse esperando escondido em algum lugar. Mas não havia sinal dele. Lá fora só estava à sua espera a carruagem que os havia levado até ali poucas horas antes, que pareciam muitos séculos.

— Ah, esqueci o chapéu — disse o primo quando ele já tinha subido no coche. — Volto já, Andrew.

Este assentiu distraidamente e se acomodou no assento, realmente esgotado. Através da janelinha do coche contemplou a escuridão em volta, que começava a ondular sob o impulso do dia. Do mesmo modo que o tecido de um casaco se desgasta nos cotovelos, a noite começava a desfiar em um dos cantos do céu, cujo negrume ia se transformando lentamente em um azul cada vez menos escuro, até que um lívido resplendor começou a esculpir parcimoniosamente o mundo. Sem contar o cocheiro, que parecia adormecido na boleia, podia-se dizer que aquele belo espetáculo de véus dourados e purpúreos estava sendo executado exclusivamente para ele. Nos últimos anos, Andrew assistira muitas vezes, quase sempre nos bosques do Hyde Park, à majestosa inauguração da manhã, perguntando-se se aquele seria o dia de sua morte, o dia em que a inundação do sofrimento o faria tirar a própria vida com uma pistola como a que tinha agora no bolso, que na tarde anterior furtara da cristaleira sem imaginar que acabaria usando-a para matar Jack, o Estripador. Mas agora não podia contemplar aquele amanhecer perguntando se sobreviveria para ver o próximo, pois sabia a resposta: veria o amanhecer de amanhã e o de depois de amanhã e todos os amanheceres que houvesse, pois não tinha mais motivo para se suicidar depois de ter conseguido salvar Marie. Prosseguiria com seu plano por pura inércia, ou se mataria simplesmente por estar, como disse Wells, no universo errado? Não parecia motivo suficiente, pelo menos não era um motivo tão nobre, para não mencionar que podia revelar uma inveja no fundo absurda de seu gêmeo temporal, pois aquele outro Andrew era ele mesmo, e devia encarar sua sorte com a mesma satisfação com que receberia a própria, ou a de seu irmão ou de seu primo Charles. Afinal de contas, se a grama brilha sempre mais verde no jardim do vizinho, com que fulgor não reluziria no universo paralelo? Devia estar contente por ser feliz em outro lugar, por ter alcançado a felicidade ao menos no reino contíguo.

Essa conclusão gerou uma pergunta inesperada: o fato de saber que tinha a vida que queria em outro mundo o eximia de tentar conquistá-la neste? A princípio não soube responder, mas após alguns instantes de reflexão decidiu que sim: acabava de ser dispensado de ser feliz, podia limitar-se simplesmente a levar uma existência tranquila e aproveitar os pequenos prazeres sem qualquer sensação de frustração porque, por mais banal que fosse sua vida, sempre podia se consolar pensando que felizmente tinha uma vida plena em outro lugar, longínquo e próximo ao mesmo tempo: um lugar inacessível que não figurava em nenhum mapa, pois ficava no verso dele. De repente sentiu um imenso alívio, como se finalmente tivesse se livrado do fardo que recebera ao nascer. Sentiu-se solto, irresponsável, louco. Teve uma vontade enorme de abraçar a vida, voltar aos trilhos por onde a humanidade transitava, escrever um bilhete para Victoria Keller, ou para Madeleine, caso Victoria não fosse a esposa de seu primo, e convidá-la para jantar ou ir ao teatro ou passear em um parque no qual pudesse emboscá-la e encostar os lábios nos dela, simplesmente porque também sabia que não faria nada disso. Pois o universo parecia funcionar assim, sem excluir nada, deixando que acontecesse tudo o que podia acontecer: por mais que decidisse beijá-la, um outro Andrew se recusaria a fazê-lo, rolando pelo declive do tempo até pousar em outros lábios, para se desdobrar novamente em mais um gêmeo que acabaria despencando, depois de multiplicar-se várias vezes mais, no abismo da solidão.

Andrew se encostou no assento, pensando surpreso que os resíduos da vida não são como a serragem que a vassoura do carpinteiro varre, mas cada um deles cria uma nova existência, que compete com a primeira para ver qual é a verdadeira. Sentia vertigens só de imaginar que nas encruzilhadas que encontrava em seu caminho nasciam ninhadas de outros Andrews cujas vidas transcorreriam em paralelo, para além de onde sua vida terminava, sem que ele pudesse ver coisa alguma porque no fundo são os modestos sentidos do homem que estabelecem os limites do mundo. Mas, e se o mundo, como a caixa de um mágico, tivesse um fundo falso, e se realmente continuasse além de onde seus sentidos lhe diziam que acabava? Era o mesmo que perguntar se as rosas continuavam mantendo suas cores quando ninguém as estava vendo. Ele estaria bem, ou por acaso estava delirando?

Tratava-se, obviamente, de uma pergunta retórica. Mas o mundo se deu o trabalho de responder. Uma brisa suave soprou de repente, levantou uma folha das muitas que atapetavam a calçada e a fez dançar na superfície de uma poça, como um truque de prestidigitação para um único espectador. Sobressaltado, Andrew ficou observando a folha girar dessa forma, até que o sapato do primo interrompeu a delicada dança.

— Pronto, podemos ir — disse Charles, agitando o chapéu com o gesto triunfal de um caçador sacudindo um pato ensanguentado.

Uma vez sentado no coche, arqueou uma sobrancelha, intrigado com o sorriso distraído que iluminava o rosto do primo.

— Você está bem, Andrew? — inquiriu.

O primo olhou para ele com carinho. Charles havia movido céus e terras para ajudá-lo a salvar Marie Kelly, e ele ia pagar da melhor forma que podia: continuando vivo, pelo menos até que chegasse sua hora. Queria devolver em dobro o afeto que recebera dele por todos aqueles anos, que havia respondido com a apatia e o desapego de que agora se envergonhava. Abraçaria a vida, sim, e a abraçaria como um presente inesperado, e se esforçaria para vivê-la da melhor forma que pudesse, como fazia todo o mundo, como fazia Charles. Transformaria a vida em uma aprazível e longa tarde de domingo à espera do crepúsculo. Não devia ser muito difícil, podia ser até que aprendesse a desfrutar o simples milagre de estar vivo.

— Melhor do que nunca, Charles — respondeu, subitamente animado. — Estou tão bem, que aceitaria um convite para jantar na sua casa, desde que sua encantadora mulher também convidasse a não menos encantadora irmã que tem.

XVII

Aqui poderia terminar esta parte da história, e para Andrew realmente termina aqui, mas esta não é apenas a história de Andrew. Para contar só a história de Andrew, minha intervenção não seria necessária: ele mesmo poderia contá-la, como todo homem conta sua vida no leito de morte. Mas é sempre uma história incompleta, parcial, porque só um homem que houvesse naufragado em uma ilha deserta logo depois de nascer, e tivesse crescido, envelhecido e morrido lá, em companhia apenas de um punhado de macacos autóctones, poderia afirmar sem sombra de dúvida que sua vida é exatamente o que acha que foi, e isso se os macacos não tiverem escondido em alguma caverna o baú carregado de livros, roupas e fotografias que a maré largara antes na praia. Mas, salvo nos casos de bebês náufragos e outros extremos dessa ordem, o homem foi engendrado para fazer parte de uma vasta tapeçaria, trançar sua existência com a de muitas outras almas dispostas a julgar seus atos tanto na sua frente como pelas costas, de modo que só quem considera que o resto do mundo é um cenário cheio de marionetes que param de funcionar quando vai dormir pode aceitar que sua vida foi exatamente como conta. Caso contrário, momentos antes de exalar o último suspiro em seu travesseiro terá de admitir que a ideia que pode ter da própria vida é necessariamente aproximada, volúvel e questionável, que há coisas que a afetaram para o bem ou para o mal e que jamais chegará a saber: por exemplo, que sua esposa foi amante do padeiro algum tempo ou que o cachorro do vizinho urinava em suas azaleias toda vez que saía de casa. Assim, da mesma forma que Charles não viu a deliciosa valsa que a folha executou sobre a poça, Andrew também não viu como o primo recuperou seu querido chapéu. Poderia tê-lo imaginado entrando na casa de Wells, pedindo desculpas pela nova intrusão, dizendo em tom de brincadeira que dessa vez estava desarmado, e os três engatinhando como crianças pelo tapete em busca do escorregadio chapéu, mas sabemos que não teve tempo para imaginar o que o primo estava fazendo, ocupado como estava com suas enternecedoras reflexões sobre mundos e caixas de mágicos.

Eu, em contrapartida, tudo vejo e tudo ouço, mesmo que não queira, e do joio tenho de separar o trigo, decantar os acontecimentos que de fato têm importância na história que decidi contar. Por isso, é inevitável retroceder alguns instantes até o momento em que Charles nota que tinha esquecido o chapéu e volta à casa do escritor. Talvez vocês se perguntem que interesse pode ter para esta história um gesto tão insignificante quanto a recuperação de um chapéu esquecido. Absolutamente nenhuma, eu responderia, se fosse totalmente verdade que Charles deixara o chapéu por descuido, mas as coisas nem sempre são o que parecem, e poupem-me de aborrecê-los com uma lista de exemplos que podem encontrar sem muita dificuldade remexendo um pouco em suas próprias vidas, tenham ou não uma padaria por perto ou um jardim cheio de azaleias. Então, sigamos Charles sem perder mais tempo:

— Ah, esqueci o chapéu — disse quando o primo já havia sentado no coche. — Volto já, Andrew.

Com passos rápidos, Charles atravessou o pequeno jardim da frente e entrou na casa do escritor, em busca da saleta para a qual tinham levado Andrew. Lá estava seu chapéu, pendurado tranquilamente em um cabideiro, bem no lugar em que o havia deixado. Pegou-o com um sorriso e voltou ao corredor, mas em vez de retornar por onde tinha vindo, como seria lógico, deu meia-volta e subiu pela escada que levava ao sótão. Ali encontrou o escritor e sua mulher, andando pelo cômodo banhados pelo lúgubre resplendor de um candeeiro colocado no piso, perto da máquina do tempo. Charles anunciou sua presença pigarreando ruidosamente, antes de afirmar num tom triunfal:

— Acho que tudo correu bem: meu primo acreditou em tudo!

Wells e Jane estavam recolhendo as bobinas de Ruhmkorff que haviam escondido previamente entre as tralhas das estantes. Charles tomou cuidado para não pisar no interruptor que as comandava na entrada, gerando entre umas e outras as ensurdecedoras descargas elétricas que tanto atemorizaram o primo. Quando, ao solicitar a ajuda do escritor e contar-lhe o plano que pretendia levar a cabo com sua colaboração, este lhe propôs utilizar essas diabólicas bobinas e Charles se mostrara receoso. Um pouco envergonhado, reconheceu que tinha sido um dos muitos espectadores que abandonaram como ratos assustados o museu em que seu inventor, um croata pálido e magro chamado Nicola Tesla, apresentara à sociedade aquele engenho maligno, sacudindo o ar da sala com as descargas azuladas que arrepiavam a pele, mas Wells lhe garantiu que aqueles artefatos inofensivos seriam o menor de seus problemas. Além disso, era bom que fosse se familiarizando com o invento que iria revolucionar o mundo, acrescentou, antes de contar, com a voz embargada de devoção, que Tesla havia construído uma central hidrelétrica nas cataratas do Niágara para cobrir a cidade de Búfalo com um manto de eletricidade. Aquele era o primeiro passo de um projeto que erradicaria a noite na Terra, afirmou Wells. Para o escritor, o croata era um gênio, não havia dúvida, e estava ansioso que ele construísse o quanto antes a máquina de escrever operada pela voz para se libertar e eliminar o problema de ter de apertar as teclas com os dedos enquanto sua imaginação corria sempre na frente, inalcançável. Agora, depois do sucesso do plano, Charles reconheceu que Wells fora brilhante: a viagem no tempo não seria tão verossímil sem o fragor dos relâmpagos, que afinal se revelaram um preâmbulo perfeito antes que o pó de magnésio escondido no falso painel da máquina cegasse quem acionasse a alavanca.

— Magnífico — comemorou Wells, livrando-se das bobinas que tinha nas mãos para receber Charles —, o senhor sabe que eu não tinha tudo sob controle, muitas coisas podiam falhar.

— Sim — admitiu Charles —, mas não tínhamos nada a perder, e muito a ganhar. Eu disse que se tudo desse certo meu primo poderia abandonar a ideia do suicídio. — Olhou para Wells com sincera admiração, antes de acrescentar: — E devo reconhecer que sua teoria dos universos paralelos para justificar por que a morte do Estripador não provocou mudanças no presente soa tão real que até eu acreditei.

— Fico feliz em saber disso, mas o mérito não foi só meu. O senhor fez o mais difícil: contratou os atores, trocou a bala da pistola por um cartucho de festim e, principalmente, encomendou a fabricação — disse Wells, apontando para a máquina do tempo.

Ambos a olharam com um afeto intenso durante alguns segundos.

— Sim, e o resultado é realmente lindo — reconheceu Charles, antes de brincar: — Pena que não funcione.

Após um instante de vacilação Wells riu educadamente da piada, fazendo com a garganta um rangido parecido com uma noz ao ser pisada.

— O que vai fazer com ela? — perguntou logo em seguida, como se quisesse abafar o quanto antes o eco da risada doentia com que cometera a temeridade de demonstrar ao mundo que tinha senso de humor.

— Ah, nada — respondeu o outro. — Quero que fique com ela.

— Eu?

— Claro, onde poderia estar melhor do que em sua casa? Considere-a um presente, por sua inestimável ajuda.

— Não precisa agradecer por nada — protestou Wells. — Eu me diverti imensamente com tudo isso.

Charles sorriu para si mesmo: fora uma sorte que o escritor aceitasse ajudá-lo. Sem contar que Gilliam Murray também se mostrou pronto a colaborar com aquela tramoia que ele mesmo ajudara a planejar, ao ver sua expressão desolada quando lhe informou que sua empresa não oferecia viagens ao passado. E com o rico empresário também disposto a representar um papel na obra, tudo ficou mais fácil. Não seria tão verossímil levar seu primo à casa do escritor sem passar antes pelo escritório de Murray, contando que ele daria crédito às suas suspeitas de que Wells tinha uma máquina do tempo.

— Mais uma vez, meu mais profundo agradecimento — disse Charles, sinceramente emocionado. — E obrigado também, senhora Jane, por pedir ao cocheiro que se escondesse na rua ao lado e amarrasse o cavalo na cerca enquanto fingíamos intimidar seu marido.

— Não tem de me agradecer nada, senhor Winslow, para mim também foi um prazer. Mas jamais vou perdoá-lo por mandar o ator esfaquear seu primo... — censurou, com o sorriso maroto de quem condena sem muita severidade a travessura de uma criança.

— Mas estava tudo sob controle! — fingiu escandalizar-se Charles. — O ator era um perito em facas. Além disso, se não fosse esse pequeno estímulo, Andrew jamais teria atirado nele, tenho certeza. Isto sem contar que a cicatriz que vai ficar em seu ombro o impedirá de esquecer que salvou a vida de sua querida Marie. A propósito, também foi muito oportuno contratar alguém que fingisse ser um vigilante do tempo.

— Não foi coisa sua? — perguntou Wells, surpreso.

— Não — respondeu Charles. — Pensei que o senhor havia providenciado...

— Não, eu... — respondeu Wells, confuso.

— Então, acho que meu primo afugentou algum ladrão. Ou talvez um verdadeiro viajante do tempo — brincou Charles.

— Sim, provavelmente — riu Wells, um pouco alarmado.

— Bem, o importante é que tudo deu certo — concluiu Charles. Voltou a felicitá-los pelo sucesso da representação e se despediu com uma reverência. — Preciso ir agora, meu primo pode suspeitar de alguma coisa. Foi um prazer conhecê-los. E saiba, senhor Wells, que sempre estarei entre os seus leitores mais fiéis.

Wells agradeceu o comentário com um sorriso modesto que permaneceu flutuando em seus lábios enquanto os passos de Charles se desvaneciam escada abaixo. Depois soltou um profundo suspiro de satisfação e contemplou a máquina do tempo com as mãos na cintura e uma expressão de violenta ternura, própria dos pais novatos, antes de passar a mão suavemente pelo painel de controle. Jane observou-o comovida, sabendo que nesse instante seu marido devia estar dominado por uma emoção tão profunda quanto perturbadora, pois estava acariciando um sonho, um produto de sua imaginação que milagrosamente havia saído do livro para ganhar consistência real.

— Talvez possamos aproveitar a poltrona, não? — comentou Wells, virando-se para ela.

A esposa balançou a cabeça, dando a entender que não sabia que diabo estava fazendo com aquele homem tão insensível, e se aproximou da janela. O escritor se encaminhou para seu lado com a expressão consternada e passou um braço por seus ombros, gesto que acabou amolecendo-a, animando-a a acomodar a cabeça em seu ombro. Seu marido não era tão pródigo em carinhos para que ela desperdiçasse aquele gesto espontâneo de afeto, que a surpreendera tanto ou mais do que se ele tivesse se jogado pela janela de braços abertos, só para ter certeza de que realmente não podia voar. Enlaçados nessa posição, viram Charles subir na carruagem, que se pôs em movimento. Seguiram-na com a vista até que desapareceu no final da rua, sob a tela alaranjada do amanhecer.

— Você percebeu o que fez esta noite, Bertie? — perguntou então Jane.

— Quase incendiei o sótão?

A mulher riu.

— Não, nesta noite você fez uma coisa que me deixará orgulhosa para sempre — disse, olhando-o com uma doçura infinita. — Salvou a vida de um homem usando sua imaginação.

Segunda Parte

Se você aproveitou nossa viagem ao passado, caro leitor, nas próximas páginas deste emocionante folhetim terá o privilégio de viajar ao futuro para conhecer a célebre guerra do ano 2000 contra os malvados autômatos.

Mas advertimos que algumas cenas serão extremamente violentas: não é para menos, em se tratando de uma batalha de consequências muito importantes para o futuro da Humanidade.

As mães de filhos impressionáveis talvez queiram examinar o conteúdo e expurgar certas páginas antes de entregar o livro a seus pequenos.

XVIII

Claire Haggerty gostaria de ter nascido em outra época para não ter de estudar piano, usar aqueles vestidos desconfortáveis, escolher um marido em meio ao enxame de ávidos pretendentes que a acossavam e carregar para todo lado aquela ridícula sombrinha que mais cedo ou mais tarde terminaria esquecendo no lugar mais inesperado. Acabava de fazer vinte e um anos, e se alguém tivesse tido a pachorra de se aproximar dela e lhe perguntar o que esperava da vida, teria ouvido que nada, simplesmente morrer. Certamente esta não era a resposta que alguém esperaria dos lábios de uma encantadora jovenzinha que mal tinha começado a tecer sua existência; mas posso garantir que é a resposta que Claire teria dado, pois eu, que, como já demonstrei antes, tudo vejo, incluindo o que ninguém vê, fui testemunha das longas e enervantes meditações a que ela costuma se entregar em seu quarto antes de dormir. Quando todos pensam que está escovando o cabelo na frente do espelho, como faria qualquer mocinha normal, Claire se abstrai na contemplação da negra noite através da janela, perguntando-se por que preferiria morrer antes de presenciar um novo amanhecer. Não é que tivesse tendências suicidas, ouvisse alguém chamá-la do além com um canto de sereia irresistível ou que o simples fato de existir lhe causasse um mal-estar insuportável que precisaria interromper com toda urgência. Nada disso. Tudo se reduzia a uma coisa muito mais simples: o mundo em que lhe coube viver não a seduzia muito, nem seduziria nunca, pelo menos essa era a funesta conclusão a que suas reflexões noturnas a tinham levado. Por mais que se esforçasse, não conseguia encontrar nada que lhe agradasse, que a divertisse ou intrigasse, e, muito menos, era capaz de fingir que o que tinha lhe bastava. Para ela, sua época carecia de estímulo, de emoção, só lhe dava tédio.

O fato de não encontrar qualquer pessoa que demonstrasse sentir a mesma decepção lhe causava uma inquietação tão profunda que acabava perturbando-a. Esse mal-estar íntimo inevitavelmente a marginalizava, tornando-a antissocial e sarcástica, e às vezes, sem necessidade de lua cheia, sua alma transbordava e a transformava numa espécie de criatura selvagem que se divertia arruinando as reuniões familiares.

Claire sabia perfeitamente que seus arroubos de insatisfação, além de serem uma extravagância improdutiva, não a beneficiavam em absoluto, especialmente num momento tão crítico de sua existência, em que sua principal preocupação deveria ser arranjar um marido que a sustentasse e lhe desse meia dúzia de filhos para mostrar ao mundo a fertilidade de seu ventre. Tal como sua amiga Lucy costumava lhe advertir, esse comportamento lhe estava dando fama de arisca entre os pretendentes, alguns dos quais haviam desistido do cortejo depois de concluir que suas maneiras intempestivas faziam dela uma fortaleza inexpugnável. Mas, apesar de tudo isso, Claire não conseguia parar de agir desse modo. Ou sim?

Às vezes ela se perguntava se realmente fazia todos os esforços para superar o mal-estar que a corroía ou se, pelo contrário, não fazia nada além de entregar-se a ele com um deleite mórbido. Por que não podia aceitar o mundo tal qual era, como fazia Lucy, que suportava os torturantes espartilhos como se fossem algum tipo de penitência para purificar sua alma, não se importava de não poder estudar em Oxford e recebia as atenções de seus pretendentes na mais escrupulosa ordem de chegada, sabendo que mais cedo ou mais tarde deveria se casar com algum deles? Mas ela não era como Lucy: odiava os espartilhos, que pareciam confeccionados pelo próprio diabo, queria fazer algo produtivo com seu cérebro, como qualquer homem podia fazer, e não tinha o menor interesse em se casar com qualquer um daqueles rapazes que a importunavam. Isto, em especial, lhe parecia terrivelmente desagradável, embora a situação tenha melhorado sobremaneira desde a época de sua mãe, quando a mulher que contraía matrimônio perdia todos os bens, mesmo aquilo que ganhara com seu trabalho, que a lei, como um vento inoportuno, arrastava imediatamente para as mãos ávidas do marido. Agora, se ela decidisse se casar, pelo menos conservaria suas posses, e até poderia optar pela guarda dos filhos em caso de divórcio. Mesmo assim, Claire continuava considerando o casamento uma forma legal de prostituição, como afirmava Mary Wollstonecraft em seu livro *A reivindicação dos direitos da mulher*, obra a que Claire dera o *status* de Bíblia. Admirava a luta encarniçada da autora para devolver à mulher sua dignidade perdida, para que ela não fosse mais mera servidora do homem, o qual a ciência julgava mais inteligente porque suas medidas cranianas eram superiores, o que significava que tinha um cérebro maior, embora ela reunisse fartas provas de que essas tão magnas dimensões só serviam para sustentar um chapéu maior. Mas Claire, por outro lado, sabia que, se recusasse o amparo de um homem, não teria outro remédio senão ganhar a vida por si mesma, ou seja, buscar um trabalho entre as parcas ofertas que existiam para alguém de sua condição, que se reduziam às funções de datilógrafa em algum escritório ou de enfermeira num hospital, destinos que a seduziam ainda menos do que passar a vida bocejando ao lado de algum daqueles almofadinhas mimados que se revezavam para adorá-la.

Mas o que fazer se achava o casamento uma opção inviável? Só se sentia capaz de tolerá-lo no caso de apaixonar-se verdadeiramente por algum homem, coisa que considerava praticamente impossível porque seu desinteresse não se limitava exclusivamente àquela tediosa manada de admiradores, mas parecia se estender a todos os varões do planeta, jovens ou velhos, ricos ou pobres, bem-apessoados ou repulsivos. Os detalhes não tinham importância: ela estava firmemente convencida de que nunca poderia se apaixonar por homem nenhum de sua época, fosse como fosse, e isto porque a ideia que eles tinham do amor parecia pálida em comparação com a vibração romântica diante da qual desejava se lançar. Claire esperava que uma paixão tumultuosa alvoroçasse sua existência, que uma febre violenta lhe abrasasse a alma, que um êxtase furioso a obrigasse a tomar decisões fundamentais que lhe permitiriam estabelecer a dimensão de seus sentimentos. Mas ansiava por essas coisas sem a menor esperança, ciente de que fazia um bom tempo que, como as blusas de lacinhos, aquela maneira de amar tinha saído de moda. E, então, o que lhe restava? Poderia se resignar a viver sem a única coisa que, imaginava, dava sentido à vida? Não, é óbvio que não.

No entanto, alguns dias antes havia acontecido uma coisa que, para sua surpresa, conseguiu reavivar sua curiosidade adormecida, fazendo-a pensar que o mundo, em que pese sua primeira impressão, não era totalmente imune aos prodígios. Lucy a chamara com a habitual urgência para ir à sua casa, e ela foi, sem muito entusiasmo, temendo que a amiga houvesse organizado outra daquelas entediantes sessões de espiritismo a que era tão afeita. Com a mesma euforia com que seguia o trabalho dos estilistas parisienses, Lucy tinha aderido com euforia àquela moda proveniente da América do Norte. Mas fingir que conversava com os espíritos num cômodo às escuras não incomodava tanto Claire quanto saber que as sessões eram sempre orquestradas por Eric Sanders, um rapaz magro e arrogante que se proclamara médium oficial do bairro. Sanders afirmava ter uma sensibilidade especial que o habilitava a conversar com os mortos, mas Claire sabia que aquilo não passava de desculpa para reunir meia dúzia de mocinhas solteiras e impressionáveis em torno de uma mesa, mergulhá-las numa inquietante penumbra, amedrontá-las com uma voz ridiculamente cavernosa e aproveitar a reunião para acariciar suas mãos e até mesmo seus ombros com absoluta impunidade. O ardiloso Sanders tinha lido superficialmente *O livro dos espíritos*, de Allan Kardec, o que lhe permitia interrogar os mortos com uma aparente e desenvolta autoridade, mas estava claro que as vivas o distraíam demais para poder prestar alguma atenção às respostas dos mortos. Depois que Claire lhe deu um bofetão, na última sessão, ao sentir a mão excessivamente corpórea de um suposto espírito acariciando seus tornozelos, Sanders vetou a presença dela nas cerimônias, argumentando que sua má vontade afetara os espíritos, dificultando sua comunicação com eles. A princípio, aquela exclusão das farras sobrenaturais de Sanders a deixou aliviada, mas depois acabou se deprimindo: tinha vinte e um anos e não só se indispusera com o mundo mas também com o além.

Mas aquela tarde Lucy não tinha organizado nenhuma sessão de espiritismo. Dessa vez ia propor algo muito mais fascinante, conforme lhe disse com um sorriso ébrio, puxando-a pela mão e levando-a para seu quarto. Lá a fez sentar-se em uma poltrona e lhe pediu que esperasse. Depois ficou remexendo na gaveta de sua escrivaninha, sobre a qual havia um exemplar de *O diário do Beagle,* de Darwin, apoiado em um suporte de leitura. O livro estava aberto em uma página que mostrava o desenho de um pássaro kiwi, uma ave muito estranha que sua amiga estava copiando em uma folha de papel, provavelmente porque para desenhar aquelas formas simples e arredondadas não era necessário o menor talento artístico. Claire não pôde deixar de se perguntar se, além de olhar os desenhos, a amiga também se dera o trabalho de ler aquele livro que se tornara a leitura favorita da burguesia.

Quando encontrou o que procurava, Lucy fechou a gaveta e virou-se para ela com um sorriso exaltado. O que podia ser mais excitante para Lucy do que falar com os que tinham morrido?, perguntou-se Claire. Quando olhou o folheto que a amiga lhe pusera nas mãos entendeu a resposta: falar com os que ainda não tinham nascido. Ansiosa, Lucy lhe entregara um panfleto azul-celeste desbotado que, se vocês estavam atentos a este relato, haverão de reconhecer. No papelzinho, a empresa Viagens Temporais Murray anunciava viagens no tempo, concretamente ao ano 2000, para presenciar a batalha entre autômatos e humanos, que decidiria o futuro da humanidade. Assombrada, Claire leu várias vezes o que o folheto prometia e depois examinou a tosca ilustração que acompanhava o texto, que parecia representar a mencionada guerra. Entre prédios reduzidos a escombros, os autômatos e os homens combatiam pelo destino do mundo, atirando uns nos outros com estranhas armas. O que mais chamou sua atenção foi a figura que liderava o exército humano, que o ilustrador tinha desenhado numa pose mais heroica do que o resto e que devia personificar, como se anunciava embaixo do desenho, o bravo capitão Derek Shackleton.

Sem lhe dar tempo para respirar, a amiga contou que naquela mesma manhã estivera na empresa. Eles lhe disseram que ainda havia lugares na segunda expedição que estavam organizando após o sucesso da primeira, e Lucy não hesitou em inscrevê-las. Claire olhou-a com perplexidade, mas a amiga nem se deu o trabalho de desculpar-se por não ter pedido seu consentimento, e em seguida começou a explicar como iam fazer para viajar ao futuro sem que seus pais ficassem sabendo, pois não tinha dúvida de que, caso contrário, proibiriam terminantemente que participassem daquela expedição, ou, o que seria ainda pior, até se disporiam a acompanhá-las, e Lucy queria desfrutar o ano 2000 sem estorvos. Tinha pensado em tudo: o dinheiro não seria problema, pois havia convencido sua rica avó Margaret a lhe dar a quantia que faltava para completar as passagens das duas, sem revelar em que pretendia empregá-lo, naturalmente, e até pedira à amiga Florence Burnett que fingisse convidá-las para passar o dia em sua propriedade de Kirkby na próxima quinta-feira. Por uma "pequena quantia" a suja da Florence se prestara a isso, de modo que, se Claire estivesse de acordo, nesse dia viajariam ao ano 2000 e estariam de volta para o lanche sem que ninguém suspeitasse de nada. Ao concluir esse atropelado discurso, Lucy olhou-a, ansiosa.

— E então? — inquiriu. — Você vem comigo?

E Claire não pôde, não quis nem soube como negar.

Os quatro dias seguintes transcorreram entre a excitação causada pela viagem e a divertida discrição com que tiveram de prepará-la, e agora Claire e Lucy estavam em frente ao pitoresco prédio da Viagens Temporais Murray, torcendo o nariz por causa do fedor que vinha da entrada. Ao reparar nelas, um dos empregados que limpavam a fachada retirando uma substância que parecia ser de excrementos de algum animal, pediu desculpas pelo cheiro desagradável e garantiu que se elas ousassem passar pela entrada, protegendo-se com um lenço ou prendendo a respiração, seriam atendidas com a atenção que duas damas sofisticadas como elas mereciam. Lucy despachou o homem com um gesto descuidado, irritada por ele ter enfatizado um contratempo que preferia ignorar para que nada ofuscasse aquele momento apaixonante. Pegou a amiga pelo braço, um gesto que Claire não soube definir se pretendia infundir-lhe coragem ou transmitir sua excitação, e a incentivou a cruzar a entrada do futuro. Enquanto entravam no prédio, Claire olhou de soslaio para a expressão animada da amiga e sorriu consigo mesma. Sabia a que se devia aquela nervosa urgência: ainda não haviam partido, e Lucy já estava ansiosa para voltar e contar como era o futuro aos amigos e familiares que, fosse por covardia, desinteresse, ou por não terem conseguido lugar, haviam ficado no insosso presente. Sim, para Lucy aquilo não passava de mais uma divertida aventura para contar, como um piquenique subitamente estragado por uma tempestade ou uma travessia de barco mais acidentada que o normal. Claire decidira acompanhar a amiga naquela viagem, mas seus motivos eram muito diferentes. Lucy visitaria o ano 2000 como se fosse uma nova loja de departamentos e retornaria a tempo de lanchar. Claire, no entanto, não tinha a menor intenção de voltar.

Uma secretária de andar empertigado levou-as à sala onde as trinta pessoas que teriam o privilégio de viajar ao ano 2000 nessa manhã conversavam animadamente. Ali seria servido um ponche, anunciaram, antes que o senhor Murray lhes desse as boas-vindas, explicasse como seria realizada a viagem ao futuro e as ilustrasse a respeito do momento histórico que iriam presenciar. Depois disso, fez uma apática reverência e deixou-as entregues à própria sorte na ampla sala que no passado havia sido a plateia de um teatro, como mostravam os camarotes que havia nos cantos e o palco que se encontrava ao fundo. Livre das poltronas e mobiliado com um punhado de mesinhas e divãs de aspecto desconfortável, o lugar parecia excessivamente grande, sensação aumentada pela extraordinária altura do teto, habitado por dezenas de lâmpadas a óleo que, vistas do chão, pareciam uma colônia de sinistras aranhas que levavam a vida alheias ao mundo de baixo. Salvo as mencionadas poltroninhas, que além de algumas octogenárias com dificuldade para se sustentar em seus alquebrados ossos ninguém parecia querer ocupar, provavelmente porque era mais fácil suportar em pé a excitação do momento, o restante do mobiliário se completava com as mesas nas quais duas funcionárias diligentes tinham começado a servir o ponche, uma espécie de púlpito de madeira erguido sobre o palco e, naturalmente, a imponente escultura do bravo capitão Shackleton dando boas-vindas junto à porta.

Enquanto Lucy observava a comitiva, enunciando os nomes dos presentes numa ladainha que deixava à mostra seus afetos e antipatias, Claire olhou assustada para aquela reprodução em mármore de um homem que ainda não tinha nascido. Em escala dobrada, o capitão Derek Shackleton parecia um parente excêntrico dos deuses gregos, pois fazia uma pose igualmente arrojada e cheia de vivacidade sobre o pedestal, se bem que cobria a despreocupada nudez que aqueles costumavam exibir com algo além de uma folha de parreira. O capitão estava confinado numa intrincada armadura pespontada de rebites, cujo propósito parecia ser escamotear ao máximo sua carne do inimigo, pois era arrematada por um complicado elmo que ocultava seu rosto, deixando descoberto apenas seu gracioso queixo. Aquela proteção deixou Claire decepcionada, pois gostaria de saber que feições teria um salvador da raça humana. Tinha certeza de que aquele rosto enclausurado em ferro não se parecia com o de nenhum de seus conhecidos. Devia ser um rosto que a vida ainda não inventara, um rosto que só o futuro poderia fabricar. Imaginou-o com traços nobres e serenos, marcados por um olhar decidido que irradiava confiança, não por acaso liderava um exército, e deixando transparecer sem veemência, quase como uma secreção natural, a ferocidade indomável de seu espírito. Se bem que a tenebrosa desolação à sua volta de vez em quando devia embaçar seus belos olhos com um véu de nostalgia, porque ainda existia um resquício de sensibilidade em sua alma de guerreiro. E por fim, sem poder escapar de sua natureza romântica, Claire também imaginou uma nostalgia indefinida ardendo naquelas pupilas, principalmente nos momentos de terrível solidão que deviam acometê-lo entre um combate e outro. E qual era a causa daquela aflição? A resposta só podia ser, naturalmente, a ausência de um rosto amado em que pensar, um sorriso que o inspirasse quando suas forças fraquejavam, um nome para murmurar à noite como oração consoladora, uns braços aos quais retornar quando a guerra acabasse. Durante alguns segundos Claire imaginou aquele homem valente e imbatível, que se mostrava tão duro na batalha, murmurando seu nome à noite como um menino carente: "Claire, minha Claire..." Sorriu com essa ideia. Não passava de um pensamento idiota, mas se surpreendeu com o arrepio que teve ao imaginar-se como a amada daquele guerreiro do futuro. Como era possível que um homem que ainda não tinha nascido despertasse nela um tremor mais intenso do que qualquer um dos almofadinhas que a cortejavam? A resposta era simples: estava depositando naquela escultura sem rosto tudo o que desejava e não podia ter. Provavelmente o tal Shackleton era muito diferente do retrato que Claire tinha improvisado. E mais: seu modo de pensar, agir e até amar devia lhe parecer absolutamente incompreensível e alheio, tendo em vista o século que os separava, tempo mais que suficiente para modificar várias vezes os valores e preocupações dos homens até torná-los irreconhecíveis para quem os olhasse do passado. Era a lei de vida. Se pudesse ver seu rosto, pensou, provavelmente poderia deduzir se estava certa ou não, se a alma de Shackleton era feita de um vidro opaco que seus olhos nunca poderiam atravessar ou se, pelo contrário, os anos que os separavam não passavam de uma circunstância irrelevante, pois havia algo no interior do homem, uma essência enraizada em sua carne, que se mantinha inalterável com o transcorrer dos séculos, talvez o sopro que Deus insuflou em todas as suas criaturas para despertar a vida. Mas aquele maldito elmo impossibilitava qualquer exame. Claire jamais veria seu rosto. Precisava se conformar com o que podia observar, e não era pouco: a postura aguerrida, a espada em riste, a perna direita flexionada, marcando sua diáfana musculatura, e a esquerda solidamente firmada na terra, mas levemente separada da base pelo calcanhar, como se tivesse sido imortalizado no momento de investir contra o inimigo.

Só ao acompanhar a direção desse ataque Claire notou que a escultura estava em frente a outra, ao lado esquerdo da porta. A destinatária do desafiador gesto de Shackleton era uma figura inquietante com quase o dobro de seu tamanho. Segundo a inscrição do pedestal, representava Salomão, o rei dos autômatos, arqui-inimigo do capitão, a quem este tinha vencido no dia 20 de maio do ano 2000, após uma interminável guerra que arrasara Londres. Claire olhou-a com espanto, surpreendida com a aterradora evolução dos autômatos. Quando criança, o pai a levara para ver o Escrivão, um dos autômatos criados pelo célebre relojoeiro suíço Pierre Jaquet Droz. Claire ainda se lembrava daquele menino de rosto bochechudo e compungido, elegantemente vestido, que, sentado diante de uma carteira, molhava a pena no tinteiro e a fazia correr sobre o papel. O boneco forjava cada letra com a inquietante parcimônia de quem vive fora do tempo e, volta e meia, até fazia uma parada na escritura e olhava ensimesmado para o vazio, como se aguardasse uma nova lufada de inspiração. O olhar absorto do boneco abalou a pequena Claire para o resto da vida, ao imaginar os monstruosos pensamentos que aquele estranho ser poderia abrigar. Não conseguiu se livrar dessa sensação angustiante nem mesmo quando o pai lhe mostrou a engrenagem de bielas e rodinhas que o fantasmagórico infante tinha nas costas, de onde brotava a manivela que, ao ser girada, lhe conferia aquela paródia de vida. Entretanto, agora podia ver como o tempo havia transformado aquele menino grotesco, mas no todo inofensivo, na monstruosa figura que agora se erguia à sua frente. Tentando vencer o medo, examinou-a com atenção. Ao contrário de Pierre Jaquet Droz, o construtor de Salomão não parecia interessado em reproduzir o ser humano da maneira mais fidedigna possível, bastava-lhe copiar vagamente sua figura bípede, pois o autômato mais parecia uma armadura medieval: era feito de placas de ferro unidas, encimadas por uma peça cilíndrica e robusta, semelhante a um sino, que representava a cabeça, na qual havia dois orifícios quadrados, como se fossem olhos, e uma ranhura estreita, similar à de uma caixa de correio, que imitava a boca.

Claire sentiu uma espécie de vertigem ao pensar que aquelas figuras frente a frente estavam representando um fato que ainda não havia acontecido. Esses personagens não apenas não tinham morrido, mas nem sequer haviam nascido. Se bem que, pensou, quem estava ali também podia considerá-los como um monumento funerário, e isso não era absurdo porque, como os mortos, nem o capitão nem sua nêmesis faziam parte do mundo que rendia tributo à sua memória. Dava na mesma que já tivessem partido ou que ainda não tivessem chegado, o importante era que não estavam ali.

Lucy arrancou-a de suas reflexões puxando-a pelo braço e arrastando-a através da casa até um casal que acenava de longe. O homem, um cinquentão baixinho e lambido, envergando um terno azul-claro cujo colete floreado parecia prestes a explodir com a pressão de sua barriga, a esperava de braços abertos e uma expressão de extremo entusiasmo.

— Minha querida menina — exclamou em tom paternal —, que surpresa vê-la aqui. Não sabia que sua família também participava desta simpática expedição. Aquele malandro do Nelson enjoa até nos navios!

— Meu pai não veio, senhor Ferguson — confessou Lucy, abrindo um sorriso falsamente compungido. — Na verdade, eu e minha amiga estarmos aqui é um pequeno segredo que espero que o senhor nunca revele.

— Naturalmente que não, querida — tranquilizou-a Ferguson, encantado com sua travessura, pela qual certamente penduraria sua própria filha pelos polegares. — Seu segredo está bem-guardado conosco, não é, Grace?

Sua esposa concordou com o mesmo sorriso viscoso, sacudindo a armação de pérolas que rodeava o pescoço como uma atadura luxuosa. Lucy agradeceu o gesto com uma carinha adorável e apresentou sua amiga Claire, que recebeu o beijo seboso com que o homem lhe engordurou a mão, tentando disfarçar a repulsa.

— Bem, bem — comentou Ferguson depois das apresentações, oscilando um olhar afetuoso de uma para a outra —, que emocionante é tudo isto, não? Dentro de poucos minutos vamos viajar para o ano 2000, e além disso assistiremos a uma guerra.

— Acha que será perigoso? — perguntou Lucy, um pouco preocupada.

— Não, nada disso, querida. — Ferguson afastou sua preocupação com um gesto. — Ted Fletcher, um grande amigo meu, viajou na primeira expedição e me garantiu que não há nada a temer. Absolutamente nada. Vamos assistir ao combate bem de longe, totalmente a salvo. Mas isso também tem suas desvantagens: infelizmente não se podem ver com clareza alguns detalhes. Fletcher nos avisou que não esquecêssemos os binóculos. Vocês trouxeram?

— Não — lamentou Lucy, consternada.

— Pois não se afastem de nós, podemos compartilhar os nossos — recomendou Ferguson. — Não percam um só detalhe, meninas. Fletcher diz que o combate que vamos ver faz jus à pequena fortuna que pagamos.

Claire franziu o cenho para aquele indivíduo repulsivo que, sem a menor vergonha, havia reduzido a batalha que decidiria o destino do planeta à categoria de espetáculo de variedades. Não pôde deixar de sorrir aliviada quando Lucy cumprimentou um casal que naquele momento passava a seu lado, convidando-o a juntar-se a eles.

— Esta é minha amiga Madeleine — anunciou Lucy com entusiasmo — e seu marido, o senhor Charles Winslow.

Ao ouvir esse nome Claire congelou o sorriso. Ouvira falar muito de Charles Winslow, um dos jovens mais ricos e elegantes de Londres, mas nunca haviam sido apresentados, o que não lhe tirava o sono, pois a devoção que suas amigas lhe prestavam era o suficiente para imunizá-la contra ele. Não lhe foi difícil imaginá-lo como um rapaz presunçoso e cheio de si cuja principal diversão consistia em perturbar qualquer moça que estivesse nas proximidades com sua verborreia edulcorada e insolente. Embora não costumasse ir a muitas festas, Claire já esbarrara em alguns jovens talhados pelo mesmo molde, rapazes altivos e malcriados a quem a fortuna dos pais concedia uma juventude temerária e excêntrica que eles tentavam dilatar o máximo possível, se bem que o tal Winslow, pelo visto, decidira entrar na linha. A última notícia que tinha dele era que havia se casado com uma das ricas irmãs Keller, fato que encheu de pesar muitas jovens de Londres, entre as quais, certamente, ela não se incluía. Agora que ele estava à sua frente precisou reconhecer que, de fato, era um jovem elegante, o que pelo menos tornaria mais digerível sua irritante companhia.

— Estávamos comentando como tudo isto é empolgante — disse o impassível Ferguson, tomando de novo as rédeas da conversa. — Em alguns minutos vamos ver Londres reduzida a escombros, mas quando voltarmos a encontraremos intacta, como se nada houvesse acontecido, o que é verdade, se encararmos o tempo como uma sucessão ordenada de acontecimentos. E tenho certeza de que uma visão tão terrível vai fazer-nos apreciar muito mais esta ruidosa cidade, não acham?

— Bem, é preciso ter uma mentalidade muito simplória para ver as coisas assim — observou Charles distraído, quase sem olhar para ele.

Fez-se um momentâneo silêncio. Ferguson o fulminou com o olhar, sem saber se devia irritar-se ou não.

— O que está insinuando, senhor Winslow? — inquiriu afinal.

Charles continuou observando o teto durante alguns segundos, e talvez se perguntando se lá em cima, como acontecia nos cumes das montanhas, o ar seria mais puro.

—Viajar para o ano 2000 não é como ir ver as cataratas do Niágara — respondeu, num tom despreocupado, como se não tivesse consciência da perturbação que suas palavras haviam causado em Ferguson. —Vamos viajar para o futuro, para um mundo dominado pelos autômatos. Talvez o senhor o ignore quando retornar de seu passeio turístico, pensando que não é da sua conta, mas esse será o mundo em que nossos netos viverão.

Ferguson olhou para ele, atônito.

— Está dizendo que deveríamos tomar partido, que deveríamos participar dessa guerra? — perguntou, visivelmente escandalizado, como se lhe tivessem proposto brincar de trocar de lugar com os cadáveres de um cemitério.

Charles dignou-se a olhar pela primeira vez seu interlocutor, enquanto lhe surgia nos lábios um sorriso zombeteiro.

— Deveria ter uma visão mais ampla das coisas, senhor Ferguson — reprovou. — Não é necessário combater nessa guerra, bastaria impedi-la.

— Impedi-la?

— Impedi-la, sim. Por acaso o futuro não é sempre consequência do passado?

— Continuo sem entender, senhor Winslow — respondeu Ferguson com frieza.

— O germe dessa guerra atroz se encontra aqui — explicou Charles, apontando em volta com um vago gesto de cabeça. — Está em nossas mãos impedir o que vai acontecer, mudar o futuro. No fundo, essa guerra que terminará arrasando Londres é responsabilidade nossa. Mas temo que, ainda que o homem se desse conta, isso não seria razão grave o suficiente para deixar de fabricar autômatos.

— Mas isso é ridículo: o destino é o destino — protestou Ferguson. — Não pode ser mudado.

— O destino é o destino... — repetiu ironicamente Charles. — Mas pensam isso de fato? Preferem mesmo delegar a responsabilidade de seus atos ao suposto autor do libreto que nos vemos obrigados a representar desde nosso nascimento? — Claire ficou tensa quando Charles passou o olhar interrogativo pela audiência. — Eu não. Mais que isso, acredito firmemente que nosso destino não está escrito. Somos nós mesmos quem o escrevemos, dia a dia, com cada um de nossos atos. Poderíamos evitar essa guerra futura se realmente o desejássemos. Mas imagino, senhor Ferguson, que sua fábrica de brinquedos teria enormes prejuízos se deixasse de fabricar artefatos mecânicos.

Ferguson não esperava essa estocada, com a qual aquele jovem insolente, além de responsabilizá-lo por algo que ainda não tinha acontecido, aproveitava para lhe informar que sabia perfeitamente quem era. Olhou-o boquiaberto, sem saber o que responder, mais estupefato do que irritado pela irreverente jovialidade com que Charles emitiu seus venenosos comentários. Claire gostou daquela aparente frivolidade com que o tal Winslow disfarçava suas observações, que não apenas o protegia de possíveis réplicas furiosas, mas relegava seus arroubos à categoria de pensamentos improvisados no processo, reflexões precipitadas que nem ele mesmo parecia levar a sério. Ferguson continuava abrindo e fechando a boca, diante do sobressalto dos outros e do distraído sorriso de Charles. De repente, pareceu reconhecer um jovem que perambulava desorientado no meio da multidão, o que lhe deu a desculpa perfeita para deixar o grupo e ir em seu auxílio, evitando ter de responder a Winslow, que, por outro lado, não parecia esperar nenhuma resposta. Ferguson voltou com um jovem de aspecto desamparado, que introduziu no grupo com um empurrãozinho, antes de apresentá-lo como Colin Garrett, o novo inspetor da Scotland Yard.

Ferguson sorriu satisfeito enquanto os outros cumprimentavam o recém-chegado, como se estivesse mostrando-lhes a última borboleta exótica que havia adquirido para sua coleção de amizades. Esperou até que os cumprimentos se extinguissem para dirigir-se ao jovem inspetor, como se pretendesse que assim o restante dos presentes esquecesse seu desentendimento com Charles Winslow.

— Que surpresa encontrá-lo aqui, senhor Garrett! Não sabia que o salário de um inspetor possibilitava tanto.

— Meu pai me deixou algumas economias — gaguejou o outro, tentando desculpar-se, sem necessidade.

— Ah, por um instante pensei que viajasse por conta do governo para pôr ordem no futuro. Afinal, embora se trate do ano 2000, essa guerra está devastando Londres, a cidade que deve proteger, ou por acaso o tempo invalida suas responsabilidades? Só tem de cuidar desta Londres presente? Interessante questão, não acham? — perguntou Ferguson à audiência, orgulhoso com sua perspicácia. — A jurisprudência do inspetor considera o espaço, mas não o tempo. Diga-me, inspetor: o senhor teria autoridade para prender um criminoso no futuro, se o crime se localizasse dentro dos limites de sua cidade?

O jovem Garrett fez um movimento sobressaltado com a cabeça, sem saber o que dizer. Talvez, se pudesse pensar com calma, encontrasse uma resposta satisfatória, mas naquele momento estava sepultado sob uma avalanche de beleza, se me permitem a retumbante expressão, aliás perfeitamente adequada às circunstâncias: a moça que lhe haviam apresentado como Lucy Nelson o perturbara enormemente, a ponto de quase não poder prestar atenção em mais nada.

— E então, inspetor? — impacientou-se Ferguson.

Garrett fez um esforço inútil para tirar os olhos daquela moça que lhe parecia tão bonita quanto inalcançável para um sujeito como ele, sem dinheiro nem ousadia, vítima, além do mais, de um invencível acanhamento que o impedia de levar a bom porto qualquer aventura galante que empreendesse. Ignorava, naturalmente, que vinte dias depois estaria inclinado sobre ela, com sua boca a um beijo de distância.

— Tenho uma pergunta melhor, senhor Ferguson — interveio Charles, socorrendo o jovem. — E se um criminoso do futuro viajasse no tempo e cometesse um crime no nosso presente, será que o inspetor teria autoridade para prender um homem que, pela cronologia do tempo, ainda não nasceu?

Ferguson não se deu o trabalho de disfarçar o mal-estar que a intrusão de Charles na conversa lhe provocava.

— Suas ideias não têm fundamento, senhor Winslow — respondeu irado. — É ridículo pensar que um homem do futuro possa nos visitar.

— Por que não? — inquiriu Charles, bem-humorado. — Se nós podemos viajar ao futuro, por que os homens do futuro não poderiam viajar ao passado, principalmente se levarmos em conta que supostamente sua ciência estaria mais avançada que a nossa?

— Simplesmente porque, nesse caso, estariam aqui — respondeu Ferguson, como quem explica uma obviedade.

Charles riu.

— E por que pensa que não estão? Talvez não queiram ser reconhecidos.

— Isso seria absurdo! — escandalizou-se Ferguson, cuja carótida começava a se delinear. — Se viessem do futuro não teriam por que se esconder, poderiam nos ajudar de mil formas, trazendo medicamentos, por exemplo, ou aperfeiçoando nossas invenções.

— Talvez prefiram nos ajudar sem chamar a atenção. Como pode estar seguro de que Leonardo da Vinci não deixou em seus cadernos as instruções para construir uma máquina voadora ou uma embarcação submergível por ordem de um viajante do tempo, ou de que ele mesmo não foi um homem do futuro cuja missão era se introduzir no século XV para favorecer o avanço da ciência? Interessante questão, não acham? — perguntou Charles à audiência, imitando a voz de Ferguson. — Ou pode ser, simplesmente, que as intenções dos viajantes do tempo sejam outras: talvez evitar a guerra que dentro de alguns minutos todos nós iremos observar.

Ferguson balançou a cabeça indignado, como se Charles estivesse tentando convencê-lo de que na verdade Cristo fora crucificado de cabeça para baixo.

— Talvez eu seja um deles — disse então Charles à audiência com uma voz tenebrosa. Avançou um passo na direção de seu interlocutor e, simulando tirar algo do bolso, acrescentou: — Talvez o próprio capitão Shackleton tenha me enviado para cá com a missão de enfiar uma adaga no estômago de Nathan Ferguson, o dono da loja de brinquedos mais importante de Londres, para impedir que continue fabricando autômatos.

Ferguson deu um salto ao sentir de repente o indicador de Charles pressionando sua barriga.

— Mas eu só fabrico pianolas... — balbuciou, subitamente pálido.

Charles soltou uma gargalhada, que Madeleine repreendeu imediatamente, não sem certa ternura.

— Vamos, querida — disse Charles, que parecia se deleitar com a estupefação geral como um menino, dando palmadinhas amistosas no estômago do fabricante —, o senhor Ferguson sabe perfeitamente que estou brincando. Não creio que devamos recear nada de uma pianola. Ou sim?

— É claro que não — balbuciou Ferguson, tentando recuperar a compostura.

Claire conteve uma gargalhada mas, apesar da discrição com que o fez, seu gesto não passou despercebido a Charles, que lhe piscou um olho antes de puxar a esposa pelo braço e se retirar do grupo com a intenção, conforme disse, de verificar a excelência do ponche. Ferguson suspirou, visivelmente aliviado com sua saída.

— Queiram desculpar o incidente, queridas — disse, tentando reconstruir seu sorriso presunçoso. — Como sem dúvida já devem saber, as brincadeiras de mau gosto do jovem Winslow são célebres em toda Londres. Se a fortuna do pai não o protegesse...

Um murmúrio geral interrompeu suas palavras, e todos se viraram em direção ao palco que havia no fundo da sala, ao qual Gilliam Murray estava subindo naquele momento.

XIX

Era, sem dúvida, um dos maiores homens que Claire já tinha visto. A julgar pelos gemidos que suas botas arrancaram do piso de madeira, devia pesar mais de cento e trinta quilos, mas, apesar disso, se movia com graça, e com até uma delicadeza sensual. Usava um elegante terno lilás que emitia brilhos iridescentes, o cabelo crespo penteado para trás, e uma gravata-borboleta de gosto sofisticado lutava para circundar seu largo pescoço. Depois de apoiar no púlpito mãos enormes, capazes de arrancar árvores pela raiz, esperou os murmúrios cessarem com um sorriso benevolente, e quando o silêncio caiu sobre os presentes, cobrindo-os como lençóis que protegem os móveis das casas temporariamente fechadas, limpou ruidosamente a garganta e mostrou sua modulada voz de barítono à ansiosa plateia.

— Damas e cavalheiros, não preciso dizer que vocês estão prestes a participar do evento mais importante do século, a segunda viagem no tempo da história. Hoje vão romper os grilhões que os prendem ao presente, saltarão a ordem das horas, infringirão as leis temporais. Sim, damas e cavalheiros, hoje os senhores vão viajar no tempo, uma coisa que até ontem o homem só podia sonhar. Para mim é um prazer enorme dar-lhes as boas-vindas à nossa empresa e agradecer por terem querido participar de nossa segunda expedição ao ano 2000, que decidimos organizar depois do extraordinário sucesso da primeira. Garanto que não ficarão decepcionados. Como eu disse, vão atravessar os séculos, ultrapassar o horizonte de suas vidas. Só por isso já valeria a pena realizar esta excursão, mas a Viagens Temporais Murray não se conforma somente com fazê-los atravessar o tempo; além disso, graças aos nossos esforços, também poderão ser testemunhas daquele que talvez seja o momento mais importante da história da humanidade, um acontecimento que ninguém deveria perder: a batalha entre o bravo capitão Derek Shackleton e o malvado autômato conhecido como Salomão, cujos sonhos de conquista vocês terão o privilégio de ver perecer sob sua espada.

Nas primeiras filas se desencadeou um tímido aplauso, mas Claire pensou que havia sido provocado mais pela veemência que o orador imprimira à sua última frase que por seu real significado para os ouvintes, aos quais o desenlace daquela guerra remota devia ser indiferente.

— Agora, se me permitem, vou explicar de maneira breve e simples como chegaremos até o ano 2000. Vamos viajar no *Cronotilus*, um bonde a vapor construído por nossos engenheiros. O veículo viajará do nosso presente até o meio-dia de 20 de maio de 2000, mas o trajeto, obviamente, não vai durar os cento e quatro anos que separam essa data do dia de hoje, pois a viagem será realizada fora do tempo, ou seja, através da famosa quarta dimensão. No entanto, receio, damas e cavalheiros, que não poderão vê-la. Quando subirem ao bonde temporal, observarão que os vidros das janelas são pintados de preto. Não é que queiramos privá-los de ver a quarta dimensão, que, por outro lado, não passa de uma vasta planície de pedra cor-de-rosa, castigada por fortes ventos, onde o tempo não passa. Vedamos as janelas simplesmente pelo bem de vocês, pois na quarta dimensão vivem criaturas monstruosas, semelhantes a pequenos dragões, cujo temperamento não é exatamente amistoso. Em geral, se mantêm afastadas de nós, mas uma delas poderia se aproximar um pouco mais do bonde, e não queremos que alguma dama sofra um desmaio diante de seu horrendo aparecimento. Mas não se alarmem: é pouco provável que algo assim aconteça, porque essas criaturas se alimentam unicamente de tempo. Sim, o tempo é um manjar delicioso para elas, e por isso peço que se desfaçam de seus relógios antes de subirem ao bonde. Assim reduzimos as possibilidades de que se aproximem do veículo, atraídas pelo cheiro que exalam. De qualquer forma, como poderão ver em seguida, no teto do *Cronotilus* há uma cabine na qual ficarão dois exímios atiradores, mantendo à distância qualquer fera que tente se aproximar demais. Portanto, esqueçam isso e aproveitem a viagem. Pensem que, apesar dos perigos, a quarta dimensão também tem suas vantagens: enquanto a estiverem atravessando, o tempo não vai transcorrer, de modo que nenhum de vocês envelhecerá. É bem possível, minhas queridas damas — disse, dirigindo-se com um sorriso enfático a um grupo de mulheres maduras que estava na primeira fila —, que suas amigas as achem mais jovens quando voltarem.

As senhoras emitiram risinhos nervosos, uma espécie de matraquear, que Gilliam deixou soar como se fizesse parte do espetáculo.

— Permitam-me agora apresentar Igor Mazursky — prosseguiu, convidando um sujeito baixinho e corpulento para subir ao palco —, o guia que vai acompanhá-los em sua viagem ao futuro. Quando o *Cronotilus* chegar ao ano 2000, o senhor Mazursky os conduzirá através da devastada Londres até o promontório de onde poderão assistir à batalha que vai decidir o futuro do mundo. Como já disse, a expedição não tem o menor risco. Mesmo assim, obedeçam ao senhor Mazursky o tempo todo, para que a viagem termine sem que tenhamos nada a lamentar.

Acompanhou a última frase de um olhar ligeiramente ameaçador. Depois deu um profundo suspiro e posicionou-se no púlpito de forma mais descontraída, até mesmo sonhadora.

— Suponho que a maioria de vocês imaginava o mundo do futuro como um lugar idílico, com um céu atravessado por carruagens voadoras e pequenos cabriolés alados planando nas correntes de ar como se fossem pássaros, e cidades flutuantes navegando pelos oceanos puxadas por golfinhos mecânicos, e lojas vendendo trajes de algum tecido artificial que repelisse as manchas, e guarda-chuvas luminosos e chapéus musicais que nos permitiriam ouvir música enquanto andássemos pela rua. Não os culpo, eu também imaginava o ano 2000 como um paraíso tecnológico em que o ser humano teria conquistado uma vida confortável e justa, em total harmonia com seus semelhantes e com a mãe natureza. Afinal de contas, é uma visão bastante lógica, inspirada no desenvolvimento irrefreável da ciência, nas incessantes e maravilhosas invenções que surgem diariamente para facilitar nossa vida. Infelizmente, agora nós sabemos que não é bem assim: temo que o ano 2000 não seja nenhum paraíso. Aliás, muito pelo contrário, como vocês logo poderão constatar. Garanto que ao voltar a maioria dos senhores vai se sentir aliviada por pertencer à nossa época, por mais desagradável que às vezes a considerem. É que, como já devem ter deduzido de nossos folhetos informativos, no ano 2000 o mundo será dominado por autômatos e a raça humana será vista como, para dizer o mínimo, dispensável. Na verdade, estará reduzida a uma pequena representação que faz o que pode para não desaparecer para sempre da face do planeta. Esse, e não outro, é o futuro desanimador que nos espera.

Gilliam Murray fez uma pausa teatral, para que os ouvintes assimilassem suas palavras naquele silêncio fatalista.

— Sei que não é fácil acreditar que os autômatos tenham se apossado do planeta. Todos nós já vimos essas inofensivas réplicas de homens ou animais nas exposições e feiras, e o mais provável é que algum de seus filhos, assim como os meus, tenha um boneco mecânico entre seus brinquedos. Por acaso já lhes passou pela cabeça que esses engenhosos artefatos podem adquirir vida de verdade e representar uma ameaça para a raça humana? Obviamente, não. Mas infelizmente é o que vai acontecer. Não sei o que vocês pensam disso, mas eu não posso deixar de pensar em uma espécie de castigo poético com o qual Deus quis punir o homem por tentar imitá-lo na fabricação de vida. — Fez outra pausa, e aproveitou para espalhar um olhar fúnebre pela sala, orgulhoso do frêmito geral que suas palavras começavam a causar. — Graças às nossas pesquisas conseguimos reconstruir os nefastos acontecimentos que levaram o mundo a essa horrível situação. Permitam-me, damas e cavalheiros, que roube alguns minutos de seu tempo para relatar no passado o que ainda não aconteceu.

Depois de dizer essas palavras, Gilliam Murray fez silêncio por alguns segundos, limpou a garganta e começou a contar com voz sonhadora como os autômatos haviam dominado o planeta, uma história que, apesar de tristemente real, poderia perfeitamente ser o enredo de algum desses romances que estavam na moda na época e que eram chamados de romances científicos, e assim vou contá-la, se me permitem.

A produção de autômatos aumentou tanto nos anos futuros, que, em meados do século XX, seu número e sofisticação atingiram proporções inimagináveis. Os autômatos estavam em toda parte, realizando as mais diversas funções, tanto nas fábricas, em que se encontravam às dúzias, encarregados da maioria das máquinas, da limpeza e até mesmo da administração, quanto nos lares, que tinham pelo menos dois deles, dedicados às tarefas domésticas antes realizadas pela criadagem, como o cuidado das crianças e até o abastecimento da despensa. Sua presença entre os homens se tornou, assim, tão natural quanto imprescindível. Seus donos, incapazes de considerá-los outra coisa além de dóceis escravos mecânicos, com o tempo deixaram de reparar neles, e até favoreceram sua discreta invasão adquirindo alegremente todo e qualquer modelo novo no mercado, pensando que aquela compra não teria outra consequência além de liberá-los de mais uma das muitas tarefas que começavam a considerar indignas de sua condição, pois um dos efeitos secundários da incorporação dos autômatos às casas foi transformar os homens em imperadores altivos de um diminuto reino de dois andares e jardim. Cada vez mais gordos e fracos, desterrados das fábricas pela obediente e incansável mão mecânica, os homens acabaram tendo como única ocupação diária a tarefa de dar corda em seus autômatos de manhã, como se assim estivessem pondo o mundo em movimento, um mundo que aprendera a funcionar sem eles.

Nesse estado de coisas, cegos pelo tédio e pelo ócio, não é de estranhar que não notassem que os autômatos estavam discretamente adquirindo vida. A princípio suas ações eram inofensivas: um autômato mordomo deixou cair um cristal da Boêmia, um autômato alfaiate espetou um cliente, um autômato coveiro revestiu um ataúde com urtiga, pequenos e inócuos atos de rebeldia sem outro propósito além de experimentar a liberdade trazida por aquela ponta de consciência que começara a bater asas timidamente sob seus crânios metálicos, como uma borboleta presa numa redoma. Mas, como já dissemos, essas tentativas de motim, apesar de sua suspeita frequência, não alarmaram o homem, como já dissemos, que se limitou a atribuí-las a um defeito de fábrica, devolvendo ou regulando o autômato em questão. E não podemos condenar essa imperturbabilidade pois, no fundo, os autômatos não podiam ir além desses pobres chiliques, por não estarem equipados para ações mais nocivas ou ambiciosas.

Mas tudo mudou quando o governo encomendou ao melhor engenheiro da Inglaterra a construção de um autômato de combate, com o objetivo de poupar o homem dos desagradáveis sacrifícios da guerra, assim como já o livrara de espanar a poeira ou podar as sebes do jardim. Expandir o Império, ocupar e saquear países vizinhos, torturar e humilhar prisioneiros seriam, sem dúvida, missões mais tranquilas se os eficientes autômatos se encarregassem delas. Com essas instruções, o engenheiro fabricou um autômato de ferro forjado, do tamanho de um urso em pé e com os membros articulados, em cujo peito, atrás de uma abertura, alojou um pequeno canhão bastante carregado de munição. Mas a verdadeira inovação consistiu em fixar em suas costas um pequeno motor a vapor que lhe daria autonomia, sem necessidade de que alguém lhe desse corda com regularidade. Uma vez construído, o protótipo foi experimentado em segredo. Deitado em uma carreta e escondido debaixo de uma lona, transportaram o autômato até Slough, cidadezinha onde se achava o observatório astronômico de William Herschel, o astrônomo músico que algumas décadas antes havia somado Urano ao rol dos planetas conhecidos. Ao longo dos cinco quilômetros que separavam a cidade da vizinha Windsor espalharam numerosos espantalhos com cabeças de melancias, couves-flores e repolhos; depois obrigaram o autômato a percorrer o caminho testando sua arma camuflada naqueles ameaçadores homens-hortaliças. O autômato chegou a seu destino envolto em uma nuvem de moscas, atraídas pelos pedaços de polpa de melancia que impregnavam sua couraça. Mas não deixou nenhum boneco com cabeça, do que se deduziu que um exército daqueles seres invencíveis atravessaria as linhas inimigas como se fossem manteiga. O próximo passo seria apresentá-lo ao rei como a arma definitiva que lhe permitiria conquistar o mundo se assim o desejasse.

No entanto, devido à agenda intensa do monarca, a apresentação atrasou algumas semanas, durante as quais o autômato foi armazenado no depósito, situação que terminaria trazendo consequências fatais porque, nesse prolongado isolamento, ele não só adquiriu vida sem que ninguém percebesse, como dispôs de tempo e solidão suficientes para fabricar algo semelhante a uma alma, com suas aspirações, temores e até princípios rígidos. De modo que, quando o levaram à presença do monarca, o autômato já havia matutado o suficiente para saber o que queria da vida. Ou, se não estava tudo tão claro, suas dúvidas acabaram se dissipando quando viu o homenzinho que, recostado no trono, o observava com arrogância, recolocando a coroa dourada uma e outra vez na cabeça. Enquanto o engenheiro dava voltas pela sala, elogiando as qualidades do autômato e detalhando as etapas de sua construção, este abriu as portinholas do peito como se fosse um relógio cuco. O monarca, que concordava entediado com as explicações do engenheiro, ergueu-se no assento com um olhar cheio de curiosidade, esperando ver surgir dali um simpático passarinho. Mas só o que emergiu foi o hálito da morte, encarnado em uma bala certeira que perfurou sua testa. O impacto voltou a encostá-lo no trono, depois de produzir uma explosão de ossos estilhaçados que interrompeu a peroração do engenheiro, o qual olhou boquiaberto a proeza de sua criação antes que esta o agarrasse pelo pescoço e o quebrasse como quem parte um galho seco. Depois de se certificar de que o homem pendurado em seu braço não era mais do que um despojo, o autômato jogou-o no chão com indiferença, satisfeito com a criatividade que seu acanhado espírito demonstrava, pelo menos para matar. Quando constatou que era o único organismo vivo que restava em pé na sala do trono, aproximou-se do monarca com seus movimentos artrópodes, aliviou-o da coroa e a colocou solenemente em sua própria cabeça de ferro. Depois se olhou nos espelhos que forravam a sala, de frente e de perfil, e como não tinha a capacidade de sorrir, assentiu com aprovação. Dessa maneira um tanto sangrenta havia inaugurado sua vida, pois, embora não fosse de carne e osso, não tinha qualquer dúvida de que também era um ser vivo. A próxima coisa que necessitava para sentir-se ainda mais vivo era um nome. Um nome de rei. Depois de pensar por alguns segundos decidiu chamar-se Salomão, nome que lhe agradou duplamente por ser o de um rei lendário e também o primeiro homem a possuir um engenho mecânico. Segundo a Bíblia e alguns textos árabes, o trono de Salomão era um móvel mágico que dava um clima circense às demonstrações de poder do monarca: localizado no topo de uma pequena escada, flanqueado por dois leões de ouro maciço que tamborilavam no chão com seus rabos e protegido por palmeiras e parreiras com pássaros mecânicos que exalavam baforadas de almíscar, achava-se o assento, um sofisticado trono giratório que elevava e balançava o rei no ar enquanto ele emitia seus célebres veredictos. Uma vez convenientemente batizado, Salomão se perguntou o que fazer a seguir, para onde encaminhar seus passos. A facilidade e a displicência com que tinha liquidado a vida daqueles dois humanos sugeriam que poderia fazer a mesma coisa com um terceiro, e também com um quarto e um quinto, e até com um coro de meninos cantores, pois intuía que o número cada vez mais elevado de vítimas nunca o levaria a questionar-se sobre a moralidade do ato de arrebatar a vida a um humano, por mais que estes a apreciassem. Aqueles dois cadáveres abriam-lhe um caminho de destruição, mas deveria segui-lo? Era aquele seu destino ou seria melhor escolher um outro caminho, ocupar-se com algo mais decoroso do que uma matança? Salomão hesitou, e as dezenas de espelhos que rodeavam o salão do trono multiplicaram sua dúvida. Mas essa indecisão até lhe agradou, pois dava um toque de interessante complexidade à alma que havia surgido em seu peito de lata.

No entanto, por mais incertezas que tivesse sobre seu destino, era evidente que a primeira coisa que precisava fazer era fugir, evaporar, desaparecer dali. Salomão, então, deixou o palácio sem ser visto e, sem saber por quanto tempo, perambulou pelos bosques aperfeiçoando a pontaria com a ajuda dos esquilos, detendo-se de vez em quando em alguma caverna ou abrigo para arrancar as ervas que obstruíam as articulações de suas pernas ou descansar de sua confusa peregrinação, observando com grande atenção as estrelas espalhadas pelo céu; quem sabe, nelas, além do destino dos homens, também estivesse escrito o dos autômatos? Enquanto isso, sua façanha se espalhava pela cidade, especialmente entre os seres mecânicos que observavam com um assombro reverencial os cartazes com seu rosto que cobriam as paredes. Alheio a tudo isso, Salomão vagava pelos montes torturado pelas dúvidas, perguntando-se uma e outra vez qual seria sua missão na vida, até que, na manhã em que saiu do precário abrigo no qual havia passado a noite e se viu rodeado por dúzias de autômatos que, ao vê-lo, irromperam em entusiasmada ovação, entendeu que outros já tinham se encarregado de forjar seu destino. Aquele rebanho de admiradores era composto de autômatos de todo tipo, de rudes operários de fábrica a graciosas mães de criação, passando por pálidos autômatos de escritório. Aqueles que tinham sido criados para ter maior contato com o homem, trabalhando como mordomos, cozinheiros ou domésticas, reproduziam com primor os traços humanos; outros, cujo destino eram as fábricas ou os porões dos ministérios em que se amontoavam os dossiês, eram pouco mais que espantalhos de ferro, mas todos o aclamavam com o mesmo ardor por ter destronado o império humano, e alguns até se atreveram a acariciar sua férrea couraça, dando-lhe um tratamento de Messias longamente esperado.

Com um misto de ternura e asco, Salomão decidiu chamá-los de "pequenos", e já que tinham se dado o trabalho de ir até lá adorá-lo, convidou-os a entrar no abrigo. Dessa forma tão natural se reuniu o que depois seria chamado de Primeiro Concílio de Autômatos do Mundo Livre, em cujo transcurso Salomão pôde verificar que o ódio contra os humanos fervilhava com força na alma dos pequenos. Parece que as afrontas que o homem infligira aos autômatos ao longo da história eram tão diversificadas quanto imperdoáveis. O autômato do filósofo e inventor Alberto Magno fora destruído sem considerações por seu discípulo Santo Tomás de Aquino, ao considerá-lo obra do diabo, e ainda mais flagrante foi o caso do francês René Descartes que, para exorcizar a dor pela morte de sua filha Francine, construiu uma boneca mecânica que herdou seus traços e que o capitão do navio em que viajavam não hesitou em jogar pela amurada. A triste imagem de uma garotinha mecânica enferrujando em meio aos corais revoltava os pequenos. Os demais casos eram igualmente terríveis, e todos eles constituíam adubo fértil para uma vingança que havia anos se incubava nos corações daqueles seres que agora o viam como o irmão que finalmente poderia levá-la a cabo. O destino do homem foi posto à votação, e o resultado, sem uma única abstenção ou voto contra, foi taxativo: o extermínio. No Antigo Egito, as estátuas dos deuses eram dotadas de braços mecânicos que, manipulados das sombras, espalhavam o terror entre os seguidores. Tinha chegado o momento de seguir o exemplo desses deuses e reinstaurar o velho terror entre os humanos. Tinha chegado a hora de fazê-los pagar suas dívidas, tinha chegado o fim de seu reinado, pois o homem já não era a criatura mais poderosa da Terra, se é que alguma vez havia sido. Chegara a hora dos autômatos; liderados por seu novo rei, eles conquistariam o planeta. Salomão deu de ombros. "Por que não?", pensou. "Por que não guiar meu povo para onde ele quer ir?", e abraçou seu destino de bom grado. Na verdade, pensando bem, não era uma empreitada totalmente absurda, parecia até mesmo factível, com um pouco de organização. Afinal, os pequenos estavam estrategicamente situados, infiltrados entre os inimigos: estavam em cada casa, em cada fábrica, em cada ministério, e contavam com o fator surpresa.

Como quem entrega seu corpo à ciência, Salomão deixou-se conhecer por dentro pelos autômatos construtores, que começaram a criar um exército de autômatos de combate à sua imagem e semelhança, trabalhando nas sombras, em abrigos e fábricas abandonadas, enquanto os pequenos voltavam para suas posições e aguardavam pacientemente a ordem de seu rei para saltar sobre o inimigo. Quando esta finalmente chegou, o ataque coordenado dos pequenos, brutal e fulminante, superou todas as expectativas, praticamente dizimando a população humana num piscar de olhos. Numa meia-noite qualquer, o sonho do homem foi brusca e mortalmente abortado. As tesouras afundaram nas gargantas, os martelos golpearam os crânios e os travesseiros arrebataram o último fôlego dos pulmões, tecendo uma sinfonia de rangidos e estertores cuja batuta estava na mão da morte. E enquanto os inesperados falecimentos aconteciam nos lares, as fábricas ardiam, cuspindo tranças de fumaça negra pelas janelas, e um exército de autômatos de combate, encabeçado por Salomão, inundava as ruas da metrópole como uma poderosa maré de ferro, encontrando tão pouca resistência, que em poucos minutos a invasão se transformou em um tranquilo desfile. Aquela madrugada marcou o início do extermínio da raça humana, que se prolongou durante vários lustros, até que o mundo ficou reduzido a uma terra desolada, cujos entulhos escondiam, como um bando de ratos assustados, o cada vez mais minguado grupo de sobreviventes humanos.

Quando a noite caía, Salomão costumava aparecer na sacada de seu palácio para admirar com orgulho a ruína em que tinham transformado o planeta. Era um bom rei: fazia tudo o que se esperava dele, e o fazia bem. Ninguém poderia lhe censurar coisa alguma. Os humanos haviam sido vencidos, e em poucos anos seriam completamente erradicados do planeta. Sua extinção era questão de tempo. De repente se deu conta de que, se isso ocorresse, se o homem desaparecesse completamente da face da Terra, eles não teriam nenhuma forma de mostrar que tinham arrebatado o planeta de outra raça, já que esta não existiria mais. Precisavam deixar viva uma amostra, um exemplar humano que representasse o inimigo vencido. Um exemplar desse animal que sonhava, que ambicionava, que desejava a imortalidade se perguntando ao mesmo tempo a que se devia sua presença no mundo. Assim, inspirado em Noé e sua arca, Salomão mandou capturar, entre o patético grupo de sobreviventes que se escondia em meio às ruínas, dois exemplares jovens e fortes, um macho e uma fêmea, com o objetivo de que se reproduzissem em cativeiro para preservar a raça vencida, sua curiosa e contraditória natureza.

Relegado à condição de suvenires, o casal escolhido foi trancado em uma jaula de ouro maciço, alimentado sem medir despesas e coberto de cuidados, mas, acima de tudo, foi incitado a procriar. Na verdade, conservar um casal de humanos para assegurar a sobrevivência da raça que estava massacrando era uma medida das mais inteligentes, pensou Salomão. Só que, embora ainda não soubesse disso, havia escolhido o macho errado. Aquele era um rapaz forte e sadio que fingia que acatava as ordens sem reclamar, supostamente grato por ter sido resgatado de uma morte inevitável, mas suficientemente inteligente para saber que sua sorte acabaria no dia em que a jovem com quem era obrigado a coabitar trouxesse ao mundo seu sucessor. Isso, porém, não parecia preocupá-lo muito, pois tinha no mínimo nove meses para terminar o que estava fazendo, que era simplesmente observar os inimigos em sua luxuosa prisão, aprender seus costumes, estudar seus movimentos e descobrir a maneira de destruí-los. Aproveitava os momentos livres, além disso, para preparar seu corpo para a morte. No dia em que sua concubina deu à luz um menino, o rapaz entendeu que havia chegado sua hora.

Caminhando com inquietante calma, ele se deixou levar docilmente até o paredão de execução. O próprio Salomão se encarregaria de eliminá-lo. Quando se colocou à sua frente e abriu as comportas do peito, fazendo com que o canhão que dormia em seu interior saísse da letargia e apontasse para ele, o rapaz sorriu e falou pela primeira vez:

—Vá em frente: mate-me, que eu o matarei depois.

Salomão inclinou a cabeça, perguntando-se se aquelas palavras encerravam algum mistério que precisava decifrar ou se eram simplesmente uma frase absurda, e decidiu que, no fundo, tanto fazia uma coisa ou outra. Sem mais delongas, quase com um asco indiferente, disparou contra o insolente rapaz. A bala o atingiu em cheio no estômago, derrubando-o no chão.

— Já o matei, agora me mate — desafiou-o.

Deixou passar alguns minutos, para ver se o outro se levantava, e, já que não o fez, deu de ombros e pediu aos seus lacaios que se desfizessem do corpo antes de retornar às suas ocupações. Seguindo as ordens, os guardas carregaram o corpo do rapaz para fora do palácio e o atiraram sem-cerimônia em um precipício, como quem despeja lixo. O corpo rolou ladeira abaixo, até encalhar entre uns entulhos, e ali ficou, ensanguentado e de barriga para cima. Uma linda lua cheia, de um amarelo pálido, iluminava a noite. O jovem sorriu para ela como se fosse a caveira da morte. Havia conseguido fugir do palácio, mas o rapaz que havia entrado ficara lá dentro. Quem saiu foi um homem com um destino claro: reunir os poucos sobreviventes que restavam, organizá-los e ensinar-lhes a lutar contra os autômatos. Para tanto, só teria de evitar que a bala que estava alojada em seu abdômen acabasse matando-o, mas isso não seria problema. Sabia que seu desejo de viver era maior do que o desejo da bala de matá-lo, que sua vontade era superior à do pedaço de metal que tinha entre as vísceras. Havia se preparado durante o cativeiro para aquele momento, para receber sem medo a dor dilacerante, para compreendê-la, domá-la e reduzi-la até acabar com a paciência da bala. Foi uma dor interminável, um conflito dramático que se travou durante três dias e três noites de lua na intimidade dos entulhos, até que a bala finalmente se rendeu. Havia entendido que não estava lidando com um corpo qualquer, que o profundo ódio que o rapaz sentia pelos autômatos o mantinha aferrado à vida.

Mas era um ódio que não surgira com o levante dos autômatos nem com o atroz assassinato de seus pais e irmãos, nem com a louca destruição do planeta, nem ainda com o asco indiferente com que Salomão atirara nele. Não, era um ódio que remontava a tempos mais remotos, um ódio que tinha raízes no passado. Era um ódio antigo e insolúvel que retrocedia através dos séculos, que retrocedia pela ramagem genealógica até alcançar o pai de seu bisavô, o primeiro Shackleton, que perdeu a vida por causa de um autômato. É provável que já tenham ouvido falar de Turco, Mephisto e outros autômatos enxadristas que estiveram na moda algumas décadas antes. Da mesma maneira que eles, o doutor Phibes era um boneco mecânico que conhecia os segredos do xadrez como se ele mesmo os tivesse inventado. Vestido com um terno alaranjado, uma gravata-borboleta verde e uma cartola azul, o doutor Phibes convidava os visitantes das feiras a sentar-se à sua mesa e desafiá-lo a uma partida de xadrez valendo quatro xelins. O modo fulminante como aniquilava seus competidores varões, assim como o sofisticado cavalheirismo com que se deixava vencer pelas damas, fizeram dele uma celebridade com quem todo o mundo ansiava jogar. Seu criador, um inventor chamado Alan Tyrrell, costumava se vangloriar de que sua criação tinha vencido ninguém menos que Mikhail Tchigorin, o campeão mundial de xadrez.

No entanto, esse lucrativo perambular de feira em feira terminou bruscamente quando um dos adversários não suportou que aquele insolente boneco o vencesse em cinco movimentos e, além disso, depois da surra, até lhe oferecesse amavelmente sua mão de madeira. Enfurecido, o sujeito se levantou, puxou uma pistola do bolso e, sem que o responsável pela barraca conseguisse evitar, atirou no meio do peito do boneco, desencadeando uma nuvem de estilhaços alaranjados. O tiro espantou o público presente, e o agressor conseguiu fugir em meio ao tumulto antes que o responsável tivesse tempo de cobrar-lhe os danos e prejuízos. Em poucos segundos estava sozinho na barraca, ao lado de um doutor Phibes meio inclinado no assento. O responsável pensava na explicação que iria dar ao senhor Tyrrell quando notou uma coisa que o deixou estupefato. O doutor Phibes continuava sorridente como sempre, mas do orifício que a bala fizera em seu peito brotava um fio de sangue. Assustado, ele fechou a cortina e se aproximou do autômato. Ao examinar o boneco, não sem alguma apreensão, viu que havia um pequeno trinco no flanco esquerdo. Ao puxá-lo, conseguiu abrir o doutor Phibes como um sarcófago. Em seu interior, ensanguentado e exangue, descobriu o homem com quem trabalhava havia vários meses sem saber. Tratava-se de Miles Shackleton, um pobre-diabo que, sem outro modo de manter a família, aceitara o fraudulento trabalho que Tyrrell lhe havia proposto após descobrir suas qualidades como enxadrista. Ao chegar à loja e ver aquele desastre, o inventor nem sequer informou à polícia, temendo que o prendessem por fraude. Silenciou seu empregado com uma boa quantia e limitou-se a blindar o corpo do doutor Phibes com uma chapa de ferro que protegesse seu novo ocupante de futuros adversários ressentidos. Mas o substituto de Miles não se saía tão bem no tabuleiro, e a fama do doutor Phibes desfaleceu, até se extinguir, como se imitasse os passos do próprio Miles Shackleton, que simplesmente desapareceu da face do planeta, provavelmente enterrado em alguma vala entre uma feira e outra. Quando finalmente a família soube do triste destino de seu patriarca, por intermédio do responsável pela barraca, decidiu homenageá-lo da única forma possível, mantendo viva sua memória, fazendo sua triste história circular de geração em geração como uma tocha cujo fogo, mais de um século depois, incendiava as pupilas do rapaz que depois de ser executado levantou-se do chão, lançou um olhar de sereno ódio ao palácio de Salomão e murmurou como se estivesse falando consigo mesmo, embora na verdade direcionasse suas palavras para a história:

— Agora eu o matarei.

E com um passo a princípio hesitante e depois decidido, desapareceu entre os entulhos, resolvido a cumprir seu destino, que não era outro senão transformar-se no capitão Derek Shackleton, o homem que acabaria com o rei dos autômatos.

XX

As palavras de Gilliam Murray se desvaneceram lentamente no ar, como um feitiço que deixou os ouvintes imersos em um silêncio hipnótico. Para Claire bastou uma rápida olhada em volta para constatar que a emocionante história que o empresário tinha contado, sem dúvida em tom alegórico, talvez com o intuito de suavizar a dureza de acontecimentos tão terríveis, conseguira despertar nos presentes o interesse pela batalha que iam presenciar, além de certa simpatia pelo capitão Shackleton e até mesmo por seu inimigo Salomão, a quem não sabiam se Murray decidira humanizar deliberadamente ou se isso havia sido uma consequência casual. Fosse como fosse, Ferguson, Lucy e até Charles Winslow tinham no rosto expressões sobressaltadas: pareciam ansiosos para chegar ao futuro, para fazer parte, mesmo que fosse apenas como simples testemunhas, de tão importantes acontecimentos, de ver pelo menos o ponto final daquela história. Claire pensou que ela mesma devia ter uma expressão semelhante no rosto, embora por motivos bem diferentes, pois, mais que o complô dos autômatos, a devastação de Londres ou a minuciosa carnificina que os autômatos levaram a cabo contra sua espécie, o que realmente a assustara fora a determinação de Shackleton, sua personalidade, sua coragem. Aquele homem tinha construído um exército com retalhos e devolvido a esperança ao mundo, sem contar que sobrevivera à própria morte. Ela se perguntou como amaria um homem assim.

Depois do discurso de boas-vindas, o grupo, liderado por Murray e pelo guia da expedição, dirigiu-se, atravessando inúmeras galerias repletas de relógios, para o enorme depósito em que o *Cronotilus* os aguardava. O veículo, pronto e reluzente, desencadeou nos presentes um murmúrio unânime de admiração. Na verdade, só era parecido com os bondes comuns na forma e no tamanho, pois os numerosos apetrechos que lhe haviam anexado por toda parte o assemelhavam mais a uma carroça de feira. Seu aspecto vulgar tinha desaparecido sob uma malha de tubos de ferro cromado que percorriam seus flancos como os tendões de um pescoço. Em seu afã devorador, aquelas reluzentes trepadeiras de tubos, incrustadas de rebites e válvulas, só deixavam a descoberto duas portas de mogno, esculpidas com sofisticado primor. Uma dava acesso ao compartimento dos passageiros; a outra, um pouco mais estreita, era a entrada da cabine do maquinista, que devia ser isolada do resto do veículo por alguma parede interna, deduziu Claire, já que suas janelas eram as únicas que não estavam pintadas de preto. Era um alívio saber que pelo menos o maquinista não dirigiria às cegas. Já as janelas que correspondiam ao vagão de passageiros, que tinham forma de escotilhas, estavam vedadas tal como havia anunciado Murray. Ninguém ali poderia observar a quarta dimensão e, pela mesma razão, os monstros que a habitavam tampouco poderiam ver seus rostos espantados, emoldurados nas janelas como retratos em um camafeu. Na parte dianteira do veículo tinham fixado uma espécie de esporão, como o dos quebra-gelos, cuja inquietante função devia ser abrir passagem a qualquer custo, passando por cima do que quer que fosse, enquanto na traseira incrustaram um complicado motor a vapor cheio de bielas, hélices e engrenagens, que vez por outra exalava, com um bufido de besta marinha, uma nuvem de fumaça quente que levantava as saias das damas. Mas o que indubitavelmente impossibilitava que o veículo fosse catalogado como bonde era a cabine que havia no teto, em que, naquele instante, depois de subir por uma escadinha lateral, estavam tomando posição dois indivíduos com ar enfezado que carregavam vários rifles e uma caixa de munição. Entre a torre e a cabine, Claire se divertiu ao distinguir também um periscópio.

O maquinista, um rapaz de aspecto desajeitado e sorriso bobo, abriu a porta do vagão e ficou aguardando de lado, junto ao guia, em posição de sentido. Como um coronel passando sua tropa em revista, Gilliam Murray passeou lentamente diante dos passageiros, observando-os com um rigor amoroso. Claire o viu parar diante de uma senhora que levava um cachorrinho nos braços.

— Temo que seu cãozinho não possa acompanhá-la, senhora Jacobs — disse, sorrindo com benevolência.

— Mas Buffy não vai sair do meu colo, senhor Murray... — indignou-se a mulher.

Gilliam balançou a cabeça com afetuosa porém inflexível autoridade, e lhe tirou o cachorrinho com um movimento rápido que também pretendia ser indolor, como quem extirpa um molar podre, deixando-o em seguida nos braços de uma de suas secretárias.

— Por favor, Lisa, cuide que não falte nada ao Buffy até a senhora Jacobs voltar.

Depois de entregar o cachorro, Murray voltou à inspeção, ignorando os débeis protestos da senhora Jacobs. Com uma expressão teatralmente contrariada, logo depois parou diante de dois cavalheiros que carregavam diversas malas.

— Tampouco vão precisar de bagagem nesta viagem, cavalheiros — disse, aliviando-os da carga.

Em seguida, pediu que todos depositassem seus relógios na bandeja que Lisa começou a passar, repetindo que assim minimizavam os riscos de serem atacados pelas feras. Quando finalmente tudo ficou a seu gosto, plantou-se diante do grupo e sorriu com uma espécie de orgulho emocionado, como um marechal que manda sua tropa para uma missão suicida.

— Bem, damas e cavalheiros, espero que aproveitem o ano 2000. Lembrem-se do que eu disse: obedeçam o tempo todo ao senhor Mazursky. Estarei esperando-os na volta, com o champanhe servido.

Depois dessa paternal despedida, retirou-se para o segundo plano e cedeu o papel de protagonista a Mazursky, que lhes pediu amavelmente que subissem no bonde temporal.

Em uma confusa e agitada fila, os passageiros ingressaram no luxuoso interior do veículo. O vagão, cujas paredes eram forradas de tecido estampado, tinha duas fileiras de bancos de madeira separadas por um corredor estreito e iluminado com candelabros presos ao teto e às laterais, que derramavam no compartimento uma luz mortiça e trêmula que induzia à oração. Lucy e Claire ocuparam um banco aproximadamente no meio do vagão, entre o senhor Ferguson e sua esposa e uma dupla de assustados almofadinhas cujos pais, depois de mandá-los a Paris e Florença para tomarem um banho de arte, agora os mandavam ao futuro com a intenção de que adquirissem uma perspectiva mais ampla da vida. Enquanto o restante dos passageiros se sentava, Ferguson, com a cabeça virada para trás, começou a afligi-las com insossos comentários sobre a decoração do vagão, que Lucy respondia com cortesia. Claire, por seu lado, tentava ignorá-los, para poder saborear aquele momento tão importante, embora não lhe fosse nada fácil.

Depois que todos se sentaram, o guia fechou a portinha do vagão e ocupou uma pequena poltrona à frente do grupo, como um capataz de galeras diante das filas de remadores. Quase imediatamente um violento tranco sacudiu o veículo, desencadeando alguns gritinhos. Mazursky logo tranquilizou-os, informando que aquelas violentas convulsões se deviam ao motor, que estava começando a funcionar. E, de fato, logo depois puderam comprovar que os ríspidos solavancos foram diminuindo até se transformarem em uma leve trepidação, quase um ressonar constante, que impulsionava o vagão pela parte traseira. Mazursky deu então uma olhada no periscópio e sorriu com tranquila satisfação.

— Damas e cavalheiros, tenho o prazer de informá-los que estamos rumo ao futuro. Neste instante nos encontramos atravessando a quarta dimensão.

Para confirmar isso, um novo tranco no veículo fez renascer uma ligeira inquietação entre os passageiros. O guia voltou a tranquilizá-los, pedindo desculpas pelo estado da estrada. Deviam compreender que, por mais que houvessem limpado o caminho que o veículo percorria através da quarta dimensão, estavam trilhando um terreno acidentado por natureza, coalhado de saliências e buracos. Claire contemplou seu rosto refletido no negrume da janela, perguntando-se que aspecto teria a paisagem que a pintura negra os impedia de ver. Mas não pôde se perguntar mais nada porque logo em seguida foram sacudidos por um rugido ensurdecedor que vinha de fora, seguido por uma rajada de tiros, depois da qual se ouviu um gemido dilacerante, desumano. Lucy, assustada, apertou sua mão com força. Mazursky não fez qualquer comentário a respeito. Limitou-se a responder aos olhares alarmados dos passageiros com um sorriso despreocupado, como se quisesse dar a entender que aqueles rugidos e tiros iriam ser frequentes ao longo da viagem, de maneira que era melhor ignorá-los.

— Bem — disse, quando todos se acalmaram um pouco, levantando-se e passeando pelo corredor. — Estamos chegando ao ano 2000. Agora prestem atenção, por favor, porque vou explicar o que faremos ao nos encontrarmos no futuro. Como o senhor Murray já disse, quando descermos do bonde temporal eu vou levá-los até o promontório de onde assistiremos à última batalha entre os humanos e os autômatos. Eles não poderão nos ver, mas todos devem permanecer juntos e em silêncio para não denunciar nossa posição, pois não sabemos que consequências isso poderia provocar na trama do tempo, se bem que imagino que não seriam positivas.

Ouviram-se novos bramidos no lado de fora, e os consequentes tiros amedrontadores, aos quais Mazursky mal prestou atenção. Andava calmamente entre os bancos, com os polegares nos bolsos do colete e o rosto meditabundo, como um professor de universidade cansado de repetir o mesmo discurso uma e outra vez.

— O combate vai durar aproximadamente vinte minutos — continuou —, e será como uma pequena peça em três atos: primeiro aparecerão o malvado Salomão e seu séquito, que serão emboscados pelo bravo capitão Shackleton e seus homens, haverá então uma breve mas emocionante batalha e, finalmente, um duelo de espadas entre o autômato chamado Salomão e Derek Shackleton que, como sabem, vai terminar com a vitória do humano. Quando o duelo acabar, nem pensem em aplaudir. Não se trata de um vaudevile, mas sim de um acontecimento real que supostamente não deveríamos ver. Limitem-se a se agrupar novamente e seguir-me até o bonde, sem fazer barulho. Então, atravessaremos a quarta dimensão outra vez e voltaremos para casa sãos e salvos. Entenderam bem?

Os passageiros assentiram quase em uníssono. Lucy apertou novamente a mão de Claire e sorriu, cheia de entusiasmo. Claire devolveu o gesto, mas tratava-se de um sorriso que nada tinha a ver com o dela: era um gesto de despedida, o único modo que tinha de dizer a Lucy que ela fora sua melhor amiga e que nunca a esqueceria, mas que devia seguir seu destino. Era um gesto cotidiano com uma mensagem oculta que só poderia ser decifrado com o tempo, como o beijo que deixara no rosto acolhedor de sua mãe ou o que dera na testa enrugada de seu pai, um beijo terno, porém estranhamente mais demorado e mais grave, impróprio como despedida antes de partir para a casa de campo dos Burnett, mas que não tinha chamado a atenção de seus progenitores. Claire voltou a olhar o negrume do vidro, perguntando-se se estava preparada para a vida no mundo do futuro, aquela terra desolada que Gilliam Murray havia descrito, e sentiu uma pontada de medo que se forçou a conjurar. Não podia fraquejar agora que estava tão perto, tinha de prosseguir com seu plano.

Nesse instante, com um estertor de bielas, o bonde parou. Mazursky olhou demoradamente pelo telescópio, até certificar-se de que tudo estava bem do lado de fora. Depois, com um sorriso misterioso, abriu a porta do veículo, observou o exterior durante alguns segundos com o cenho franzido, sorriu para os passageiros e disse:

— Damas e cavalheiros, se fizerem a bondade de seguir-me, eu lhes mostrarei o ano 2000.

XXI

Enquanto seus companheiros de viagem desembarcavam do bonde temporal sem cerimônia, Claire parou na boleia e avançou o pé direito em direção ao solo do futuro com a mesma solenidade com que, ainda pequena, entrara no mar pela primeira vez. Aos seis anos havia pisado com um cuidado infinito nas ondas em que o oceano parecia se desmanchar, quase com reverência, como se dependesse desse zelo o tratamento que a fosca imensidão de água iria lhe dar. Do mesmo modo, agora entrava naquele ano do qual esperava um respeito recíproco. Quando o salto de seu sapato tocou no chão, Claire se surpreendeu com a consistência, como se esperasse que o futuro, simplesmente por ser um tempo ainda por acontecer, devesse ser tão quebradiço quanto um bolo parcialmente assado. No entanto, bastaram dois passos para confirmar que não era. O futuro era um lugar sólido, sem dúvida, real, mas minuciosamente devastado, como pôde constatar ao levantar a vista. Aquele monte de escombros era Londres?

O bonde parou numa clareira aberta entre as ruínas, um espaço que talvez tivesse sido uma pequena praça no passado, de cuja lembrança só restava um punhado de árvores calcinadas e retorcidas. Todos os prédios que a circundavam se encontravam destruídos. Só permanecia em pé uma parede, ainda empapelada e incongruentemente adornada com um quadro ou abajur, o esqueleto quebrado de uma escada, uma grade elegante que agora só protegia uma montanha de entulhos. Nas calçadas se distinguiam sinistras covas de cinzas, provavelmente restos de fogueiras alimentadas com móveis, que os humanos sobreviventes deviam ter acendido para combater o frio noturno. Claire não conseguiu encontrar naquela arruinada paisagem qualquer sinal que servisse de referência para descobrir em que parte de Londres se encontravam, sobretudo porque, apesar de ser de manhã, mal havia luz. Do céu, encoberto por uma tarja de fumaça cinzenta tecida pelas dezenas de incêndios que se viam entre os telhados como lâmpadas votivas, gotejava uma claridade lúgubre que se entretinha em sombrear os contornos daquele mundo destruído, um mundo que parecia ter sido abandonado à própria sorte, como um barco atacado pela malária condenado a vagar pelos oceanos até que o peso dos séculos acabasse detendo-o entre os corais.

Quando achou que já haviam tido tempo suficiente para terem uma ideia do aspecto desolado que o futuro apresentava, Mazursky pediu que todos se agrupassem, e com ele à frente e um dos atiradores no fim da comitiva, iniciaram a caminhada. Os viajantes do tempo deixaram a clareira e entraram por uma avenida na qual a devastação parecia ainda maior, pois quase não restava em pé nenhum vestígio que revelasse que os amontoados de escombros que os rodeavam haviam algum dia sido prédios. Supostamente, aquela avenida devia ter sido ladeada por luxuosas mansões, mas a longa guerra acabara por transformar a cidade de Londres em um enorme depósito de lixo, no qual as suntuosas igrejas se confundiam com as pensões mais hediondas, numa indecifrável massa de tijolos, no meio da qual Claire acreditou distinguir, com horror, um crânio humano. O guia conduzia o grupo entre aqueles montículos semelhantes a piras funerárias, que corvos bicavam aplicadamente, procurando qualquer despojo para levar à boca. O barulho da comitiva os assustou, provocando uma revoada que escureceu ainda mais o céu. Depois da fuga, só um deles continuou revoando sobre suas cabeças, riscando no céu a caligrafia funesta de seu voo, como uma fúnebre assinatura com a qual o Criador cedia a patente de seu invento a outro, decepcionado com os resultados. Alheio a tais sutilezas, Mazursky prosseguia a caminhada, escolhendo os acessos menos acidentados, ou possivelmente as trilhas menos congestionadas de ossos, e detendo-se bruscamente para repreendê-los cada vez que alguém, geralmente Ferguson, fazia uma brincadeira sobre o fedor de açougue que pairava no ar ou qualquer outra coisa que lhe chamasse a atenção, arrancando risadinhas das senhoras que caminhavam a seu lado de braços dados com os maridos como se estivessem passeando pelo jardim botânico. À medida que avançavam por aquele labirinto de ruínas, Claire começou a se preocupar com a maneira como se afastaria da comitiva sem que ninguém se desse conta. Com Mazursky à frente, atento a qualquer ruído suspeito, e o atirador fechando a formação, movendo o rifle entre as sombras, já seria difícil escapulir, mas suas possibilidades diminuíram ainda mais quando uma entusiasmada Lucy se pendurou em seu braço.

Depois de uns dez minutos de caminhada, durante os quais Claire chegou a desconfiar de que andavam em círculos, chegaram ao mencionado promontório, uma colina de escombros, um pouco mais alta que as outras, na qual não parecia ser excessivamente complicado subir, pois os entulhos que a compunham pareciam inclusive ter se agrupado para improvisar uma escada até o topo. Após uma ordem de Mazursky, o grupo iniciou a subida entre risadas e escorregões, uma pândega despreocupada mais adequada a uma excursão ao campo, que o guia, por considerar impossível, não se incomodou em moderar. Só quando chegaram ao cume da colina pediu que fizessem silêncio e se escondessem ao longo da mureta formada pelas pedras que coroavam o topo. Quando fizeram isso, o guia foi percorrendo a fila, abaixando as cabeças dos mais visíveis e pedindo às damas que fechassem suas sombrinhas, se não queriam que o florescimento repentino daqueles objetos brotando de repente no alto da colina chamasse a atenção dos autômatos. Escondida atrás da pedra que lhe correspondeu, com Lucy em um lado e o irritante Ferguson no outro, Claire observou a rua desolada à sua frente, tão obstruída de escombros como aquelas que tiveram de percorrer para chegar ao improvisado mirante, onde supostamente ocorreria a batalha.

— Permita-me uma pergunta, senhor Mazursky — ouviu Ferguson dizer.

O guia, que tinha se escondido a alguns metros à sua esquerda, ao lado do atirador, mudou de posição para fitá-lo.

— Diga, senhor Ferguson — suspirou.

— Se chegamos ao futuro justo antes da batalha que decidirá o destino do planeta, da mesma forma que a primeira expedição, não deveríamos nos encontrar com ela aqui?

Ferguson olhou para os outros, procurando apoio. Depois de pensar em suas palavras, alguns passageiros assentiram lentamente e interrogaram o guia com o olhar, esperando que ele esclarecesse a questão. Mazursky olhou Ferguson por alguns segundos em silêncio, provavelmente perguntando-se se aquele indivíduo tão impertinente merecia uma resposta.

— É óbvio que sim, senhor Ferguson. Tem toda razão — respondeu finalmente. — E não só deveríamos nos encontrar neste promontório com os membros da primeira expedição, como também com os da terceira, da quarta e de todas as que se realizassem no futuro, não acha? Por isso, tanto para prevenir aglomerações quanto para evitar que eu e Terry — apontou para o atirador, que esboçou um tímido aceno — nos encontremos uma e outra vez conosco mesmos, nunca levo as expedições para um mesmo lugar. Os passageiros da anterior, se querem saber, neste instante devem estar escondidos naquele morrinho.

Todos seguiram com a vista o dedo de Mazursky, que apontava para uma das colinas vizinhas, da qual também se podia ver o futuro campo de batalha.

— Entendo — murmurou Ferguson. Em seguida, seu rosto se iluminou e gritou: — Então talvez eu possa ir até lá um instante para cumprimentar meu amigo Fletcher!

— Infelizmente não poderei permitir isso, senhor Ferguson.

— Por que não? — protestou o outro. — A batalha ainda não começou, haveria tempo de ir e voltar.

Mazursky soltou um bufido de desespero.

— Eu disse que não posso autorizá-lo a...

— Mas é só um instantinho, senhor Mazursky — insistiu Ferguson. — O senhor Fletcher e eu nos conhecemos desde...

— Diga-me uma coisa, senhor Ferguson — interrompeu Charles Winslow.

Ferguson olhou-o, irritado.

— Quando seu amigo lhe contou sua viagem, por acaso disse que o senhor havia aparecido do nada para cumprimentá-lo?

— Não — respondeu Ferguson.

Charles sorriu.

— Então fique onde está. O senhor nunca foi cumprimentar o senhor Fletcher, portanto, não pode ir agora. Como o senhor mesmo disse: o destino é o destino. Não pode ser mudado.

Ferguson abriu a boca, mas não disse nada.

— Agora, se não se importa — acrescentou Charles, virando-se para a rua —, creio que todos gostariam de presenciar a batalha em silêncio.

Claire viu com alívio que isso sossegava Ferguson definitivamente, e os outros se esqueciam dele e se concentravam na vigilância da rua. Olhou para Lucy, com a intenção de trocar um sinal de cumplicidade com ela, mas, ao que parece, tudo aquilo entediava a amiga, que havia apanhado um galhinho no chão e estava desenhando um pássaro kiwi na areia. O inspetor Garrett, que se encontrava à sua direita, olhava encantado, como se estivesse assistindo a um prodígio.

— Sabia que esse pássaro só existe na Nova Zelândia, senhorita Nelson? — perguntou-lhe o jovem, depois de pigarrear.

Lucy olhou o inspetor, surpresa de que ele também conhecesse a ave, e Claire não conseguiu conter um risinho. Onde o amor podia germinar com mais força que entre dois amantes do pássaro kiwi?

Nesse momento, um estrondo metálico, quase inaudível a distância, chamou a atenção do grupo. Todos, incluindo Ferguson, cravaram os olhos no final da rua, ansiosos e impressionados com aquele som sinistro que só podia anunciar a chegada dos malvados autômatos.

Eles apareceram logo depois, caminhando vagarosamente entre as ruínas, como donos do planeta. Eram como a escultura exposta no salão os representava. Enormes, de linhas retas e aspecto sinistro, com um pequeno motorzinho a vapor nas costas, que expelia fios de fumaça de vez em quando. Mas ninguém esperava que aparecessem levando um trono nos ombros, como antigamente se carregavam os reis. Claire suspirou, lamentando que o esconderijo estivesse tão longe da cena.

— Tome, querida — disse Ferguson, oferecendo-lhe os binóculos. — Você parece mais interessada do que eu.

Claire agradeceu o gesto e passou a observar a comitiva através das lentes de Ferguson. Contou oito autômatos: quatro carregadores, além de uma dupla na frente e outra atrás, escoltando o trono no qual vinha o hierático Salomão, feroz rei dos autômatos, que só se distinguia de suas cópias pela coroa que encimava a cabeça de ferro. O cortejo avançava numa lentidão exasperante, com a ridícula instabilidade das crianças que começam a andar. De fato, pensou Claire, os autômatos tinham aprendido a andar conquistando o mundo. Os humanos caminhavam indiscutivelmente mais rápido, mas ficava evidente que não eram tão indestrutíveis quanto aquelas criaturas que tinham tomado conta do planeta em passos lentos, porém firmes, talvez porque dispusessem de toda a eternidade para fazê-lo.

Então, quando a procissão atingiu a metade da rua, ouviu-se um pequeno estampido, e a coroa de Salomão voou pelos ares. Deu várias voltas no ar, cintilando ante os olhares espantados de todos, até cair no chão, onde continuou seu balé saltando entre as pedras, até finalmente parar a alguns metros da comitiva. Depois de recuperar-se da surpresa, Salomão e seus guardas fixaram os olhos em uma pequena rocha que obstruía o caminho. Os viajantes do tempo seguiram seus olhares. Então o viram. Em cima da rocha, felino e imponente, quase na mesma posição em que a estátua do salão o reproduzia, estava o bravo capitão Shackleton. A armadura reluzente envolvia seu corpo elástico, a espada pendia de seu cinto, lânguida e mortífera, e um rifle improvisado, pontilhado de alavancas e protuberâncias metálicas, repousava entre suas poderosas mãos. O líder dos humanos não precisava de coroa para dar esplendor a uma figura já bastante majestosa por si mesma, que elevava, sem querer, à categoria de pedestal, a rocha em que estava. Salomão e ele se mediram em silêncio durante alguns minutos, durante os quais uma profunda animosidade fez o ar crepitar, como acontece quando se forma uma tempestade, até que o rei dos autômatos decidiu falar:

— Sempre admirei sua coragem, capitão — disse com uma voz de ressonâncias metálicas, a que tentava dar um tom despreocupado, quase frívolo. — Mas creio que desta vez superestimou sua capacidade. Como lhe passou pela cabeça atacar-me sem seu exército? O desespero é tão grande assim? Ou por acaso seus homens o abandonaram?

O capitão Shackleton balançou a cabeça lentamente, parecendo decepcionado com as palavras do inimigo.

— Se esta guerra teve algo de positivo — respondeu com serenidade —, é que uniu a raça humana como nenhuma outra fizera antes.

A cadência suave e diáfana que Shackleton imprimiu à sua voz lembrou a Claire o modo como os atores de teatro declamam seus textos. Salomão inclinou a cabeça, perguntando-se o que o inimigo desejara dizer. Mas sua pergunta não demorou a ser respondida. O capitão levantou languidamente a mão esquerda, como quem oferece apoio a um falcão, e várias silhuetas surgiram das ruínas, como plantas brotando daquela terra doente, libertando-se ao elevarem os resíduos e as pedras que as cobriam. Em poucos segundos os desconcertados autômatos se viram cercados pelos homens de Shackleton. Claire sentiu o coração acelerar. Os humanos estavam ali o tempo todo, escondidos entre os escombros, pacientes, sabendo que Salomão passaria por ali. O autômato tinha acabado de cair na emboscada que daria fim a seu reinado. Os soldados, que pareciam ainda mais velozes e ágeis em comparação com a dificuldade com que se moviam os autômatos, desenterraram seus rifles, tiraram a poeira e apontaram sem pressa para seus respectivos alvos, com a tranquila sobriedade de quem celebra uma liturgia. O problema é que eram apenas quatro. Claire se surpreendeu ao descobrir que o famoso exército de

Shackleton se reduzia a esse número irrisório. Provavelmente não surgiram mais voluntários para aquela emboscada suicida, ou talvez, a essa altura da guerra, o grande número de conflitos diários houvesse diminuído consideravelmente a tropa, até reduzi-la àquele saldo modesto de soldados. Mas pelo menos contavam com o fator surpresa, pensou, apreciando suas posições: dois deles tinham surgido do nada à frente da comitiva, um terceiro o fizera pelo lado esquerdo do trono e a presença do quarto surpreendera o cortejo pelas costas.

E todos abriram fogo em uníssono.

Um dos autômatos que iam à frente levou um tiro no meio do peito. Apesar de forjado em ferro, o impacto da arma rasgou-lhe a couraça, espalhando porcas e bielas pelo chão, antes de fazê-lo desabar com estrondo. Seu colega, porém, teve melhor sorte, pois o disparo que deveria inutilizá-lo mal roçou em seu ombro, apenas desestabilizou-o. Mais certeiro se revelou o soldado que surgira por trás da comitiva, cujo tiro destruiu o motorzinho a vapor de uma das sentinelas que avançavam na retaguarda, derrubando-a de bruços. Apenas um segundo depois, um dos carregadores seguiu o mesmo destino, caindo sob o ataque do soldado que viera pelo lado. Perdido um de seus pilares, o trono se desequilibrou perigosamente, até que, afinal, caiu no chão, arrastando em sua queda o poderoso Salomão.

Tudo parecia se desenrolar da melhor forma possível para os humanos, mas quando os autômatos conseguiram reagir, as coisas mudaram. O companheiro do que tinha caído atrás arrebatou a arma de seu oponente e esmigalhou-a como se fosse feita de vidro. Ao mesmo tempo, liberado da carga do trono, um dos carregadores abriu as comportas do peito e com um tiro preciso abateu um dos soldados que os haviam atacado pela frente. A queda distraiu o companheiro, erro fatal que permitiu ao autômato mais próximo, apenas ferido no ombro, investir contra ele, atacando com o punho. Com o golpe, o soldado voou pelo ar e aterrissou alguns metros à frente. Como uma pantera, Shackleton saltou da rocha em que estava e correu até lá, abatendo o autômato com um tiro certeiro antes que pudesse liquidá-lo. Do centro da batalha surgiram os dois soldados que ainda se mantinham em pé, um deles desarmado, e se agruparam junto ao capitão, enquanto os quatro autômatos sobreviventes cerravam fileiras em torno de seu rei. Claire não entendia nada de estratégia militar, mas não era preciso ser muito inteligente para perceber que, uma vez consumada a supremacia que o ataque surpresa lhes proporcionara, que provavelmente os cegara com a miragem da vitória, o indiscutível poderio dos autômatos alterou o curso da batalha com uma facilidade humilhante. Agora eram superiores numericamente, e por isso Claire achou lógico que Shackleton, que como bom capitão devia zelar pela segurança de seus homens, ordenasse a retirada. Mas o futuro já tinha sido escrito, de modo que não se surpreendeu ao ouvir a voz de Salomão chamando-os quando se dispunham a fugir:

— Espere, capitão — pediu com sua voz de sabor metálica. — Pode ir agora, se quiser, e planejar uma nova emboscada no futuro. Talvez tenha mais sucesso, mas receio que só conseguirá prolongar ainda mais esta guerra, que já dura muito. Ou também pode ficar e terminá-la de uma vez, acabar com ela aqui e agora.

Shackleton olhou-o com cautela.

— Queria lhe fazer uma proposta, capitão, se me permite — continuou Salomão, enquanto sua guarda desfazia o cerco, abrindo-se como um casulo de ferro em cujo centro estava o rei. — Proponho que nos enfrentemos em um duelo.

Um dos autômatos tinha resgatado do trono caído um estojo de madeira, que agora oferecia aberto a Salomão. Com um gesto cerimonioso, o autômato tirou de seu interior uma bela espada de ferro, cuja lâmina, terminada em ponta, converteu a escassa luz que descia do céu em uma centelha oportuna.

— Como pode ver, capitão, mandei forjar uma espada banal, igual à sua, para que possamos nos enfrentar com a mesma arma que os humanos usaram durante séculos em seus duelos. Estive praticando nos últimos meses, à espera da hora em que pudesse me encontrar com o senhor. — Para demonstrar que falava sério, cortou o ar com um golpe veloz. — A espada requer habilidade, serenidade e uma intimidade com o inimigo que a ignóbil pistola não oferece, e por isso suspeito que, se conseguir enfiar esta lâmina afiada em suas vísceras, desta vez vai reconhecer meus méritos e aceitar morrer.

O capitão Shackleton avaliou a oferta durante alguns segundos, nos quais pareceu sentir com mais força que nunca o peso da fadiga e do cansaço que havia acumulado durante a interminável guerra. Agora tinha a oportunidade de dar fim a tudo com uma só cartada.

— Aceito o desafio, Salomão. Vamos resolver esta guerra aqui e agora — respondeu.

— Assim seja — exclamou Salomão com uma solenidade que não ocultava seu regozijo.

Tanto os autômatos quanto os dois soldados humanos recuaram alguns passos, improvisando uma espécie de círculo em torno dos adversários. Começava o terceiro e último ato. Shackleton desembainhou sua espada com um movimento elegante e fez várias firulas no ar, talvez consciente de que se tratava de um gesto que não poderia repetir. Depois da breve exibição, observou Salomão com fria serenidade, vendo-o se esforçar para adotar a postura briosa dos espadachins na medida em que a rigidez de seus membros permitia.

Com movimentos flexíveis e parcimoniosos, como uma fera rondando a presa, Shackleton começou a andar em volta do autômato, procurando os flancos por onde lançar seu ataque, enquanto Salomão se limitava a esperar com a espada desajeitadamente em riste. Era evidente que cedia ao rival a honra de começar o duelo. Shackleton aceitou a oferta. Com um gesto rápido e elástico, avançou um passo, levantou a espada com ambas as mãos e com ela desenhou um arco no ar que terminou no flanco esquerdo do autômato. O golpe, entretanto, não produziu consequência maior que um desagradável estrondo metálico, semelhante a um gongo, cujo eco vibrou por alguns segundos no ar. Depois do triste resultado de seu ataque, o capitão Shackleton recuou dois passos, visivelmente contrariado. Seu golpe nem tinha feito Salomão cambalear, enquanto o brutal impacto quase quebrara os seus pulsos. Como se precisasse confirmar sua clara desvantagem diante do autômato, Shackleton deu um novo golpe, agora no lado direito. O resultado foi idêntico, mas dessa vez o capitão nem teve tempo de lamentar, pois precisou esquivar-se do golpe com que Salomão contra-atacou. Depois de se desviar da ponta da espada, que cortou o ar quase roçando seu elmo, Shackleton abriu novamente distância entre os dois e, momentaneamente a salvo de seus ataques, voltou a observar o inimigo, balançando a cabeça lentamente em um gesto que revelava seu desespero.

Os ataques do Salomão eram lentos, fáceis de esquivar, mas ele sabia que se algum golpe conseguisse atingi-lo sua armadura não responderia com a mesma impassibilidade. Tinha de encontrar um ponto fraco no adversário o quanto antes, pois se continuasse soltando golpes contra sua férrea armadura não conseguiria nada, exceto ficar com braços doloridos e totalmente extenuado pelo titânico esforço, diminuindo assim sua rapidez e deixando-o exposto; ficando, em suma, à mercê do autômato. Aproveitando que ainda estava descansado, Shackleton girou rapidamente a cintura, foi para trás do inimigo e antes que este pudesse reagir enfiou a espada com toda a força no motor a vapor que lhe insuflava vida. O talho fez com que bielas e rodinhas voassem em todas as direções, além de uma inesperada lufada de vapor, que envolveu o rosto de Shackleton, cegando-o. Salomão se virou com uma rapidez surpreendente e lançou um ataque contra seu aturdido inimigo. A espada atingiu o capitão no flanco com tanta força que conseguiu arrancar alguns pedaços e lascas metálicas de sua armadura. O feroz impacto o fez rolar pelo chão, transformado em pouco mais que um farrapo humano.

Claire levou a mão à boca, reprimindo um grito, enquanto ouvia a seu redor os lamentos abafados dos outros. Quando parou de rolar, Shackleton tentou se erguer, segurando com a mão o flanco ferido, de onde emanava uma corrente de sangue que escorria quadril abaixo, mas faltaram-lhe forças. Ficou de joelhos, como se prostrado diante do rei dos autômatos, que avançou lentamente na direção dele, antegozando sua evidente vitória. Salomão balançou a cabeça por alguns segundos, expressando a decepção que a pequena resistência do inimigo lhe causava, um inimigo que agora nem sequer se atrevia a levantar o rosto para olhá-lo. Ergueu então a espada com as duas mãos, disposto a investi-la contra o elmo do capitão, partindo-lhe o crânio em dois. Não pensou em melhor expediente para terminar aquela guerra cruenta que havia deixado tão óbvia a supremacia dos autômatos sobre os humanos. Desceu a espada sobre a vítima com toda sua força, mas, para sua surpresa, o capitão Shackleton esquivou-se no último instante. Despojada de alvo, a espada do autômato se cravou com estrondo entre as pedras do chão. Salomão tentou tirá-la, puxando inutilmente, enquanto Shackleton se levantava a seu lado com a majestade de uma cobra, indiferente ao ferimento no flanco. Sem pressa e como se estivesse se divertindo com o movimento, levantou a espada e enfiou-a, com um golpe seco e impassível, na junta que separava a cabeça do resto do corpo de Salomão. Imediatamente ouviu-se um rangido desagradável, e a cabeça do autômato rolou pelo chão, fazendo uma sinfonia de repiques enquanto ricocheteava nas pedras até finalmente parar, ao esbarrar na coroa que tinha brilhado durante seu reinado. Fez-se um súbito silêncio. O autômato, acéfalo e imóvel, permanecera grotescamente curvado sobre sua espada, cuja lâmina continuava aprisionada entre os entulhos. Para arrematar, o bravo capitão Shackleton apoiou um pé na lateral do corpo sem vida do inimigo, derrubando-o no chão. E um estrondo irritante de sucateiro carregando sua carroça deu fim à longa guerra que havia assolado o planeta.

XXII

Mazursky se esforçou inutilmente para impedir a ovação que a vitória do capitão Shackleton desencadeou no alto da colina, felizmente encoberta por aquela que acontecia alguns metros abaixo, na rua, onde os soldados aclamavam o bravo capitão com fervor. Alheia ao tumulto que a rodeava, Claire permaneceu atrás de sua pedra. Estava perplexa, aflita pelo turbilhão de sentimentos que agitavam sua alma como uma bandeira ao vento. Apesar de saber de antemão o desenlace do duelo, não conseguira evitar um sobressalto cada vez que Shackleton passava por algum apuro, quando a lâmina de Salomão procurava ansiosa seu corpo ou em vão ele tentava derrubá-lo com seus golpes de espada, como quem corta um carvalho; e sabia que essa preocupação não se devia tanto à ideia de que a humanidade sairia derrotada daquele duelo quanto ao destino final do próprio capitão. Gostaria de continuar espiando o que acontecia lá embaixo, até ter certeza de que Shackleton realmente tinha exagerado a gravidade do ferimento que o autômato lhe infligira como parte de sua estratégia, mas Mazursky ordenou que se agrupassem de novo, para empreender a volta à sua época, e ela tinha de obedecer. Como um rebanho tumultuado de cabras, os viajantes do tempo começaram a descer a pequena colina, comentando os emocionantes lances da batalha.

— Só isso? — perguntou Ferguson, o único que parecia descontente. — Esta pobre refrega foi a batalha que mudará o destino do planeta?

Mazursky nem se incomodou em responder, ocupado que estava em garantir que as senhoras não tropeçassem na descida e chegassem ao solo rolando ladeira abaixo em uma coreografia de anáguas involuntariamente libidinosa. Atrás deles, Claire caminhava em silêncio, sem prestar atenção aos comentários do insuportável Ferguson, tampouco aos de Lucy, que tornara a segurá-la pelo braço. Um pensamento não lhe saía da cabeça: chegara o momento de se separar do grupo. E tinha de ser logo, não só porque quando chegassem ao bonde temporal seria impossível, mas também porque, devido ao júbilo reinante, o grupo ainda não conseguira formar uma fila organizada, o que ajudaria a dissimular sua fuga. Além disso, não queria se afastar muito de Shackleton e dos soldados. De nada adiantaria fugir se depois se perdesse naquele labirinto de ruínas. Se queria agir, tinha de ser, portanto, quanto antes, pois cada passo que davam reduzia suas possibilidades de sucesso. Mas para isso precisava fugir de Lucy. Como se alguém ouvisse suas preces, Madeleine Winslow se aproximou entusiasmada, perguntando se tinham notado as elegantes botas dos soldados, um detalhe que Claire nem pensara em observar. Ao que tudo indicava, no entanto, ela fora a única que não havia prestado atenção nesse detalhe crucial do futuro. Lucy respondeu que sim, e passou a enumerar as sugestivas inovações daquele calçado, e Claire, depois de balançar a cabeça por alguns segundos com evidente incredulidade, aproveitou um momento em que ela soltou seu braço para se afastar da comitiva. Observou que era liderada pelo atirador, que ainda não recebera ordem de ir para a retaguarda, e avançava distraído, sem se preocupar mais em vigiar as sombras, seguido por Charles Winslow e pelo inspetor Garrett, que caminhavam conversando animadamente. Quando se viu no final do grupo, levantou a saia e, dando uma corridinha desajeitada, se escondeu atrás de um pedaço de muro que apareceu oportunamente no caminho.

De costas contra a parede e com o coração batendo endemoniado no peito, Claire Haggerty ficou em silêncio, escutando como as vozes do grupo se afastavam cada vez mais, sem que aparentemente ninguém notasse sua ausência. Quando finalmente deixou de ouvi-las, com a boca seca e a sombrinha fortemente apertada entre as mãos suadas, levantou a cabeça com cautela e comprovou que a comitiva tinha desaparecido atrás de uma curva. Havia conseguido! Não conseguia acreditar. Sentiu então uma pontada de pânico ao se ver só naquele mundo horrível, mas em seguida pensou que era exatamente isso o que havia desejado. Tudo estava indo tal como planejara antes de subir no *Cronotilus*. Se nada falhasse, poderia ficar no ano 2000. Por acaso não era isso o que queria? Respirou fundo e saiu do esconderijo. Se as coisas se desenrolassem conforme tinha planejado, só descobririam sua ausência quando chegassem ao bonde temporal, de maneira que precisava encontrar rapidamente o grupo de Shackleton. Se conseguisse localizá-los antes que o guia percebesse, estaria a salvo, pois Mazursky não poderia fazer mais nada. Como ele disse durante a viagem, estavam no ano 2000 exclusivamente como espectadores: não podiam ser vistos pelos habitantes do futuro, e muito menos se relacionar com eles. Encontrar o capitão era, portanto, o mais urgente. Decidida, Claire andou na direção contrária à de seus colegas, tentando não pensar nas consequências que aquele inesperado ato poderia ter na trama do tempo. Só esperava não destruir o universo com sua determinação de ser feliz.

Agora que estava sozinha, a paisagem devastada à sua volta parecia muito mais inquietante. E se não encontrasse Shackleton?, perguntou-se com certo receio. Mas havia uma coisa que a aterrava ainda mais: encontrá-lo. O que lhe diria então? E se o capitão a rejeitasse, recusando-se a aceitá-la em suas fileiras? Não acreditava nisso, pois nenhum cavalheiro abandonaria uma dama de outra época à própria sorte naquele futuro horrível. Além disso, ela possuía certos conhecimentos de enfermagem que provavelmente lhe seriam úteis, a julgar pela facilidade com que as pessoas se feriam ali, e era suficientemente valente e trabalhadora para ajudá-los a reconstruir o mundo. Sem contar, naturalmente, que estava apaixonada por ele. Se bem que preferia ocultar isso até que ela mesma tivesse certeza. Por ora tratava-se apenas de uma ideia tão extravagante quanto incômoda. Balançou a cabeça. No fundo, tinha de reconhecer que não planejara muito bem o que fazer quando encontrasse o capitão, já que não confiava no sucesso de seu plano de fuga. Mas na hora improvisaria, pensou, contornando o morrinho e internando-se com a saia arregaçada na trilha abrupta que o circundava e que, se sua orientação estivesse certa, desembocaria na rua em que acontecera a emboscada.

Parou ao ouvir som de passos. Alguém vinha pela trilha em sua direção. Embora fosse um andar inconfundivelmente humano, Claire se escondeu atrás da pedra mais próxima, obedecendo a um impulso instintivo. Esperou em silêncio, com o coração explodindo no peito. O dono daqueles passos parou perto de seu esconderijo. Claire temeu que a tivesse visto e a mandasse sair com as mãos para cima ou, o que era ainda pior, que se limitasse a espreitar pacientemente seus movimentos, apontando a arma para a pedra. Mas, em vez disso, o desconhecido começou a entoar uma canção: "Jack, o Estripador está morto./ E deitado na cama./ Cortou o pescoço/ Com sabão Sunlight./ Jack, o Estripador está morto." Claire ergueu as sobrancelhas. Conhecia aquela canção. Seu pai a aprendera com os meninos do East End e costumava cantarolá-la aos domingos enquanto se barbeava para ir à igreja; de repente, Claire se viu envolta no cheiro daquele sabão espumoso, feito com óleo de pinho em vez de gordura animal. Quem dera pudesse voltar a sua época para dizer ao pai que aquela canção que tanto o divertia tinha sobrevivido aos anos, ao contrário de quase todo o restante. Mas nunca mais voltaria ao tempo a que pertencia, acontecesse o que acontecesse. Tentou não pensar nisso e concentrar-se no momento que estava vivendo, o momento que inauguraria sua nova vida. O desconhecido continuava cantando, cada vez com mais entusiasmo. Ela se perguntou se tinha procurado aquele lugar isolado exclusivamente para exercitar a voz. Fosse como fosse, havia chegado a hora de fazer contato com os habitantes do ano 2000. Cerrou os dentes, reuniu coragem e saiu do esconderijo disposta a se apresentar ao desconhecido que tão despreocupadamente estava destruindo uma de suas canções preferidas.

Claire Haggerty e o bravo capitão Shackleton se olharam em silêncio, refletindo cada um a surpresa do outro, como dois espelhos contrapostos. O capitão tirara o elmo, que estava em uma pedra próxima, e bastou um olhar para Claire perceber que ele não tinha se afastado dos outros com o objetivo de exercitar a voz, mas sim de realizar um ato muito menos elevado do qual a balada que cantarolava era um simples complemento. Ela não conseguiu evitar que sua boca se abrisse em uma expressão de assombro e seus dedos deixassem escorregar a sombrinha, que caiu no chão fazendo um rangido de crustáceo. Afinal, era a primeira vez que pousava seus delicados olhos naquela parte do homem que em tese não deveria ver até o momento de consumar o matrimônio, e possivelmente nem mesmo então a veria com tal nitidez e clareza. Observou como o capitão Shackleton, depois de se recuperar da surpresa, escondia apressadamente aquela indecorosa parte de sua anatomia entre as frestas da armadura e depois voltava a fitá-la em silêncio, com um embaraço que logo foi se diluindo em curiosidade. Claire não tinha chegado a conjeturar certos detalhes, mas o rosto do capitão Derek Shackleton era mesmo como havia imaginado. Ou o Criador o modelara seguindo aplicadamente suas instruções, ou aquele homem descendia de um símio com mais *pedigree* que os outros. O fato é que, fosse como fosse, o rosto do capitão Shackleton era, sem dúvida, um rosto de outra época. Tinha o mesmo queixo gracioso da escultura e os mesmos lábios de expressão serena, e seus olhos, agora que podia vê-los, se harmonizavam perfeitamente com o resto do conjunto. Bonitos, grandes e de um cinza-esverdeado como um bosque brumoso em que todo caminhante estava condenado a se perder, abrasavam o mundo com um olhar tão intenso e profundo que Claire entendeu que se encontrava diante do homem mais vivo que já tinha visto. Sim, embaixo daquela couraça de ferro, embaixo daquela pele curtida, embaixo daqueles músculos torneados havia um coração batendo com insólita rudeza, bombeando pela rede de veias uma vida obstinada e impetuosa que nem mesmo a morte conseguira submeter.

— Meu nome é Claire Haggerty, capitão — apresentou-se com uma ligeira reverência, esforçando-se para que sua voz não tremesse. — E vim do século XIX para ajudá-lo a reconstruir o mundo.

O capitão Shackleton continuou olhando para ela, transfigurado, com aqueles olhos que tinham visto cair Londres, que tinham visto incêndios devastadores e pilhas de cadáveres da altura de montanhas, uns olhos que viram o lado mais atroz da vida, e agora não sabiam enfrentar o que estava à sua frente, aquela criatura delicada e deliciosa.

— Senhorita Haggerty, você está aqui! — ouviu que alguém gritava atrás dela.

Surpresa, Claire deu meia-volta e distinguiu o guia vindo pela trilha em sua direção. Mazursky balançava a cabeça em atitude de censura, mas não conseguia esconder seu alívio por tê-la encontrado.

— Ordenei que ninguém se afastasse! — gritou quando chegou a seu lado, segurando-a rudemente pelo braço e puxando-a. — Imagine o que aconteceria se não tivessem reparado na sua ausência… ficaria aqui para sempre!

Claire virou-se para Shackleton com a intenção de implorar ajuda mas, para sua surpresa, o capitão tinha desaparecido. Sumiu como se nunca houvesse passado de uma miragem. Foi um desaparecimento tão brusco que, enquanto era arrastada por Mazursky para onde os outros os esperavam, Claire se perguntou se realmente o tinha visto ou se aquilo fora um produto de sua inflamada imaginação. Quando chegaram ao grupo, o guia organizou-os em fila, colocou o atirador atrás, ordenou com visível irritação que ninguém voltasse a se afastar e retomaram o caminho para o *Cronotilus*.

— Ainda bem que me dei conta de que você tinha se perdido, Claire — disse Lucy, segurando-a pelo braço. — Ficou muito assustada?

Claire bufou e deixou-se levar por Lucy como uma doente em convalescença, sem conseguir pensar em coisa nenhuma além do olhar terno de Shackleton. O capitão a olhara com amor? Sua incapacidade para falar com ela, assim como sua perplexidade, que podia facilmente ser classificada como arrebatamento, indicavam que sim. Aqueles eram sintomas próprios do amor à primeira vista, fosse na época que fosse. Mas, se estivesse certa, de que lhe serviria que o capitão Shackleton tivesse se apaixonado por ela se nunca mais iria vê-lo, pensou, enquanto subia docilmente no bonde temporal, como se lhe faltasse vontade. Recostou-se no assento, abatida, e quando sentiu o violento arranque do motor a vapor entrando em funcionamento, precisou se conter para não se desmanchar em um choro desesperado. Enquanto o veículo entrava na quarta dimensão, Claire perguntou-se como suportaria viver de novo, e agora para sempre, em sua insossa época, principalmente agora que sabia que o único homem ao lado de quem poderia ser feliz nasceria quando ela já estivesse morta.

— Estamos voltando para casa, damas e cavalheiros — anunciou Mazursky sem conseguir esconder o contentamento pelo iminente final daquela acidentada viagem.

Claire olhou-o com irritação. Estavam voltando para casa, sim. Voltando para o anódino século XIX sem ter posto a trama do tempo em perigo. Mazursky evitara que aquela ingênua senhorita destruísse o universo, salvando-se assim da reprimenda que Gilliam lhe daria se não a tivesse trazido de volta, portanto, era lógico que se sentisse eufórico. O que importava que o preço dessa euforia tivesse sido sua felicidade? Claire sentia-se tão frustrada que poderia ter esbofeteado o guia, mas no fundo era obrigada a reconhecer que Mazursky fizera o que precisava fazer. O universo estava acima de qualquer destino individual, mesmo que fosse o seu. Viu o guia sorrir trincando os dentes, tentando disfarçar seu aborrecimento. Felizmente, parte de seu rancor se dissipou quando notou as mãos vazias de Mazursky. Ele não fizera um trabalho tão perfeito, mas, afinal, como uma sombrinha poderia afetar a trama do tempo?

XXIII

Quando a moça e o guia desapareceram pela trilha escarpada, o capitão Derek Shackleton saiu de seu esconderijo e ficou alguns segundos contemplando o lugar onde aquela mulher havia estado, como se esperasse encontrar nos interstícios do ar um resto de seu perfume ou de sua voz, algum eco de sua presença que confirmasse que não havia sido uma miragem. Ainda estava atônito com aquele encontro. Achava incrível que aquilo realmente tivesse acontecido. Lembrou do nome da moça: "Meu nome é Claire Haggerty e vim do século XIX para ajudá-lo a reconstruir o mundo", foi o que disse, fazendo uma encantadora reverência. Mas o nome não era a única coisa que lembrava dela. Ele mesmo se surpreendeu com a exatidão com que seu rosto ficou gravado em sua mente. Lembrava perfeitamente do semblante pálido, as feições um tanto ariscas, os lábios brilhantes e bem-desenhados, o cabelo azeviche, o porte garbosamente frágil, a voz. E se lembrava do olhar. Lembrava-se, sobretudo, da maneira como o olhara, com uma espécie de entusiasmo quase reverencial, um alvoroço ensimesmado. Nenhuma mulher jamais olhara assim para ele. Nunca.

Reparou então na sombrinha, e foi dominado outra vez pela vergonha ao lembrar o motivo pelo qual a moça a deixara cair. Foi até lá e ergueu-a com cuidado, como se fosse um pássaro de ferro caído de um ninho metálico. Era uma sombrinha elegante e delicada, que denunciava a condição social da proprietária. O que devia fazer com ela? Uma coisa era certa: não podia deixá-la ali.

Com a sombrinha na mão, dirigiu-se ao lugar onde o grupo o esperava, aproveitando o trajeto para tentar se acalmar. Tinha de apagar do rosto a perturbação que o encontro com a moça lhe provocara, se não quisesse despertar suspeitas nos outros. Nesse instante, detrás de um penhasco, surgiu Salomão empunhando a espada. Embora andasse distraidamente, o bravo capitão Shackleton reagiu de imediato, atacando com a sombrinha o autômato, que se atirou contra ele clamando vingança com sua estrondosa voz metálica. Naturalmente, não lhe fez o menor dano, mas a surpresa do ataque desequilibrou Salomão, que cambaleou durante alguns segundos antes de despencar por uma pequena colina que havia atrás. Com a sombrinha na mão, Shackleton observou seu inimigo rolar precipício abaixo com um estrondo metálico. O barulho cessou quando o autômato encalhou entre as pedras com uma pancada seca. Durante alguns segundos de silêncio Salomão ficou ali esparramado, envolto na poeira espessa que sua espalhafatosa queda tinha levantado. Logo depois começou a se erguer com dificuldade, lançando maldições e insultos cuja vulgaridade se acentuava com o tom metálico de sua voz, o que desencadeou fortes gargalhadas no grupo que se aproximara dali, atraído pela gritaria, tanto de soldados quanto de autômatos.

— Não riam, seus desgraçados, eu podia ter quebrado alguma coisa! — queixou-se Salomão, aumentando ainda mais as risadas.

— Isso acontece por causa de suas brincadeiras — exclamou Shackleton com ironia, descendo a colina e lhe oferecendo a mão. — Será que nunca vai se cansar dessas emboscadas estúpidas?

— Você estava demorando, amigo — protestou o autômato, deixando-se içar por Shackleton e mais dois soldados. — Pode-se saber que diabo estava fazendo lá em cima?

— Urinando — respondeu o outro. — Aliás, parabéns pelo duelo, acho que saiu melhor que das outras vezes.

— Foi mesmo — confirmou um dos soldados que o haviam ajudado a levantar-se. — Vocês estavam realmente magníficos. Nem mesmo para Sua Majestade fizeram tão bem.

— Fico feliz em saber. Na verdade, a gente atua muito mais relaxado quando sabe que a Rainha da Inglaterra não está observando. De qualquer forma, é muito cansativo se mexer com esta maldita armadura... — disse Salomão, desenroscando a cabeça.

Quando conseguiu tirá-la, abriu a boca como um peixe. O cabelo ruivo tinha grudado no crânio e o rosto largo brilhava de suor.

— Não se queixe, Martin — censurou o autômato com o peito destroçado, livrando-se também da própria cabeça. — Pelo menos você faz um dos papéis principais. Eu nem sequer tenho tempo de matar um soldado antes de morrer. E, além disso, preciso detonar a carga colada em meu peito.

— Você sabe que não existe o menor risco, Mike. De qualquer forma, vamos propor ao senhor Murray trocarmos alguns papéis da próxima vez — sugeriu o jovem que interpretava o capitão Shackleton, tentando serenar os ânimos.

— Isso mesmo, Tom. Eu poderia ocupar o lugar do Jeff e ele, o meu — aplaudiu o homem que interpretava o autômato que caíra primeiro, apontando para o soldado encarregado de abatê-lo.

— Nem pensar, Mike. Passo a semana toda esperando a hora de atirar em você. Além disso, o Bradley me elimina logo depois — disse Jeff, apontando por sua vez para o rapaz que se apresentava como um dos carregadores do trono, cuja bochecha esquerda era atravessada por uma sinuosa cicatriz que subia até sublinhar o olho.

— O que é isso? — perguntou este, referindo-se ao que Tom tinha na mão.

— Ah, uma sombrinha — respondeu ele, mostrando-a ao grupo. — Algum passageiro deve ter perdido.

Jeff deu um assobio de assombro.

— Deve custar uma fortuna — disse, examinando-a com curiosidade. — Com certeza, muito mais do que nos pagam para fazer isso.

— Garanto que é melhor do que trabalhar em uma mina ou se matar no Canal de Manchester, Jeff — respondeu Martin.

— Grande consolo! — caçoou o outro.

— Bem, vamos ficar o dia todo aqui conversando? — perguntou Tom, escondendo a sombrinha disfarçadamente, com a intenção de que os outros se esquecessem dela. — Lembrem-se que o presente está nos esperando lá fora.

— É verdade, Tom — riu Jeff. — Vamos voltar a nossa verdadeira época!

— E sem ter de atravessar a quarta dimensão! — completou Martin, explodindo em gargalhadas.

Os quinze empreenderam a caminhada entre as ruínas, avançando a passo quase de procissão em deferência aos que estavam com as pesadas armaduras de autômatos. Enquanto andavam, Jeff notou com alguma preocupação o ensimesmamento do capitão Shackleton, que a partir de agora chamarei por seu verdadeiro nome, Tom Blunt, já que não preciso mais guardar nenhum segredo.

— Ainda não consigo entender como as pessoas acreditam que este cenário de entulhos seja o futuro — comentou Jeff, tentando resgatar o colega de seu silêncio lúgubre.

— Pense que eles veem de um outro ângulo — respondeu Tom distraidamente.

Jeff lhe lançou um olhar inquisitivo: queria que continuasse falando para não pensar no que o preocupava, fosse o que fosse.

— É como quando assistimos a um espetáculo de ilusionismo — viu-se obrigado a acrescentar Tom, embora jamais tivesse assistido a um. Seu único contato com o mundo da magia fora por intermédio de um amador que durante algum tempo se hospedara na mesma pensão que ele. Talvez por isso mesmo, sentiu-se com autoridade suficiente para acrescentar: — Os truques dos mágicos nos deixam boquiabertos, e até nos levam a pensar na existência da magia, mas basta descobrir o modo como eles fazem esses truques para perguntar-nos cheios de incredulidade como pudemos cair em uma tramoia tão simples. Os passageiros não veem nenhum dos truques do senhor Murray. — Apontou com a sombrinha para a máquina junto à qual estavam passando naquele momento, que produzia fumaça suficiente para ocultar o teto e as vigas da enorme nave em que se encontrava o cenário. — Na verdade, nem sequer imaginam que existem. Veem apenas o resultado final. Veem apenas o que querem ver. Até você acreditaria que este monte de escombros é a Londres do ano 2000 se desejasse ver a Londres do ano 2000.

Claire Haggerty também tinha acreditado, pensou com uma amarga melancolia, lembrando como a moça lhe oferecera sua ajuda para reconstruir o mundo.

— Sim, temos de reconhecer que o chefe organizou tudo muito bem — admitiu afinal o colega, seguindo com a vista o voo de um corvo. — Se as pessoas descobrissem que isto aqui não passa de um cenário, ele acabaria na cadeia, ou linchado.

— Por isso é tão importante que não vejam nossos rostos, não é, Tom? — interveio Bradley.

Tom confirmou, tentando conter um tremor.

— Você sabe que sim, Bradley — respondeu Jeff, em função do lacônico assentimento do colega. — Temos de usar esses elmos desconfortáveis para que os passageiros não possam nos identificar se cruzarem conosco em Londres. É outra das medidas de segurança do senhor Murray. Ou por acaso você já esqueceu o que ele nos disse no primeiro dia?

— Claro que não! — respondeu Bradley, e imitando o modo de falar cadenciado e educado do empresário, disse: — "O capacete é o salvo-conduto de vocês, cavalheiros. Quem o tirar durante a representação vai lamentar muito, não me obriguem a prová-lo."

— Sim, e eu certamente não pretendo fazer isso. Lembre-se do pobre Perkins.

Ao lembrar, Bradley soltou um assobio de espanto que fez Tom estremecer novamente. O grupo parou em frente a um caótico horizonte de telhados em chamas. Jeff se adiantou, procurou o trinco camuflado no mural e abriu uma porta entre as nuvens. Como se entrassem no ventre de plumas de uma delas, a comitiva saiu do cenário e avançou pela galeria que desembocava em um camarim estreito. Ao entrarem, foram surpreendidos por aplausos vigorosos. Gilliam Murray estava escarrapachado em uma poltrona, na qual batia palmas com um entusiasmo teatral.

— *Magnific!* — exclamou. — Bravo!

O grupo olhou-o sem saber muito bem o que fazer. Então, Gilliam se levantou e caminhou em sua direção com os braços totalmente abertos.

— Parabéns, cavalheiros. Minhas mais sinceras felicitações por seu trabalho. A atuação de vocês fascinou os nossos clientes, alguns querem até repetir.

Depois de receber o tapinha no ombro, Tom se afastou discretamente do grupo, deixou no armeiro o pedaço de madeira grafite cheio de cavilhas e manivelas que, graças às cargas escondidas embaixo da armadura dos autômatos, Murray fazia passar por um mortífero rifle do futuro, e começou a se trocar. Tinha de sair dali o mais rápido possível, disse para si mesmo, pensando em Claire Haggerty e no problema que sua maldita bexiga lhe havia causado. Tirou a couraça de capitão Shackleton, deixou-a cuidadosamente no cabideiro correspondente e apanhou as roupas na gaveta com seu nome. Enrolou apressadamente a sombrinha com o casaco e a seguir olhou para os outros, certificando-se de que ninguém tinha reparado em seu gesto. Murray estava dando ordens a duas garçonetes que haviam irrompido no camarim empurrando carrinhos abarrotados de torta de rim, salsichas assadas e jarras de cerveja, enquanto o restante dos colegas também tinha começado a trocar de roupa.

Observou afetuosamente aqueles homens com quem o acaso o obrigara a trabalhar: o magro porém vigoroso Jeff, sempre sorridente e loquaz; o jovem

Bradley, apenas um garoto em cujo rosto infantil parecia ainda mais inquietante a barroca cicatriz que lhe riscava a bochecha; o pétreo Mike e seu olhar de perene confusão; e o brincalhão Martin, um homenzarrão ruivo, de idade indefinida, em cujo rosto maltratado se refletiam os estragos de uma vida de trabalhos insalubres. Tom achava curioso que enquanto na ficção de Murray cada um deles daria a vida por ele, na realidade não podia sequer ter certeza de que não seriam capazes de cortar o pescoço por um pouco de comida ou dinheiro. No fundo, o que sabia deles a não ser que, como ele, não tinham onde cair mortos? Embebedaram-se várias vezes juntos. Primeiro, para festejar o mais que aceitável resultado da primeira apresentação; depois, para comemorar o sucesso da que realizaram para a Rainha, pela qual receberam o dobro; e ainda depois, como tinham tomado gosto por aquelas reuniões de amigos, voltaram a se embebedar para comemorar antecipadamente o êxito da segunda, uma farra desmedida que, como as anteriores, também terminou no prostíbulo da senhora Dawson. Mas essas farras só serviram para fazer Tom entender que era melhor evitar muita intimidade com aqueles sujeitos, porque eles o acabariam metendo em alguma confusão. Com exceção de Martin Tucker, que apesar de suas brincadeiras parecia ser o mais ajustado de todos, considerava os outros uma turma de bagunceiros de pouca confiança. Tal como ele, viviam de bicos, sobrevivendo de pequenos trabalhos, mas, pelos comentários que faziam, era evidente que não descartavam uma falcatrua se houvesse dinheiro em jogo. Alguns dias antes, Jeff Wayne e Bradley Hollyway o tinham convidado para participar de um de seus negócios nebulosos: estavam de olho em uma mansão de Kensintong Gore, aparentemente fácil de roubar. Mas ele se recusou a acompanhá-los, não tanto porque se prometera poucas semanas antes de fazer todo o possível para ganhar a vida honestamente, mas porque, se fosse para infringir a lei, preferiria agir sozinho: a vida lhe ensinara que tinha mais possibilidades de sobreviver sendo o único responsável pela própria segurança. Se só confiasse em si mesmo, nunca poderiam traí-lo. Vestiu a camisa e começou a abotoá-la. Quase arrancou um dos botões quando viu de soslaio que Gilliam Murray vinha se aproximando.

— Queria lhe dar meus parabéns pessoalmente, Tom — disse o empresário, visivelmente contente, estendendo-lhe a mão. Tom apertou-a, com um sorriso forçado nos lábios. — Você sabe que nada disso poderia ser feito sem sua participação. Ninguém poderia representar o bravo capitão Shackleton melhor do que você.

Tom se esforçou para sorrir com amabilidade. O empresário estaria se referindo veladamente a Perkins? Pelo que ouvira, o tal Perkins tinha sido contratado para encarnar Shackleton antes dele, mas ao descobrir o que o empresário pretendia fazer percebeu que seu silêncio valia muito mais do que o salário que receberia. Então, foi ao escritório dele e lhe disse isso. A tentativa de chantagem não abalou Gilliam Murray, que se limitou a responder que se ele não estava de acordo com o pagamento podia ir embora, acrescentando em tom de orgulho ferido que na verdade o capitão Shackleton que tinha imaginado era mais alto. Perkins sorriu ameaçadoramente e saiu do escritório diretamente, conforme anunciou, para a sede da Scotland Yard. Nunca mais voltou, nem se soube dele. Depois da infeliz tentativa de extorsão, Perkins simplesmente evaporou. Tom e os colegas desconfiavam de que os capangas de Murray tivessem dado cabo dele antes que chegasse à Scotland Yard. Não sabiam até que ponto isso era verdade, mas preferiam não provocar o chefe. Por isso, ele precisava manter em segredo o que acontecera com Claire Haggerty. Se alguém descobrisse que um passageiro tinha visto seu rosto, estava perdido. Sabia que Murray não se limitaria a despedi-lo. Cortaria o problema pela raiz, como tinha feito com o coitado do Perkins. Não adiantaria nada dizer que a culpa não tinha sido dele: o fato de estar vivo significava uma ameaça constante para o projeto, uma ameaça que seria preciso aniquilar com a maior urgência possível. Se o empresário descobrisse, ele acabaria como Perkins, mesmo sendo mais alto.

— Sabe, Tom? — disse Gilliam, observando-o com afeto. — Olho para você e vejo um verdadeiro herói.

— Eu apenas tento representar o capitão Shackleton o melhor possível, senhor Murray — respondeu Tom, se esforçando para que o pulso não tremesse muito enquanto ajeitava as calças.

Gilliam emitiu algo parecido com um gemido de prazer.

— Pois continue assim, rapaz, continue assim — sugeriu animado. Tom assentiu.

— Agora, se me permite — disse, colocando a boina —, estou com muita pressa.

— Já vai? — perguntou Gilliam, decepcionado. — Não quer ficar para a comemoração?

— Sinto muito, senhor Murray, mas preciso ir — respondeu Tom.

Tomando cuidado para que o outro não visse a sombrinha, embrulhou-a no casaco e se encaminhou para a porta que ligava o camarim a um beco nos fundos do prédio. Precisava desaparecer dali antes que Gilliam reparasse no suor que começava a se acumular em sua testa.

— Tom, espere! — chamou o empresário.

Tom se virou com o coração aos pulos. Gilliam olhou-o com seriedade por alguns segundos.

— É alguma bela senhorita? — perguntou finalmente.

— Como? — gaguejou Tom.

— A causa de sua pressa... Será que alguma senhorita disposta a desfrutar a companhia do salvador da raça humana está à sua espera?

— Eu... — balbuciou Tom, sentindo que o suor lhe escorria repentinamente pelos pômulos.

Gilliam riu com vontade.

— Entendo, Tom — disse, dando-lhe uma palmadinha no ombro. — Não gosta de que fiquem bisbilhotando sua intimidade, certo? Não se preocupe, não precisa responder. Muito bem, vá. E não se esqueça de sair com discrição.

Tom assentiu aturdido e se encaminhou para a porta, despedindo-se dos colegas com um gesto vago. Saiu no beco e o atravessou o mais rapidamente que pôde. Quando emergiu na rua principal, escondeu-se em uma esquina, e enquanto tentava se acalmar, ficou espiando a saída do beco por alguns minutos, para ver se Gilliam não mandara alguém atrás dele. Mas não apareceu ninguém, o que o deixou tranquilo. Aquilo significava que o empresário não desconfiava de nada, pelo menos por enquanto. Deu um profundo suspiro de alívio. Agora tinha de pedir às estrelas que guiassem seus passos para o mais longe possível da moça chamada Claire Haggerty. Foi então que reparou que, por causa do nervosismo, não tinha trocado os sapatos: ainda estava com as botas do bravo capitão Shackleton.

XXIV

A Casa de Hóspedes de Buckeridge Street era um prédio caindo aos pedaços, com uma fachada imunda, espremido entre duas tabernas barulhentas que impediam o sono de quem pretendesse descansar do outro lado das paredes, mas, comparada com outras espeluncas em que já se alojara, aquele esconderijo encardido era a coisa mais parecida com um palácio que Tom Blunt conhecia. A essa hora, em pleno meio-dia, a rua estava tomada pelo cheiro de salsicha assada, que saía das tabernas, um cheiro intenso que para a maioria dos hóspedes da pensão, cujos bolsos só continham poeira, era uma tortura constante. Tom atravessou a rua em direção à hospedaria tentando ignorar aqueles eflúvios que o faziam salivar como um cão, lamentando que o medo o tivesse obrigado a sacrificar o banquete com que Gilliam Murray quis homenageá-los e que teria servido para satisfazer seu estômago por alguns dias. Junto à porta da pensão deu com a banca da senhora Ritter, uma viúva de rosto aflito que ganhava algum dinheiro lendo a sorte na palma da mão.

— Bom dia, senhora Ritter — cumprimentou-a com um sorriso cortês. — Como vão os negócios hoje?

— Seu sorriso é a melhor coisa que me aconteceu todas a manhã toda, Tom — respondeu a mulher, contente de vê-lo. — Hoje parece que ninguém quer conhecer o futuro. Será que você convenceu o bairro todo de que é melhor não saber o que a Providência nos reserva?

Com esse comentário da mulher o sorriso de Tom se curvou ainda mais, como uma prateleira abarrotada de coisas. Gostava da senhora Ritter e, desde que ela se estabelecera ali com sua banquinha, havia se autonomeado seu protetor. Depois de resgatar e juntar pedaços dos boatos pelo bairro, conseguiu completar sua trágica história, que mais parecia a lista em que o Criador registrava as existências desventuradas, pois não havia calamidade que a senhora Ritter não tivesse padecido, Tom julgou que a mulher já havia sofrido demais e se propôs a ajudá-la na medida de suas possibilidades, que infelizmente não iam além de roubar maçãs para ela no mercado de Covent Garden ou parar para conversar toda vez que entrava ou saía da hospedaria, tentando animá-la quando estava em um dia ruim. Apesar de tudo, nunca consentiu que ela lesse sua mão, dando sempre a mesma desculpa: descobrir o que o destino lhe reservava acabaria matando sua curiosidade, que era a única coisa que o fazia levantar-se da cama pela manhã.

— Eu nunca tentaria sabotar seu negócio, senhora Ritter — respondeu bem-humorado. — Com certeza, vai melhorar à tarde.

— Tomara, Tom, tomara.

Despediu-se e subiu a escada capenga que conduzia ao andar de cima da pensão, onde ficava seu quarto. Abriu a porta e, com uma atenção inusitada, como se o visse pela primeira vez, contemplou o quartinho no qual já estava morando havia quase dois anos. Mas o olhar não pretendia avaliar a cama desmantelada, nem a cômoda um pouco carcomida ou o espelho manchado, tampouco a janelinha que se abria para o beco empoçado e cheio de lixo que havia atrás do prédio, como fez no dia em que a dona o mostrou. Agora, parado na porta, Tom observou o quartinho como se de repente tomasse consciência de que aquele triste espaço que ele mal conseguia pagar representava tudo o que conseguira conquistar no mundo. Foi invadido então pela certeza de que nada mudaria, de que aquele presente era tão imutável, que iria continuar se desenrolando no futuro, silenciosamente, sem que nenhuma mudança denunciasse a passagem do tempo, e de que só em momentos de estranha lucidez como aquele chegaria a notar que a vida lhe escorria por entre os dedos como se fosse água.

Mas, pensou, o que mais podia fazer com as cartas que recebera? Seu pai era um pobre-diabo que achou que havia encontrado o trabalho de sua vida quando foi contratado para recolher os excrementos que se acumulavam nas fossas dos fundos das casas. Toda noite saía para aliviar a cidade de suas imundícies como se algum dia a própria Rainha fosse felicitá-lo por seu trabalho, convencida, como ele, de que aquele desagradável ofício era a pedra de toque sobre a qual se erguia o Império: afinal, costumava dizer, aonde podia chegar um país que afundava em seus próprios excrementos? Sua máxima aspiração, para escárnio dos amigos, era comprar uma carreta ainda maior que lhe permitisse carregar mais merda que os outros. A grande lembrança que Tom conservava da infância era o insuportável fedor que envolvia o pai, quando ia para a cama ao amanhecer, e que ele tentava combater apertando o nariz contra o peito da mãe, para aspirar o perfume adocicado que se adivinhava sob o suor de sua extenuante jornada na fábrica de algodão. Mas aquele cheiro de excremento era preferível ao aroma de vinho barato que o pai começou a ter quando o crescimento da rede de esgoto acabou com suas ridículas aspirações, cheiro que o pequeno Tom nem sequer pôde combater com o cheiro caramelado da mãe, pois uma repentina epidemia de cólera a arrancara de seu lado. A cama familiar ficou mais larga, mas Tom dormia com um olho aberto, porque nunca sabia quando o pai iria acordá-lo a cintadas, despejando em suas tenras costas o ódio que sentia do mundo.

Quando completou seis anos, o pai o obrigou a mendigar para financiar o vinho. Despertar a piedade dos outros era uma tarefa ingrata, mas, afinal de contas, fácil, e só soube que podia sentir falta dela quando o pai o levou para ajudá-lo em seu novo trabalho, que conseguira graças a sua carreta e a sua destreza com a pá. Tom descobriu então que a morte podia deixar de ser uma coisa abstrata e adquirir forma e peso, dando-lhe a sensação de frio nos dedos que nenhum fogo jamais expulsaria, e entendeu, sobretudo, que aqueles que quando vivos não valiam nada adquiriam um repentino valor depois de mortos, pois alojavam uma pequena fortuna em órgãos sob a carne. Roubou ataúdes e sepulcros sob as ordens de um boxeador aposentado chamado Crouch que depois vendia os cadáveres para os cirurgiões, até que o pai morreu ao cair no Tâmisa numa de suas frequentes bebedeiras. Da noite para o dia, Tom ficou sozinho no mundo, mas já com as rédeas da vida nas mãos. Não tinha mais por que continuar importunando o sono dos mortos. Agora seria ele quem decidiria para onde encaminhar seus passos.

Carregar cadáveres o tornara um rapaz forte e esperto, de maneira que lhe foi fácil conseguir trabalhos mais honestos, embora a sorte nunca tenha se dignado a insuflar em suas velas vento suficiente para lhe permitir deixar aquela vida irregular. Em um curto período de tempo foi varredor, guardador de coches, exterminador de carrapatos e até limpador de chaminés, pelo menos até que os criados descobriram um colega seu roubando uma das casas cuja chaminé deviam limpar e os atiraram porta afora, com algumas manchas roxas de gorjeta. Mas nada disso lhe importou quando conheceu Megan, uma bonita moça com quem conviveu durante alguns anos em um porão malventilado da Hague Street, no bairro de Bethnal Green. Megan não apenas representou uma agradável trégua em sua batalha, como também o ensinou a ler usando jornais velhos que pegavam do lixo. Graças a ela Tom descobriu o que escondiam aqueles estranhos sinais, e soube então que o mundo que havia além de onde terminava o seu era igualmente terrível. Lamentavelmente, em certos bairros a felicidade já nasce condenada, e Megan não demorou a trocá-lo por um fabricante de cadeiras que não sabia o que era fome.

Quando, dois meses depois, voltou com o rosto cheio de marcas e cega de um olho, Tom a recebeu como se nunca houvesse partido. A traição, porém, foi o golpe de misericórdia que acabou com um amor já excessivamente castigado pelas circunstâncias. Tom cuidou dela dia e noite, preparando-lhe xaropes de ópio para controlar a dor e lendo para ela, como se fossem poemas, as notícias dos jornais atrasados; e continuaria a fazer isso pelo resto da vida, preso a ela por uma piedade que com o tempo talvez pudesse se transformar novamente em afeto, se a infecção do olho de Megan não voltasse a alargar sua cama.

Foi enterrada numa manhã chuvosa em uma modesta igreja próxima ao asilo de loucos, sem ninguém, além dele, chorando diante do túmulo. Mas nesse dia Tom sentiu que o que introduziram na cova era muito mais do que o corpo de Megan. O que estavam enterrando era sua fé na vida, suas esperanças ingênuas de poder enfrentá-la com honestidade, sua inocência. Nesse dia, em um ataúde barato, junto à única pessoa em quem se atrevera a transplantar o amor que sentia pela mãe, também estavam sepultando Tom Blunt, pois de repente ele não sabia mais quem era. Não se reconheceu no jovem que, nessa mesma noite, esperou escondido atrás de um muro até que o vendedor de cadeiras chegasse em casa, na criatura selvagem que se atirou contra ele, encurralando-o contra a parede, na fera que o dominou no chão com a raiva de seus punhos. Os gemidos agonizantes do desconhecido anunciavam a morte, mas também eram os gemidos de uma parturiente que trazia ao mundo um novo Tom, um Tom que parecia capaz de qualquer coisa, um Tom qualificado para cometer atos como aquele sem que sua alma tremesse, talvez porque alguém a havia extirpado e vendido aos cirurgiões. Tentara sobreviver honestamente, e a vida o esmagou como um inseto repugnante. Tinha chegado o momento de sobreviver de outra maneira, pensou observando o farrapo sanguinolento a que se reduzira o fabricante de cadeiras.

Tinha quase vinte anos, e a vida incrustara em seu olhar uma dureza feroz que, combinada com seus músculos, lhe dava um ar inquietante, até mesmo um tanto encrenqueiro, quando se inclinava ao caminhar, de modo que não teve dificuldade para se colocar a serviço do pior agiota de Bethnal Green, a quem obedecia de dia, percorrendo as ruas com uma lista de devedores que devia intimidar, e a quem não se privava de roubar à noite, como se a moralidade que guiara seus atos no passado não passasse de um objeto inútil que o impedia de tornar sua existência rentável, na qual já não havia espaço para coisa alguma além do próprio interesse. A vida se tornou, então, uma rotina simples que consistia em exercer a violência contra quem lhe encomendassem, em troca do dinheiro necessário para alugar um quartinho e pagar os serviços de uma puta quando precisava se aliviar, uma vida governada por um único sentimento: o ódio, que regava diariamente com cada pancada de seus punhos como se fosse uma flor exótica, um ódio confuso mas intenso que se desencadeava com a menor contrariedade e o fazia voltar à pensão com várias marcas no rosto e mais uma taberna para eliminar de seu caminho. Nesse tempo, porém, Tom tinha consciência de sua própria insensibilidade, da gélida indiferença com que quebrava dedos e sussurrava ameaças nos ouvidos de suas vítimas, mas se justificava dizendo para si mesmo que não tinha alternativa, que não adiantaria nadar contra aquela corrente que o arrastava para o lugar que talvez lhe correspondesse. Como uma serpente mudando de pele, ele só podia olhar para o outro lado enquanto abria mão da graça de Deus em seu caminho para o inferno. Afinal de contas, talvez não servisse mesmo para outra coisa. Talvez tivesse vindo ao mundo para quebrar dedos, para ocupar um lugar de honra entre os malfeitores e os degenerados. E teria continuado resignadamente na margem escura do mundo, isento de qualquer responsabilidade, sabendo que mais cedo ou mais tarde chegaria a hora em que lhe proporiam cometer seu primeiro assassinato, não fosse alguém acreditar que o papel de herói lhe caía melhor.

Tom se dirigiu à empresa de Murray sem saber em que consistia o trabalho que ofereciam, e ainda se lembrava da expressão de espanto daquele homem enorme quando se levantou de sua mesa ao vê-lo entrar, e de como ele começou a andar à sua volta proferindo eufóricas exclamações, apalpando seus músculos e examinando seu maxilar com gestos de um alfaiate demente.

— Não posso acreditar, você é exatamente como o descrevi — disse, sem que Tom entendesse a que diabos se referia. — Você é o verdadeiro capitão Derek Shackleton.

Levou-o, então, para um enorme porão em que outros homens, vestidos com estranhas fantasias, pareciam ensaiar uma peça de teatro. Foi a primeira vez que viu Martin, Jeff e os outros.

— Cavalheiros, apresento-lhes o seu capitão — anunciou Gilliam —, o homem por quem deverão dar a vida.

E foi assim que da noite para o dia Tom Blunt, valentão, ladrão e encrenqueiro, se transformou no salvador da humanidade. O trabalho satisfez seus bolsos, mas fez muito mais por ele: resgatou sua alma do fogo do inferno, no qual ardia tão relutantemente, pois, por alguma razão, Tom considerou inapropriado continuar quebrando ossos por aí agora que precisava salvar o mundo. Soava ridículo, pois as duas coisas não deixavam de ser perfeitamente compatíveis, mas era como se o nobre espírito de Derek Shackleton o iluminasse por dentro, ocupando o vazio deixado pela alma extirpada do Tom Blunt original, em uma possessão natural e pacífica, nada traumática. Depois do primeiro ensaio, Tom se libertou da armadura do capitão Shackleton mas decidiu levar o personagem para casa, ou talvez tenha sido um gesto inconsciente que não conseguiu evitar. A verdade é que lhe agradava ver o mundo como se realmente fosse seu salvador, como o veria um herói que carregava no peito um coração valente e generoso, e nesse mesmo dia decidiu procurar um trabalho mais decente, como se aquele gigante chamado Gilliam Murray tivesse avivado, com suas palavras, o minúsculo resquício de humanidade que ele ainda conservava no fundo da alma.

Mas agora todos os seus planos de redenção haviam malogrado, por culpa daquela estúpida mocinha. Sentou-se na cama e desembrulhou a sombrinha que tinha escondido no casaco, sem dúvida, o objeto mais caro que havia no aposento. Se a vendesse, poderia pagar o aluguel de dois ou três meses, pensou, alisando a mancha roxa no ombro, em que amarrara o saquinho de suco de tomate que a espada de Martin devia estourar durante o duelo. Pelo menos algo de bom resultara do encontro com a moça, mas era difícil esquecer a confusão em que ela o tinha metido. Não queria nem pensar nos problemas que poderia ter se a encontrasse na rua. Se isso um dia chegasse a acontecer, os piores temores de seu chefe se veriam confirmados, pois a moça descobriria na hora que a Viagens Temporais Murray era uma fraude. Embora isso fosse o pior, havia mais. Ao mesmo tempo, também ficaria sabendo que ele não era nenhum herói do futuro, mas sim um pobre-diabo que não tinha onde cair morto; e então Tom teria de presenciar em seu rosto a devoção que ela tinha por ele se transformar em decepção, talvez até em uma sensação de nojo maldisfarçada, como se estivesse presenciando uma borboleta se transformar em lagarta. Em comparação com o descobrimento da fraude, aquilo era um mal menor, obviamente, mas ele sabia que lamentaria muito mais. No fundo, sentia um enorme prazer ao lembrar o olhar encantado que a mulher lhe dera, apesar de saber que não era destinado a ele, mas sim ao herói que encarnava, o bravo capitão Shackleton, o libertador da raça humana. Sim, preferia que Claire o imaginasse no ano 2000, reconstruindo o mundo, não sentado naquele chiqueiro imundo, pensando no dinheiro que algum prestamista poderia lhe dar por sua sombrinha.

Quem vai bem cedo ao mercado de Billingsgate sabe que os cheiros viajam mais rápido que a luz, pois muito antes que a noite receba a primeira punhalada de claridade as evocações da intimidade marinha dos frutos do mar e do odor penetrante das enguias que transbordam das carretas dos peixeiros já se agitam no frio ar noturno. Serpenteando entre bancas de ostras e vendedores de camarões que apregoavam sua mercadoria, três por um *penny*, Tom Blunt chegou ao portão de entrada do porto em que se amontoavam outros pobres-diabos como ele, exibindo músculos e decisão, à espera de que o dedo benévolo de algum capataz os escolhesse para descarregar um navio de ultramar. Protegido do frio em seu casaco, Tom se misturou à multidão, na qual logo avistou Patrick, um jovem alto e forte com quem, de tanto se encontrar descarregando caixas, havia tecido uma vaga amizade de maneira quase despretensiosa. Cumprimentaram-se com um movimento afetuoso de cabeça e, como pombos inflando o peito, tentaram se destacar no grupo para chamar a atenção dos capatazes. Em geral, ambos eram escolhidos logo de primeira, graças a seu porte físico, o que também aconteceu essa manhã. Felicitaram-se mutuamente com um sorriso imperceptível e se encaminharam para o cargueiro junto ao grupo de estivadores selecionados.

Tom gostava daquele trabalho simples e honesto, que não exigia nada além de bons braços e certa rapidez de movimentos, não só porque lhe permitia apreciar o belo espetáculo do amanhecer no Tâmisa, mas também porque, enquanto o esforço físico lhe inoculava uma fadiga tão viva quanto apaziguadora, ele podia deixar os pensamentos vagarem, tomarem caminhos por vezes inesperados. Era como costumava fazer na colina de Harrow, uma pequena elevação localizada nos arredores de Londres, coroada por um carvalho centenário cercado por uma dezena de túmulos, como se aqueles mortos não quisessem saber dos outros que se amontoavam no pequeno cemitério vizinho. Tinha descoberto o lugar em um dos passeios, e nesse reduto, que chegara a considerar seu santuário privado, uma espécie de capela ao ar livre, na qual podia descansar da agitação da urbe, às vezes tinha a sorte de tecer alguma meditação proveitosa que, para sua surpresa, lhe revelava o sentido de sua existência, habitualmente bastante esquivo. Sentado ali, perguntando-se que vida teria levado John Peachey, o sujeito que descansava sob a lápide mais próxima do carvalho, Tom também podia encarar sua existência como se não fosse dele, e julgá-la com o desapego com que avaliaria a daquele estranho.

Quando a jornada terminou, Patrick e ele se sentaram em umas caixas à espera do pagamento. Enquanto aguardavam, costumavam conversar sobre qualquer coisa, mas Tom tinha passado a semana inteira com a cabeça em outro lugar. Era o tempo que transcorrera desde o infeliz encontro com Claire Haggerty, e ainda não havia acontecido nada. Ao que tudo indicava, Murray continuava ignorando o que sucedera, e possivelmente não descobriria nunca, mas, de qualquer forma, sua vida nunca mais seria a mesma. Na verdade, já tinha deixado de ser. Tom sabia que Londres era uma cidade grande demais para reencontrar por acaso aquela mulher, porém isso não o eximia de andar pelas ruas com os olhos bem abertos, temendo esbarrar nela ao virar uma esquina. A partir de agora, por culpa daquela garota estúpida, teria de viver inquieto, sempre em guarda, talvez até deixar crescer a barba. Balançou a cabeça ao perceber como o gesto mais insignificante podia mudar uma vida: por que diabos não tivera a precaução de esvaziar a bexiga antes da representação?

Quando, afinal, Patrick se atreveu a criticar amistosamente o áspero silêncio em que ele submergia ultimamente, Tom olhou para ele com surpresa. Na verdade, não se incomodara em esconder seu ensimesmamento de Patrick, e agora não sabia o que responder. Limitou-se a tranquilizá-lo com um sorriso entre enigmático e melancólico, e o colega encolheu os ombros, dando a entender que não tinha intenção de se intrometer em sua intimidade. Quando receberam o pagamento, deixaram o porto com o passo lento de quem não tem muito mais a fazer durante o resto do dia. Enquanto caminhavam, Tom observou Patrick com afeto, temendo que suas reservas o tivessem magoado. O rapaz tinha apenas dois anos menos que ele, mas seu aspecto infantil o fazia parecer muito mais jovem, e Tom não conseguira resistir ao impulso de acolhê-lo debaixo de sua asa, como o irmão mais novo que nunca teve, embora soubesse muito bem que Patrick podia perfeitamente se cuidar sozinho. No entanto, nem um, nem outro, talvez por preguiça, talvez por pudor, se interessou em continuar mantendo aquele princípio de amizade fora do porto.

— Com o dinheiro de hoje, já falta menos, Tom — comentou Patrick de repente com um tom sonhador na voz.

— Para quê? — perguntou o outro, certamente intrigado, pois Patrick nunca dissera que queria montar um negócio ou casar com alguma mulher.

O rapaz lhe dirigiu um olhar misterioso.

— Para realizar meu sonho — respondeu com toda solenidade.

Tom ficou feliz por aquele rapaz ter um sonho que o ajudasse a seguir em frente, um motivo pelo qual se levantar toda manhã, coisa, aliás, de que ultimamente ele carecia.

— Que sonho é esse, Patrick? — inquiriu, sabendo que o rapaz já esperava a pergunta.

Com um ar reverente, Patrick tirou um manuseado folheto do bolso e o mostrou.

— Viajar ao ano 2000 e testemunhar como o bravo capitão Shackleton vence os malvados autômatos.

Tom nem tocou o folheto que conhecia tão bem. Limitou-se a olhar para Patrick com tristeza.

— Não tem vontade de conhecer o ano 2000, Tom? — perguntou, incrédulo com a indiferença dele.

Tom suspirou.

— Não perdi nada no futuro, Patrick — respondeu, encolhendo os ombros —, meu presente é a única coisa que me interessa conhecer.

— Entendo — murmurou Patrick, sem se atrever a criticar a estreiteza dessa perspectiva.

— Já tomou café? — perguntou Tom.

— Claro que não! — escandalizou-se o rapaz. — Já lhe disse que estou economizando. Tomar café da manhã é um luxo que não posso me permitir.

— Então deixe que eu pago — propôs, passando o braço paternalmente por cima de seu ombro. — Conheço um lugar perto daqui onde servem as melhores salsichas de Londres.

XXV

Depois do farto café com que se presentearam, um festim que acalmaria seus estômagos por toda a semana, Tom estava novamente de bolsos vazios. Tentou não lamentar a despesa que tivera com Patrick: não conseguiu evitar, mas da próxima vez devia tomar mais cuidado, pois sabia muito bem que, por mais que esses gestos altruístas lhe fizessem bem, a longo prazo só iriam prejudicá-lo. Despediu-se de Patrick, e sem nada melhor para fazer durante o resto do dia, dirigiu seus passos para Covent Garden, onde poderia prosseguir com suas obras de caridade roubando algumas maçãs para a senhora Ritter.

Quando chegou, já no final da manhã, as mercadorias mais frescas e reluzentes tinham desaparecido nas mãos dos fregueses mais ávidos, que vinham de todos os cantos de Londres na primeira hora para abastecer suas despensas, mas, por outro lado, o avanço do dia livrara o mercado do ar fantasmagórico provocado pelas velas escoradas nos montinhos de cera que os comerciantes improvisavam em cima de suas carroças. Agora, o mercado tinha adquirido a aparência de uma festa campestre, e os visitantes não pareciam espectros furtivos, mas pessoas despreocupadas e alegres que tinham o dia todo para fazer compras, enfeitiçadas, como Tom, pelo perfume entrelaçado de rosas, eglantinas e fúcsias, que emanava dos cestos de flores colocados no lado oeste da praça. Embalado pela multidão que desfilava absorta entre os carrinhos de mão transbordantes de batatas, cenouras e couves, um espetáculo colorido que se estendia ao longo da Bow Street e da Maiden Lane, Tom tentou localizar alguma das moças que pululavam entre as bancas com seus cestos de maçãs, apregoando a mercadoria com sotaque *cockney*. Esticando o pescoço, pensou distinguir uma vendedora passando por trás de um grupo de pessoas, e tentou alcançá-la antes que desaparecesse no meio da multidão, girando rapidamente para contornar a muralha humana que impedia a passagem. Mas essa manobra brusca, que talvez tivesse salvado a vida do capitão Shackleton em alguma refrega, era uma temeridade num mercado cheio como o de Covent Garden. Percebeu isso quando esbarrou em uma moça que atravessava à sua frente. Ao ser atropelada por ele, a mulher teve de se segurar para não rolar pelo chão. Tom parou e virou-se para ela, com a intenção de pedir desculpas o mais cavalheirescamente possível. Foi então que percebeu que estava diante da única pessoa de toda Londres que não queria voltar a ver, e o mundo lhe pareceu um lugar reduzido e misterioso, em que cabia de tudo, como na cartola de um ilusionista.

— Capitão Shackleton, o que está fazendo em minha época? — perguntou Claire Haggerty, cheia de perplexidade.

Sem nenhuma distância entre os dois desta vez, Tom recebeu em cheio o impacto daquele olhar rendido que sua simples presença desencadeava na moça, e até pôde reparar no azul de seus olhos, um azul profundo e violento que tinha certeza de que jamais encontraria em nenhuma outra parte do mundo, por mais oceanos e céus que visse, um azul furioso e puro que talvez fosse uma das cores com que o Criador havia revestido o paraíso e que ela, para impedir sua extinção, guardava agora em suas pupilas. Só quando conseguiu se livrar do feitiço de seu olhar Tom percebeu que aquele encontro fortuito podia lhe custar a vida. Deu uma rápida olhada em volta, com o propósito de se certificar de que ninguém os observava com suspeita, mas estava aturdido demais para prestar atenção no que via. Seus olhos voltaram a pousar nos da moça, que continuava fitando-o entre incrédula e emocionada, esperando que explicasse sua presença ali. Mas o que podia dizer sem revelar a verdade? O que equivaleria a assinar imediatamente sua sentença de morte.

— Viajei no tempo para devolver sua sombrinha — improvisou.

Depois de dizer isso, mordeu os lábios. Soava ridículo, mas era a primeira coisa que passava por sua cabeça. Viu Claire abrindo ainda mais seus belos olhos e se preparou para o pior.

— Ah, obrigada, é muita gentileza — disse a moça, para sua surpresa, sem conseguir esconder o quanto se sentia lisonjeada —, mas não precisava se incomodar. Como pode ver, eu a substituí. — Mostrou-lhe uma sombrinha muito parecida com a que estava guardada na gaveta de sua cômoda. — Mas, já que atravessou o tempo para devolvê-la, eu a aceitarei com prazer, e prometo que vou me desfazer desta.

Agora foi a vez de Tom disfarçar o espanto que essas palavras lhe provocaram: a moça tinha acreditado em sua mentira sem a menor suspeita! Mas poderia ser de outra forma? A pantomima que Murray havia organizado era boa demais para que uma moça tão jovem desconfiasse. Claire simplesmente acreditara que tinha viajado ao ano 2000, acreditara de verdade, e essa certeza o legitimava como viajante do tempo. Quando conseguiu sair de seu assombro, notou que ela agora observava as mãos vazias, como se se perguntasse onde estava a sombrinha que o fizera realizar aquele gesto heroico e o levara a atravessar um século com o único propósito de devolvê-la.

— Não estou com ela agora — desculpou-se, encolhendo estupidamente os ombros.

Ela esperou, ansiosa, que ele propusesse uma solução para o caso, e no silêncio repentino que os confinou no centro da agitação Tom reparou no corpo esbelto e delicado que se insinuava sob o vestido da moça, dolorosamente consciente do tempo que fazia que não ficava com uma mulher. Desde que enterrara Megan, só havia recebido a ternura postiça das putas, e ultimamente nem sequer isso, pois julgava ter endurecido bastante para poder prescindir até das carícias pagas. Ou era o que achava. Agora tinha diante de si uma mulher bonita e refinada, uma mulher à qual um sujeito como ele jamais poderia aspirar, mas uma mulher que olhava para ele como nenhuma outra tinha feito antes. Seria aquele olhar o túnel que lhe permitiria assaltar a fortaleza inexpugnável? Por muito menos os homens se arriscavam desde que o mundo era mundo. Assim, fiel ao atávico apetite que ecoava no interior da espécie, Tom fez o que sua razão menos aconselhava:

— Mas posso lhe entregar esta tarde — sugeriu —, no Aerated Bread Company, próximo à estação de metrô de Charing Cross, se tiver a gentileza de tomar um chá comigo.

O rosto de Claire se iluminou.

— É claro, capitão — respondeu entusiasmada. — Lá estarei.

Tom assentiu com um sorriso isento de luxúria, tentando esconder sua incredulidade, tanto a que a aceitação dela provocara quanto a que sentia diante de si mesmo, por ter proposto um encontro justamente à mulher de quem devia fugir se quisesse salvar a vida. Parecia claro que sua vida lhe importava muito pouco, pois não temia arriscá-la por uma saída com aquela belezinha. Nesse instante, ambos se viraram para alguém que gritava o nome de Claire. Uma moça loura abria passagem entre a multidão, tentando chegar até eles.

— É minha amiga Lucy — comentou Claire com uma graciosa contrariedade —, que não me deixa sozinha um instante.

— Por favor, não diga a ela que eu vim do futuro — pediu Tom, recuperando um pouco de sensatez. — Estou incógnito aqui. Se me descobrirem, vou ter muitos problemas.

Claire olhou-o com certa apreensão.

— Eu a vejo no salão de chá às seis — despediu-se Tom bruscamente. — Mas, por favor, prometa que irá sozinha.

Como suspeitava, Claire não hesitou em prometer. Por mais que, dada sua condição, nunca os tivesse frequentado, Tom sabia que os salões de chá da ABC estavam na moda desde o dia de sua inauguração, pois eram os únicos lugares de Londres em que dois jovens podiam se encontrar sem a presença de um terceiro. Pelo que tinha ouvido, eram espaçosos e agradáveis, tinham calefação e por pouco dinheiro podia-se pedir duas xícaras de chá e uns pães doces, por isso, logo se transformaram na alternativa perfeita aos passeios no frio ou aos encontros em salões familiares fiscalizados pela mãe da jovem a que os namorados eram condenados até então. Estariam expostos ao mundo, mas não passara pela cabeça de Tom melhor lugar em que se encontrar com a moça, para que esta não fizesse objeções a ir sozinha.

Quando Lucy alcançou Claire, Tom já havia desaparecido na multidão. Mas nem por isso ela deixou de perguntar à ensimesmada amiga quem era o desconhecido com quem a vira conversar de longe. Claire se limitou a balançar a cabeça, misteriosa. Como imaginava, Lucy logo se esqueceu do assunto, rebocando-a para uma banca de flores na qual poderiam se abastecer de heliotrópios para transportar para seus quartos o cheiro agreste das selvas remotas. E enquanto Claire Haggerty se deixava arrastar pela amiga, pensando que atravessar o tempo para devolver uma sombrinha era o gesto mais cavalheiresco que alguém já tinha feito por ela, Tom Blunt fugia do mercado de Covent Garden pelo outro lado, abrindo passagem a cotoveladas na multidão e tentando não pensar no pobre Perkins.

Desabou no colchão de sua pocilga como se tivesse sido abatido por um tiro à queima-roupa. E, já deitado, continuou amaldiçoando seu comportamento temerário com a mesma cantilena arrevesada, mais própria de um bêbado, que repetira no caminho de volta. Será que tinha ficado louco? Que diabos pretendia propondo um novo encontro à moça? Bem, essa pergunta era fácil de responder. O que queria era bastante óbvio, e não se tratava exatamente de apenas desfrutar a beleza de Claire durante duas horas, como quem admira um objeto inalcançável exposto numa vitrine, enquanto se dilacerava por dentro pensando que nunca poderia tê-la. Não, nada disso: iria aproveitar o fato de que a moça estava apaixonada por seu outro eu, o bravo capitão Shackleton, para atingir um objetivo maior. E se surpreendeu por estar disposto a encarar, em troca de um breve deleite, as nefastas consequências que uma atitude tão insensata traria, entre as quais, provavelmente, se incluía perder a vida. Dava tão pouco valor à sua existência? Repetiu isso mais uma vez. Sim, soava de fato deprimente, mas era verdade: possuir aquela bela mulher tinha mais sentido para ele do que qualquer outra coisa que o esperasse nas curvas de seu ingrato futuro.

Se pensasse friamente, seria obrigado a reconhecer que o lógico, obviamente, era não ir ao encontro e evitar problemas.

Por outro lado, isso não o livrava de voltar a encontrar a moça em qualquer outro lugar, ter de explicar a ela o que ainda fazia no século XIX, e mesmo inventar uma desculpa para não ter ido ao salão de chá. Ao que tudo indicava, sumir não solucionaria o problema. A única maneira de resolvê-lo que lhe passava pela cabeça era justamente o contrário: ir ao salão e imaginar algo que evitasse novas explicações caso voltassem a se encontrar. Um motivo para que ela não se aproximasse dele, para que nem sequer falasse com ele, pensou com entusiasmo, como se esta fosse a principal razão para voltar a vê-la, em detrimento de interesses mais vulgares. Agindo com cuidado, aquele encontro poderia, a longo prazo, ser até benéfico. Sim, podia permitir-se solucionar o problema de uma vez por todas, porque uma coisa era certa: aquele devia ser o primeiro e único encontro. Não tinha outra opção: iria satisfazer o capricho de se aproveitar da moça se com isso pudesse impedir mesmo a menor possibilidade de um novo encontro. Assim abortaria qualquer relação que pudesse surgir entre eles, já que não imaginava uma forma de mantê-la em segredo, escondida dos milhares de espiões que, sem dúvida, Murray tinha espalhado pela cidade, o que não representava perigo apenas para ele, mas também para ela. Viu o encontro, então, como o último banquete de um condenado, e resolveu aproveitá-lo ao máximo.

Quando chegou a hora, levantou-se, pegou a sombrinha, ajeitou a boina e saiu da pensão. Na rua, seguindo um impulso repentino, parou na banca da senhora Ritter.

— Boa tarde, Tom — cumprimentou a anciã.

— Senhora Ritter — disse, oferecendo cerimoniosamente a mão direita com a palma para cima —, acho que chegou a hora de conhecermos meu futuro.

A anciã olhou-o assombrada, mas em seguida pegou a mão de Tom entre as suas e com um indicador seco percorreu lentamente as linhas, como quem percorre os parágrafos de um livro.

— Meu Deus, Tom! — estremeceu, levantando um olhar tão lúgubre quanto surpreso. — Aqui está escrito... sua morte!

Com uma expressão de resignada integridade, Tom aceitou o funesto vaticínio e retirou a mão com delicadeza. Ali estava a confirmação de suas suspeitas. Morrer por meter-se embaixo das anáguas de uma dama de berço de ouro. Era esse, afinal, seu luxurioso destino. Deu de ombros, despediu-se da assustada senhora Ritter, que talvez pensasse que a vida tinha a obrigação de reservar um destino mais benevolente para aquele rapaz, e seguiu rua abaixo, para o salão de chá onde Claire Haggerty o esperava. Sim, ia morrer, não havia mais dúvida, mas por acaso podia chamar de vida o que tinha agora? Sorriu e apressou o passo.

Nunca havia se sentido tão vivo.

XXVI

Quando chegou ao salão, Claire já estava lá, ocupando uma das mesinhas do fundo, ao lado de uma janela que derramava a luz da tarde em seu cabelo. Tom examinou-a com deleite ao entrar, regozijando-se com a certeza de que aquela bela moça estava à sua espera. Comoveu-se de novo com a fragilidade de seu porte, que contrastava deliciosamente com a energia dos gestos e a avidez do olhar, e sentiu dentro de si, naquele terreno baldio em que pensava que nada voltaria a germinar, uma espécie de borbulhar prazeroso, o anúncio de que não estava totalmente morto por dentro, que ainda podia sentir emoções. Apertou a sombrinha na mão suada e caminhou entre as mesas em direção a ela, decidido a fazer todo o possível para que a tarde terminasse com aquele corpo em seus braços.

— Desculpe, cavalheiro — abordou-o uma jovem que saía do local naquele momento —, poderia me dizer onde comprou estas botas?

Desconcertado, Tom seguiu o olhar da mulher até seus pés, e quase se surpreendeu ao vê-los dentro das exóticas botas do capitão Shackleton. Olhou para a moça, sem saber o que dizer.

— Em Paris — respondeu.

Essa resposta pareceu satisfazer a mulher, que sorriu, concordando com a cabeça, como se aquele calçado não pudesse vir de outro lugar que não do berço da moda. Agradeceu a informação com um sorriso amável e saiu. Tom balançou a cabeça e limpando a garganta como um barítono prestes a entrar em cena terminou de atravessar o salão em direção a Claire que, distraída na janela, ainda não havia notado sua presença.

— Boa tarde, senhorita Haggerty — cumprimentou.

Claire sorriu ao vê-lo.

— Acho que isto é seu — disse, oferecendo-lhe a sombrinha como se fosse um ramo de rosas.

— Ah, obrigada, capitão — respondeu a moça —, mas, sente-se, sente-se.

Tom ocupou a outra cadeira do reservado, enquanto Claire contemplava o lastimável estado da sombrinha com um ligeiro desconcerto. Depois de uma rápida avaliação, deixou-a em um canto da mesa, como se o objeto já tivesse cumprido sua função na trama, e passou a examinar Tom com aquele estranho desejo nos olhos que ele tinha percebido no primeiro encontro, e que o lisonjeara mesmo sabendo que não era dirigido a ele, mas ao personagem que encarnava.

— Quero dizer-lhe, capitão, que seu disfarce está perfeito — reconheceu a moça depois da inspeção. — Parece um vagabundo do East End.

— Ah, obrigado — balbuciou Tom, forçando um sorriso amável para dissipar o desprezo que essas palavras continham.

Por que, afinal, se surpreendia? Aquele comentário apenas confirmava suas suspeitas: só podia desfrutar uma tarde em companhia daquela mocinha arrogante porque ela o via como um intrépido herói do futuro. E era justamente esse mal-entendido que permitiria dar-lhe uma lição, conseguindo dela aquilo que jamais poderia obter em outras circunstâncias. Disfarçou o prazer que essa ideia lhe causava passando um olhar pelo local e aproveitou para tentar identificar algum possível espião de Gilliam entre a ruidosa clientela, mas não encontrou ninguém que lhe parecesse suspeito.

— Todo o cuidado é pouco — enfatizou, virando-se de novo para Claire. — Como eu disse, tenho de evitar chamar a atenção, coisa impossível com minha armadura de combate. Por isso, também peço que não me chame de capitão.

— Combinado — disse a moça, exclamando em seguida, excitada por desfrutar um segredo que só ela conhecia: — Não posso acreditar que você seja o capitão Derek Shackleton!

Assustado, Tom lhe pediu silêncio.

— Ah, desculpe — disse ela, sobressaltada —, é que estou muito nervosa. Ainda não acredito que estou tomando chá com o próprio salvador da...

Felizmente a moça interrompeu a frase quando o garçom chegou. Pediram duas xícaras de chá, biscoitos sortidos e pães doces. Quando o garçom se afastou para providenciar o pedido, os dois se entreolharam em silêncio durante alguns segundos, sorrindo estupidamente. Tom observou as tentativas da moça para se acalmar e recuperar a compostura, enquanto pensava numa maneira de conduzir a conversa para um terreno mais íntimo, que favorecesse seus planos. Havia escolhido aquele salão de chá porque do outro lado da rua havia uma pensão modesta, mas de aparência asseada, que lhe parecia o cenário perfeito para o encontro de seus corpos. Agora a questão era empregar toda a sua capacidade de sedução, se é que a tinha, tentando levá-la para lá, embora não fosse uma empreitada fácil: era evidente que uma dama como Claire, que provavelmente conservava sua virtude intacta, não aceitaria ir para a cama com um desconhecido logo de cara, por mais que estivesse convencida de que ele era o capitão Shackleton.

— Como você chegou aqui? — inquiriu então Claire, alheia às suas reflexões. — Embarcou no *Cronotilus* sem que ninguém o visse?

Tom precisou reprimir uma expressão de contrariedade diante da pergunta: o que menos queria agora, enquanto tentava inventar uma balela consistente que lhe permitisse desfrutar os encantos da moça, era ter de se preocupar em dar coerência à mentira anterior, mas não podia dizer que tinha viajado no tempo apenas para devolver uma sombrinha e pretender que ela aceitasse isso como a coisa mais normal do mundo, como se as pessoas fossem e viessem entre os séculos por motivos banais. Felizmente, a oportuna chegada do garçom com o pedido lhe deu alguns segundos para tecer uma resposta que satisfizesse a mulher.

— O *Cronotilus*? — perguntou, fingindo que desconhecia a existência do bonde temporal. Se o tivesse utilizado para viajar até essa época, não teria outra forma de voltar para o futuro senão aguardando uma nova expedição ao ano 2000, e ainda faltava quase um mês para isso, o que significaria que aquele encontro não teria por que ser o último.

— O veículo a vapor em que viajamos para sua época, atravessando um lugar horrível chamado quarta dimensão — explicou Claire, e em seguida acrescentou, após alguns segundos de reflexão: — Mas se você não veio no *Cronotilus*, como fez? Por acaso existe outra maneira de viajar no tempo?

— É óbvio que existe outra maneira, senhorita Haggerty — afirmou Tom com segurança, imaginando que se a moça engolira a mentira de Gilliam, ou seja, se considerava verdadeiras as viagens temporais, provavelmente também acreditaria em qualquer outra forma de se deslocar no tempo que lhe passasse pela cabeça. — Nossos cientistas inventaram uma máquina para viajar no tempo instantaneamente, sem necessidade da desagradável travessia da quarta dimensão.

— E essa máquina pode viajar para qualquer época? — quis saber a moça, maravilhada.

— Sim, qualquer uma — respondeu Tom, fingindo não dar importância ao fato, como se estivesse farto de viajar através dos séculos e a criação e destruição de civilizações o entediassem imensamente.

Pegou um biscoito e mordeu-o com deleite, dando a entender que, apesar de tudo o que tinha visto, continuava se surpreendendo com os pequenos prazeres da vida, como a confeitaria britânica.

— Você a trouxe? — inquiriu então Claire. — Vai me mostrar?

— Mostrar o quê?

— A máquina na qual viajou para minha época.

Tom quase se engasgou com o biscoito.

— Não, não — esclareceu logo —, isso é impossível, absolutamente impossível.

Ela ensaiou uma expressão de decepção e se entrincheirou cruzando os braços sobre o peito, em uma atitude um tanto infantil que o pegou desprevenido.

— Não posso mostrá-la porque... não é uma coisa que se possa ver — improvisou, tentando se livrar da contrariedade antes que ela se cristalizasse.

— Não se pode ver? — perguntou a moça, desconfiada.

— Quero dizer que não é uma espécie de carruagem alada que se desloca pelo tempo — explicou.

— Então, o que é?

Tom reprimiu um suspiro de desespero. Sim, então o que era? E por que não podia mostrá-la? A moça ficou esperando.

— É um artefato que não viaja fisicamente na corrente temporal, permanece fixa no futuro. De lá, então... abre buracos pelos quais podemos viajar até outras épocas. É como uma máquina perfuratriz, mas que em vez de perfurar a rocha... cava túneis na malha do tempo. Por isso, não posso mostrá-la, por mais que queira.

A moça ficou em silêncio.

— Uma máquina que abre buracos na malha do tempo... — murmurou finalmente, cativada pela ideia. — E você atravessou um desses túneis para aparecer no dia de hoje?

— Isso mesmo — respondeu Tom sem muita convicção.

— E como vai fazer para retornar ao futuro?

— Voltando a me introduzir no mesmo buraco.

— Então quer dizer que em algum lugar de Londres, neste instante, há um túnel para o ano 2000?

Tom tomou um gole de chá antes de responder. Aquela conversa começava a cansá-lo.

— Na cidade chamaria muito a atenção, como deve imaginar — disse com prudência. — O túnel sempre é aberto nos arredores, na colina de Harrow, uma pequena elevação que tem um velho carvalho no topo cercado de lápides. Mas a máquina não pode mantê-lo aberto por muito tempo. Dentro de algumas horas se fechará, e eu tenho de atravessá-lo antes que isso aconteça.

Disse isto fingindo lamentar, na esperança de que a moça, diante da falta de tempo, decidisse dar por finalizado o suplício das perguntas.

— Talvez seja muito atrevimento da minha parte, capitão — ouviu-a dizer depois de alguns segundos de reflexão —, mas poderia me levar para o ano 2000 com você?

— Temo que não, senhorita Haggerty — suspirou Tom.

— Por quê? Prometo que...

— Porque não posso levar pessoas daqui para lá.

— Mas que sentido tem inventar uma máquina do tempo se não se pode utilizá-la para...

— Porque foi inventada com uma finalidade diferente! — interrompeu Tom, contrariado ao ver que ela não esquecia o assunto. Tinha tanto interesse assim nas viagens temporais?

Imediatamente se arrependeu de sua brutalidade, mas já se notava o estrago. A moça o fitou, surpresa com o tom irado que empregara.

— E qual é esse fim, pode-se saber? — contra-atacou, usando a mesma inflexão de voz.

Tom suspirou, reclinou-se na cadeira e observou a moça lutando para dominar sua crescente irritação. Não tinha sentido continuar com aquilo. Tal como a conversa estava se desenrolando, não conseguiria arrastá-la para a pensão, e ainda teria sorte se ela não acabasse largando-o na hora, farta de suas respostas vagas. O que esperava? Ele não era Gilliam Murray. Era apenas um pobre-diabo sem imaginação. A fantasia de viajante do tempo era grande demais. Era melhor se render, esquecer tudo, despedir-se dela educadamente enquanto ainda havia tempo e continuar sua miserável vida de vagabundo, caso os capangas de Murray não tivessem uma ideia melhor.

— Senhorita Haggerty — começou, decidido a concluir o encontro de forma cortês, alegando um pretexto qualquer, quando ela pôs a mão sobre a sua.

Surpreendido pelo gesto, Tom esqueceu o que ia dizer. Contemplou aquela fina mão docilmente apoiada na sua, ambas abandonadas entre as xícaras de chá, como se formassem uma escultura cujo significado não conseguia captar. Ao levantar a vista, encontrou-se com um olhar de extrema doçura.

— Sinto muito por incomodá-lo com perguntas que provavelmente não esteja autorizado a responder, capitão — desculpou-se a moça, inclinando-se adoravelmente sobre a mesa. — Foi uma forma muito descortês de agradecer por ter recuperado minha sombrinha. De qualquer maneira, não precisa me dizer com que objetivo a máquina foi fabricada. Eu já sei.

— Sabe? — perguntou Tom, incrédulo.

— Sim — afirmou, com um sorriso encantadoramente presunçoso.

— E poderia me dizer que objetivo é esse?

Claire olhou para um lado e para o outro e respondeu, baixando a voz:

— Matar o senhor Ferguson.

Tom elevou as sobrancelhas. O senhor Ferguson? Quem diabos era o senhor Ferguson? E por que teriam de matá-lo?

— Não disfarce, capitão — Claire riu. — Dou minha palavra de que não é necessário. Não comigo.

Tom se uniu de bom grado à risada da moça, aproveitando para liberar a tensão do interrogatório com algumas gargalhadas. Não tinha nem ideia de quem era o tal Ferguson, mas intuía que sua melhor estratégia era fingir que estava cansado de saber, que conhecia até o número de sapato que ele calçava ou a loção de barbear que usava. E rezar para que ela não perguntasse nada sobre ele.

— Não consigo esconder nada de você, senhorita Haggerty — elogiou-a. — Você é muito inteligente.

Claire esboçou uma expressão de contentamento.

— Obrigada, capitão. Mas não é difícil deduzir que seus cientistas fabricaram a máquina com o objetivo de viajar especificamente para esta época e matar o inventor dos autômatos antes que ele os criasse, evitando assim tudo o que veio depois, a destruição de Londres e a morte de tantas pessoas.

Viajar ao passado para mudá-lo? Tom se perguntou se seria possível.

— Isso mesmo, Claire. Fui escolhido para matar Ferguson e impedir a destruição do mundo.

A moça refletiu por mais alguns segundos, antes de acrescentar:

— Mas não conseguiu, já que ambos vimos a guerra do futuro com os próprios olhos.

— Acertou de novo, Claire — reconheceu Tom, aproveitando para tratá-la de forma mais íntima.

— Sua missão foi um fracasso — disse ela como falasse para si mesma, com certo pesar. Em seguida, olhou-o fixamente e murmurou: — Mas por quê? Por acaso os buracos não permaneciam abertos por tempo suficiente?

Tom abriu os braços, fingindo-se maravilhado com a inteligência da moça.

— Isso mesmo — admitiu, acrescentando, em um lampejo de inspiração: — Fiz várias viagens de experiência para localizar Ferguson, mas não consegui. Tinha pouco tempo. Por isso, talvez você me veja no futuro andando pela rua, mas não deve me abordar porque eu ainda não a terei conhecido.

Ela piscou, tentando captar suas palavras.

— Entendo — disse finalmente. — Essas viagens foram anteriores a esta, embora aqui parecesse que foram dias depois.

— Exatamente — confirmou ele, e, encorajado ao ver que aquele delírio parecia ser consistente para ela, acrescentou: — Embora de seu ponto de vista esta pareça ser a primeira viagem que realizei, isso não é verdade. Antes dela, fiz pelo menos meia dúzia de incursões à sua época. Além disso, o mais provável é que esta viagem, que lhe parece a primeira, seja a última para mim, pois atualmente o uso da máquina está proibido.

— Proibido? — perguntou Claire, cada vez mais fascinada.

Tom bebeu um gole de chá para limpar a garganta e, estimulado pelo entusiasmo que suas palavras produziam na moça, continuou:

— Sim, Claire. A máquina foi fabricada em meio à guerra, mas quando se revelou inoperante os inventores não hesitaram em prescindir dela. Esqueceram a ideia utópica de impedir a guerra antes que eclodisse e concentraram seus esforços em tentar vencê-la, inventando armas que pudessem partir a blindagem dos autômatos. — A moça assentiu, provavelmente recordando as impressionantes armas dos soldados. — Então a máquina foi deixada de lado como um traste inútil, mas ficou sob vigilância para que ninguém pudesse viajar ao passado sem autorização para mudá-lo a seu bel-prazer. Apesar de tudo, consegui usá-la em segredo, mas só pude abrir um buraco de dez horas e faltam apenas três para que ele se feche. Esse é o tempo que tenho, Claire. Depois, preciso voltar para minha época. Se eu permanecesse aqui, eles viriam me buscar para me executar por viajar no tempo sem autorização, mesmo sendo um herói. Portanto, dentro de três horas... irei embora para sempre.

Terminou esse discurso apertando a mão de Claire com extrema ternura, ao mesmo tempo que se felicitava pela explicação. Para seu próprio espanto, não apenas tinha resolvido o problema de um futuro encontro com ela, como dera um jeito de informá-la de que só tinham três horas para ficarem juntos antes de se separarem para sempre. Três horas apenas. Três.

— Arriscou sua vida para me trazer a sombrinha — disse ela lentamente, recapitulando, como se de repente compreendesse o verdadeiro risco que Tom correra.

— Bem, a sombrinha era só uma desculpa — respondeu ele, debruçando-se sobre a mesa e olhando-a apaixonadamente nos olhos.

Tinha chegado a hora, pensou. Era agora ou nunca.

— Arrisquei minha vida para vê-la novamente porque a amo, Claire — mentiu no tom mais terno de que foi capaz.

Já estava dito. Agora ela teria de responder o mesmo. Teria de reconhecer que também o amava, ou seja, que amava o bravo capitão Shackleton.

— Como é possível que me ame se nem sequer me conhece? — A moça riu sedutoramente.

Não era essa a reação que Tom esperava. Disfarçou o desapontamento tomando um gole de chá. Será que ela não percebia que não havia tempo para mais nada além de se entregarem um ao outro? Só restavam três malditas horas! Por acaso não deixara isso bem claro? Pousou a xícara no pires e deu uma olhada na rua, em direção à pensão que estava do outro lado, com suas ansiadas camas de lençóis limpos, cada vez mais inalcançável. A moça tinha razão, realmente não a conhecia, e ela tampouco o conhecia. E enquanto fossem desconhecidos um para o outro, não haveria possibilidade de acabarem em nenhuma cama. Havia entrado em uma batalha perdida. Mas, pensou de repente, e se já se conhecessem? Por acaso ele não vinha do futuro? O que o impedia de dizer que, de seu ponto de vista, eles já se conheciam? Entre aquele encontro e o encontro no ano 2000 podia ter acontecido qualquer coisa que inventasse, porque ela não poderia contestar, pensou, julgando ter encontrado a estratégia perfeita para levá-la como um cordeirinho até a pensão.

— Está enganada, Claire. Eu a conheço muito melhor do que imagina — disse, num tom confessional, embalando as mãos dela entre as suas como se fossem um pardal ferido. — Sei como você é, com o que sonha, o que quer, como vê o mundo. Sei tudo sobre você e você sabe tudo sobre mim. E a amo, Claire. Eu me apaixonei por você em um tempo que ainda não aconteceu.

Ela o encarou atônita.

— Mas, se não vamos voltar a ver-nos — refletiu —, como nos conheceremos? Como vai se apaixonar por mim?

Com um ataque de suor, Tom viu que tinha caído na própria armadilha. Reprimiu uma maldição e olhou para a rua, tentando ganhar tempo. O que responder agora? As carruagens iam e vinham, alheias a seu mal-estar, abrindo passagem entre as carroças dos vendedores. Distinguiu então uma caixa de correio na esquina, firme e vermelha, com as iniciais da rainha Vitória na frente.

— Eu me apaixonei por você devido às suas cartas — soltou de repente.

— Minhas cartas? Do que está falando? — exclamou a moça, estupefata.

— Das cartas de amor que trocamos todos esses anos.

A jovem olhou-o espantada. E Tom percebeu que o que ia dizer devia ser verossímil, pois disso dependeria que ela se rendesse para sempre ou o esbofeteasse irada. Fechou os olhos e sorriu levemente, fingindo que evocava alguma lembrança enquanto tentava pensar.

— Aconteceu na minha primeira viagem exploratória à sua época — disse finalmente. — Apareci na colina que mencionei antes e andei até Londres. Confirmei que a máquina era absolutamente confiável quando abri o buraco na data escolhida: tinha viajado do ano 2000 para o dia 8 de novembro de 1896.

— 8 de novembro?

— Sim, Claire, 8 de novembro, ou seja, depois de amanhã — confirmou Tom. Foi a minha primeira incursão a seu século. Mas não tive tempo para nada, pois precisava voltar antes que o buraco se fechasse. Por isso voltei à colina o mais rápido que pude, e estava prestes a atravessar o túnel que me devolveria ao ano 2000 quando notei uma coisa que não tinha percebido antes.

— O quê? — perguntou ela, sinceramente intrigada.

— Ao lado do túmulo de um tal John Peachey, embaixo de uma pedra, havia uma carta. Peguei-a e vi com espanto que era dirigida a mim. Guardei-a num bolso do disfarce e, uma vez no ano 2000, abri-a. A carta era de uma desconhecida, de uma dama do século XIX. — Tom fez uma pausa de efeito, antes de acrescentar: — Chamava-se Claire Haggerty. E dizia que me amava.

A moça deu um suspiro rouco, como se começasse a sentir falta de ar. Com um sorriso afetuoso, Tom viu-a engolir em seco, tentando digerir o que estava ouvindo, tentando assimilar o que aquela situação havia provocado nela, ou, mais exatamente, iria provocar no futuro. Se ele a amava agora era porque ela o tinha amado antes. Claire fixou os olhos na xícara, como se nas folhas de chá pudesse vê-lo, no ano 2000, lendo, confuso, a carta em que uma desconhecida de outro século, uma mulher que já tinha morrido, dizia que o amava muito. Uma carta que ela havia escrito. Sem lhe dar um segundo de pausa, Tom prosseguiu, como um lenhador que, ao perceber que a árvore que está atacando há horas finalmente começa a balançar, intensifica as machadadas, apesar do cansaço.

— Em sua carta você dizia que iríamos nos conhecer no futuro, ou, mais exatamente, que eu a conheceria no futuro, porque você já me conhecia — disse. — Também pedia que eu lhe respondesse, que precisava saber de mim. Mesmo estranhando tudo aquilo, escrevi uma carta em resposta à sua, e na minha viagem seguinte ao século XIX, que aconteceu dois dias depois, deixei-a ao lado do mesmo túmulo. Na terceira viagem encontrei sua resposta, e assim iniciamos uma correspondência através do tempo.

— Meu Deus! — balbuciou a moça.

— Não sabia quem você era — continuou Tom, sem querer lhe dar a menor trégua —, mas me apaixonei por você, pela mulher que escrevia aquelas cartas. Imaginava seu rosto quando fechava os olhos. Era seu nome que eu murmurava à noite, entre os escombros de meu mundo devastado.

Claire se remexeu na cadeira, com falta de ar, e soltou outro suspiro, áspero, prolongado.

— Quantas cartas nos escrevemos? — conseguiu perguntar.

— Sete — disse Tom, por achar que seria um bom número, nem muitas, nem poucas. — Não tivemos tempo para trocar mais cartas antes que proibissem a máquina, mas garanto que foram suficientes, meu amor.

Ao ouvir o capitão dirigir-se a ela dessa maneira, Claire soltou outro suspiro profundo.

— Em sua última carta você me dizia o dia em que finalmente nos encontraríamos: 20 de maio do ano 2000, o dia em que eu venceria Salomão, terminando a guerra. Nesse dia segui suas instruções e, depois de derrotar o autômato, procurei um lugar tranquilo entre os escombros. Então a vi aparecer. E, como já tinha me escrito, você deixou cair a sombrinha que eu deveria devolver hoje, usando a máquina. Uma vez em sua época, eu teria de ir ao mercado de Covent Garden, onde devíamos nos encontrar, e em seguida deveria convidá-la para tomar um chá e lhe contar tudo isso. — Tom fez uma pausa, antes de acrescentar com uma voz sonhadora: — Agora entendo por quê: para que esse futuro se realize. Entende isso, Claire? Você me escreverá essas cartas no futuro porque estou lhe dizendo agora que me escreverá.

— Meu Deus! — repetiu a moça, quase sem fôlego.

— Mas há algo mais que precisa saber — anunciou Tom, decidido a dar o golpe de misericórdia na árvore. — Numa de suas cartas você falava de como nos amamos esta tarde.

— O quê? — conseguiu balbuciar a moça, com um fio de voz.

— Sim, Claire, esta tarde nos amaremos naquela pensão ali em frente, e segundo suas palavras, será a lembrança mais bonita de sua vida.

Claire olhou-o, incrédula, com o rosto em brasa.

— Entendo que isso a surpreenda, imagine então a mim. Li com enorme espanto a carta em que me contava como tínhamos nos amado, pois era uma coisa que de seu ponto de vista já tínhamos feito, mas que para mim ainda não tinha acontecido. — Fez uma pausa e sorriu com doçura: — Vim do futuro para cumprir meu destino, ou seja, para amá-la, Claire.

— Mas, eu… — tentou protestar.

— Ainda não entendeu? Temos de fazer amor, Claire — disse Tom —, porque na verdade já fizemos.

Era a última machadada. E, como o carvalho, Claire balançou na cadeira e desabou no chão.

XXVII

Se quisesse chamar a atenção, não teria encontrado melhor forma, pensou Tom. O súbito desmaio de Claire e o barulho do bule e das xícaras explodindo no chão depois de arrastados com a toalha tinham interrompido bruscamente todas as conversas que contaminavam o ar, instaurando um silêncio nítido e sobressaltado. Do fundo do salão, para onde fora deslocado pela agitação que se seguiu, Tom observava agora o revoar das senhoras em volta da moça. Como uma equipe de salvamento que tivesse ensaiado aquela operação durante anos, tinham-na deitado num divã com os pés para o alto, em cima de uma pilha de almofadas, afrouxaram seu espartilho — esse pérfido objeto, unanimemente acusado de ser o responsável pelo desmaio, por impedir a moça de aspirar a quantidade de ar que as conversas sentimentais exigem — e trouxeram sal para reanimá-la. Tom a viu retornar à vida com estertor. As cozinheiras e clientes que se envolveram na operação haviam erguido uma espécie de biombo matriarcal em torno da moça para evitar que os cavalheiros da sala pudessem ver mais pele que o recomendável. Após vários minutos, Claire emergiu zonza do muro de carne, pálida como um fantasma, e arrastou um olhar aturdido pela sala. Tom acenou lá do fundo, levantando desajeitadamente a sombrinha. Depois de alguns segundos de dúvida, a moça avançou em sua direção, abrindo caminho entre os curiosos que se aglomeravam a seu redor. Pelo menos parecia tê-lo identificado como a pessoa com quem estivera tomando chá antes de perder a consciência.

— Está melhor, senhorita Haggerty? — perguntou-lhe quando ela conseguiu chegar até onde estava, achando oportuno esquecer a intimidade que tanto lhe custara conquistar. — Talvez seja bom sair para tomar um pouco de ar...

A moça concordou com a cabeça e se apoiou no braço que Tom lhe ofereceu com a docilidade de um falcão na manopla do dono, como se sair à rua para respirar, e com isso livrar-se de tantos olhares curiosos, fosse a melhor ideia de sua vida. Tom levou-a para fora do salão, pedindo desculpas pelo transtorno que causara com um gaguejar ininteligível. Uma vez do lado de fora, pararam na calçada sem conseguir tirar os olhos da pensão que, como uma ameaça, estava bem ali na frente. Claire, a quem o ar fresco da rua devolvera um pouco de cor ao rosto, examinou com um misto de inquietude e resignação o lugar em que estava escrito que naquela tarde iria se entregar ao bravo capitão Shackleton, o salvador da humanidade, um homem que ainda não havia nascido e que, no entanto, como por artes de mágica, estava a seu lado naquele momento, evitando olhar para ela.

— E se eu não fizer isso, capitão? — perguntou de repente. — E se não subir lá com você?

Para ser justo, devo dizer que a pergunta surpreendeu Tom, pois a essa altura, depois do desastroso final do encontro na confeitaria, não tinha a menor esperança de que seus enviesados planos tivessem alguma chance de se concretizar. No entanto, apesar do espalhafatoso desmaio, a moça não tinha esquecido nada do que ele contara, e era evidente que continuava acreditando em sua mentira. Com letras maltraçadas, Tom tinha improvisado um oportuno romance na página em branco do tempo vindouro, um idílio que justificasse o que ia acontecer e que animasse a moça a se entregar a ele sem medo nem reservas, pois para ela esse era o único futuro que existia. Um resquício de remorsos passou por sua cabeça como um relâmpago, obrigando-o a considerar a possibilidade de liberá-la do que estava para acontecer, e que a moça parecia disposta a encarar como uma penitência. Poderia dizer a ela que o futuro não estava escrito em pedra, que era possível fazer escolhas. Mas tinha investido muita saliva naquela empreitada para agora recusar a presa que, ao que tudo indicava, tinha abatido. Lembrou-se de uma frase que Gilliam Murray costumava dizer, e a repetiu sem escrúpulos, num pertinente tom fatalista:

— Não sei que consequências isso teria na malha do tempo.

Claire olhou-o com certo alarme, enquanto ele dava de ombros, eximindo-se de qualquer responsabilidade. Afinal, não podia culpá-lo de nada: só estava ali porque ela mesma havia ordenado em suas cartas. Tinha atravessado o tempo para fazer uma coisa que Claire já contara que fizeram, e com todos os detalhes. Viajara através dos anos para pôr em movimento a maquinaria de seu romance, para desencadear o que já tinha acontecido, mas ainda não existia. A moça também pareceu chegar à mesma conclusão. Afinal, que outra coisa poderia fazer: ir embora e prosseguir sua vida, casar-se com algum de seus admiradores? Tinha diante de si a possibilidade de viver o que desejava desde que nasceu: um amor maior que a vida, um amor através do tempo. Perdê-la era como se houvesse mentido durante toda a sua existência.

— A melhor lembrança de toda a minha vida — sorriu. — Escrevi mesmo isso?

— Sim — respondeu Tom sem hesitar. — Foi exatamente isso o que você escreveu, Claire.

A moça olhou para ele, indecisa. Não podia ir para a cama sem mais nem menos com um desconhecido. Mas se tratava de um caso excepcional: precisava se entregar a ele, para que o universo não sofresse as consequências. Precisava se sacrificar para preservar o mundo. Mas era realmente um sacrifício? Será que não o amava? Será que não era amor o turbilhão de emoções que inundava sua alma toda vez que olhava para ele? Sim, só podia ser. Aquela sensação que a iluminava por dentro e fazia seus joelhos tremerem só podia ser amor, pois, caso contrário, o que mais poderia ser? O capitão Shackleton afirmava que eles se amariam nesta tarde e depois ela lhe escreveria lindas cartas; por que resistir a dar esse passo, se afinal era o que ela ansiava por fazer? Deveria negar-se pela simples razão de que já o tinha feito, de que estava caminhando sobre os rastros de outra Claire, que, ao fim e ao cabo, era ela mesma? Deveria negar-se por sentir que não se tratava de um desejo sincero, pelo sabor incômodo de imposição que impregnava um gesto que deveria ser espontâneo? Por mais que refletisse, não encontrava um motivo real para resistir ao que desejava fazer com toda a alma. Nem Lucy nem qualquer de suas amigas aprovaria que ela fosse para a cama com um desconhecido. Mas foi isso, exatamente, o que acabou por convencê-la. Sim, dormiria com ele, e passaria o restante da vida sentindo falta dele, escrevendo-lhe longas e belas cartas, nas quais derramaria seu perfume e suas lágrimas. Sabia que era suficientemente forte e perseverante para manter aceso um amor, mesmo sem voltar a ver a pessoa que o desencadeou. Ao que tudo indicava, esse era seu destino. E era um destino extraordinário, irresistivelmente trágico, muito mais interessante que o casamento monótono que poderia ter com algum de seus insossos pretendentes. Seus lábios fizeram um trejeito decidido.

— Espero não ter exagerado só para não ferir seu orgulho, capitão — brincou.

— Acho que só há uma maneira de descobrir — respondeu Tom, devolvendo-lhe o sorriso.

O semblante risonho com que a moça decidira encarar a situação deu um tremendo alívio a Tom; agora já não seria tão doloroso aproveitar-se dela. Iria desfrutar seu corpo usando uma artimanha baixa, sim, e depois desapareceria de sua vida para sempre, e esse comportamento desonesto, embora ainda achasse que aquela mocinha arrogante não merecia outra coisa, provocava-lhe um inesperado mal-estar, um desassossego revelador de que ele ainda não tinha se desfeito de todos os escrúpulos. No entanto, agora já não se sentia tão culpado, pois a moça também parecia decidida a descobrir um indubitável prazer em entregar-se ao capitão Shackleton, o bravo herói que sussurrava seu nome em meio aos escombros do futuro.

O interior da pensão parecia muito limpo e até acolhedor, em comparação com as hospedarias nas quais Tom costumava pernoitar. Talvez para a moça parecesse um lugar insosso, indigno de sua classe, mas pelo menos não tinha desculpa para fugir espantada. Enquanto pedia o quarto, Tom observou-a de soslaio examinando despreocupadamente os quadros que decoravam o modesto vestíbulo, e lhe pareceu adorável o esforço da moça em aparentar um ar mundano, como se dormir com homens do futuro nas pensões de Londres fosse sua maneira habitual de passar as tardes. Resolvida a questão do quarto, subiram a escada que conduzia ao andar de cima e se aventuraram pelo estreito corredor. E ao vê-la andando à sua frente com um ar arrojado e submisso ao mesmo tempo, Tom afinal tomou consciência do que ia acontecer. Não havia mais retorno: ia fazer amor com aquela moça, ia ter seu corpo desnudo nos braços, entregue e talvez ardente. Uma labareda de luxúria envolveu-o dos pés à cabeça, estremecendo-o. Tentou controlar suas ânsias quando pararam em frente à porta do quarto. A jovem de repente ficou tensa.

— Sei que vai ser bonito — disse repentinamente, entrecerrando os olhos, como se precisasse tomar coragem.

— Sim, Claire — confirmou Tom, tentando disfarçar sua impaciência para despi-la. — Você mesma me contou isso.

A moça assentiu com um suspiro resignado. Sem mais delongas, Tom abriu a porta do quarto, convidou-a a entrar com uma educada inclinação de cabeça e fechou a porta atrás de si. Quando desapareceram, o corredor estreito ficou deserto outra vez. Pela janela dos fundos, cujos vidros imundos pediam uma boa limpeza, filtrava-se a luz da tarde, que começava a cair. Era um resplendor moribundo que tinha certa tonalidade acobreada, uma luminosidade suave e delicada, e mesmo um tanto angustiante, que transformava os pontinhos de poeira que flutuavam no ar em insetos de cristal. Ou, quem sabe, seja mais apropriado compará-los com uma chuva de pólen, não acham?, devido ao levitar característico, tão lento e arbitrário, dos mencionados pontinhos, numa hipnótica coreografia no ar sem destino claro. De algumas portas fechadas brotavam os sons inconfundíveis da batalha amorosa: gemidos roucos, gritos abafados, e até alguma palmada entusiasta, o açoite de uma mão aberta sobre uma nádega lânguida, sons que, aliados aos rangidos rítmicos que as armações das camas faziam, anunciavam que o amor que acontecia ali não era de natureza conjugal. Misturado com os ruídos que denunciavam as façanhas eróticas de alguns clientes, chegavam também outros sons, menos concupiscentes, como retalhos de discussões ou o choro de uma criança, que ajudavam a completar a desconexa sinfonia do mundo. O corredor, de uns trinta metros, era decorado com alguns quadros de paisagens brumosas e várias lâmpadas a óleo presas na parede, que o dono, o senhor Pickard — acho descortês não apresentá-lo, embora ele não volte a aparecer neste relato —, se preparava para acender naquele preciso instante, fiel a seu costume, para não deixar o corredor nas trevas, o que propiciaria todo tipo de tropeções na posterior retirada de seus hóspedes.

Eram dele os passos que se ouviam agora na escada. Cada noite subia os degraus com mais dificuldade, pois os anos não passam em vão, e ultimamente costumava concluir a escalada com um comedido suspiro de vitória. O senhor Pickard tirou a caixa de fósforos do bolso da calça e começou a acender a meia dúzia de lâmpadas espalhadas ao longo do corredor. Agia parcimoniosamente, introduzindo o fósforo debaixo da tulipa com a habilidade do espadachim que ensaia uma estocada, até acender o pavio ensopado de óleo. O tempo havia transformado aquele ato em uma espécie de cerimônia mecânica que ele costumava realizar com uma expressão ausente. Nenhum hóspede poderia dizer em que pensava o senhor Pickard durante o ritual diário de acender as lâmpadas, mas eu não sou um hóspede, e o interior de sua cabeça, como o das outras pessoas que povoam esta história, não me está vedado. O senhor Pickard pensava em sua pequena neta Wendy, que tinha morrido de escarlatina havia mais de dez anos: era impossível não comparar o gesto de acender aquelas luzes com aquilo que o Criador fazia com suas criaturas, acendendo-as e apagando-as à vontade, sem que fosse possível entender seus propósitos, pouco lhe importando deixar na escuridão todos os que o rodeavam. Depois de acender a última lâmpada, o senhor Pickard deu meia-volta e começou a descer as escadas de volta, saindo desta história com a mesma discrição com que entrou.

Depois de sua partida, o corredor voltou a ficar deserto, embora excelentemente iluminado. Talvez vocês fiquem impacientes se eu for descrever isso outra vez, mas desconfio que é o que farei, pois não tenho a menor intenção de passar pela porta do quarto em que estão Tom e Claire com a indecorosa intenção de invadir sua intimidade. Deleitem-se com as trêmulas sombras que as lâmpadas projetam nas flores-de-lis da parede, e brinquem de imaginar coelhos, ursos ou cachorrinhos nas formas de seus contornos enquanto a tarde se torna noite, enquanto, alheios às penas dos homens, os minutos se acumulam, transformando-se inexoravelmente em horas, como uma bola de neve que rola pela ladeira.

Não vou perguntar o número de bichinhos que vocês conseguiram identificar até o momento em que a porta do quarto finalmente se abre e Tom emerge do interior. Com um sorriso satisfeito nos lábios, meteu a camisa para dentro das calças e colocou a boina. Havia alegado que precisava ir embora antes que o buraco se fechasse, afastando-se suavemente dos braços de Claire, que o tinha beijado com a solenidade de quem tem consciência de que está beijando pela última vez o homem que ama, e, com esse beijo ainda pesando nos lábios, Tom Blunt começou a descer a escada perguntando-se como podia se sentir ao mesmo tempo o homem mais feliz do mundo e o ser mais desprezível do universo.

XXVIII

Haviam passado dois dias desde o encontro e, para sua surpresa, Tom ainda continuava vivo. Ninguém lhe dera um tiro na cabeça enquanto se levantava assustado da cama, ninguém o seguira pela rua à espera de algum tumulto para enfiar uma adaga faminta em suas costelas, ninguém tentara atropelá-lo com uma carruagem ou empurrá-lo nos trilhos durante a passagem de um trem. De tão angustiante calma Tom só podia deduzir que, ou pretendiam torturá-lo com aquela exasperante demora antes de dar cabo dele, ou ninguém tinha intenção de fazê-lo pagar pelo que tinha feito. Mais de uma vez, sem suportar a tensão, esteve a ponto de terminar ele mesmo com tudo, degolando-se com algum objeto afiado ou jogando-se de uma ponte no Tâmisa, seguindo a tradição familiar. Qualquer uma dessas estratégias de fuga parecia boa se lhe permitisse fugir daquela inquietação que se infiltrava à noite em seus sonhos, transformando-os em pesadelos nos quais Salomão percorria as ruas londrinas com seu andar de inseto, abrindo caminho entre a multidão que lotava as calçadas com seus casacos e chapéus, e escalava com muita dificuldade as escadas da pensão, rumo a seu quarto. Tom acordava quando o autômato derrubava a porta e, durante alguns minutos de confusão, acreditava que era realmente o bravo capitão Shackleton, que havia fugido do ano 2000 para se esconder em 1896. Ele não podia fazer nada para afugentar aqueles sonhos. Mas se ao longo da noite estava à mercê de seus medos, durante o dia conseguia vencê-los. Mantendo a cabeça fria, conseguira se tranquilizar e até se preparar para aceitar seu destino com uma calma resignada. Não tiraria a vida com as próprias mãos. Era muito mais digno morrer encarando os carrascos, fossem eles de carne e osso, fossem de ferro forjado.

Convencido de que morreria logo, não julgou necessário ir procurar trabalho no cais, já que podia morrer do mesmo jeito com os bolsos vazios. Limitava-se a preencher o dia passeando por Londres, indo de um lado para outro, sem rumo fixo, como uma folha arrastada pelo vento. De vez em quando, deitava-se na grama de um parque que aparecia no caminho, como um vagabundo ou um bêbado, e relembrava os detalhes do encontro com a moça, suas carícias ardentes, seus beijos embriagadores, sua entrega sincera e apaixonada. Então, voltava a dizer para si mesmo que tinha valido a pena, e que não pretendia resistir a quem viesse lhe arrancar a vida, cobrar-lhe aquele momento de felicidade, porque uma parte de si mesmo não podia deixar de considerar aquela bala que não chegava nunca como o justo castigo por seu comportamento mesquinho.

No terceiro dia seus passos o levaram à colina de Harrow, à qual costumava ir em busca de calma. Não imaginou lugar mais adequado que aquele para esperar os carrascos, enquanto tentava dar coerência à trama desconexa de episódios que compunha sua vida, dar um sentido a ela — ainda que fosse para iludir-se. Sentou-se à sombra do carvalho e aspirou uma lufada profunda de ar enquanto contemplava a cidade com um olhar desapaixonado. Vista do alto da colina, a capital do Império sempre lhe parecia muito decepcionante, uma barcaça sinistra, coroada por um arvoredo de campanários afiados e chaminés ainda fumegantes de fábricas. Expirou com lentidão, tentando não pensar na fome que sentia. Esperava que o matassem naquele dia, para que não precisasse roubar algo de comer antes que a noite caísse a fim de acalmar as queixas do estômago. Perguntou-se pela enésima vez onde estariam os capangas de Murray. Estivessem onde estivessem, de sua atalaia os veria chegar. E lhes daria boas-vindas com seu melhor sorriso, abrindo a camisa e apontando com o dedo para o coração e deixando tudo o mais fácil possível. "Vão em frente, matem-me", diria, "podem agir sem medo, pois depois não vou matar vocês. Não sou nenhum herói. Sou apenas Tom, o pobre e desprezível Tom Blunt. Depois podem me enterrar aqui mesmo, ao lado de meu amigo John Peachey, outro pobre-diabo como eu."

Foi então que ao olhar para a lápide seus olhos repararam na carta que estava ao lado, debaixo de uma pedra. Durante alguns segundos achou que sua imaginação lhe estava pregando uma peça. Pegou-a com curiosidade e verificou, com a estranha sensação de estar reproduzindo um sonho, que a carta era dirigida ao capitão Derek Shackleton. Segurou-a por alguns segundos, sem saber o que fazer, mas evidentemente só podia fazer uma coisa. Sentiu-se sujo ao abri-la, como se estivesse lendo a correspondência de outra pessoa. Ao desdobrar a folha, deu com a letra miúda e elegante de Claire Haggerty. Começou a ler devagar, tentando recordar o que significava cada letra, declamando-a em voz alta, como se quisesse revelar aos esquilos os pesares dos homens. A carta dizia o seguinte:

Claire Haggerty para o capitão Derek Shackleton

Meu querido Derek:

Tive de começar esta carta pelo menos uma dezena de vezes até perceber que havia apenas uma forma de começá-la: esquecer o preâmbulo das explicações e iniciar dizendo diretamente o que dita meu coração: eu o amo, Derek. Como nunca amei ninguém. Amo-o agora e vou amá-lo para sempre. E meu amor por você é a única coisa que me dá coragem agora.

Posso imaginar sua cara de surpresa ao ler estas palavras de uma desconhecida, porque garanto que você me é muito familiar. E é verdade, meu amor, eu o amo. Ou melhor, nós nos amamos, mesmo que isso lhe pareça ainda mais estranho, pois nem sequer sabe quem eu sou, e você também me ama, ou me amará em questão de horas, talvez de apenas poucos minutos. Por mais que resista, por mais que tudo isso o espante, você vai me amar. Simplesmente não há alternativa. Vai me amar porque já me ama.

Tomo a liberdade de dirigir-me a você tão afetuosamente por tudo o que compartilhamos, porque você precisa saber que minha pele ainda conserva o calor de seus dedos, que meus lábios têm seu gosto, que ainda o sinto dentro de mim. E, apesar de meus temores iniciais, apesar de minhas reservas de menina idiota, agora estou tomada pelo amor que você profetizou, ou talvez se trate de um amor ainda maior, um amor tão grande, que nada poderá destruir.

Balance a cabeça quanto quiser tentando entender estas palavras delirantes, mas a explicação é muito simples. Tudo se reduz ao seguinte: o que ainda não existiu para você já aconteceu para mim. Essa é uma das curiosas situações provocadas pelas viagens no tempo, o ir e vir através dos anos. Você sabe disso, não é? Se não estou enganada, acaba de encontrar esta carta junto a um enorme carvalho ao emergir de um buraco no tempo, por isso, não será muito difícil para você dar credibilidade a tudo o que estou dizendo. Sim, sei onde aparecerá e o que veio fazer em minha época, e o fato de que saiba tudo isso só pode significar uma coisa: que estou dizendo a verdade, que não sou nenhuma farsante. Confie em mim, então, sem reservas. E confie em mim principalmente quando lhe digo que nós nos amamos. Comece a me amar já e responda a esta carta com o mes-

mo sentimento, por favor. Escreva-me, e em sua próxima viagem deixe sua carta ao lado do túmulo de John Peachey: essa será nossa forma de comunicar-nos a partir de agora, meu amor, porque ainda trocaremos mais seis cartas. Você arqueou as sobrancelhas? Não o culpo, mas só estou repetindo o que você mesmo me disse ontem. Faça isso sem reservas, escreva para mim, amor, escreva, pois suas cartas são a única coisa que tenho de você.

A má notícia é que não nos veremos mais, Derek, e por isso preciso me alimentar de suas cartas. Vou dizer sem muitos rodeios: o amor que teremos surge de um único encontro, pois só vamos nos ver uma vez. Bem, na verdade duas, mas a primeira vez — ou a última, se seguirmos a cronologia que o nosso amor vai percorrer — não passará de alguns minutos. O segundo encontro, que vai acontecer na minha época, será mais longo e importante, porque nesse encontro se acenderá o fogo no qual nossas almas vão arder para sempre, um fogo que estas cartas precisam manter vivo para mim e acender para você. Mas se considerarmos a cronologia, nunca mais o verei. Você, por seu lado, ainda precisa me conhecer, apesar de termos nos amado há poucas horas. Agora entendo a excitação que o dominava durante nosso encontro de ontem, no salão de chá: fui eu mesma que a provoquei com estas palavras.

Vamos nos conhecer exatamente no dia 20 de maio do ano 2000, mas os detalhes desse primeiro encontro só serão revelados a você em uma de minhas últimas cartas. Esse encontro será o começo de tudo, se bem que, no momento em que penso isso, percebo que tampouco é verdade, pois você já me conhecerá por minhas cartas. Onde começa nossa história de amor, então? Começa aqui, com esta carta? Não, este também não é o princípio. Estamos presos em um círculo, Derek, e quem pode dizer onde começa um círculo? Só podemos prosseguir até completá-lo, como faço agora tentando não deixar meu pulso tremer. Essa é a minha parte, a única coisa que preciso fazer, porque já sei o que você fez: sei que vai responder a esta carta, sei que se apaixonará por mim, sei que me encontrará quando chegar o momento. Só os detalhes me surpreenderão.

Imagino que só posso terminar esta carta dizendo-lhe como sou, como penso e como vejo o mundo, já que em nosso encontro no salão de chá, quando lhe perguntei como era possível que me amasse se não me conhecia, você disse que me conhecia mais do que eu podia imaginar. E me conhecia, obviamente, por minhas cartas, de maneira que comecemos de uma vez: nasci em 14 de março de 1875, em West End, Londres. Sou magra, de estatura média, tenho olhos azuis e meu cabelo, que costumo usar solto sobre os ombros, ao contrário da maioria, é preto. Desculpe-me de ser tão direta nessa parte, mas descrever-me fisicamente é para mim como um indecoroso exercício de vaidade. Além disso, prefiro que conheça o interior de minha alma. Tenho duas irmãs, Rebecca e Evelyn, mais velhas que eu. As duas são casadas e moram em Chelsea, e é compa-

rando-me com elas que melhor posso explicar como sou. Sempre me senti diferente. Ao contrário delas, nunca pude me adaptar à época que me coube viver. Meu tempo me aborrece imensamente, Derek. Como explicar isso? Sinto-me como se estivesse assistindo a uma comédia a que todos assistem com risadas enquanto permaneço impassível às supostamente divertidas falas dos personagens. E essa insatisfação fez de mim uma moça problemática, alguém que é melhor não convidar para festas e manter sob controle nas comemorações familiares, pois já estraguei mais de uma, ao investir contra as normas absurdas que regulam o comportamento da sociedade em que vivo, para estupor dos convidados.

Outra coisa que faz com que eu me sinta diferente das outras moças que conheço é meu pouco interesse em casar-me. Detesto profundamente o papel destinado à mulher dentro do casamento, para o qual minha mãe se esforça em me educar. Nada me parece mais pernicioso para meu espírito livre que me transformar na equânime mãe de uma família, que passaria os dias inculcando aos filhos os valores morais que me transmitiram e fiscalizando as tarefas dos criados, enquanto meu marido se digladia no mundo do trabalho, esse perigoso cenário do qual as mulheres, unanimemente consideradas criaturas sensíveis e frágeis, foram delicadamente afastadas. Como você pode ver, sou independente e aventureira, mas também, por estranho que possa parecer, nada namoradeira. Para ser sincera, jamais pensei que pudesse me apaixonar por alguém como me apaixonei por você. Na verdade, estava começando a me considerar uma dessas garrafas que ficam juntando poeira na adega, à espera de ser abertas em uma ocasião especial que nunca chega. Mas desconfio que é graças a meu temperamento que tudo isso está acontecendo.

Depois de amanhã vou voltar aqui para buscar sua carta, meu amor, como você me disse. Estou ansiosa por saber de você, ler suas palavras de amor, sentir que o possuo, embora um oceano de tempo nos separe.

Sua para sempre,

C.

Apesar dos esforços que o ato da leitura implicava, Tom leu a carta de Claire três vezes, com o gesto de assombro que a garota vaticinara, embora por motivos bem diferentes, é claro. Quando terminou a última leitura, guardou-a cuidadosamente no envelope e se encostou na árvore, tentando controlar a revoada de sensações que aquelas páginas desencadearam nele. A garota acreditara em tudo! E viera até ali para lhe deixar uma carta! Quando tudo já tinha acabado para ele, percebeu, então, que para ela só começava. Agora entendia como aquilo tinha ido longe. Ele brincara com a garota sem pensar nas consequências que isso poderia ter, mas agora "conhecia" as consequências. Sim, ainda que não fosse seu propósito original, aquela carta lhe informava os efeitos que sua travessura tivera sobre a vítima, uma coisa que preferiria continuar ignorando. Claire não só acreditara em sua mentira a ponto de, obedientemente, dar o passo seguinte do ritual, como o encontro de seus corpos havia sido o sopro de ar que seu amor balbuciante precisava para acabar se inflamando, até adquirir, ao que parece, feições de incêndio incontrolável. Agora esse fogo a abrasava, e Tom se maravilhou não só de que todo aquele amor houvesse brotado de um breve encontro, mas também de que a garota estivesse disposta a dedicar sua vida a mantê-lo aceso, como quem cuida de uma fogueira num bosque para manter os lobos a distância. Mas o que mais o assombrava era que Claire ia fazer tudo isso por ele, porque o amava. Ninguém jamais lhe dera um amor assim, pensou desconcertado, porque já não lhe importava que o destinatário daquele sentimento fosse o capitão Shackleton: quem dormira com ela, quem a despira com reverência, quem a possuíra com doçura, tinha sido ele, Tom Blunt. Shackleton era apenas uma representação, uma ideia, mas, em última instância, o que cativou Claire foi seu modo de encarná-lo. E ele, o que sentia?, perguntou-se. Será que o fato de receber um amor tão incondicional e apaixonado deveria fazer surgir em seu coração um sentimento similar, como seu reflexo surgia ao debruçar-se sobre um lago? Não sabia responder a esta pergunta. Por outro lado, também não valia a pena fazer muitas conjeturas a respeito, pois o mais provável é que o assassinassem ao longo do dia.

Olhou outra vez para a carta que tinha nas mãos. O que fazer com ela? Subitamente, percebeu que só podia fazer uma coisa: responder à carta. Não porque quisesse aceitar o papel de apaixonado que lhe cabia naquela história que ele mesmo tinha começado sem querer, mas porque a moça havia insinuado que não poderia viver sem suas cartas. Tom imaginou-a chegando em sua carruagem, subindo a pequena colina e não encontrando nenhuma carta do capitão Shackleton em resposta à sua. Tinha certeza de que Claire não suportaria aquele brusco revés no enredo, aquele inesperado e misterioso silêncio. Depois de duas semanas indo e voltando de mãos vazias, era fácil imaginá-la tirando a própria vida com o mesmo arrebatamento com que decidira amá-lo, talvez enfiando uma adaga afiada no coração ou bebendo um frasco inteiro de láudano. E Tom não podia deixar que isso acontecesse. Quisesse ou não, seu jogo o tornara responsável pela vida de Claire Haggerty. Precisava responder à carta. Não tinha outra alternativa.

Na volta a Londres, quando se viu caminhando pelo campo em vez de pela estrada, e parando e tensionando os músculos ao ouvir qualquer barulhinho, entendeu que alguma coisa havia mudado: não queria mais morrer. Não, não queria mais. Não porque de repente começasse a apreciar a vida como nunca o fizera antes, mas por ter de responder à carta da moça. Devia manter-se com vida para manter Claire com vida.

Já na cidade, roubou papel de carta em uma papelaria e, depois de verificar que não era seguido nem havia capangas de Gilliam em volta da pensão, refugiou-se em seu quartinho da Buckeridge Street. Tudo parecia calmo. Da rua chegavam à sua janela os sons habituais da tarde, uma partitura em que não parecia haver qualquer nota destoante. Colocou então a cadeira diante da cama, improvisando uma escrivaninha, sobre a qual pôs o papel, o tinteiro e a pena que tinha roubado e respirou fundo. Depois de meia hora se debatendo diante da folha, cheio de frustração, afinal se deu conta de que escrever não era tão fácil quanto imaginava. Escrever era ainda mais trabalhoso do que ler, muito mais. Para sua surpresa, percebeu que não conseguia transpor para o papel as ideias que tinha na cabeça. Sabia o que queria dizer, mas, toda vez que começava uma frase, não conseguia evitar que essa ficasse à deriva, afastando-se cada vez mais do que pretendia transmitir. Ainda se lembrava dos rudimentos de escrita que Megan lhe havia ensinado, mas desconhecia a gramática necessária para escrever corretamente e, sobretudo, como devia fazer para expor suas ideias com a mesma clareza que a moça. Olhou para a indecifrável confusão de letras e rabiscos que sujava o branco do papel, no qual a única coisa que tinha algum sentido era o "Querida Claire" com que tão alegremente encabeçara o texto. O que estava agora à sua frente era apenas a comovente demonstração de um semianalfabeto tentando escrever sua primeira carta. Amassou a folha, rendendo-se à evidência. Se Claire recebesse uma carta assim, também acabaria tirando a própria vida, incapaz de entender por que o salvador da humanidade escrevia como um chimpanzé.

Por mais que quisesse, não conseguia responder. Mas a moça precisava encontrar uma carta junto ao carvalho dentro de dois dias, senão acabaria se matando! Deitou-se na cama, tentando pensar. Precisava de ajuda, isso era evidente. Precisava de alguém que escrevesse a carta por ele. Mas quem? Não conhecia ninguém que soubesse escrever. E não podia ser qualquer um, um professor de escola, por exemplo, alguém que ele pudesse obrigar a escrever ameaçando quebrar-lhe os dedos se não o fizesse. A pessoa escolhida não só devia saber se expressar corretamente no papel, mas também tinha de ter imaginação suficiente para participar com graça daquele jogo e, como se fosse pouco, também precisava ser capaz de responder à moça no mesmo tom apaixonado que ela usara. A quem podia recorrer que reunisse todos esses requisitos?

De repente, teve uma ideia. Levantou-se com um salto, afastou a cadeira e abriu a última gaveta da cômoda. Ali, como um peixe fora d'água, estava o romance. Ele o comprara quando começou a trabalhar para Murray, porque o chefe lhe disse que graças àquele livro seu negócio alcançara o sucesso. Tom, que jamais tinha lido um romance, não hesitara em adquiri-lo. Lê-lo, porém, era extremamente trabalhoso, e não conseguiu ir além da terceira página, mas guardou o livro sem pensar em revendê-lo porque intuía de alguma maneira que devia o que era agora àquele escritor. Abriu a orelha e examinou seu retrato. O texto dizia que morava em Woking, no condado de Surrey. Sim, se alguém podia ajudá-lo era, sem dúvida, o sujeito da fotografia, aquele jovem com cara de pássaro chamado H. G. Wells.

Sem dinheiro para alugar uma carruagem, e sem muita disposição de enfrentar o risco de esconder-se em um trem que fosse para Surrey, Tom concluiu que a única forma de chegar à casa do escritor seria usando as pernas. O trajeto até Woking, que de carruagem devia levar umas três horas, teria sua duração triplicada se fosse percorrido a pé. Portanto, se partisse naquele instante, chegaria a seu destino de madrugada, hora pouco adequada para aparecer na casa de alguém sem avisar, a menos que se tratasse de uma urgência, como era o caso. Guardou no bolso a carta de Claire, colocou a boina e saiu da pensão rumo a Woking sem pensar duas vezes. Não tinha outra opção, e, além disso, a caminhada não o amedrontava nem um pouco. Sabia que tinha boas pernas e paciência suficiente para realizar aquela titânica excursão sem desfalecer.

Durante o longo caminho até a casa do escritor, enquanto contemplava a noite caindo preguiçosamente sobre os campos e olhava regularmente para trás a fim de se certificar de que nem os capangas de Murray nem Salomão o estavam seguindo, Tom Blunt conjeturou diferentes formas de apresentar-se a Wells. A que finalmente considerou mais acertada era também a que soava mais ridícula: anunciar-se como o capitão Derek Shackleton. Tinha certeza de que o salvador da humanidade seria muito mais bem recebido que o infeliz Tom Blunt, a qualquer hora que fosse, e nada o impedia de fazer-se passar por ele fora do cenário, como já tinha feito com notável sucesso diante de Claire. Desse modo, passando-se por Shackleton, podia contar ao escritor a mesma história que tinha inventado para a moça, dizendo que encontrara a carta ao sair do buraco temporal em sua primeira visita àquela época. Como o tal do Wells não ia engolir isso, se tinha escrito um romance exatamente sobre as viagens no tempo? Para que sua mentira fosse verossímil, no entanto, precisava inventar também uma boa desculpa para justificar por que ele mesmo, ou outra pessoa do futuro, não podia escrever a carta, e talvez argumentasse que no ano 2000 ninguém mais escrevia cartas, pois essa tarefa, desde bem antes da guerra, era realizada pelos autômatos escrivães, de modo que o homem de seu tempo havia perdido a prática da escrita. De qualquer forma, apresentar-se como o capitão Shackleton lhe pareceu a melhor estratégia: era preferível que o célebre herói do futuro pedisse ajuda para salvar a vida de sua amada, já que livraria o planeta dos autômatos quando chegasse a hora, a que um vagabundo interrompesse o sono do famoso escritor para implorar que o tirasse da enrascada em que suas ânsias de sexo o meteram.

Quando chegou a Woking, era de madrugada, e o lugar descansava em uma calma idílica. Fazia uma noite fria, mas bonita. Passou quase uma hora lendo as caixas de correio até dar com a que exibia o sobrenome Wells. Viu-se então diante de uma casa de três andares, com todas as luzes apagadas, rodeada por um uma cerca não muito alta. Depois de observar a casa do escritor durante alguns minutos, Tom respirou fundo e abriu o portão. Não tinha sentido adiar mais.

Atravessou o jardinzinho com passos reverentes, como se estivesse explorando uma capela, subiu os degraus que havia diante da porta e ia anunciar sua presença, mas sua mão se deteve antes de tocar na sineta. O trote de um cavalo profanando o silêncio noturno o sobressaltou. Virou-se lentamente ao ouvi-lo e quase em seguida viu-o parar em frente à casa do escritor. Com um calafrio, observou que o cavaleiro, apenas uma silhueta escura, desmontava e abria o portão. Seria um capanga de Murray? O sujeito respondeu a esta pergunta com um gesto explícito que não deixou margem para dúvidas: tirou uma pistola do bolso e apontou para seu peito. Imediatamente, Tom se jogou para um lado, rolando pelo jardim até mergulhar na escuridão. Observou de soslaio o desconhecido, tentando seguir seu inesperado movimento com a arma, pois Tom não tinha intenção de oferecer-lhe um alvo fácil. Levantou-se o mais rápido que pôde, alcançou a cerca com alguns pulos e escalou-a com agilidade. Tinha certeza de que a qualquer momento sentiria a pontada quente de uma bala perfurando suas costas, mas isso não chegou a acontecer. Ao que tudo indicava, estava se movendo mais rápido do que imaginava. Saltou para a rua e saiu correndo a toda a velocidade, em direção ao campo. Continuou pelo menos por mais cinco minutos. Só então parou, ofegante, e se permitiu olhar para trás, para ver se o capanga de Gilliam o estava seguindo, mas não distinguiu nada na escuridão espessa que envolvia o mundo. Conseguira despistá-lo e, pelo menos por enquanto, podia se considerar a salvo, pois não acreditava que o algoz se incomodasse em procurá-lo naquela escuridão tão compacta. Provavelmente, voltaria a Londres para informar a Murray. Mais calmo, Tom se acomodou atrás de uns arbustos e se dispôs a passar a noite ali. Ao amanhecer, veria se o capanga realmente tinha desaparecido, e então voltaria à casa do escritor para pedir sua ajuda, tal como havia planejado.

XXIX

"Você salvou a vida de um homem usando apenas sua imaginação", dissera Jane poucas horas antes, e a frase ainda estava ressoando na cabeça de Wells enquanto a claridade da manhã irrompia pela claraboia do sótão, perfilando os móveis do cômodo e a escultura grega que seus corpos abraçados na poltrona da máquina do tempo compunham. Quando disse à mulher que talvez pudessem aproveitar aquele assento, não se referia exatamente a aproveitá-lo dessa forma, mas não achou oportuno tirá-la de sua ilusão, ainda menos agora. Wells a olhou com carinho. Adormecida em seus braços, Jane respirava compassadamente depois de entregar-se a ele com um entusiasmo renovado, recuperando o desejo um tanto bárbaro dos primeiros meses a cuja extinção ele assistira com a resignada melancolia de quem está cansado de saber que as paixões nunca duram eternamente, apenas se transmitem a outros corpos. Mas, ao que tudo indicava, não estava escrito em lugar nenhum que as brasas não podem se reavivar de vez em quando graças a algum sopro de ar inesperado, e essa descoberta deixou nos lábios do escritor um sorriso de gratidão um tanto idiota, que fazia tempo não visitava seus espelhos. E tudo se devia àquela frase que não saía de sua cabeça: "Você salvou a vida de um homem usando apenas sua imaginação", uma frase de Jane que o fizera brilhar de novo e que espero que vocês também não tenham esquecido, pois é a ponte que liga esta cena com o primeiro aparecimento de Wells em nossa história, sobre a qual adverti que não seria a última.

Quando a esposa desceu para preparar o café da manhã, o escritor decidiu ficar um pouco mais ali sentado à máquina. Respirou fundo, satisfeito e incrivelmente feliz consigo mesmo. Às vezes, em determinados momentos de sua vida, Wells costumava se definir como um ser humano extremamente ridículo, mas agora parecia estar atravessando uma etapa da existência que o levava a se ver de outra maneira, com mais indulgência; até mesmo, por que não?, com admiração. Havia gostado de salvar uma vida, tanto pela inesperada recompensa que Jane lhe deu quanto pelo extraordinário presente que ganhou em decorrência de tudo isso: aquela máquina que surgira de sua imaginação, aquela máquina com jeito de trenó sofisticado que servia para se deslocar pelo tempo, ou ao menos era o que tinham feito Andrew Harrington acreditar. Olhando-a à luz do dia, Wells teve de reconhecer que, quando a descreveu em seu livro com quatro pinceladas vagas, não imaginou que seria um artefato tão belo caso fosse construído. Com a sensação de estar fazendo uma travessura, endireitou-se cerimoniosamente na poltrona, apoiou a mão com uma exagerada solenidade na alavanca de vidro que estava no lado direito do painel de comando e sorriu com melancolia. Quem dera a engenhoca funcionasse, quem dera pudesse ir de uma época a outra, percorrer o tempo caprichosamente, alcançar seus limites, se é que havia, chegar aonde tudo surgia ou tudo morria. Mas a máquina não servia para isso. Na verdade, a máquina não servia para nada. Agora que havia arrancado o mecanismo que continha o pó de magnésio, não servia nem sequer para ofuscar seu ocupante.

— Bertie? — chamou-o Jane do térreo.

Wells levantou-se de um salto, como sentisse vergonha de ser visto por ela brincando com o artefato. Recompôs as roupas que a paixão havia desarrumado e desceu as escadas rapidamente.

— Um jovem quer vê-lo — disse Jane, um pouco nervosa. — E se anunciou como o capitão Derek Shackleton.

Wells parou ao pé da escada. Derek Shackleton? Onde tinha ouvido esse nome?

— Está esperando na sala. Mas ele disse mais uma coisa, Bertie... — continuou Jane, indecisa, sem saber que tom dar às suas próximas palavras. — Disse que vem... do ano 2000.

Do ano 2000? Então Wells lembrou de onde conhecia aquele nome.

— Então deve ser alguma coisa muito urgente — disse, forjando um sorrisinho misterioso. — Não percamos tempo, vamos ver o que deseja o cavalheiro.

Ao dizer isto, encaminhou-se para a sala meneando a cabeça com bom humor. Lá, de pé junto à lareira, sem se atrever a usar uma das poltronas que lhe ofereceram, Wells deparou com um jovem com roupas modestas. Antes de dizer qualquer coisa, examinou-o de cima a baixo, maravilhado. Tratava-se, incrivelmente, de um majestoso espécime da raça humana, com uma musculatura imponente e um rosto gracioso, de cujos olhos transbordava a ferocidade de uma pantera encurralada.

— Sou George Wells — apresentou-se ao concluir a inspeção. — Em que posso ajudá-lo?

— Bom dia, senhor Wells — cumprimentou o homem do futuro. — Desculpe-me de irromper em sua casa a esta hora, mas é um assunto de vida ou morte.

Wells assentiu, sorrindo para si mesmo diante daquela estudada apresentação.

— Sou o capitão Derek Shackleton e venho do futuro. Do ano 2000, mais exatamente.

Depois de soltar essa, o jovem ficou observando-o abertamente, atento a sua reação.

— O meu nome lhe diz alguma coisa? — perguntou, ao ver que o escritor não parecia muito surpreso.

— É óbvio, capitão — respondeu Wells com um sorrisinho, remexendo em um cesto de papéis que se encontrava junto a uma estante cheia de livros. Pouco depois extraiu um papel amassado, esticou-o e ofereceu ao visitante, que o pegou com cautela. — Como não iria dizer-me alguma coisa? Recebo um folheto como este toda semana, pontualmente. O senhor é o salvador da raça humana, o homem que no ano 2000 libertará nosso planeta do jugo dos malvados autômatos.

— Isso mesmo — confirmou o jovem com certa desconfiança pelo tom malicioso que o escritor usara.

Houve então um silêncio tenso, durante o qual Wells se limitou a olhar para o visitante com as mãos nos bolsos e um ar zombeteiro.

— Suponho que queira saber como viajei até sua época — disse finalmente o jovem, como um ator que se vê obrigado a dar ele mesmo a deixa para continuar a peça.

— Já que está dizendo, sim — respondeu Wells, sem se esforçar em demonstrar o menor interesse pelo assunto.

— Bem, vou explicar — disse o jovem, tentando evitar que a evidente indolência do público a que se dirigia o afetasse. — Assim que começou a guerra, nossos cientistas inventaram uma máquina capaz de abrir buracos temporais com o intuito de fabricar um túnel do ano 2000 até sua época. Queriam enviar uma pessoa para acabar com o fabricante dos autômatos, e assim impedir a guerra antes que ela começasse. Pois bem: eu sou essa pessoa.

Wells ficou olhando para ele com seriedade durante quase um minuto. Depois soltou uma gargalhada que desconcertou o visitante.

— Você tem uma imaginação prodigiosa, jovem — reconheceu.

— Não acredita em mim? — perguntou o outro, num tom trágico que fez a frase parecer mais uma amarga constatação que uma pergunta.

— É óbvio que não — exclamou o escritor num tom jovial. — Mas não se preocupe, não é que não tenha recitado sua engenhosa mentira com credibilidade suficiente.

— Mas, então... — balbuciou o jovem, confuso.

— Acontece que não acredito que se possa viajar para o ano 2000, e, muito menos, que nessa época o homem esteja em guerra com os autômatos. Tudo isso não passa de uma invenção ridícula. Gilliam Murray pode enganar toda a Inglaterra, menos a mim — proclamou Wells.

— Então... o senhor sabe que tudo é uma fraude? — murmurou o jovem, que não conseguia sair de seu assombro.

Wells confirmou com gravidade, lançando também um olhar a Jane, que parecia igualmente assombrada.

— E não pretende denunciá-la? — perguntou finalmente o rapaz.

O escritor deixou escapar um profundo suspiro antes de responder, como se aquela pergunta o tivesse atormentado durante muito tempo.

— Não, não tenho a menor intenção de fazer isso — respondeu. — Se as pessoas pagam o dinheiro que pagam para ver você derrotando uns autômatos de lata, possivelmente merecem ser espoliadas. Por outro lado, quem sou eu para privá-las da ilusão de pensar que visitaram o futuro? Devo estragar esse sonho só porque alguém está ficando rico com ele?

— Entendo — murmurou o visitante. E a seguir, ainda surpreso, e até com certa admiração, acrescentou: — O senhor é a única pessoa que conheço que acha que tudo é mentira.

— Bem, creio que tenho certa vantagem sobre o restante da humanidade — respondeu Wells.

A expressão cada vez mais atônita do jovem lhe arrancou um sorriso indulgente. Jane também o olhava com curiosidade. O escritor suspirou com tristeza. Havia chegado o momento de dividir o pão com os apóstolos, quem sabe eles o ajudariam depois a carregar aquela cruz.

— Há mais de um ano — explicou Wells, dirigindo-se aos dois —, logo depois da publicação de *A máquina do tempo*, um homem veio visitar-me trazendo um livro que acabava de concluir. Como *A máquina do tempo*, era um romance científico. Queria que o lesse e, se a minha opinião fosse favorável, o recomendasse a Henley, meu editor, para uma possível publicação.

O jovem assentiu lentamente, sem entender muito bem o que aquilo tudo tinha a ver com ele. Então Wells virou-se e começou a mexer nos livros e pastas que lotavam a estante da sala. Finalmente, encontrou o que procurava, um volumoso manuscrito que jogou sobre a mesa.

— O homem se chamava Gilliam Murray, e este é o livro que me entregou naquela tarde de outubro de 1895.

Estendeu a mão, convidando o rapaz a ler o título. O jovem se aproximou do manuscrito e leu em voz alta, como se mastigasse cada letra:

— *Capitão Derek Shackleton, a verdadeira e trepidante história de um herói do futuro*, por Gilliam F. Murray.

— Sim — ratificou Wells. — E quer saber o que conta? O romance se passa no ano 2000 e narra a guerra dos malvados autômatos contra os humanos, liderados pelo bravo capitão Derek Shackleton. O enredo não lhe é familiar?

O visitante assentiu, mas pelo transtorno em seu olhar Wells deduziu que ele ainda não conseguira entender aonde queria chegar.

— Se Gilliam tivesse escrito esse romance depois de criar sua empresa, eu não teria nenhum motivo, exceto meu natural ceticismo, para duvidar de que seu ano 2000 fosse verdadeiro — explicou. — Mas ele me entregou o livro um ano antes. Um ano! Entende o que quero dizer? Gilliam transportou o romance para a realidade. E você é o personagem principal.

Pegou o manuscrito, abriu uma página e leu, para espanto do jovem:

— "O capitão Derek Shakleton era um majestoso espécime da raça humana, com uma musculatura imponente e um rosto gracioso, de cujos olhos transbordava a ferocidade de uma pantera encurralada."

O rapaz ficou vermelho com essa descrição. Seria essa a sua aparência? Tinha mesmo olhos de uma fera encurralada? Era bem possível, pois desde que nasceu se sentia encurralado por tudo: pelo pai, pela vida, pelo azar e, ultimamente, pelos capangas de Murray. Sem saber o que dizer, olhou para Wells.

— É uma descrição horrenda de um escritor sem o menor talento, mas não se pode negar que o senhor se encaixa perfeitamente nela — disse Wells, jogando o manuscrito na mesa com uma expressão de absoluto desprezo.

Passaram-se alguns segundos sem que ninguém dissesse nada.

— Apesar de tudo, Bertie — interveio finalmente Jane —, este jovem precisa de sua ajuda.

— Ah, sim. É verdade — respondeu contrariado Wells que, depois de seu hábil número de desmascaramento, pretendia dar por encerrada a visita.

— Qual é seu verdadeiro nome? — perguntou Jane ao jovem.

— Meu nome é Tom Blunt, senhora — respondeu este, inclinando-se educadamente à sua frente.

— Tom Blunt — repetiu Wells com galhofa. — Não soa tão heroico, claro.

Jane o repreendeu com o olhar. Não suportava que o marido recorresse ao desdém para atenuar a terrível sensação de inferioridade que o afligia sempre que estava na presença de alguém fisicamente mais imponente.

— Então diga-me, Tom — disse Wells depois de pigarrear —, em que posso ajudá-lo.

Tom suspirou. Apertando a boina como se quisesse torcê-la, e com o olhar cravado no chão com humildade, pois já não era nenhum valente herói do futuro, mas simplesmente um pobre-diabo, tentou contar ao casal tudo o que tinha acontecido desde que sua bexiga o forçara a procurar um lugar afastado do cenário do futuro para se aliviar. Tentando ser claro, contou como a moça chamada Claire Haggerty havia aparecido do nada bem no instante em que ele se desembaraçava do elmo de sua armadura, vendo seu rosto, e todos os problemas que isso poderia lhe acarretar, sendo obrigado a revelar a forma pouco agradável como Murray garantia que o elenco não destruísse o espetáculo, ilustrando com o caso de Perkins. Suas conjeturas fizeram a mulher do escritor soltar um gritinho de pavor, enquanto este se limitava a balançar a cabeça, como se não esperasse outro procedimento de Gilliam Murray. Continuando, contou a eles como encontrou Claire Haggerty no mercado e não hesitou em forçar um encontro sem se importar com as consequências que isso poderia ter, deixando-se levar apenas, reconheceu com pudor, por seus instintos de homem, e como teve de inventar depois a história das cartas para que ela concordasse em acompanhá-lo à pensão. Sabia que não havia agido bem, disse, sem coragem de levantar os olhos do chão, e estava arrependido, mas eles não deviam se limitar a julgar apenas seu comportamento, pois seu ato teve consequências imprevisíveis. A moça se apaixonou por ele e, convencida de que tudo aquilo era verdade, havia escrito obedientemente a primeira das cartas, deixando-a na colina de Harrow. Pegou a carta e entregou-a a

Wells, que a tomou absolutamente estupefato com o que estava ouvindo. O escritor desdobrou o papel e, depois de limpar ruidosamente a garganta, leu em voz alta para que sua intrigada esposa também conhecesse o conteúdo. Tentou ler com o desapego de um padre dando um sermão, mas não pôde impedir que sua voz tremesse de emoção em certas passagens. Aqueles sentimentos eram tão belos que sentiu uma ponta de inveja do jovem à sua frente que se tornara, sem merecer, destinatário de um amor tão incondicional que o obrigava a questionar os próprios sentimentos, a repensar seu modo de sentir, sua maneira de amar e de ser amado. A expressão comovida que tomou conta do rosto de Jane confirmou que sua mulher também sentira algo parecido.

— Tentei responder — disse Tom —, mas eu mal sei ler. E receio que se amanhã não houver uma carta à sua espera na colina, a senhorita Haggerty possa cometer alguma loucura.

Wells teve de reconhecer que aquilo era bem provável, considerando o tom exaltado da carta.

— Vim lhe pedir que escreva por mim — confessou então o jovem.

Wells olhou-o, atônito.

— O que está dizendo?

— Só três cartas, senhor Wells. O que isso representa para o senhor? — disse o jovem, e em seguida, depois de pensar uns segundos, acrescentou: — Não posso lhe pagar, mas se algum dia precisar de ajuda para resolver qualquer assunto que não possa solucionar civilizadamente, é só me chamar.

Wells não acreditava no que estava ouvindo. Já ia responder que não pretendia se envolver naquela confusão quando sentiu a mão de Jane pressionando ternamente a sua. Virou-se em direção à esposa, que sorriu para ele com a mesma expressão sonhadora que fazia ao terminar de ler uma daquelas histórias de amor que tanto apreciava; depois olhou para Tom, que por sua vez o fitava, cheio de expectativa. E viu que não tinha alternativa: teria de salvar outra vida usando sua imaginação. Examinou durante um bom tempo os papéis que tinha nas mãos, percorridos pela letra miúda e elegante da moça chamada Claire Haggerty. No fundo, reconheceu, era tentador continuar aquela história tão imaginativa, fingir ser um bravo herói do futuro em meio a uma guerra cruenta com os malvados autômatos, e até dizer a outra mulher que a ama apaixonadamente com a aprovação da própria esposa, como se de repente estivessem num mundo que decidira estimular os instintos mais profundos do homem em vez de podá-los como sebes, gerando uma convivência harmoniosa entre todos os habitantes do planeta, livre de ciúmes e preconceitos, em que a libertinagem se sublimasse em uma espécie de terna e cortês fraternidade. A provocação o estimulava imensamente, sem dúvida, e já que não tinha outro remédio se animou pensando que manter correspondência com aquela desconhecida podia ser tão divertido quanto excitante.

— Combinado — disse contrariado. — Volte amanhã cedo e terá sua carta.

XXX

A primeira providência de Wells ao ficar sozinho na sala, enquanto Jane acompanhava o jovem até a porta, foi pegar o manuscrito de Gilliam Murray e escondê-lo de novo. Ele não havia demonstrado nada, mas a forma atroz como Gilliam mantinha de pé seu teatro de marionetes realmente o impressionara. Obviamente, era vital para o empresário que o pessoal à sua volta ficasse de boca fechada, e embora pudesse conseguir isso à base de incentivos, as ameaças pareciam bem mais efetivas. Descobrir que Gilliam recorria sem melindres a tais métodos infames lhe provocou um tremor no corpo, afinal aquele sujeito era seu inimigo, ou pelo menos assim parecia se comportar em relação a ele. Pegou o folheto que o outro lhe enviava toda semana e o examinou com desagrado. Por mais repulsa que tivesse, Wells não podia negar que tudo aquilo era culpa dele. Sim, a Viagens Temporais Murray existia graças a ele, graças a uma decisão sua.

Tivera apenas dois encontros com Gilliam Murray, mas havia homens que não precisavam de mais do que isso para fazer inimigos. E Gilliam era desses, como depois comprovou. O primeiro encontro foi nesse mesmo aposento, numa tarde de abril, lembrou-se, olhando com um calafrio a poltrona na qual Gilliam Murray havia acomodado com dificuldade seu corpanzil.

Desde que ele entrou pela porta oferecendo seu cartão de visitas com aquele sorriso viscoso, o escritor ficou impressionado com seu enorme corpo de boi, e mais ainda com a graça incongruente com que se mexia, como se os ossos fossem ocos. Wells sentou-se na poltrona à sua frente, e os dois se observaram com uma prudente cortesia enquanto Jane terminava de servir o chá. Quando ela saiu da sala, o desconhecido abriu ainda mais o sorriso afetado, agradeceu por ter sido recebido com tanta presteza e, de imediato, começou a soterrá-lo com uma avalanche de elogios a seu romance *A máquina do tempo*. Mas há pessoas que quando fazem elogios só querem elogiar a si mesmas, apregoar para o mundo sua sofisticada sensibilidade e sua inteligência, e Gilliam Murray pertencia a esse grupo, que congregava os vaidosos. Elogiou o livro com grande veemência, falando, em um discurso exaltado, de sua estrutura perfeita, da força de suas imagens e até da cor da roupa com que ele decidira vestir o protagonista, enquanto Wells se limitava a ouvi-lo com cortesia, perguntando-se que sentido tinha para alguém decidir perder a manhã só para atormentá-lo, em vez de simplesmente compilar os comentários em uma carta cortês, como faziam os outros admiradores. Ouviu aqueles louvores exagerados balançando a cabeça incomodado, como quem caminha sob uma garoa irritante mas inofensiva, na esperança de que aquele cansativo panegírico não durasse muito tempo e ele pudesse voltar a seus afazeres. Mas logo percebeu que aquilo era apenas um preâmbulo para aplainar o terreno antes que o homem decidisse revelar o verdadeiro motivo de sua visita. Concluído seu efusivo discurso, Gilliam tirou um volumoso manuscrito da pasta e o pôs em suas mãos com o cuidado de quem entrega uma relíquia ou um recém-nascido. *Capitão Derek Shackleton, a verdadeira e trepidante história de um herói do futuro*, leu Wells, atônito. Agora nem se lembrava mais de como tinham chegado a marcar um encontro para a semana seguinte, depois que o gigante lhe arrancou a promessa de que leria o romance e, se gostasse, o recomendaria a Henley.

O escritor atacou a leitura do manuscrito que caíra de surpresa em suas mãos sem a menor vontade, como quem padece uma tortura. Não lhe agradava ler nada que pudesse ter surgido da imaginação daquele pé de alface presunçoso, de cuja capacidade para interessá-lo em qualquer coisa ele duvidava, e não se enganou. À medida que percorria as pretensiosas páginas, começou a se formar em sua mente a mais pura sensação de tédio, além da decisão de nunca mais encontrar-se com seus admiradores. Gilliam lhe entregara uma tolice extravagante e soporífera, um romancezinho que, como muitos dos que tinham começado a inundar as vitrines a reboque do seu, se inseria na moda especulativa. Eram histórias cheias de quinquilharias técnicas, verdadeiros desperdícios de papel que, inspirando-se no apogeu da ciência, mostravam todo tipo de máquinas estrambóticas destinadas a realizar os desejos mais secretos do homem. Wells não havia lido nenhum, mas Henley lhe contara em um almoço os hilariantes enredos de muitos deles, como os do nova-iorquino Luis Senarens, cheios de aeronaves nas quais os protagonistas exploravam os territórios mais selvagens do planeta, acabando com qualquer tribo indígena que surgisse no caminho. Wells se lembrava especialmente da história do inventor judeu que fabricava uma máquina para aumentar o tamanho das coisas. A imagem de Londres atacada por um exército de besouros gigantes, que Henley havia descrito com ironia, conseguira aterrorizá-lo.

A trama do romance de Gilliam Murray causava um desconcerto similar. Atrás do título mirabolante se escondia a delirante especulação de um alienado. Gilliam sustentava que com o transcorrer dos anos os autômatos, aqueles brinquedinhos de crianças vendidos em algumas lojas do centro de Londres, acabariam adquirindo vida. Sim, por incrível que parecesse, sob seus crânios de madeira despertava um tipo de consciência terrivelmente similar à humana, a tal ponto que o atônito leitor logo descobria que os autômatos alimentavam um invencível rancor contra os homens pelo humilhante tratamento de escravos que estes sempre lhes dispensaram. Finalmente, liderados por Salomão, um autômato de guerra movido a vapor, decretavam sem piedade o destino da raça humana: o extermínio. Levaram vários quinquênios para reduzir o planeta a ruínas e a humanidade a um punhado de ratos assustados, entre os quais, porém, surgiu um salvador, o bravo capitão Shackleton, que após vários anos de uma guerra inútil acabou com os sonhos de conquista do autômato Salomão depois de um ridículo duelo de espada. Nas páginas finais, para aumentar ainda mais o delírio que sua leitura causava, Gilliam se atreveu a extrair de sua hilariante história uma moral pudica com que pretendia fazer toda a Inglaterra refletir, ou pelo menos o grêmio dos inventores de brinquedos: Deus não demoraria a castigar o homem se este continuasse a imitá-lo fabricando vida, se é que se podia aplicar essa palavra àquelas engenhocas mecânicas, pensou Wells.

Talvez uma história como essa funcionasse como sátira, mas o problema era que Gilliam a levava terrivelmente a sério, dando-lhe um ar solene que só servia para agravar o ridículo da trama. A possibilidade de que o ano 2000 profetizado por Gilliam chegasse a existir era totalmente inverossímil. Além disso, o texto era tão pueril quanto grandiloquente, os personagens tristemente esboçados e os diálogos não tinham brio. Era, definitivamente, um romance de alguém que acha que qualquer um pode ser escritor. Não que amontoasse palavras umas atrás das outras sem qualquer ambição estética, o que tornaria a leitura um exercício insípido, mas pelo menos digerível. Gilliam era daquele tipo de leitor voraz que acha que escrever bem é algo assim como enfeitar uma carroça. Tal crença dava como resultado um texto requentado, povoado de pieguices grotescas e risíveis excessos verbais que entalavam na garganta. Quando chegou à última página, Wells sentia náuseas estéticas. Aquele romance não merecia destino melhor que o fogo da lareira; e mesmo que ele encontrasse alguma viagem no tempo disponível, teria de viajar ao passado e quebrar aquele sujeito a socos e pauladas antes que difamasse a história da literatura com sua criação. No entanto, dizer a verdade a Gilliam Murray era algo que não queria fazer, sobretudo se podia simplesmente lavar as mãos e entregar o romance a seu editor para que o próprio Henley o recusasse, coisa que certamente faria, e sem os remorsos que ele poderia vir a ter.

Quando chegou o dia do novo encontro com Murray, Wells ainda não havia decidido o que fazer. Gilliam se apresentou em sua casa com uma invejável pontualidade, ostentando o sorriso altivo, mas Wells logo vislumbrou sob aquela inoportuna cortesia um laivo de impaciência malreprimida. Era evidente que Gilliam estava ansioso para saber o veredicto, mas tanto um quanto o outro deviam se ater ao protocolo. Trocando banalidades, Wells levou-o para a sala, onde se sentaram em suas respectivas poltronas enquanto Jane servia o chá. O escritor aproveitou aquele momento de silêncio para observar o inquieto convidado, que se esforçava para manter um sorriso sereno nos lábios grossos. Então, uma inesperada sensação de poder invadiu Wells. Ele, mais que ninguém, conhecia a ilusão que se escondia atrás da escrita de um romance, assim como o pouco valor que os outros davam a essa ilusão, que julgavam o trabalho pelo resultado atingido e não pela insônia com que havia sido realizado. Pensava que uma opinião negativa, por mais construtiva que fosse, resultava invariavelmente dolorosa para um escritor. Era sempre uma pedrada, tanto se servisse para fazê-lo reagir com a bravura de um soldado ferido quanto para jogá-lo no abismo, destroçando seu frágil ego. E agora, abracadabra, Wells tinha nas mãos os sonhos daquele desconhecido. Podia destruí-los ou preservá-los. No fundo, reconheceu, podia fazer o que quisesse, já que a péssima qualidade do romance não era um fator determinante, porque podia deixar a decisão nas mãos de Henley. Tratava-se de querer usar seu poder para o bem ou para o mal, de querer ver como aquele ser arrogante reagia diante de algo que era a pura verdade ou preferir, ao contrário, presenteá-lo com uma mentira piedosa para que continuasse pensando, pelo menos até o diagnóstico de Henley, que havia escrito uma obra digna.

— E então, senhor Wells? — perguntou Gilliam assim que Jane deixou o aposento. — O que achou do meu romance?

Wells quase sentiu uma leve vibração no ambiente da sala, como se a realidade tivesse chegado a uma encruzilhada, como se o universo aguardasse sua decisão para saber que caminho tomar, por onde continuar transcorrendo. Era como se seu silêncio fosse uma represa, um dique que estivesse contendo o fluxo dos acontecimentos.

E, no entanto, ignorava por que havia tomado aquela decisão. Não ganhava nada com ela, havia escolhido esse caminho como podia ter escolhido outro. Mas tinha certeza de uma coisa: não o fizera por maldade, mas pela simples curiosidade de ver como aquele homem que estava à sua frente assimilaria um golpe tão brutal, ver se aceitaria suas opiniões com uma educação que encobriria sua dignidade ferida, desmoronaria como um menino ou um condenado à morte, ou se irritaria a ponto de se atirar contra ele com a intenção de estrangulá-lo com suas manoplas, coisa que não devia descartar. Era pura experimentação com a alma daquele pobre homem, não importava como quisesse disfarçar. Um exercício empírico, como faz um cientista que deve sacrificar o rato depois de uma descoberta, e Wells queria conhecer a capacidade de reação daquele desconhecido que, ao lhe dar seu manuscrito para ler, lhe concedera também um incomensurável poder sobre si, a possibilidade de agir como braço executor do universo maléfico em que viviam.

Depois de decidir o que fazer, pigarreou e respondeu em tom educado, quase gélido, como se indiferente ao efeito destrutivo que suas palavras poderiam causar ao visitante:

— Li sua obra com grande atenção, senhor Murray, e confesso que não foi uma leitura prazerosa em nenhum aspecto. Não encontrei nela nada a elogiar, nada a aplaudir. Tomo a liberdade de lhe falar deste modo porque o considero um colega e creio que uma mentira não iria beneficiá-lo em nada.

O sorriso de Gilliam se apagou de repente, e suas manoplas se aferraram como garras nos braços da poltrona. Wells ficou atento à mudança em suas feições enquanto continuava criticando-o com extrema cortesia:

— Na minha opinião, o senhor não apenas parte de uma ideia bastante ingênua, mas também a desenvolve de forma muito infeliz, cerceando suas poucas possibilidades. Sua obra tem uma estrutura caótica e errática, as cenas se encadeiam de forma apagada e o leitor acaba tendo a impressão de que as coisas acontecem por acontecer, sem a menor lógica narrativa, simplesmente porque interessam ao senhor. Essa irritante arbitrariedade discursiva, somada a seu texto, mais próprio de um notário admirador das novelas românticas de Austen, provoca um inevitável desinteresse no leitor, quando não um profundo repúdio ao que se está lendo.

Nesse ponto, Wells fez uma pausa para examinar seu transfigurado visitante com curiosidade entomológica. Precisaria ser de gelo para não explodir com semelhantes comentários, pensou. Gilliam seria feito de gelo? Observou seus esforços para superar o choque, mordendo os lábios e abrindo e fechando os punhos, como se estivesse ordenhando úberes invisíveis, e concluiu que logo saberia.

— O que está dizendo? — finalmente se escandalizou Murray, aprumando-se na poltrona, com uma fúria repentina que lhe marcava os tendões do pescoço. — Que tipo de leitura fez da minha obra?

Não, Gilliam não era de gelo. Era puro fogo, e Wells logo percebeu que ele não ia se abater. O visitante era o tipo de pessoa tão doentiamente orgulhosa que acabava sendo moralmente invencível, tão cheia de si que se achava capaz de fazer bem alguma coisa pelo simples fato de querer fazê-la, fosse uma casinha para pássaros ou um livro inserido na moda do romance científico. Mas, para sua infelicidade, Gilliam não tinha decidido medir-se com a construção de uma casinha para pardais. Decidira empenhar seus esforços no sentido de provar ao mundo que tinha uma imaginação fora do comum, que sabia manipular com desenvoltura os vocábulos amontoados no dicionário, ou que fora abençoado com a característica do ofício do escritor que mais o atraísse, senão com todas. Wells se esforçou para ficar imperturbável enquanto o convidado, quase estrebuchando de raiva, tachava seus comentários de insensatos. Vendo-o gesticular com tanto fervor, começou a se arrepender da opção que tinha feito. Estava claro que se continuasse naquele caminho, destroçando o romance com comentários mordazes, as coisas só podiam piorar. Mas que outra opção tinha? Negar tudo o que dissera diante da possibilidade de que aquele sujeito lhe arrancasse a cabeça se fosse dominado pela raiva?

Felizmente para Wells, Gilliam, de repente, pareceu se acalmar. Respirou fundo algumas vezes, girou o pescoço de um lado para o outro e relaxou as mãos sobre o colo, em um voluntarioso esforço para recuperar a compostura. Sua árdua luta para se acalmar fez Wells pensar numa espécie de paródia da impressionante transformação do ator Richard Mansfield na peça *O Médico e o Monstro* que vira no Liceu, alguns anos antes. Deixou que fizesse isso sem importuná-lo, secretamente aliviado. Gilliam parecia envergonhado por ter perdido a paciência, e o escritor percebeu que estava diante de um exemplar de homem inteligente com um temperamento visceral, uma natureza fogosa que o levava àqueles arroubos que, sem dúvida, aprendera a administrar ao longo da vida, até adquirir certo domínio, do qual devia sentir-se orgulhoso. Mas Wells havia batido onde mais doía, em sua vaidade, demonstrando que seu autocontrole não era infalível.

— O senhor talvez tenha tido a sorte de escrever um romance simpático, ao gosto de todos — disse Gilliam quando conseguiu relaxar, embora com um tom beligerante —, mas é óbvio que não tem capacidade de avaliar o trabalho de outras pessoas. Eu me pergunto se não é por inveja. Será que o rei teme que o bufão se sente em seu trono e governe melhor que ele?

Wells riu com seus botões. Depois da explosão de fúria, vinha a falsa serenidade e a mudança de estratégia. O homem tinha acabado de rebaixar seu romance, tão elogiado dias antes, à categoria de obrinha popular, arranjando motivos para suas opiniões que nada tivessem a ver com sua nula qualidade literária, no caso, a inveja. Bem, isso era melhor do que suportar seus gritos coléricos. Entravam agora no terreno da esgrima verbal, e isso o incentivou, porque era um território em que se sentia especialmente à vontade. Decidiu endurecer as palavras.

— O senhor tem toda liberdade de pensar o que quiser sobre seu trabalho, senhor Murray — disse com calma. — Mas imagino que se veio à minha casa solicitar minha opinião sobre sua obra é porque me considera suficientemente entendido na matéria para dar valor a minhas apreciações. Lamento não ter dito o que o senhor queria ouvir, mas é o que penso. Duvido que seu livro possa agradar alguém, pelas razões que mencionei, mas na minha opinião o principal problema é que sua proposta é muito inverossímil. Ninguém acreditaria no futuro que o senhor descreveu.

Gilliam inclinou a cabeça, como se não tivesse ouvido bem.

— Está dizendo que descrevi um futuro improvável? — inquiriu.

— Sim, é exatamente o que estou lhe dizendo, e por vários motivos — respondeu Wells sem se alterar. — A possibilidade de que os brinquedos mecânicos, por mais sofisticados que sejam, adquiram vida é inconcebível, para não dizer ridícula. Também é inconcebível que no próximo século ocorra uma guerra em escala mundial. Isso jamais acontecerá. Para não falar de outros detalhes que o senhor não levou em conta, como, por exemplo, que os habitantes do ano 2000 continuem usando lâmpadas a óleo para iluminação, quando qualquer pessoa pode deduzir que com o tempo a eletricidade vai acabar se impondo. A fantasia também exige verossimilhança, senhor Murray. Permita-me que tome meu próprio romance como exemplo. Para desenhar o ano 802701 não fiz nada além de pensar com lógica: a bifurcação da raça humana em duas espécies antagônicas, os *elois*, mergulhados em seu hedonismo negligente, e os *morlocks,* monstruosos habitantes do subsolo, ilustra uma das possíveis consequências de nossa rígida sociedade capitalista. Do mesmo modo, a posterior agonia do planeta, por mais desalentadora que possa ser, é baseada nos prognósticos pessimistas que astrônomos e geólogos emitem diariamente nas revistas. Nisso consiste a especulação, senhor Murray. Ninguém pode dizer que meu 802701 não seja plausível. Poderá ser diferente, evidentemente, sobretudo porque, com o passar do tempo, acabam surgindo fatores que ainda não podemos prever em nossa época, mas ninguém pode dizer que minha visão não seja plausível. Já a sua cai por seu próprio peso.

Gilliam Murray o fitou em silêncio durante algum tempo, até que finalmente disse:

— Senhor Wells, talvez tenha razão, talvez meu romance precise mesmo de uma revisão exaustiva no que se refere a texto e estrutura. Foi minha primeira tentativa, e, evidentemente, eu não podia pretender que o resultado fosse excelente, nem sequer aceitável. Mas o que não posso permitir é que o senhor duvide da especulação que faço do ano 2000, pois nesse caso não está mais avaliando meus dotes literários. Está simplesmente insultando minha inteligência. Esse futuro pode ser tão real quanto qualquer outro, admita.

— Permita-me discordar — respondeu com frieza Wells, que a essa altura da conversa considerou que o tempo da piedade já havia passado.

Gilliam Murray precisou controlar outro acesso de raiva. Mexeu-se na poltrona, como se estivesse sofrendo uma convulsão interna, mas em poucos segundos conseguiu voltar a uma posição serena, até mesmo displicente. Observou Wells com vívida curiosidade durante alguns minutos, como se ele fosse um pitoresco espécime de inseto que nunca tinha visto antes, e soltou uma gargalhada um tanto estrondosa.

— Sabe o que nos diferencia, senhor Wells?

O escritor achou desnecessário responder, limitando-se a dar de ombros.

— Nossa perspectiva — continuou Gilliam. — Nossa perspectiva sobre as coisas. O senhor é um conformista, e eu, não. O senhor se conforma com enganar os leitores contando com a cumplicidade deles. Escreve romances sobre coisas que poderiam acontecer esperando que acreditem nelas, mas sabendo o tempo todo que se trata de um romance e, por conseguinte, são pura ficção. Mas eu não me conformo com isso, senhor Wells. Eu, não. Se dei forma de romance à minha especulação, foi uma coisa puramente circunstancial, porque não requer mais que uma resma de papel e a mão saudável. E para ser franco, me importa muito pouco que seja ou não publicado, pois desconfio que não me resignaria a que um punhado de leitores desfrutasse dela, debatesse se o futuro que descrevo é plausível ou não, já que sempre o considerariam como uma invenção minha. Não, eu ambiciono muito mais do que ser reconhecido como um escritor imaginativo. Aspiro fazer as pessoas acreditarem na minha invenção sem saberem que é uma invenção, pensarem que o ano 2000 será tal como eu o descrevi. E vou demonstrar que realmente posso fazer acreditarem nisso, por mais inverossímil que o senhor considere. E não o farei em forma de romance, pois esses truques pueris são para vocês, senhor Wells. O senhor escreve suas fantasias em seus livros. Eu as escreverei na realidade.

— Na realidade? — perguntou o escritor, sem entender muito bem a que se referia seu convidado. — O que quer dizer?

— Vai saber logo, senhor Wells. E quando isso ocorrer, se for um cavalheiro, talvez o senhor me procure para se desculpar.

Levantou-se da poltrona e ajeitou o casaco com os mesmos movimentos ágeis que tanto surpreendiam a todos.

— Boa tarde, senhor Wells. E não se esqueça de mim nem do capitão Shackleton. Em breve terá notícias nossas. — Apanhou o chapéu da mesa e o colocou na cabeça com um gesto gracioso. — Não é necessário que me acompanhe até a porta. Eu a encontrarei sozinho.

A despedida foi tão brusca, que Wells ficou desconcertado na poltrona, incapaz de levantar-se mesmo depois que os passos se extinguiram, e ouviu o homem abrir o portão da entrada. Durante um longo tempo permaneceu sentado na sala, refletindo sobre as palavras de Murray, até que decidiu que aquele ególatra não merecia um único pensamento seu. E como nos meses seguintes não voltou a ter notícias dele, finalmente esqueceu o desagradável encontro. Até o dia em que recebeu o folheto da Viagens Temporais Murray. Então entendeu o que Gilliam tinha querido dizer com "escreverei na realidade". E com exceção de uma minoria de cientistas e doutores que só podiam espernear pelos jornais, toda a Inglaterra acreditou em sua "inverossímil" invenção, graças, em parte, ao fato de que o próprio escritor tinha fomentado com seu romance *A máquina do tempo* o desejo de viajar ao futuro, ironia que o irritava ainda mais.

Depois disso, toda semana recebia pontualmente um folheto daqueles, acompanhado por um convite para participar de uma das falsas viagens ao ano 2000. Nada agradaria mais aquele desgraçado do que ver o homem que havia desencadeado a febre das viagens temporais abençoando a empresa que ele dirigia ao comungar de sua elaborada mentira, algo que Wells, obviamente, não tinha a menor intenção de fazer. Mas o pior não era isso, mas a mensagem subjacente à cortesia do convite. Wells sabia que Gilliam tinha certeza de que ele nunca aceitaria a oferta, o que transformava seus convites em escárnio, uma gargalhada de papel, mas também em ameaça, pois o fato de que o envelope sempre viesse sem selo sugeria que Gilliam Murray o pusera pessoalmente em sua caixa de correio ou mandara um de seus homens levá-lo. No fundo tanto fazia, pois a intenção era a mesma: mostrar a Wells a facilidade com que podia rondar sua casa sem ser visto, mostrar que não se esquecera dele, lembrar que o vigiava.

Mas o que mais enfurecia Wells em tudo aquilo era que, por mais que desejasse, não podia denunciar Gilliam, como Tom havia sugerido. E não podia porque Gilliam tinha vencido. Sim, o empresário demonstrara que seu futuro era verossímil, e ele devia aceitar a derrota com esportividade, não podia espalhar as peças do tabuleiro com um safanão iracundo. Sua integridade o obrigava a ficar de braços cruzados enquanto Gilliam enriquecia. E o empresário parecia se divertir enormemente com a situação, pois com aqueles folhetos que apareciam em sua caixa de correio como uma espécie de ritual não estava apenas lembrando que tinha vencido, também o estava desafiando a desmascará-lo.

"Escreverei na realidade", dissera ele. E para sua incredulidade, conseguiu.

XXXI

Nessa tarde Wells deu um passeio de bicicleta mais longo que o habitual, e sem a companhia de Jane. Queria pensar enquanto pedalava, disse a ela. Envergando seu inseparável casaco Norfolk com cinturão, atravessou as estradas vicinais de Surrey numa silenciosa lentidão enquanto sua mente, alheia ao trabalho das pernas, urdia uma resposta à carta àquela moça iludida chamada Claire Haggerty. Pelo que Tom tinha estabelecido ao improvisar aquela imaginativa história na confeitaria, a correspondência entre os dois consistiria em sete cartas, das quais ele escreveria três e Claire quatro, sendo a última aquela em que ela lhe pediria que atravessasse o tempo para devolver a sombrinha. Fora isso, tinha absoluta liberdade para escrever o que quisesse, desde que se ativesse ao que fora inventado por Tom. E precisou reconhecer que, quanto mais pensava, mais fascinado ficava com a história que aquele jovem semianalfabeto tinha forjado aos tropeções. Era sugestiva, bela e, acima de tudo, parecia verossímil, caso existisse, é claro, uma máquina capaz de escavar na malha do tempo e fabricar túneis entre as épocas, e se fosse verdadeiro, também, o futuro imaginado por Murray. Isto era o que menos lhe agradava em tudo aquilo: o fato de que Gilliam Murray estivesse envolvido de algum modo, como também estivera no resgate da alma do infeliz Andrew Harrington. Será que suas vidas estavam condenadas a continuar se entrelaçando como a hera e as cercas? Agora lhe parecia irônico dever entrar na pele do capitão Derek Shackleton, um personagem inventado por seu inimigo. Afinal seria ele que, como o Deus do Antigo Testamento, insuflaria o dom da vida nos lábios daquela criação oca?

Depois do passeio, chegou em casa placidamente exausto e com uma ideia bastante aproximada do que devia escrever na primeira carta. Com um cuidado de cirurgião, dispôs sobre a mesa da cozinha uma pena, um tinteiro e um maço de folhas, e pediu a Jane que não o incomodasse durante a hora seguinte. Sentou-se à mesa, respirou fundo e começou a escrever a primeira carta de amor de sua vida:

Querida Claire:

Eu também precisei começar várias vezes esta carta para entender que só posso começar, por mais estranho que seja para mim, dizendo que a amo, tal como me pede. Mas devo confessar que no início pensei que não conseguiria fazê-lo, e rabisquei várias folhas tentando explicar que o que você me pedia em sua carta era um ato de fé. Como posso me apaixonar por você, senhorita Haggerty, se nem sequer a vi? Cheguei a escrever estas palavras, sem me atrever sequer a dirigir-me a você com a intimidade que o momento exigia. No entanto, apesar de minhas lógicas desconfianças, tinha de reconhecer o óbvio: você afirmava que eu já havia me apaixonado por você. E como podia duvidar de suas palavras, se de fato encontrara sua carta ao lado de um grande carvalho, quando emergi de um buraco temporal, vindo do ano 2000? Não preciso de mais provas, como você bem diz, para entender que tudo o que me conta é verdade, e assim vamos nos conhecer dentro de sete meses e também entre nós surgirá o amor. Portanto, se meu eu futuro — que não deixa de ser eu — vai se apaixonar por você quando a vir, por que não eu? O contrário significaria desconfiar de minhas predileções. Portanto, não há motivo para perder tempo esperando que surjam sentimentos que, no final, vão terminar aparecendo.

Por outro lado, você só me pede o ato de fé que você mesma teve de realizar. Nesse encontro do salão de chá a que se refere, era você quem precisava acreditar em mim, era você quem precisava acreditar que se apaixonaria pelo homem que estava à sua frente. E acreditou. Meu eu futuro lhe agradece, Claire. E o eu que escreve estas linhas, que ainda não conhece o sabor de sua pele, não pode fazer outra coisa senão corresponder à sua confiança, acreditar que tudo o que diz é verdade, que tudo o que conta em sua carta irá acontecer, porque de alguma forma já aconteceu. Assim, só posso dizer que a amo, Claire Haggerty, seja você quem for. Amo-a desde este momento e para sempre.

A mão de Tom tremeu ao ler as palavras do escritor. Wells tinha levado sua missão a sério. Não apenas respeitou a história que ele improvisara e o passado do personagem que interpretava como, a julgar por suas palavras, parecia tão apaixonado pela moça quanto a moça estava por ele, ou seja, por Tom, ou, mais exatamente, pelo bravo capitão Shackleton. Ele sabia que o escritor estava apenas fingindo, mas aquela mentira suplantava em muito seus pobres sentimentos, que, em tese, deviam ser maiores porque era ele quem havia dormido com ela, não Wells. Se na véspera Tom se questionara se o sentimento que se agitava em seu peito era amor, agora podia responder, pois tinha algo com que compará-lo, uma espécie de medida: as palavras do escritor. Será que Tom sentia o que Wells escrevera que Shakleton sentia? Após alguns minutos de reflexão concluiu que havia apenas uma resposta a essa pergunta de enunciado tão sinuoso: não, não sentia.

Ele jamais poderia manter um amor assim por alguém que não voltaria a ver.

Deixou a carta ao lado da lápide de John Peachey e empreendeu o caminho de volta a Londres campo afora, contente com o resultado, embora um pouco contrariado com o que Wells pedira a Claire quase ao final de sua resposta, um pedido que lhe parecia digno de um pervertido. Relembrou o último parágrafo com enorme desagrado:

Anseio, como nunca desejei na vida, que o tempo acelere seus passos, que os sete meses que faltam para o dia do nosso primeiro encontro se transformem em suspiros. Mas confesso que não sinto apenas ansiedade por conhecê-la, Claire, mas também uma enorme curiosidade de saber como viajará à minha época. Pode mesmo fazer isso? Pelo meu lado, só posso esperar e fazer o que devo, ou seja, responder às suas cartas, completar minha parte do círculo. Espero que esta primeira carta não a decepcione. Amanhã a deixarei junto ao carvalho, quando viajar à sua época. Minha próxima viagem será dentro de dois dias. Sei que haverá uma carta sua me esperando. E talvez lhe pareça um atrevimento, meu amor, mas posso lhe pedir que fale nela sobre nosso encontro amoroso? Leve em conta que ainda faltam meses para isso acontecer a mim, e, mesmo com a certeza de que serei paciente, não concebo forma mais bela de suportar a espera do que lendo uma e outra vez o que vou viver com você no futuro. Conte-me tudo, Claire, por favor, sem esquecer nenhum detalhe. Diga como nos amaremos pela primeira e última vez, porque, a partir de agora, eu também viverei de suas palavras, minha querida Claire. Aqui os dias não são fáceis. Nossos irmãos caem aos milhares sob o poder dos autômatos, que assolam nossas cidades como se também quisessem apagar nossas obras, qualquer marca de nossa existência. Não sei o que vai acontecer se minha missão fracassar, se eu não conseguir impedir que essa guerra tenha início. Apesar de tudo, meu amor, enquanto o mundo cai a meu redor, eu só posso sorrir, porque seu amor incondicional me transformou no ser mais feliz da Terra.

D.

* * *

Claire apertou a carta contra o peito alvoroçado. Como havia ansiado que alguém lhe escrevesse palavras como aquelas, palavras que lhe tirassem o fôlego e agitassem o coração! Agora estava acontecendo. Agora alguém dizia que a amava com um amor que estava além do tempo. Dominada por uma inebriante euforia, pôs uma folha de papel na escrivaninha e começou a relatar a Tom o que eu, por meu lado, tanto evitei contar, para proteger sua intimidade:

Ah!, Derek, meu Derek: você não imagina o que sua carta significou para mim, por "estar" onde devia, mas também por vir impregnada de amor. Era o estímulo que eu necessitava para acabar de aceitar meu destino sem uma única dúvida. E a primeira coisa que vou fazer é satisfazer a seu pedido, meu amor, sem perder um único segundo, apesar do rubor que certamente invade meu rosto. Como poderia lhe negar uma intimidade que no fundo lhe pertence? Sim, vou contar como acontecerá tudo, se bem que ao fazê-lo não esteja senão lhe ditando o que terá de fazer, o modo como terá de se comportar, veja só como é estranho tudo isso.

Nós nos amaremos em um quarto da pensão Pickard, que se encontra bem em frente ao salão de chá. Eu aceitarei acompanhá-lo até lá depois de decidir confiar em você. No entanto, apesar de tudo, você vai me ver terrivelmente assustada ao avançar pelo corredor rumo ao quarto alugado. E isso é uma coisa que eu gostaria de lhe explicar, meu amor, agora que tenho a oportunidade. Ignoro se o que direi vai espantá-lo, mas em nossa época, especialmente nas famílias burguesas como a minha, as moças são educadas para reprimir seus instintos. Infelizmente, difundiu-se a crença de que o ato íntimo deve ser destinado exclusivamente à procriação, e enquanto o homem pode revelar o prazer que a carne lhe provoca, sempre de um modo respeitoso e moderado, é claro, nós devemos demonstrar uma impecável indiferença, pois nosso gozo é considerado imoral. Essa atitude irredutível foi a que minha mãe manteve durante toda a vida, e também a maioria de minhas amigas casadas. Mas eu sou diferente, Derek. Essa absurda inibição sempre me desagradou tanto quanto os trabalhos de tricô e crochê. Acho que, da mesma forma que o homem, as mulheres também têm direito de sentir prazer e, obviamente, de expressá-lo como cada qual considerar conveniente. Também acho que não é necessário estar casada para manter relações íntimas com um homem: para mim é suficiente estar apaixonada por ele. Essas são minhas crenças, Derek, e enquanto percorria o corredor da pensão repentinamente tomei consciência de que finalmente chegara o momento de verificar se podia colocá-las em prática, ou se eu apenas havia mentido para mim mesma, e se tive medo foi apenas por minha absoluta falta de experiência nesses assuntos.

Agora você já sabe, e creio que por isso me tratará com tanta delicadeza e ternura, mas não adiantemos os acontecimentos. Deixe que eu lhe conte as coisas de forma ordenada, passo a passo, e permita que, por deferência a você, conte no futuro, pois de seu ponto de vista ele ainda não ocorreu. Bem, não percamos mais tempo.

O quarto da pensão será muito modesto, mas acolhedor. A tarde vai estar prestes a virar noite, e por isso, antes de mais nada, você acenderá a lamparina da mesinha. Eu o verei fazer isso, tensa junto à porta, sem me atrever a mexer um único músculo. Então, você me olhará com doçura durante alguns segundos e se aproximará bem devagar, com um sorriso tranquilizador, como quem teme espantar um gato assustadiço. Ao chegar perto, me olhará nos olhos, não sei se querendo lê-los ou deixando-se ler neles, e depois se inclinará lentamente sobre minha boca, tão devagar, que terei tempo de perceber seu hálito morno, esse ar ardente que percorre seu interior, antes de sentir o toque suave e firme de seus lábios abordando os meus. Esse delicado contato vai me desconcertar durante alguns segundos, pois será meu primeiro beijo, Derek, e embora eu tenha passado muitas noites antecipando como ele seria, sempre me concentrei em imaginar seu lado espiritual, o efeito de levitação que supostamente provocaria, mas nunca tinha me passado pela cabeça pensar no lado físico, no brando e palpitante calor de outra boca na minha. Mas pouco a pouco irei me abandonando àquele toque prazeroso e correspondendo com a mesma ternura, sentindo que estamos nos comunicando de um modo mais efetivo e sincero que com as palavras, que estamos concentrando tudo o que fomos naquele insignificante espaço de carne. Agora sei que nada pode tornar mais cúmplices duas almas que o ato de beijar, avivando nosso desejo com o desejo do outro.

Então, uma comichão agradável começará a percorrer meu corpo, a infiltrar-se sob minha pele e a me inundar por dentro. Era esse redemoinho de sensações que minha mãe e minhas amigas mais recatadas tanto se esforçavam para ignorar? Eu o sentirei, Derek. Eu o saborearei. Eu o apurarei. E vou guardá-lo como um tesouro, meu amor, ciente de que o estarei vivendo pela primeira e última vez, porque depois de você não virá nenhum outro homem, e essas sensações terão de me alimentar pelo resto da vida. O chão se desmanchará sob meus pés e quase acreditarei que estou levitando, não fosse pelos prumos de suas mãos agarradas à minha cintura.

Então você retirará seus lábios, deixando nos meus o rastro de sua boca, e me olhará com terna curiosidade, enquanto eu tento recuperar a calma e o fôlego. E agora? Será o momento de nos despirmos e deitarmos na cama, mas você vai parecer tão indeciso quanto eu, sem se atrever a dar nem mesmo um passo nessa direção, talvez por pensar que isso iria me assustar.

E não estará errado, meu amor, porque eu nunca tinha me despido diante de nenhum homem, e por um instante sentirei um misto de medo e pudor que me levará até a considerar se é realmente imprescindível despir-se. Segundo minhas tias, minha mãe consumou seu casamento sem que meu pai chegasse a vê-la nua uma vez que fosse. Seguindo o costume de sua geração, a decorosa senhora Haggerty se deitava na cama sem tirar as anáguas, que tinham um buraco que só desvelava o perfumado acesso por onde meu pai deveria abordá-la. Mas eu não vou me contentar em levantar as anáguas, Derek. Vou querer aproveitar ao máximo nosso encontro, de maneira que vencerei minha vergonha e começarei a me despir sem tirar os olhos de você com uma doce solenidade. Vou tirar o chapeuzinho de plumas e pendurar no cabideiro, depois me libertarei do casaco, da blusa de gola alta, do corselete, do espartilho, da sobressaia, da saia, das anquinhas e das anáguas, até ficar de combinação. Sem deixar de fitá-lo com ternura, baixarei as alças para que a peça desça por meu corpo como a neve escorrega dos galhos de um abeto, até ficar enrolada aos meus pés, e depois, como último ato de tão laborioso ritual, tirarei a calcinha, oferecendo-me a você afinal totalmente nua, deixando meu corpo à sua disposição, entregando-o às suas mãos e à sua boca, dando-me completamente, por saber que o estarei fazendo com o homem certo, o capitão Derek Shackleton, libertador da raça humana, o único homem por quem eu poderia me apaixonar.

E você, meu amor, que observará o complicado processo com uma curiosidade ofegante, como quem espera ver uma bela escultura surgir do interior de um bloco de mármore à medida que os cinzéis do artista retiram os fragmentos que a ocultam, me verá avançar em sua direção, e se libertará da camisa e da calça com rapidez, como se uma rajada de vento os tivesse arrancado do varal. Nós nos abraçaremos então, trocando o calor de nossos corpos em um contato prazeroso, e sentirei suas mãos, acostumadas a lidar com a dureza do metal e das armas, explorar meu corpo consciente de sua fragilidade, com uma lentidão excitante e um cuidado reverencial. Então, nos deitaremos na cama, sem deixar de olhar-nos no fundo dos olhos, e minhas mãos rastrearão seu ventre em busca da cicatriz provocada pela bala com que Salomão tentou matá-lo, e à qual você sobreviveu como quem vence uma febre, mas estarei tão nervosa, que não conseguirei encontrá-la. Então, sua boca, úmida e ávida, percorrerá meu corpo, marcando-o com uma esteira de saliva, até que, uma vez devidamente cartografado, você entrará nele com cuidado, e eu o sentirei mexer-se dentro de mim com extrema delicadeza. Mas, apesar de seus cuidados, a invasão vai provocar uma inesperada pontada de dor em minhas entranhas que me fará gemer levemente e puxar seus cabelos, e logo a seguir isso se transformará em uma tortura suportável, até doce, e eu começarei a perceber que uma coisa que jazia adormecida dentro de mim finalmente estará despertando. Como descrever o que sentirei nesse instante? Imagine uma harpa que recebe os dedos pela primeira vez sem sequer suspeitar das notas que ela mesma esconde. Imagine uma vela acesa, cuja cera derretida desliza pela superfície e, alheia à chama que queima na ponta, se entretém tecendo uma bela renda na base do candelabro. O que quero lhe dizer, meu amor, é que até aquele momento eu não sabia que podia sentir o arrebatamento delicioso, o prazer jubiloso que se propagará por todo o meu ser a partir de um centro indefinido de minhas vísceras e, embora a princípio o pudor me obrigue a cerrar os dentes, tentando conter os gemidos que subirão por minha garganta, depois me entregarei ao gozo arrasador e me deixarei arrastar naquela corrente de fogo gelado e proclamarei meu gozo com gemidos exaltados, anunciando o amanhecer de minha carne, e nada parecerá me bastar, e o apertarei contra mim desesperadamente, aprisionando-o na armadilha de minhas pernas, porque nunca mais vou querer que deixe de me habitar, porque não vou entender como pude viver até então sem senti-lo docemente fincado em minhas entranhas. E quando, depois do arroubo final, você sair de dentro de mim deixando um rastro de amoras nos lençóis, eu me sentirei subitamente incompleta, órfã, perdida. De olhos fechados, apurarei o eco de felicidade que você deixou em minhas entranhas, o ressoar delicioso de sua presença; em seguida, depois de sua lenta extinção, uma sensação de entristecedora solidão me inundará, mas também uma gratidão infinita ao me descobrir como um organismo perfeitamente habilitado para o gozo, capaz de desfrutar tanto os prazeres mais elevados quanto os mais vulgares. Estenderei então minha mão até você, em busca do tato de sua pele embalsamada de suor, uma pele que ainda vibra e queima, como as cordas de um violino depois de um concerto, e o olharei com um sorriso etéreo de agradecimento por ter me ensinado quem sou, tudo o que eu ainda desconhecia de mim mesma.

Tom teve de parar de ler, entre comovido e espantado. Era ele quem havia desencadeado todas aquelas sensações? Encostado no carvalho, quase sem fôlego, deixou que seu olhar vagasse pelos campos ao redor. Para ele, o contato carnal com a moça tinha sido uma experiência agradável que não esqueceria, mas Claire falava do encontro como se tivesse sido algo sublime e indelével, transformando-o na pedra de toque que, contra o passar dos anos, sustentaria a catedral de seu amor. Sentindo-se um ser ainda mais rudimentar do que era, Tom deu um suspirou e continuou lendo:

Ia lhe contar agora, Derek, o modo como viajarei à sua época, mas ao lembrar que durante nosso encontro no salão de chá você ainda desconhecia como fazemos isso, sou obrigada a guardar o segredo para não alterar o que já aconteceu. Bastará você saber que ano passado um escritor chamado H. G. Wells publicou um romance maravilhoso, intitulado A máquina do tempo, *que fez todos nós sonharmos com o futuro. E que alguém nos mostrou isso. Não posso dizer mais nada. Mas direi em compensação que, embora sua missão em minha época não chegue a se concluir, e a máquina em que você viaja acabe sendo proibida, a raça humana vencerá a guerra contra os autômatos, e isso graças a você. Sim, meu amor, você é quem vencerá o malvado Salomão, em um emocionante duelo de espada. Acredite em mim, porque vi com meus próprios olhos.*

Com amor,

C.

Wells pôs a carta na mesa e, tentando esconder a comoção que as palavras de Claire lhe provocaram, olhou para Tom e assentiu silenciosamente, apenas balançando a cabeça, dando-lhe a entender que podia se retirar. Quando ficou sozinho, apanhou de novo a carta que teria de responder e releu a detalhada crônica do encontro na pensão, sentindo aumentar sua temperatura. Graças àquela desconhecida, finalmente havia entendido como era o gozo das mulheres, aquela sensação que as invadia com uma lentidão intrigante para possuí-las por completo ou apenas tocá-las. Como era sublime, como era luminoso e inacabável o prazer delas em comparação com o do homem, tão grosseiro e tosco, uma simples pontada de êxtase entre as coxas. Mas será que todas as mulheres sentiam dessa forma, ou aquela moça era especial, um espécime cuja receptividade havia sido aperfeiçoada pelo Criador até atingir o inimaginável? Não, provavelmente tratava-se de uma moça comum e normal, mas que exercia sua sexualidade de um modo que as demais qualificariam de temerário. A mera decisão de se despir completamente diante de Tom já revelava um espírito audaz, decidido a experimentar todas e cada uma das sensações que uma cópula pudesse proporcionar.

Ao constatar isso, Wells sentiu-se desiludido, até mesmo contrariado, com a forma pudica como as mulheres que conhecera ao longo da vida tinham decidido se entregar a ele. Sua prima Isabel era uma das que recorriam ao buraco na anágua, oferecendo-lhe no leito somente a vulva, a qual, por surgir fora de contexto, parecia a Wells um ser aterrador, uma espécie de criatura sugadora de clara estirpe extraterrestre, e Jane, embora mais desinibida nesses assuntos, tampouco lhe mostrara uma nudez completa que o eximisse de tentar averiguar pelo tato as dimensões de seu corpo. Jamais tivera a sorte, definitivamente, de encontrar alguém com a adorável predisposição de Claire. O que poderia fazer com uma moça assim, tão fácil de catequizar? Bastaria elogiar os efeitos medicinais que o sexo tinha sobre as fêmeas para transformá-la em uma seguidora entusiasta do gozo da carne, uma sacerdotisa moderna disposta a dar e receber prazer em qualquer momento, uma militante da cópula que iria de porta em porta afirmando que uma atividade amorosa regular era capaz de melhorar a aparência física das mulheres, dando a elas um brilho indefinido, suavizando a expressão, arredondando até os antiestéticos ângulos de seu corpo. Ao lado de uma mulher como aquela, ele seria, sem a menor dúvida, um homem satisfeito, apaziguado, enriquecido, um homem que finalmente poderia se concentrar em outras coisas, voltar-se para outros interesses, livre da comichão perpétua que dominava o varão na adolescência e não o abandonava até que a chegada da decrepitude inutilizasse seu corpo. Não é de estranhar, portanto, que em seguida Wells imaginasse aquela moça chamada Claire Haggerty deitada em sua cama, sem nenhum objeto que protegesse seu corpo magro e flexível, deixando-se tocar por ele com o abandono lisonjeiro de um gato, gozando intensamente com as mesmas carícias que em Jane só produziam um suspiro cortês. Achou irônico captar o gozo daquela desconhecida enquanto ignorava o da própria esposa que, lembrou-se de repente, estava esperando em algum ponto da casa que ele lhe desse a nova carta para ler.

Deixou a cozinha e foi procurá-la, fazendo exercícios respiratórios no caminho para diminuir sua agitação. Encontrou-a sentada na sala com um livro e colocou a folha na mesinha sem dizer nada, como quem deixa uma taça de vinho envenenado e se retira para esperar os efeitos que vai provocar na vítima, pois, sem dúvida, aquela carta teria efeitos em Jane, como tivera nele, obrigando-o a repensar sua maneira de encarar o lado físico do amor, do mesmo modo que a carta anterior o levara a questionar o modo de sentir seu lado espiritual. Foi ao jardim para respirar o ar da noite, e observou a lua que se apoderava do céu, plena e nívea. A sensação de insignificância que o firmamento sempre lhe provocava se somava agora à sensação de estupidez que sempre costumava ter ao observar a maneira muito mais eficaz e espontânea como outra pessoa, neste caso a moça chamada Claire Haggerty, se relacionava com o mundo. Permaneceu no jardim por um bom tempo, até que julgou que era hora de ver que efeitos a carta tivera em sua mulher.

Entrou na casa sem pressa, com passos quase espectrais, e ao não encontrá-la na sala nem na cozinha, subiu até o quarto. Lá estava Jane, esperando-o em pé junto à janela. O fulgor da lua perfilava seu corpo nu e oferecido. Dividido entre o espanto e a gula, Wells estudou os volumes, as proporções, a elástica sabedoria com que aquelas peças de mulher, sempre entrevistas em separado, sempre intuídas sob o tecido, fundiam-se agora em uma paisagem maior, confabulando para criar um ser livre e etéreo que parecia capaz de sair voando a qualquer momento. Admirou a soltura plástica de seus seios, o doloroso estreitamento da cintura, o plácido remanso dos quadris, a lã noturna do púbis, os animaizinhos dos pés, enquanto Jane sorria abertamente, satisfeita por sentir-se inspecionada pelos olhos admirados do marido. Então, o escritor soube o que devia fazer. Como se obedecesse às ordens de um ponto invisível, ele se livrou das roupas aos safanões, expondo também sua nudez ao resplendor da lua, que se apressou a delinear seu corpo ossudo e frágil. Marido e mulher se abraçaram no meio do quarto, sentindo o toque prazeroso da pele do outro como nunca antes haviam experimentado. As sensações seguintes também lhes pareceram intensificadas, pois, com as palavras de Claire gravadas na mente, cada carícia e cada beijo redobravam seus efeitos, provocando uma vertigem que não sabiam se era real ou produto da sugestão, mas vertigem de qualquer forma, e se entregaram a ela, entusiasmados e vorazes, com vontade de explorar um ao outro, ansiosos para descobrir o que havia para além do jardim demarcado de seu prazer.

Mais tarde, enquanto Jane dormia, Wells pulou da cama, caminhou nas pontas dos pés até a cozinha, pegou a pena e começou a preencher o papel, invadido por uma euforia indomável.

Meu amor:

Como anseio que chegue o dia em que finalmente poderei sentir tudo o que você me conta! O que posso lhe dizer, a não ser que a amo e que a amarei tal como descreve? Vou beijá-la com ternura, acariciá-la com lentidão e reverência, e entrar em você com o maior cuidado possível, e o meu prazer será em dobro, Claire, por saber tudo o que você estará sentindo.

Tom leu com receio as vivas palavras de Wells. Sabia que o escritor estava se fazendo passar por ele, mas não podia deixar de pensar que qualquer um dos dois poderia pronunciar aquelas palavras. Era evidente que Wells estava gostando daquilo. Perguntou-se o que sua mulher pensaria a respeito. Dobrou a carta, guardou-a no envelope e o deixou sob a pedra, ao lado da lápide do misterioso Peachey. No caminho de volta, continuou pensando nas palavras do escritor, sem poder deixar de sentir-se excluído do jogo que ele mesmo inventara, relegado à condição de simples mensageiro.

Eu já a amo, Claire, já a amo. Vê-la será mais um passo. E saber que venceremos essa cruenta guerra expande ainda mais minha sorte. Salomão e eu nos enfrentando em um duelo de espada? Há alguns dias eu teria duvidado de seu juízo, meu amor: jamais imaginaria que resolveríamos nossas diferenças com uma arma tão pré-histórica. Mas esta manhã, vasculhando as ruínas do Museu de História, um de meus homens encontrou uma espada. Aquele objeto lhe pareceu de uma nobreza digna de um capitão e, como obedecesse à sua ordem, entregou-a com toda a solenidade a mim. Agora sei que preciso treinar com ela para um futuro duelo, um duelo do qual sairei vitorioso, porque a certeza de saber que seus belos olhos estarão fixos em mim me dará forças.

Receba todo o meu amor do futuro,

D.

Claire teve uma ameaça de desmaio, deitou-se na cama e saboreou atentamente as numerosas sensações que as palavras do bravo capitão Shackleton tinham desatado em seu coração. Então ele sabia, enquanto enfrentava Salomão, que ela o estava observando... Isto lhe causou um leve enjoo do qual demorou para se recuperar. Quando conseguiu, guardou com cuidado a carta no envelope. De repente, percebeu que só faltava receber mais uma carta de seu amado. Como sobreviveria depois sem elas?

Tentou não pensar nisso. Ela ainda tinha de escrever mais duas. Tal como havia prometido, na última lhe falaria sobre o encontro no ano 2000; mas, e o que devia escrever agora? Um tanto espantada, percebeu que pela primeira vez o assunto da carta não vinha por si mesmo. O que poderia dizer a seu amado que ainda não tivesse dito, especialmente considerando que tudo o que decidisse contar devia ser examinado com supremo cuidado, para não lhe dar uma informação que pusesse em perigo a malha do tempo, que parecia ser frágil como cristal. Depois de pensar um pouco, decidiu descrever como seus dias transcorriam agora, seus dias de apaixonada sem amante. Sentou-se diante da escrivaninha e pegou a pena:

Meu amor:

Você não imagina o que suas cartas significam para mim. Sei que só receberei mais uma, e isso me causa uma tristeza profunda. Mas garanto que serei forte, que não vou esmorecer, que não deixarei de pensar em você, de senti-lo a meu lado em cada segundo de meus longos dias. E, obviamente, não deixarei que outro homem manche nosso amor, ainda que nunca mais volte a vê-lo. Prefiro viver de sua lembrança, por mais que minha mãe, a quem naturalmente nada contei — o meu amor não teria valor para ela, já que lhe pareceria uma simples miragem imprestável —, me arranje encontros com os solteiros mais ricos do bairro. Eu os recebo com cortesia, e depois me divirto inventando os mais absurdos defeitos para afastá-los, o que faz minha mãe olhar-me com incredulidade. Minha reputação se degrada a cada dia: estou a caminho de me tornar uma solteirona que envergonhará a família. Mas o que me importa o que os outros pensem? Sou sua amada, a amada do bravo capitão Derek Shackleton, embora tenha que amá-lo em segredo.

Afora esses encontros enfadonhos, o resto do dia, meu amor, eu dedico a você, pois aprendi a senti-lo a meu lado, revoando em torno de mim como uma fragrância, mesmo estando a séculos de distância. Sinto-o a meu lado em todos os momentos, observando-me com seus olhos ternos, embora às vezes fique triste por não poder tocá-lo, por sua presença ser apenas uma lembrança, por não poder compartilhar nada com você. Não podemos passear abraçados pelo Green Park, não podemos ver o entardecer no The Serpentine de mãos dadas, não podemos sentir juntos o aroma dos narcisos que cultivo em meu jardim e que, segundo minhas vizinhas, perfumam toda a St. James's Street.

O escritor o aguardava na cozinha, como das outras vezes. Tom lhe entregou a carta sem dizer nada e retirou-se antes que ele pedisse. Não tinha o que dizer. Embora no fundo soubesse que não era verdade, não podia deixar de sentir que Claire se dirigia ao escritor e não a ele. Sentia-se como um intruso naquela história de amor, a metade podre da maçã. Ao ficar só, Wells desdobrou a carta e começou a percorrer com avidez a esmerada caligrafia da moça:

Mesmo assim, Derek, eu o amarei até que minha vida se apague, e ninguém poderá negar que terei sido feliz. No entanto, confesso que nem sempre é fácil. Segundo você, nunca mais voltarei a vê-lo, e isso é tão insuportável, apesar de meus esforços, que às vezes tento superá-lo pensando que talvez você esteja enganado. Isso não significa que duvide de suas palavras, meu amor, é claro que não. Mas o Derek que as pronunciou no salão de chá estava se baseando nas minhas, nestas palavras, e esse Derek que depois de me amar na pensão retornou apressadamente a seu tempo, esse Derek que ainda não é você, talvez não suporte não voltar a ver-me e dê um jeito de regressar ao meu lado. Nem você nem eu sabemos o que esse Derek fará, pois seus passos saem do círculo. Essa é minha esperança, meu amor. Talvez ingênua, mas necessária. Tomara que eu volte a vê-lo. Tomara que o perfume de meus narcisos o guie até mim.

Wells dobrou a carta, guardou-a de novo no envelope e a colocou sobre a mesa, em que a contemplou por um longo tempo. Então se levantou, caminhou em círculos pela cozinha, voltou a se sentar, levantou-se de novo, deu mais algumas voltas e, finalmente, se dirigiu à estação de Woking para solicitar uma carruagem.

—Vou a Londres resolver um assunto — disse a Jane, que estava trabalhando no jardim.

No caminho, lutou para que o coração não lhe saísse pela boca.

A essa hora da tarde St. James's Street parecia planar em um tranquilo silêncio. Wells ordenou que a carruagem parasse no começo da rua e pediu ao cocheiro que o esperasse. Endireitou o chapéu, ajustou a gravata e farejou avidamente o ar, como um cão perdigueiro. Depois de farejar, concluiu que aquele perfume suave e um tanto evocativo, ligeiramente parecido com o de jasmim, que se intuía atrás do cheiro de bosta de cavalo, devia ser dos narcisos. Gostou da simbologia que a flor dava à cena, já que, conforme tinha lido, o narciso, ao contrário do que se acreditava, não devia seu nome ao belo deus grego, mas a suas propriedades narcóticas. O bulbo em que nascia tinha componentes alcaloides capazes de provocar alucinações, e essa peculiaridade parecia terrivelmente oportuna a Wells: por acaso não estavam os três — a moça, Tom e ele próprio — presos a uma alucinação? Examinou a rua, longa e sombreada, e começou a andar pela calçada com o jeito ocioso de quem está passeando, mas, à medida que avançava em direção à suposta fonte do perfume, começou a notar que sua boca começava a ficar seca. Por que estava lá, o que pretendia? Não sabia exatamente. Só sabia que precisava ver a moça, dar um rosto à destinatária de suas vibrantes palavras ou, pelo menos, contemplar a casa de onde ela escrevia aquelas belas cartas. Talvez isso bastasse.

Antes do esperado, viu-se diante de um jardim cuidado com inegável esmero, com um pequeno chafariz em um canto e rodeado por uma cerca em que se enredavam preguiçosamente algumas flores com pétalas grandes, de um amarelo pálido. Como não houvesse na rua nenhum outro jardim que pudesse rivalizar em beleza com aquele, Wells deduziu que tais flores deviam ser os narcisos, e a elegante construção, por conseguinte, a casa de Claire Haggerty, a desconhecida por quem fingia estar apaixonado com uma convicção que não demonstrava à mulher que verdadeiramente amava. Sem querer refletir muito sobre esse paradoxo, aliás bem de acordo com sua natureza contraditória, foi até a cerca e quase introduziu o nariz entre as grades com a intenção de espionar, atrás dos vidros chumbados das janelas, alguma coisa que desse sentido à sua urgente presença ali.

Foi então que reparou na moça que o observava um tanto perplexa de um canto do jardim. Ao ver-se descoberto, Wells tentou disfarçar, mas sua reação ficou bem longe de ser natural, especialmente porque entendeu logo que aquela moça que o olhava com desconfiança não podia ser outra senão Claire Haggerty. Tentou se acalmar, ao mesmo tempo que lhe abria um sorriso inofensivo, ridiculamente afável.

— Lindos narcisos, senhorita — elogiou com uma voz afetada. — Dá para sentir o perfume desde o começo da rua.

Ela sorriu e se aproximou um pouco, o suficiente para que o escritor pudesse constatar a beleza de seu rosto e o fragilíssimo porte de seu corpo. Embora vestida, lá estava ela, finalmente, diante de seus olhos. E, apesar do nariz um tanto arrebitado que estragava sua beleza serena de estátua grega, ou talvez por isso mesmo, achou-a verdadeiramente bonita. Aquela moça era a destinatária de suas cartas, sua amada de mentirinha.

— Obrigada, senhor, é muito gentil de sua parte — disse ela, retribuindo o elogio.

E Wells abriu a boca para dizer alguma coisa, mas em seguida voltou a fechá-la. Tudo o que queria dizer transgredia as regras do jogo que aceitara jogar. Não podia dizer a ela que, embora parecesse um homem baixinho e insignificante, era ele quem escrevia aquelas palavras sem as quais ela afirmava que não poderia viver. Nem podia dizer que sabia com absoluta precisão como ela sentia o gozo da carne. E muito menos podia dizer que tudo aquilo era uma farsa, avisar-lhe que não se envolvesse com aquele amor que estava apenas em sua mente, que as viagens no tempo não existiam nem havia nenhum capitão Shackleton em guerra contra os autômatos no ano 2000, porque dizer-lhe que tudo isso era uma mentira deslavada cujo preço custaria sua vida seria como entregar-lhe uma pistola para que atirasse no centro do próprio coração. Notou então que ela também o observava com curiosidade, como se seu rosto lhe fosse familiar. Temendo ser reconhecido, Wells levou rapidamente a mão ao chapéu, fez uma educada reverência e retomou seu passeio tentando não andar muito rápido. Intrigada, Claire observou durante alguns minutos como ele se afastava, até que finalmente deu de ombros e entrou em casa.

Na calçada em frente, escondido atrás de um muro, Tom Blunt viu-a desaparecer no interior da residência. Saiu então de seu esconderijo e balançou a cabeça. Ficara surpreso ao ver Wells aparecer, mas não muito, certamente. O escritor tampouco teria se espantado muito em encontrá-lo ali. Ao que tudo indicava, nenhum dos dois resistia à tentação de procurar a casa da moça, cujo endereço ela revelara sutilmente na esperança de que, caso voltasse, Shackleton pudesse localizá-la.

Retornou a seu esconderijo de Buckeridge Street sem saber o que pensar sobre Wells. Será que o escritor se apaixonara por ela? Supôs que não. Devia ter ido à casa da moça simplesmente por curiosidade. Se estivesse no lugar de Wells, ele também não tentaria dar um rosto à moça para quem devia escrever palavras que provavelmente não dizia nem à própria esposa? Deitou no catre sentindo-se terrivelmente cansado, mas os nervos e o permanente estado de tensão em que vivia não lhe permitiram dormir mais que duas horas, e, antes que começasse a clarear, empreendeu o longo caminho rumo à casa do escritor. Aquelas caminhadas o estavam deixando mais em forma que os treinamentos de Murray, cujo capanga, aliás, não voltara a aparecer para castigar a audácia com que estava desobedecendo às suas ordens, embora nem por isso pretendesse baixar a guarda.

Wells o esperava sentado nos degraus da varanda. Ele também não parecia ter descansado muito. Estava abatido e com olheiras, e um brilho estranho nos olhos. Provavelmente, havia passado a noite em claro, escrevendo a carta que agora tinha nas mãos. Ao vê-lo, cumprimentou-o com um lacônico gesto de cabeça e entregou-lhe a missiva evitando olhar em seus olhos. Tom recebeu-a e, sem querer romper aquele silêncio tão carregado de subentendidos, deu meia-volta para regressar pelo mesmo caminho. Ouviu então a voz de Wells:

—Vai me trazer a carta dela mesmo que eu não precise mais respondê-la?

Tom se virou e olhou-o com um profundo pesar, sem saber se aquela tristeza era por ele ou por si mesmo, ou, então, por Claire. Afinal concordou, um tanto contrariado, e deixou a casa do escritor. Somente quando se afastou o suficiente abriu o envelope e começou a ler.

Meu amor:

No meu mundo não existem narcisos, nem resta o menor vestígio de qualquer outra flor, mas garanto que ao ler sua carta quase posso sentir o perfume deles. Sim, posso vê-los a seu lado, no jardim de que me fala, que eu imagino cuidado com capricho por suas mãos nacaradas, arrulhados talvez por uma fonte canora. De alguma forma, meu amor, graças a você, posso farejá-los daqui, da outra margem do tempo.

Tom balançou a cabeça, abatido, imaginando como aquelas palavras comoveriam a moça, e voltou a ter pena dela e, no fundo, um tremendo asco de si mesmo. A moça não merecia aquele engano. Era verdade que as cartas salvariam sua vida, mas no fundo só estavam reparando o mal que ele lhe fizera de forma tão egoísta, sem outro objetivo além de acalmar os ardores de sua virilha. Não podia se parabenizar por ter impedido um suicídio e depois esquecer o assunto, deixando que Claire desperdiçasse sua existência por uma mentira, que decidisse enterrar-se em vida por uma quimera. O longo passeio até a colina serviu para clarear suas ideias, fazendo-o concluir que o único modo de expiação que tranquilizaria a sua consciência seria amá-la de verdade, tornar realidade aquele amor pelo qual ela estava disposta a se sacrificar, ou seja, fazer Shackleton retornar do longínquo ano 2000, arriscando a vida por ela, tal como Claire desejava. Era a única coisa que podia reparar totalmente seu erro. Mas também a única que não podia fazer.

Estava às voltas com esses pensamentos quando, para sua surpresa, avistou a moça junto ao carvalho. Dada a distância, reconheceu-a facilmente. Parou repentinamente, aturdido. Parecia incrível, mas Claire estava ali, em pé junto à árvore, protegendo-se do sol com a sombrinha que ele lhe trouxera através do tempo. Ao pé da colina, distinguiu também uma carruagem, com o cocheiro movendo a cabeça entediado na boleia. Correu para se esconder atrás de uns arbustos antes que um dos dois notasse que não estavam sozinhos naquela paisagem. Perguntou-se o que Claire estaria fazendo ali. Mas a resposta era óbvia: a moça o estava esperando. Sim, Claire o estava esperando, ou, mais exatamente, esperava a irrupção de Shackleton naquele lugar, emergindo de uma dobra no ar, proveniente do ano 2000. Não conseguindo resignar-se com sua ausência, a moça tinha decidido se opor ao destino, resolvera agir, e a forma mais simples de fazer isso era indo ao lugar onde o capitão aparecia para buscar suas cartas. O desespero tinha levado Claire a fazer um movimento fora do tabuleiro. E, escondido atrás dos arbustos, Tom se amaldiçoou por não ter considerado essa possibilidade, sobretudo tratando-se de uma moça que já dera mostras mais que suficientes de sua inteligência e audácia.

Ficou ali escondido quase toda a manhã, vendo-a com tristeza dar pequenas voltas em torno do carvalho, até que finalmente se cansou, subiu no coche e retornou a Londres. Tom emergiu então do esconderijo, deixou a carta embaixo da pedra e voltou também à cidade. Enquanto caminhava, lembrou-se das palavras aflitas com que Wells concluiu sua última missiva:

Um pesar infinito me inunda ao pensar que esta é a última carta que lhe escrevo, meu amor. Você mesma me disse, e nisso também acredito em você. Eu gostaria de continuar lhe escrevendo até nos encontrarmos em maio próximo, mas, se aprendi alguma coisa com tudo isso, é que o futuro já está escrito, e que você o leu, e por isso imagino que algo vá acontecer que me impeça de continuar lhe enviando cartas, quem sabe a proibição da máquina e o cancelamento de minha missão, que não está dando nenhum fruto. Meus sentimentos agora são contraditórios, como pode imaginar: por um lado, fico alegre por saber que para mim não é um adeus definitivo, já que a verei dentro de pouco, mas, por outro lado, minha alma se parte ao pensar que você não voltará a saber de mim. Mas isso não significa que meu amor irá desaparecer. Ele continuará aqui, prometo, porque, se tenho alguma certeza, é a de que vou continuar amando-a, Claire. Vou continuar amando-a aqui no meu mundo sem flores,

D.

Com as lágrimas escorrendo pelo rosto, Claire sentou-se diante da escrivaninha, deu um suspiro profundo e mergulhou a pena no tinteiro.

Esta também é minha última carta, meu amor, e por mais que eu quisesse começá-la dizendo quanto o amo, devo ser honesta comigo mesma e confessar com vergonha que há dois dias fiz algo temeroso. Sim, Derek, ao que parece não sou tão forte quanto pensava, e fui até o carvalho disposta a esperar seu aparecimento. Sua ausência é muito dolorosa para mim. Precisava vê-lo, mesmo que isso alterasse a malha do tempo. Mas você não apareceu durante toda a manhã, e eu não podia escapar da vigilância de minha mãe por mais tempo. Já é bastante difícil conseguir que Peter, o cocheiro, não suspeite de nada. O que pensaria se visse você aparecer junto ao carvalho como por passe de mágica? Creio que tudo seria descoberto, e isso desencadearia algum tipo de catástrofe temporal. Agora compreendo que fui uma garotinha tola e irresponsável, sim, porque, embora Peter nada tenha visto — toda vez que lhe peço que me leve até lá ele me olha com estranheza, mas até agora escondeu o segredo de minha mãe —, nosso encontro imprevisto teria alterado a malha do tempo da mesma forma: você não me veria pela primeira vez no dia 20 de maio do ano 2000, tudo se embaralharia de repente e depois nada aconteceria como tem de acontecer. Mas, felizmente, embora fosse tudo o que eu queria naquele momento, você não apareceu, e não há nada que lamentar. Imagino que tenha chegado à tarde, porque no dia seguinte sua bela e última carta estava ali. Espero que desculpe minha irresponsabilidade, Derek, que confessei na intenção de também não esconder de você meus defeitos, e, esperando inspirar ainda mais seu perdão, vou lhe enviar um presente de todo o coração, para que saiba o que é uma flor.

Depois de escrever isso, levantou-se, pegou na estante seu exemplar de *A máquina do tempo*, abriu-o e tirou do meio das páginas o narciso que havia posto ali para secar. Quando acabou a carta, deu um beijo em suas frágeis pétalas e o colocou cuidadosamente no envelope.

Peter tampouco fez perguntas dessa vez. Sem precisar de instruções, rumou para a colina de Harrow. Uma vez lá, Claire subiu até o carvalho e escondeu dissimuladamente a carta sob a pedra. Depois contemplou por um tempo a paisagem que a rodeava, sentindo que estava se despedindo do lugar que durante aqueles dias havia sido o cenário de sua felicidade, daqueles campos silenciosos que verdejavam raivosamente sob a luz da manhã e dos trigais que se viam ao fundo, sublinhando o horizonte com uma linha dourada. Olhou para a lápide de John Peachey e se perguntou que vida teria tido aquele desconhecido, se teria experimentado o amor verdadeiro ou se morrera sem senti-lo. Aspirou uma lufada de ar e quase lhe pareceu sentir o aroma de seu amado Derek flutuando ao redor, como se seus repetidos aparecimentos tivessem deixado uma espécie de marca naquele lugar. Mas era pura sugestão, pensou, provocada por seu desesperado desejo de voltar a vê-lo. Tinha de aceitar a realidade. Devia se preparar para passar o resto da vida sem ele, limitando-se a ouvir seu amor ressoar do outro lado do tempo, porque talvez não mais voltasse a vê-lo. Nessa mesma tarde, amanhã ou talvez depois, uma mão fantasma faria sua última carta desaparecer e não haveria nenhuma outra, apenas a solidão a se desenrolar diante de seus pés como um tapete infinito.

Dirigiu-se ao coche e subiu sem dizer nada a Peter. Não era necessário. Com uma expressão resignada, o cocheiro seguiu rumo a Londres assim que ela se acomodou no interior da carruagem. Quando esta desapareceu na distância, Tom desceu do galho em que havia subido e pulou para o chão. De lá tinha conseguido vê-la pela última vez, poderia até tê-la tocado simplesmente esticando a mão, mas não se atreveu. E agora, depois de ter se permitido esse capricho, tinha de se afastar dela para sempre. Apanhou a carta debaixo da pedra, sentou-se encostado na árvore e começou a lê-la com uma expressão aflita.

Como você bem adivinhou, Derek, muito em breve vão proibir a máquina. Não haverá nenhuma outra viagem no tempo para você, até que vença o malvado Salomão. Então decidirá arriscar a vida usando a máquina às escondidas para viajar até minha época. Mas vamos por partes, e deixe que eu finalmente lhe conte como ocorrerá nosso primeiro encontro e o que acontecerá a seguir. Como já disse, será em 20 de maio do ano 2000. Nessa manhã, você e seus homens farão uma emboscada a Salomão. À primeira vista, e apesar da inteligente disposição de seus soldados, o resultado da batalha não será muito *favorável a vocês, mas não se preocupe com isso, pois, ao final, Salomão vai lhe propor resolver o conflito de uma vez por todas com um duelo de espadas. Aceite sua oferta sem hesitar, meu amor, pois você vai sair vitorioso da luta. Isso o transformará em um herói, e essa batalha, que dará fim ao domínio dos autômatos sobre a raça humana, será considerada o princípio de uma nova era. Tanto é assim que será um perfeito destino turístico para os viajantes do tempo de minha época, que irão presenciá-la, emocionados.*

Eu farei uma dessas viagens, e o verei lutar contra Salomão escondido entre os entulhos, mas, em vez de retornar com os outros quando o duelo terminar, vou me esconder entre as ruínas com a intenção de ficar em seu mundo, pois, como você sabe, minha época não tem interesse para mim. Sim, graças a esse descontentamento que me perseguiu a vida toda, esse mal-estar que nunca imaginei que fosse ser útil, você e eu nos conheceremos. Mas lhe advirto que nosso encontro não será muito romântico, como deveria, mas sim bastante embaraçoso, especialmente para você, Derek, e ainda rio ao me lembrar dele. Mas de seu comportamento pouco adequado só posso deduzir que não devo lhe contar mais nada, pois se o fizesse provavelmente condicionaria seus atos. Você só precisa saber que durante nosso breve encontro eu deixarei cair minha sombrinha, e ao atravessar o tempo para me conhecer e me amar, devolvê-la será a desculpa que terá para que eu aceite ir ao salão de chá. Naturalmente, para que tudo isso aconteça como deve acontecer, para terminar de traçar o círculo a que estamos presos, você deve aparecer em minha época antes que iniciemos nossa correspondência, pois de nada adiantaria que o fizesse depois, já que, como sabe, é você quem deve me incentivar a lhe escrever. Por isso tem de aparecer exatamente no dia 6 de novembro de 1896 e me procurar no mercado de Covent Garden, ao meio-dia, para me propor um encontro nessa mesma tarde. O resto você já sabe. Se fizer isso, preservará o círculo, e tudo o que aconteceu voltará a acontecer.

Isso é tudo, meu amor. Dentro de alguns meses nossa história começará para você. Para mim, no entanto, acaba agora, ao pôr o ponto final nesta carta. Mas não vou me despedir com um "Até nunca mais" que cerceie qualquer esperança de ver-nos outra vez, pois, como já lhe disse, viverei na expectativa de que você venha me buscar. Para isso, só precisa seguir o perfume da flor que encontrará no envelope.

Com todo o meu amor,

C.

Deixando escapar um suspiro de consternação, Wells largou na mesa a carta que Tom havia trazido. Pegou então o envelope e virou-o sobre a palma da mão, porém lá dentro não havia nada. Mas o que esperava? A flor não era para ele. E ali, sentado na cozinha, tocado pelo sol da tarde, entendeu que havia tecido demasiadas ilusões. Embora aparentasse, ele não era o protagonista daquele idílio através do tempo. Viu-se com a mão ridiculamente estendida e vazia, como se quisesse verificar se chovia dentro da casa. E não pôde deixar de sentir-se como um intruso naquela história, a metade podre da maçã.

XXXII

Com enorme cuidado Tom alojou a quebradiça flor entre as páginas do único livro que possuía, o castigado exemplar de *A máquina do tempo.* Havia decidido dar as cartas de Claire a Wells, como uma espécie de retribuição pelos serviços prestados, mas, principalmente, porque no fundo achava que lhe pertenciam; por isso mesmo também tivera a precaução de ficar com o narciso que viera no último envelope, pois considerava que a flor, sim, era para ele. E, afinal, podia ler nela melhor do que nas cartas.

Recostou-se na cama, perguntando-se o que seria de Claire Haggerty agora que a fase das cartas terminara, confirmando que ela realmente estava vivendo um idílio com um homem do futuro. Imaginou-a pensando nele todos os dias, tal como lhe escrevera, da manhã à noite, enquanto os anos passavam e a verdadeira vida, a que deveria viver, escorria entre suas mãos sem que ela lamentasse. Aquele destino injusto, com o qual ele havia contribuído, ou melhor, que ele tinha orquestrado, o deixava arrasado, mas não imaginava um modo de arrumar as coisas que não terminasse piorando-as ainda mais. Seu único consolo era que Claire lhe disse em uma de suas cartas que morreria feliz. E talvez, afinal, isso fosse a única coisa que importava. Provavelmente fosse mais feliz vivendo esse idílio impossível do que se casando com algum de seus pretendentes. Se isso fosse verdade, era irrelevante o fato de que sua felicidade se originasse de uma mentira, desde que ela nunca a descobrisse, se morresse sem saber que tinha sido ludibriada, se terminasse seus dias acreditando que havia amado e sido amada pelo capitão Derek Shackleton.

Parou de pensar no destino da moça e se concentrou em seu próprio. Escondendo-se e dormindo nos campos conseguira se manter vivo até salvar a vida de Claire, exatamente como se propusera. Agora, no entanto, estava pronto para morrer, e até ansioso pela morte, pois não lhe restava mais nada para fazer no mundo, a não ser continuar vivendo mal, o que lhe parecia um exercício terrivelmente fatigante e, no fundo, sem sentido, e muitíssimo mais ingrato com a lembrança de Claire fincada na alma como uma farpa. No entanto, já haviam passado doze dias desde que estivera com a moça no salão de chá, diante de toda Londres, e o assassino que Gilliam contratou ainda não tinha conseguido encontrá-lo. Tampouco podia confiar em Salomão que, ao que tudo indicava, preferira ficar em seus sonhos. Mas alguém tinha de matá-lo, senão acabaria morrendo de fome. Devia tornar as coisas mais fáceis para o carrasco? A essas incertezas ainda se somava mais uma: dentro de doze dias seria realizada a terceira expedição ao ano 2000, de modo que logo começariam os ensaios. Será que Gilliam estava esperando que ele se apresentasse em Greek Street para matá-lo em sua guarida, com suas próprias mãos? Ir ao primeiro ensaio equivalia a aventurar-se voluntariamente na boca do lobo, mas, apesar de tudo, Tom sabia que acabaria fazendo isso, nem que fosse só para resolver a charada de seu destino de uma vez por todas.

Nesse instante alguém esmurrou com força a porta do quarto. Tom se levantou como uma mola, mas não fez a menor menção de abrir. Permaneceu à espera, com todos os músculos do corpo tensionados, preparado para qualquer coisa. Perguntou-se se finalmente havia chegado sua hora. Alguns segundos depois, a chuva de batidas se repetiu.

— Tom? Você está aí, maldito patife? — bradou alguém do lado de fora. — Abra de uma vez, senão vou ter de derrubar a porta.

Reconheceu logo a voz de Jeff Wayne. Guardou o romance de Wells no bolso e abriu a porta sem muito entusiasmo. Jeff irrompeu no quarto e o envolveu com um forte e entusiasmado abraço. Bradley e Mike o cumprimentaram do patamar.

— Onde você andou se escondendo esses dias, Tom? Os rapazes e eu o procuramos por toda parte... Algum rabo de saia? Bem, não importa: nós o encontramos a tempo. Esta noite vai haver uma grande comemoração, graças à generosidade de nosso velho amigo Mike — disse o colega, apontando para o gigante que aguardava com ar distraído junto à porta.

Ao que parecia, pelo que Tom conseguiu deduzir da confusa explicação de Jeff, alguns dias antes Mike havia realizado uma missão especial para Murray.

Interpretara ninguém menos que Jack, o Estripador, o monstro que assassinara cinco prostitutas em Whitechapel no outono de 1888.

— Alguns nascem para encarnar heróis, e outros... — brincou Jeff, dando de ombros. — De qualquer forma, foi um papel principal e isso merece uma boa farra, não?

Tom concordou. Não podia fazer outra coisa. O plano, que evidentemente não fora ideia de Mike Spurrell, mas sim de Jeff, sempre disposto a dilapidar o dinheiro dos outros, não lhe agradava nem um pouco, mas não teve forças para nadar contra a corrente. Praticamente aos empurrões, seus colegas o levaram escada abaixo, até uma das tabernas próximas, onde as travessas de salsichas e carne servidas na mesa do reservado acabaram por vencer sua parca resistência. Tom podia não gostar da companhia, mas seu estômago não iria perdoar-lhe se saísse dali. Soltando eufóricas gargalhadas, os quatro se sentaram à mesa e comeram como lobos, enquanto faziam todo tipo de piadas sobre a missão de Mike.

— Não foi um trabalho fácil, Tom — queixou-se o grandalhão dirigindo-se a ele. — Eu tive de usar uma chapa de aço ajustada no peito para sair ileso do tiro, e é bastante difícil bancar o morto com um espartilho de aço!

Seus colegas explodiram em gargalhadas. Continuaram comendo e bebendo, e quando a maioria dos pratos ficou vazia e o álcool começou a fazer efeito, Bradley se levantou, rodeou a cadeira, apoiou as mãos no encosto, como se estivesse num púlpito, e olhou para eles com uma gravidade exagerada. As farras sempre incluíam um momento em que Bradley exibia seu talento para a imitação. Tom se reclinou na cadeira, resignado a presenciar o espetáculo, dizendo a si mesmo que pelo menos tinha matado a fome.

— Damas e cavalheiros, quero apenas dizer-lhes que estão prestes a participar do evento mais importante do século: hoje viajarão no tempo! — anunciou o rapaz, impostando a voz. — Sim, não me olhem desse jeito. Na Viagens Temporais Murray nós não nos conformamos de jeito nenhum apenas em viajar ao futuro. Graças aos nossos esforços, vocês poderão ser testemunhas do momento mais importante da história da humanidade. Estou me referindo, naturalmente, à batalha entre o bravo capitão Derek Shackleton e o pérfido Salomão, cujos sonhos de conquista terão o privilégio de ver perecer sob a espada daquele.

Ouviram-se aplausos e gargalhadas gerais. Animado pelo efeito que sua atuação causava nos colegas, Bradley jogou a cabeça para trás e fez uma expressão ridiculamente sonhadora.

— Sabem qual foi o grande erro de Salomão? Eu vou dizer, damas e cavalheiros: seu erro foi escolher o sujeito errado para perpetuar a espécie. Sim, o autômato escolheu mal, muito mal. E esse erro mudou o curso da história — disse, com um ar zombeteiro. — Vocês conhecem um destino mais terrível que passar o dia inteiro fornicando? É evidente que não. Pois foi esse o destino do pobre rapaz. — Abriu os braços e balançou a cabeça, fingindo um desconsolo atroz. — Mas ele não apenas suportou como aproveitou para se fortalecer e estudar o inimigo, que toda noite o observava mantendo relações, com enorme interesse, antes de partir rumo ao prostíbulo da cidade para inspecionar as cortesãs recém-fabricadas. Mas no dia em que a mulher deu à luz, o rapaz soube que não veria seu filho crescer, e este, por outro lado, viera ao mundo com a missão de fecundar a própria mãe, inaugurando assim um círculo perverso que se retroalimentaria, que subsistiria da própria carne de sua carne. No entanto, o rapaz sobreviveu à execução, e ainda nos uniu e nos deu esperança... — Sustentou um emocionado silêncio, antes de acrescentar: — embora ainda estejamos esperando que nos ensine a trepar com a mesma destreza!

As risadas aumentaram. Quando a algazarra cessou, Jeff pegou sua caneca e ergueu-a.

— Pelo Tom, o melhor capitão que podíamos ter!

Todos levantaram suas canecas e brindaram por ele. Surpreso com o gesto dos colegas, Tom quase não conseguiu disfarçar sua emoção.

— Bem, Tom, imagino que agora é sua vez, não? — disse Jeff quando os vivas se extinguiram, dando-lhe um tapinha no ombro. — Ouvimos o boato de que chegou mercadoria nova no nosso prostíbulo favorito. E tem olhos rasgados. Ouviu isso? Olhos rasgados.

— Já teve relações com uma oriental alguma vez, Tom? — perguntou Bradley.

Tom negou com a cabeça.

— Pois ninguém deveria morrer sem ter feito isso, amigo! — riu Jeff, levantando-se da mesa. — Essas chininhas conhecem centenas de métodos para dar prazer que as nossas fêmeas nem imaginam.

Deixaram a taberna fazendo uma algazarra dos diabos. Bradley abria a comitiva enumerando as intermináveis virtudes das chinesas, para regozijo de Mike, que lambia os beiços antecipando o encontro. Ao que parecia, além de serem mulheres serviçais e carinhosas, as moças orientais eram dotadas de corpos flexíveis capazes de realizar todo tipo de contorções sem se despedaçar. Apesar de tanto estímulo, Tom reprimiu um gemido. Se queria fazer amor com alguém naquele momento, era com Claire, embora ela não tivesse os olhos rasgados nem possuísse aquela flexibilidade sobrenatural. Lembrou-se de tudo o que sentiu ao possuí-la, e se perguntou o que pensariam seus colegas, aqueles homens rudes e incultos, se descobrissem que existia um modo de sentir mais sublime e sofisticado, quase contrário àquela primitiva forma de gozar que conheciam.

Pararam uma carruagem e subiram, dando gargalhadas. Mike acomodou seu corpanzil ao lado de Tom, quase o esmagando contra a porta, enquanto os outros dois se sentavam na frente. O veículo arrancou após uma ordem de Jeff, que se mostrava animado e falante. Sem vontade de participar da euforia geral, Tom desviou o olhar pela janelinha, na sucessão de ruas que, a essa hora avançada da noite, pareciam inquietantemente desertas. Notou então que o cocheiro se enganava de direção: por ali não se ia para o prostíbulo, mas sim para o porto.

— Ei, Jeff, erramos o caminho! — gritou, tentando se fazer ouvir em meio à animação.

Jeff Wayne virou-se para ele e o encarou com seriedade, deixando que a risada desfalecesse em sua garganta de um modo um tanto sinistro. Bradley e Mike também pararam de rir. Um silêncio estranho, compacto, os envolveu, como se alguém o tivesse trazido de uma fossa marinha e derramado na carruagem.

— Não, Tom, não erramos o caminho — disse finalmente Jeff, olhando-o significativamente com um sorriso lúgubre.

— Claro que sim, Jeff! — insistiu Tom. — Por aqui não se vai para...

Então entendeu. Como não se dera conta antes? Aquela alegria exagerada, aquele brinde com sabor a despedida, a atitude tensa que todos mantinham no coche... Sim, não precisava de mais pistas. No silêncio sepulcral que invadira a carruagem, os três o olhavam aparentando uma falsa calma, esperando que ele assimilasse a situação. E para sua surpresa Tom percebeu que, agora que finalmente chegara sua hora de morrer, não queria se render a ela. Não tinha como explicar, simplesmente não queria. Não assim, não daquele jeito. Não com aqueles verdugos casuais, que não faziam senão proclamar o poder incomensurável de Gilliam Murray, que podia transformar qualquer um em assassino por um punhado de notas. Pelo menos gostou de saber que Martin

Tucker, que sempre achara o mais íntegro do grupo, não estivesse com eles, que os outros não tivessem conseguido corromper seus afetos para participar daquele alegre crime coletivo.

Tom deu um suspiro fúnebre, decepcionado com a volubilidade do espírito humano, e encarou Jeff com certa desilusão. O colega deu de ombros, declinando de qualquer responsabilidade naquilo que estava prestes a acontecer. Ia dizer alguma coisa, talvez que a vida era assim mesmo ou qualquer outro clichê, mas a bota de Tom atingiu bruscamente sua garganta, esmagando-o contra o assento. Surpreendido pelo golpe, Jeff soltou um rouco grunhido de dor que logo se transformou em uma espécie de assobio fino. Tom sabia que aquilo não o deixaria fora de combate, mas o ataque havia sido fulminante o suficiente para pegar todos desprevenidos. Antes que os outros dois pudessem reagir, lançou uma cotovelada com todas as suas forças no rosto de Mike Spurrell que, surpreendido, continuava sentado a seu lado. O golpe impeliu sua mandíbula para a esquerda, sujando o vidro da janela com a mancha de sangue que brotou de seus lábios. Sem se deixar amedrontar pela violenta reação de Tom, Bradley tirou uma faca do bolso e investiu contra ele. Ágil e esquivo e, por sorte, o mais magro de todos, Tom, antes que a arma pudesse alcançá-lo, segurou o braço do rapaz e o torceu sem dó, até que ele deixou cair a faca. Em seguida, como a manobra deixara a cabeça do outro a poucos centímetros de sua perna, acertou-lhe uma brutal joelhada no rosto que o mandou de volta a seu assento, onde caiu sem forças, sangrando copiosamente pelo nariz. Em questão de segundos, com alguns rápidos movimentos, Tom se impôs aos três, mas mal teve tempo de comemorar sua rápida e arrasadora manobra, pois a essa altura Jeff já estava recuperado e se jogava em cima dele com um rugido animal. A violenta investida atirou-o contra a porta da carruagem, fazendo com que o trinco afundasse em seu flanco direito como uma adaga. Os dois lutaram angustiosamente durante alguns instantes naquele espaço reduzido, até que Tom ouviu um rangido às suas costas. Percebeu que a porta havia cedido um segundo antes de ver-se flutuando no ar, ridiculamente abraçado com Jeff, enquanto a carruagem seguia seu caminho. A pancada contra o solo quase lhe cortou a respiração. Impulsionados pela inércia da queda, os dois rolaram no chão durante alguns instantes, o que serviu para desmanchar o grotesco abraço de amantes que haviam trançado.

Quando o mundo recuperou sua estabilidade, Tom, sentindo o corpo terrivelmente dolorido, lutou para se levantar enquanto, alguns metros à frente,

Jeff, alternando maldições com gemidos, tentava realizar a mesma operação. Percebeu então que durante breves instantes, antes que os outros chegassem, seria um contra um, e isso era uma vantagem que não podia desperdiçar. Mas Jeff era muito rápido. Antes que ele conseguisse se levantar completamente, investiu com violência, jogando-o novamente no chão. Suas costas rangeram em mil lugares, mas mesmo assim, enquanto as mãos do colega lutavam com as suas para se ancorar em sua garganta, conseguiu apoiar o pé no peito do outro e tirá-lo de cima esticando a perna. Jeff foi jogado para trás, mas o esforço lhe provocou uma dolorosa distensão nos músculos da coxa. Tom ignorou-a e se levantou como pôde, adiantando-se ao rival. A carruagem parou ao longe, com uma das portas pendendo como a asa quebrada de um pássaro, e Bradley e Mike correram em sua direção. Depois de avaliar rapidamente suas possibilidades, Tom decidiu que o melhor seria fugir de um combate que na certa iria perder, de maneira que começou a correr para as ruas mais movimentadas, afastando-se da deserta zona portuária.

Não sabia de onde havia surgido aquele repentino afã de sobreviver, já que poucas horas antes desejava o eterno descanso da morte, mas mesmo assim correu o mais rápido que lhe permitiram o fluxo de sangue no coração e a dilacerante dor na perna, tentando orientar-se na escuridão da noite. Ouvindo seus perseguidores atrás de si, enveredou pela primeira rua que viu, mas, para seu azar, tinha desembocado em um beco sem saída. Tom praguejou contra o muro de tijolos que fechava a passagem e virou-se lentamente, resignado. Seus colegas estavam esperando parados na entrada do beco. Bem, agora começava o verdadeiro combate, pensou, e caminhou com uma indolência serena até onde seus verdugos o aguardavam, tentando não mancar e apertando os punhos contra os flancos. Era evidente que não poderia derrotar os três, mas nem por isso se renderia. Sua vontade de sobreviver seria mais determinante que a deles de matá-lo?

Quando chegou mais perto, Tom cumprimentou-os com irônica reverência. Não tinha a espada de Shackleton, mas sentia que o espírito dele ardia em seu peito. "Já é alguma coisa", pensou. A luz mortiça do poste mais próximo mal iluminava a cena, deixando seus rostos na sombra. Ninguém disse nada, porque não havia nada a dizer. Após uma ordem de Jeff, os algozes se limitaram a rodeá-lo lentamente, como pugilistas medindo o rival. Como nenhum deles parecia querer tomar a iniciativa, Tom deduziu que lhe estavam oferecendo a oportunidade de começar aquele combate desigual. Por quem começar?, pensou, enquanto os colegas se dispunham sem pressa à sua volta. Avançou um passo em direção a Mike com o braço erguido, mas no último momento fez uma finta e soltou o golpe no desprevenido Jeff. O murro o atingiu no meio do rosto, derrubando-o no chão. Nesse momento Tom viu de soslaio o ataque de Bradley. Esquivou o golpe afastando-se ligeiramente, e quando o teve à sua frente, desequilibrado e vulnerável, meteu-lhe o punho no estômago, fazendo-o se dobrar. O que não conseguiu evitar foi o soco de Spurrell. O golpe do colega foi brutal. O mundo perdeu a consistência, sua boca se inundou de sangue, e Tom teve de se esforçar para manter o equilíbrio e não cair. Mas o gigante não estava disposto a dar trégua. Antes que ele pudesse se recuperar, deu-lhe outro golpe feroz, desta vez direto na mandíbula, que rangeu inquietantemente, fazendo-o cair. Logo em seguida a ponteira de uma bota afundou furiosamente em seu corpo, ameaçando estraçalhar as costelas, e Tom entendeu que o tinham nas mãos. Aquele era o final do combate. A tempestade de pancadas que caiu depois indicou que Jeff e o rapaz tinham se somado à surra. No chão, ao seu lado, no meio da névoa espessa da dor, distinguiu o livro de Wells, que devia ter caído de seu bolso durante a refrega. A flor de Claire fugira do meio das páginas e agora jazia incongruentemente no chão imundo, um clarão amarelo pálido que parecia prestes a se apagar a qualquer momento, como sua vida.

XXXIII

Quando as pancadas finalmente cessaram, Tom cerrou os dentes e esticou a mão, apesar da dor, tentando alcançar a flor de Claire, mas não conseguiu porque alguém puxou-o pelos cabelos e tentou levantá-lo.

— Nada mal, Tom, nada mal — sussurrou Jeff Wayne em seu ouvido, acompanhando suas palavras com algo que parecia uma risada, ou talvez um gemido. — Infelizmente, apesar de seus esforços, seu fim será o mesmo.

Mandou então que Mike Spurrell o pegasse pelos pés, e Tom viu-se levado nos ombros de seus carrascos para algum destino que, a um passo da inconsciência, pouco lhe importava. Alguns minutos de balanço depois os homens o jogaram novamente no chão, como quem descarrega um fardo. O rumor do mar e o entrechocar dos barcos chegaram então a seus ouvidos, confirmando suas piores suspeitas: haviam-no levado para o porto, provavelmente, para concluir a ação jogando-o no rio. Mas por ora ninguém fazia ou dizia nada. Tom ficou tentado a entregar-se à inconsciência, mas algo o impediu: era o toque não muito desagradável de uma coisa macia e morna em seu rosto truncado. Como se um de seus colegas tivesse decidido arrumá-lo para a morte limpando o sangue de seu rosto com um pano cheio de breu.

— Eterno, venha cá imediatamente! — ouviu alguém gritar.

O contato cessou imediatamente, e a seguir, pelo chão, Tom ouviu o ressoar de passos pesados porém delicados, o andar de alguém que se aproximava da cena sem muita pressa.

— Levantem-no — ordenou a voz.

Os colegas o levantaram sem a menor delicadeza, mas as pernas de Tom se negaram a sustentá-lo, dobrando-se logo em seguida e fazendo com que ele se recolhesse sobre si mesmo com a frouxidão quase sensual de uma marionete com os fios cortados, para acabar finalmente prostrado de joelhos. Uma mão atenciosa segurou-o pelo colarinho, para evitar que voltasse a desabar. Nessa posição, quando conseguiu vencer o enjoo que o dominava e focar os olhos, Tom viu sem surpresa que Gilliam Murray se aproximava lentamente, com seu cão dando voltas em torno dele. Tinha uma expressão ligeiramente irritada de alguém que foi tirado da cama no meio da noite por alguma tolice, como se tivesse esquecido que tinha sido ele mesmo quem ordenara a emboscada. Parou a uns dois metros de Tom e ficou alguns segundos observando-o com um sorriso zombeteiro, divertindo-se com seu estado patético.

— Tom, Tom, Tom — disse afinal, como quem repreende uma criança —, por que tivemos de chegar a esta situação tão desagradável? Era tão difícil assim seguir minhas instruções mais simples?

Tom ficou em silêncio, nem tanto porque se tratava de uma pergunta retórica, mas principalmente porque duvidava que pudesse articular uma palavra com os lábios inchados e a boca cheia de sangue e lascas de dentes. Aproveitou que sua vista havia clareado um pouco para constatar que, de fato, estavam no cais, a poucos passos da beira do embarcadouro. Salvo Gilliam, à sua frente, e seus colegas, que esperavam ordens atrás dele, não parecia haver mais ninguém ali. Tudo ia transcorrer na mais perfeita intimidade. Assim morria quem não era ninguém, discretamente, sem chamar a atenção, como lixo jogado no rio no meio da noite, enquanto o restante do mundo dormia. E ninguém daria falta dele no dia seguinte. Ninguém diria: um minuto, onde está Tom Blunt? Não, a orquestra do mundo continuaria tocando sem ele, porque na verdade nunca precisara de sua presença para completar a partitura.

— Sabe o que é o mais engraçado de tudo isso, Tom? — perguntou então Gilliam Murray com uma voz calma, aproximando-se da beira do cais e observando distraído o negrume das águas. — Que seu amor o delatou.

Tom tampouco disse qualquer coisa dessa vez. Limitou-se a observar seu chefe, absorto na contemplação das águas do Tâmisa, aquele baú sem fundo em que guardava tudo o que lhe causava problemas. Um instante depois, o empresário se virou para olhá-lo com um sorriso entre piedoso e divertido.

— Sim, eu nunca ficaria sabendo de seu idílio se ela não aparecesse em meu escritório no dia seguinte à expedição para pedir o endereço de algum antepassado do capitão Shackleton.

Fez uma nova pausa para que Tom digerisse o que tinha acabado de dizer, constatando por sua expressão de surpresa que, como desconfiava, a moça nunca lhe contara aquilo. Bem, tampouco era uma coisa tão importante. De seu ponto de vista, naturalmente. Para Gilliam havia sido um erro providencial.

— Eu não sabia o que a moça pretendia — reconheceu, aproximando-se outra vez de Tom com passinhos curtos, quase de bailarina. — Despachei-a com duas informações vagas, mas a curiosidade me fez mandar um de meus homens segui-la. Preferi mantê-la vigiada, você sabe que não gosto que ninguém bisbilhote meu negócio. Mas a senhorita Haggerty não parecia interessada em investigar nada, justamente o contrário, não é? Confesso que fiquei tremendamente surpreso quando meu informante me disse que ela se encontrou com você em um salão de chá e que depois... Bem, você sabe o que aconteceu depois, na pensão Pickard.

Tom baixou a cabeça, num gesto que tanto podia ser de pudor quanto de náusea.

— Minhas suspeitas foram recompensadas — continuou Gilliam, divertindo-se com o sobressalto do outro — , mas de um modo muito diferente do que eu imaginava. Eu ia matá-lo, apesar de ter de admirar o proveito que você tirou da situação. Mas você fez um movimento inesperado: foi à casa de Wells, e isso voltou a me intrigar. Perguntei-me o que pretendia. Se sua intenção era revelar ao escritor que tudo era uma fraude, tinha escolhido a pessoa errada. Como descobriu logo, Wells é a única pessoa em toda Londres que sabe a verdade. Mas não, seu propósito era muito mais nobre.

Gilliam falava com as mãos nas costas, dando passinhos curtos diante de Tom. Suas idas e vindas faziam ranger desagradavelmente as tábuas do cais. Sentado a alguns metros da cena, Eterno contemplava seus movimentos com vaga curiosidade.

— Depois de deixar a casa de Wells, você foi até a colina de Harrow e escondeu uma carta debaixo de uma pedra. Meu espião a trouxe imediatamente, e depois de lê-la entendi tudo. — Olhou para Tom com uma simpatia maliciosa. — Confesso que passei momentos muito agradáveis com suas cartas, que meu informante roubava de debaixo da pedra e, depois que eu as lia, deixava de novo no lugar, antes que a pessoa que iria buscá-las chegasse. Menos a última, obviamente. Você a pegou tão rapidamente que precisei roubá-la de Wells aproveitando um de seus passeios nesse ridículo artefato chamado bicicleta que ele gosta de utilizar.

Parou de andar e observou novamente o rio.

— Herbert George Wells... — sussurrou com certa contrariedade malreprimida. — Pobre idiota. Confesso que fiquei tentado a rasgar cada uma das cartas para escrevê-las eu mesmo. Só não o fiz porque Wells nunca ficaria sabendo e, para efeitos práticos, daria na mesma fazê-lo ou não. Vamos mudar de assunto — exclamou de repente em tom jovial, virando-se de novo para sua vítima. — Esse ciúme entre escritores não lhe diz nada, não é, Tom? O fato é que passei bons momentos com suas cartas, sim, principalmente ao ler determinada passagem, como poderá imaginar. Foi bastante instrutivo para todos, acho. Mas, enfim, agora que o romance em folhetim terminou, as velhinhas vão chorar por longo tempo pelo trágico destino dos apaixonados, e eu poderei matá-lo.

Acocorou-se diante de Tom e levantou sua cabeça, segurando-o pelo queixo com uma delicadeza quase maternal. Esse gesto fez com que seus dedos se sujassem com o sangue que escorria do lábio partido. Tirou um lenço do bolso e limpou-os distraidamente, sem deixar de encará-lo com interesse.

— Sabe, Tom? — disse. — No fundo sou imensamente grato a você por tudo o que precisou fazer para não revelar minha fraude. Sei que em parte não foi culpa sua. Mas só em parte. Foi aquela mocinha imprudente que começou tudo, é verdade. Mas você podia não ter se envolvido, certo? E não o fez. No fundo eu compreendo, não pense que não: provavelmente, a moça merece os riscos que você correu. No entanto, você há de entender que não posso deixá-lo viver. Cada um deve desempenhar seu papel nessa obra. E eu tenho de matá-lo. Esta é minha missão, infelizmente para você. E como podia resistir à bela ironia de encomendar o trabalhinho a seus fiéis soldados do futuro?

Ao referir-se a eles, enviou-lhes um sorriso zombeteiro por cima da cabeça de Tom. Depois voltou a olhar para ele durante um longo tempo, como se estivesse refletindo sobre o que faria no fim das contas — talvez considerasse a possibilidade de agir de outro modo.

— É inevitável, Tom — disse afinal, dando de ombros. — Se eu não o matar, mais cedo ou mais tarde você vai procurá-la de novo. Estou certo de que o fará. Vai procurá-la porque está apaixonado por ela.

Ao ouvir isso, Tom não conseguiu reprimir uma expressão de surpresa. Seria verdade, estaria mesmo apaixonado por Claire? Era uma questão em que nunca tinha chegado a pensar atentamente, pois a resposta não lhe serviria de nada: tanto se a amasse quanto se tivesse sido apenas um capricho, uma oportunidade que não quis perder, teria de se afastar dela da mesma forma. Mas agora reconhecia que se Gilliam o deixasse viver, a primeira coisa que faria seria procurá-la, e isso só podia significar que estava apaixonado por ela, como seu chefe tinha afirmado. Sim, ele a amava, admitiu Tom, surpreso, ele amava Claire Haggerty. Amava-a desde o primeiro instante em que a viu. Amava-a por sua forma de olhar para ele, por sua pele tenra, pela forma como ela o amava. E era agradável deleitar-se com o manto protetor daquele amor imenso e incondicional, com aquela capa mágica que o resguardava do frio da vida, do tremor que a geada dos dias lhe impunha na alma, daquele vento incessante que vencia as portas e irrompia no mais fundo de seu ser, e entendeu que o que mais desejava era poder amá-la com o mesmo ardor, sentindo que estava realizando o ato mais importante e nobre que o homem podia levar a cabo, o ato para o qual tinha nascido, o ato que o preenchia e completava: amar, amar verdadeiramente, amar sem outro propósito além da satisfação de ser capaz de fazê-lo, porque essa era a corda de seu mecanismo, sua razão de ser, porque ele talvez não fosse deixar nenhum rastro de sua passagem pelo mundo, mas podia fazer alguém feliz, e não havia nada mais importante que isso, não havia nada mais importante que deixar uma marca no coração de outra pessoa. Sim, Gilliam tinha razão, iria procurá-la, porque a queria para ele, porque necessitava dela a seu lado para que fosse outro, para que fugisse do que era. Iria procurá-la, sim, para receber a primavera ou para rolarem juntos para o abismo. Iria procurá-la porque a amava. E isso fazia com que a mentira que envolvia Claire não fosse tão completa, pois em última instância a moça amava alguém que também a amava, e seu amor, como o de Shackleton, também era incapaz de chegar a ela, extraviava-se em alguma parte, não a alcançava. Não importava que vivessem na mesma época e até na mesma cidade, aquela Londres purulenta de fim de século, se tinham de estar tão afastados um do outro como se um oceano de tempo os separasse.

— Mas para que continuar a história? — ouviu o empresário dizer, alheio a seus pensamentos. — Seria como dar um final pior, muito menos emocionante, não acha? É melhor que você desapareça, Tom, que a história acabe como tem de acabar. A moça vai ser feliz de qualquer forma.

Gilliam Murray ergueu seu corpanzil e voltou a olhá-lo das alturas com um interesse acadêmico, como se ele estivesse dentro de um frasco de formol.

— Não faça mal a ela — balbuciou Tom.

Gilliam balançou a cabeça, fingindo-se escandalizado.

— Claro que não, Tom! Não entende? Sem você, a moça não representa nenhum perigo para mim. E eu tenho meus escrúpulos, embora você não acredite. Não saio por aí matando qualquer um, Tom.

— Meu nome é Shackleton — cuspiu Tom entre os dentes. — Capitão Derek Shackleton.

O empresário deu uma gargalhada.

— Então não precisa se preocupar com nada, porque vai ressuscitar, prometo.

Depois de dizer isso, deu-lhe um último sorriso e fez um sinal para seus colegas.

— Vamos, cavalheiros. Acabem logo com isso e vamos dormir.

Ao ouvir a ordem, Jeff e Bradley o levantaram do chão, enquanto Mike Spurrell trazia um enorme bloco de pedra amarrado em uma corda, cuja ponta prenderam nos pés de Tom; depois colocaram suas mãos nas costas e também as amarraram. Gilliam observava os preparativos com um sorrisinho satisfeito.

— Pronto, rapazes — disse Jeff, depois de testar a eficácia dos nós. — Vamos lá.

Ele e Bradley o carregaram de novo nos ombros e se aproximaram da beira do embarcadouro, enquanto Mike carregava a pedra que iria ancorá-lo no fundo. Tom olhou para as águas escuras sem nenhuma emoção. Estava embargado pela estranha calma de quem sabe que sua vida já não está nas próprias mãos. Gilliam se aproximou dele e apertou vigorosamente seu ombro.

— Adeus, Tom. Você foi o melhor Shackleton que eu pude encontrar, mas assim é a vida — disse. — Dê minhas lembranças ao Perkins.

Seus colegas balançaram seu corpo, e no terceiro impulso jogaram-no na água, com a pedra. Tom teve tempo de inspirar profundamente antes de bater contra a superfície do rio. O frio da água o surpreendeu, afugentando a dormência que o invadia. Aquilo lhe pareceu mais uma ironia do destino: de que adiantava estar tão acordado agora que não ia fazer outra coisa senão se afogar? A princípio, afundou horizontalmente, mas a pedra pesada logo o puxou pelos pés, endireitando-o, e Tom começou a descer para o fundo do Tâmisa com uma rapidez surpreendente. Piscou várias vezes, tentando distinguir alguma coisa entre as águas esverdeadas, mas não havia muito que ver, exceto o fundo das barcaças que flutuavam na superfície, com o trêmulo círculo de claridade desenhado pela única luz do cais. A pedra não demorou muito até tocar no fundo e Tom ficou suspenso acima dela por uns vinte ou trinta centímetros de corda, oscilando levemente como uma pipa de criança. Quanto tempo poderia aguentar sem respirar? Mas o que importava isso? Por acaso não era absurdo resistir ao inevitável? De todo modo, mesmo sabendo que aquilo só iria retardar sua morte, apertou os lábios com força. Outra vez o maldito instinto de sobrevivência, mas agora sabia a razão daquela súbita vontade de sobreviver: de repente descobrira que o pior de morrer era que não teria mais nenhuma oportunidade de alterar o que aconteceu, que a única coisa que os outros veriam quando ele já não estivesse no mundo seria o horroroso desenho em que sua vida iria se cristalizar. Por um tempo, que lhe pareceu eterno e angustiante, ficou assim, preso, sentindo os pulmões ardendo e as têmporas latejando ensurdecedoramente, até que o ar começou a faltar e, contra a sua vontade, viu-se obrigado a abrir a boca. A água começou a irromper em sua garganta, inundando alegremente suas cavidades pulmonares e fazendo com que o mundo à sua volta ficasse ainda mais impreciso. Tom entendeu então que era o fim, em poucos segundos perderia a consciência.

Apesar de tudo, teve tempo de vê-lo aparecer. Viu-o surgir ao longe entre as cortinas de névoa e caminhar pelo fundo do rio em sua direção com seus pesados passos de ferro, alheio ao meio em que estava. Supôs que a falta de oxigênio no cérebro o fizera sair dos sonhos e passear pela realidade, mas ele chegara muito tarde: sua intervenção não seria necessária, podia se afogar facilmente sem sua ajuda. Se bem que provavelmente só tivesse vindo se deleitar com sua morte, um diante do outro na imprecisa intimidade das águas.

Mas, para sua surpresa, quando finalmente chegou perto o autômato o rodeou pela cintura com um de seus braços metálicos, como se o estivesse tirando para dançar; com o outro, lutou com a corda que amarrava seus pés na pedra até que conseguiu libertá-los. Conduziu-o então para cima e, à beira da inconsciência, Tom viu que se aproximavam do fundo dos barcos e do trêmulo resplendor da luz. Antes de entender o que estava acontecendo, sua cabeça emergiu abruptamente na superfície.

O ar da noite entrou em seus pulmões, e Tom soube que aquele era o verdadeiro sabor da vida. Aspirou-o com gula e isso o fez tossir, como uma criança faminta que se engasga com a comida. Quase sem forças, deixou-se içar por seu inimigo até o cais e ali ficou, estendido no chão, gelado e enjoado, até que sentiu as mãos do autômato fazendo pressão sobre seu peito. Aquele bombeamento o ajudou a expulsar em jorros a água que tinha engolido. Quando já não parecia haver mais nada dentro dele, tossiu várias vezes, cuspindo manchas avermelhadas, enquanto sentia que a vida voltava a se assentar preguiçosamente na argila mole em que seu corpo se transformara. Era uma sensação prazerosa descobrir-se novamente vivo, sentir que a suave pujança da vida o tomava, preenchendo-o voluptuosamente por dentro, como minutos antes a água do Tâmisa havia tentado fazer, até sentir por um instante algo como uma miragem de imortalidade, como se o fato de ter ludibriado a morte, de ter se aproximado dela a ponto de ver suas anáguas, tivesse lhe proporcionado certa familiaridade com as Parcas que o eximiam para sempre de suas exigências. Já agora refeito, Tom tentou sorrir para seu salvador, cuja cabeça metálica pendia sobre ele como um volume escuro e arredondado, pois a única luz que havia ali estava atrás dele.

— Obrigado, Salomão… — conseguiu balbuciar.

O autômato tirou a cabeça.

— Salomão? — disse ele, rindo. — Isto é um traje de mergulho, Tom.

Embora seu rosto permanecesse na sombra, Tom reconheceu a voz de Martin Tucker e foi invadido por uma alegria irrefreável.

— Nunca tinha visto? Permite que você se mova debaixo d'água como se passeasse por um parque, enquanto lhe fornecem ar da superfície por um compressor. Bob se encarregou disso, e também nos içou até o embarcadouro — explicou o colega, apontando para alguém que estava fora de seu campo de visão. Em seguida, depois de tirar o escafandro, Martin ergueu sua cabeça com um cuidado de enfermeira e examinou-o atentamente. — Caramba, isto está parecendo um mingau. Os rapazes trabalharam firme, mas não leve a mal. Tudo tinha de ser o mais verossímil possível, se quiséssemos enganar Gilliam. E acho que conseguimos. Para ele, os rapazes cumpriram sua missão, e por isso agora devem estar recebendo o dinheiro prometido.

Apesar do inchaço, os lábios de Tom fizeram uma expressão de surpresa. Então, tudo havia sido uma farsa? Era o que parecia. Como o próprio Murray explicou antes de jogá-lo no Tâmisa, o empresário os encarregara de matá-lo, mas seus colegas não eram tão mesquinhos como ele tinha imaginado, só que tampouco estavam tão folgados de dinheiro para recusar a oferta. Com inteligência, podiam fazer as duas coisas, dissera Martin Tucker, aquele homenzarrão que agora tirava seu cabelo ensanguentado da testa e o contemplava com um afeto paternal.

— Bem, Tom, o espetáculo acabou — disse. — Agora que está oficialmente morto, você é livre. Sua nova vida começa esta noite, amigo. Aproveite-a bem, se bem que eu já sei o que vai fazer.

Apertou-lhe o ombro à guisa de despedida, pegou o escafandro, deu-lhe um último sorriso e se afastou do cais, deixando um ruído de passos metálicos flutuando na noite. Depois de sua partida, Tom ficou deitado ali, sem pressa de se levantar, tentando assimilar tudo o que havia acontecido. Respirou fundo, testando seus pulmões doloridos, e contemplou o firmamento que se abria sobre sua cabeça. Uma formosa lua cheia, de um amarelo pálido, iluminava a noite e lhe sorriu como se fosse a caveira da morte, que fingira acolhê-lo em seu regaço para lhe insuflar uma nova vida, pois, por incrível que parecesse, tudo aquilo se resolvera sem que ele tivesse de morrer; pelo menos de fato, já que supostamente seu cadáver estava no fundo do Tâmisa. Agora se sentia dolorido e quase sem forças, mas estava vivo, vivo! Foi inundado, então, por uma euforia selvagem que o animou a levantar-se do chão frio antes que este se aliasse com suas roupas molhadas para lhe presentear uma pneumonia. Ergueu-se com dificuldade e, mancando, saiu do cais. Todos os seus ossos doíam, mas não parecia haver quebrado nada. Seus colegas deviam ter tomado cuidado para não atingir nenhum órgão vital.

Deu uma olhada em volta. Tudo estava deserto. Na entrada do beco em que se desenrolou a briga, ao lado do romance de Wells, avistou a flor que Claire lhe mandara. Pegou-a com cuidado e a pôs na palma da mão, como quem segura a bússola que lhe indica o caminho a seguir.

O cheiro dos narcisos era doce, evocador, ligeiramente parecido com o do jasmim, e o guiava suavemente no labirinto da noite, puxando-o como a ressaca de uma praia, atraindo-o para uma bela casa envolta em silêncio. A cerca não era muito alta, e uma trepadeira de hera parecia adornar a fachada principal com o fim exclusivo de facilitar aos mais aventureiros o acesso à janela aberta da moça, que dormia em um leito em que já não cabiam mais sonhos.

Tom contemplou com infinito carinho aquela moça que o amava como ninguém jamais o amara. De seus lábios entreabertos escapavam suspiros tênues, suaves, como se a brisa do verão corresse dentro dela. Observou que sua mão direita estava fechada em torno de uma folha de papel, na qual distinguiu a minuciosa letra de Wells. Ia surpreendê-la com uma carícia quando ela abriu lentamente os olhos, como se despertada pelo peso do olhar sobre seu corpo. Não pareceu assustar-se ao encontrá-lo ali, em pé ao lado da cama, como se esperasse que mais cedo ou mais tarde ele apareceria seguindo o perfume dos narcisos.

— Você voltou — disse em um sussurro doce.

— Sim, Claire, voltei — respondeu ele no mesmo tom de voz. — E voltei para ficar.

Ela sorriu com serenidade, deduzindo pelo sangue seco que manchava seus lábios e por seu rosto quanto ele a amava. Levantou-se, e com a mesma calma avançou para que ele entrasse em seus braços. E enquanto se beijavam Tom soube que, dissesse o que dissesse Gilliam Murray, aquele era um final muito mais bonito que o anterior, no qual nunca mais voltavam a se encontrar.

Terceira Parte

Gentis cavalheiros e sensíveis damas, chegamos às páginas finais do nosso apaixonante folhetim.

Que prodígios ainda restam para mostrar-lhes?

Se quiserem descobrir, não desviem sua atenção destas páginas nem mesmo por um só instante, pois, em situação ainda mais difícil, aqui poderão viajar à vontade no tempo, tanto ao passado como ao futuro. Se você não é nenhum covarde, querido leitor, atreva-se a terminar o que começou!

Garantimos que essa última viagem vale a pena.

XXXIV

O inspetor Colin Garrett, da Scotland Yard, preferiria que a visão de sangue não lhe causasse tanta apreensão, para não ter de sair para vomitar toda vez que sua profissão o obrigasse a enfrentar um cadáver, especialmente quando este refletia uma ferocidade maior que a habitual por parte do assassino. No entanto, para sua desgraça, isso era algo que acontecia com tanta frequência, que o inspetor estudava a possibilidade de não tomar mais café da manhã, tendo em vista o pouco tempo que ele permanecia alojado em seu estômago. Talvez por isso, como forma de compensação por sua intolerância ao sangue, Colin Garrett tinha sido abençoado com uma mente brilhante. Ou pelo menos era o que sempre dizia seu tio, o mítico inspetor Frederick Abberline, que alguns anos antes se encarregara de capturar o feroz assassino Jack, o Estripador. Tanta era a fé que seu tio possuía em seu cérebro iluminado, que praticamente o levara pela mão à sede da Scotland Yard com uma vibrante carta de recomendação dirigida ao superintendente Arnold, o homem sério e arrogante encarregado do corpo de detetives. E, no ano que passara na delegacia de polícia, Garrett teve de reconhecer, para seu espanto, que as suspeitas do tio não eram descabidas, pois desde que tinha um gabinete com vista para a Great George Street conseguira resolver muitos casos. E isso aparentemente sem muito esforço. Mas também sem sair do gabinete. Em seu aquecido refúgio, Garrett passava longas noites cotejando e tentando encaixar as provas que os subordinados lhe traziam, como um menino que se diverte com um quebra-cabeça, evitando ao máximo o atrito com a crua e sangrenta realidade que pulsava atrás das informações que manipulava. O trabalho *in situ* não era coisa para um espírito impressionável como o dele, ainda que tivesse como companheiro um cérebro privilegiado.

E diante do inferno que rugia atrás da porta de seu gabinete, os necrotérios talvez fossem os lugares que mostravam com maior ostentação o lado mais real do crime, a parte que se podia tocar, aquele lado orgânico, tão concretamente pestilento, que Garrett se esforçava para ignorar. Por isso, toda vez que precisava reconhecer um corpo o inspetor dava um suspiro de resignação, colocava o chapéu e partia rumo àquele prédio putrefato rezando para que dessa vez tivesse tempo de sair da sala de autópsias antes que seu estômago decidisse se livrar do café, evitando assim salpicar os sapatos do legista.

O cadáver que iria examinar essa manhã fora encontrado em Marylebone pela polícia da City, que depois de tentar em vão descobrir que tipo de arma tinha causado o atroz ferimento da vítima, claramente um mendigo, passou o caso para os cérebros da Scotland Yard. Garrett imaginava que essa transferência deve ter sido acompanhada por um risinho de ironia dos agentes da City, contentes por poderem apresentar aos gênios da Great George Street um desafio suficientemente complicado para justificar seus salários. Foi o doutor Terrence Alcock, que naquele momento o esperava no vestíbulo do necrotério de York Street com um avental engalanado de manchas de sangue seco, quem reconhecera para a polícia da City que estavam diante de um enigma que, pelo menos para ele, era insolúvel; e o fato de que um homem versado como o legista, que adorava exibir seus conhecimentos em toda e qualquer oportunidade, reconhecesse sua derrota tão abertamente fez Garrett suspeitar que estavam diante de um caso realmente interessante, mais adequado a um romance de seu admirado Sherlock Holmes do que à prosaica vida real, em que os criminosos quase sempre careciam de criatividade.

O legista cumprimentou-o com uma expressão grave e o levou pelo corredor rumo à sala de autópsias em um silêncio de clausura que surpreendeu Garrett. Logo percebeu que aquela estranha ferida enfurecia o legista a ponto de embotar seu excelente humor. Apesar do aspecto um tanto inquietante que suas sobrancelhas quase unidas conferiam, o doutor Alcock era um homem alegre e tremendamente falante. Sempre que ia ao necrotério, ele o recebia com simpática jovialidade e o guiava por aquele longo corredor recitando sem titubear, como se fosse uma canção popular, a ordem que considerava mais apropriada para examinar os órgãos da cavidade abdominal: mesentério, baço, rim esquerdo, cápsula suprarrenal, bexiga, próstata, vesículas seminais, pênis, cordão espermático..., um rosário de nomes que terminava no pacote intestinal, material que o legista examinava em último lugar por razões de higiene, pois afirmava que manipular seu conteúdo era um trabalho repugnante. E eu, que tudo vejo embora não tenha o menor interesse, como já repeti várias vezes ao longo desta história, posso confirmar que, apesar de sua tendência à fanfarronice, neste caso em particular o doutor não estava exagerando; graças à minha presença sobrenatural, pude vê-lo em tais tarefas, sujando de excrementos a si próprio, o cadáver, a mesa de dissecação e até o chão da sala de autópsias, mas por respeito a vocês não entrarei em descrições mais minuciosas.

Porém, agora, o legista andava pelo corredor com um ar melancólico, sem acompanhar o trajeto com aquela cantilena que, graças à sua ótima memória retentiva, Garrett se surpreendera cantarolando mais de uma vez, geralmente quando estava de bom humor. Depois de atravessar o corredor, entraram em um amplo cômodo em que flutuava um cheiro de carniça impossível de ignorar. Era iluminado por vários lampiões a gás de quatro braços pendurados no teto, que Garrett achava insuficiente para uma sala tão grande, o que tornava o lugar muito mais medonho do que era. Nessa penumbra mortiça, quase não se distinguia nada que estivesse a mais de dois metros. A maior parte das paredes de tijolo era coberta por uma fileira de armários cheios de instrumental cirúrgico, que se alternavam com prateleiras repletas de garrafas contendo misteriosos líquidos escuros. Na parede do fundo também havia uma enorme pia, em que mais de uma vez ele vira o doutor Alcock lavando o sangue das mãos como quem faz macabras abluções. No centro do cômodo, em uma mesa fortemente iluminada por uma lamparina, havia um volume coberto com um lençol. O legista, sempre com as mangas da camisa arregaçadas, detalhe que inquietava profundamente Garrett, convidou-o com um movimento de cabeça a se aproximar da mesa. Ao lado do volume, em uma mesinha contígua, compondo uma sinistra natureza-morta, amontoavam-se facas de dissecação, condrótomos para desbastar cartilagens, uma navalha de barbear, vários escalpelos, algumas serras, um escopro fino para perfurar o crânio e seu martelo correspondente, uma dezena de agulhas de costura com fio de tripa para as suturas, dois trapos sujos, uma balança, uma lente e uma bacia cheia de água com um suave tom avermelhado que Garrett evitou olhar.

Nesse momento, um dos ajudantes do legista abriu a porta e fez uma tímida tentativa de entrar, mas o doutor o expulsou com um gesto irado. Garrett não pôde deixar de recordar as vezes que o ouvira falar cobras e lagartos daqueles almofadinhas que lhe mandavam como ajudantes, jovenzinhos recém-saídos da universidade que seguravam a faca de autópsia como se fosse uma pena e, quase sem mexer os dedos nem a mão e conservando o braço colado ao tronco, faziam nos cadáveres uns cortes finos e pequenos que mais pareciam ter finalidade culinária. "Deixem esses cortes para quem se exibe nos anfiteatros anatômicos", costumava dizer o doutor Alcock, um verdadeiro fanático das grandes incisões, dos cortes longos e amplos que punham à prova a resistência do braço e a musculatura do ombro.

Depois de abortar a interrupção, o doutor tirou o lençol que ocultava o corpo estendido na mesa. Fez isso sem qualquer cerimônia, como um mágico cansado de realizar o mesmo truque inúmeras vezes.

— O cadáver é de um homem de quarenta a cinquenta anos — recitou então com a voz monótona —, tem um metro e setenta centímetros de altura, ossatura delgada, pouco tecido adiposo e musculatura não muito desenvolvida. A cor do corpo é de modo geral pálida. Quanto à arcada dentária, os dentes incisivos estão completos, mas faltam vários molares, e os que subsistem estão cariados em sua maior parte e cobertos por leve camada pardacenta.

Depois do relatório, aguardou alguns segundos, esperando que o inspetor parasse de olhar o teto e se decidisse a enfrentar o defunto.

— E aqui está o ferimento... — anunciou com entusiasmo diante de sua passividade, animando-o a dar uma olhada.

Garrett respirou fundo e deixou que seu olhar descesse lentamente até o cadáver, para observar com apreensão o corte largo e profundo que este exibia no meio do peito.

— Trata-se de uma abertura arredondada de trinta centímetros de diâmetro — instruiu o legista —, que atravessa o corpo do sujeito de lado a lado, de maneira que se pode ver através dele como se fosse uma janela, como poderá verificar inclinando-se sobre o corpo.

Sem muita vontade, Garrett espiou pelo descomunal buraco, através do qual se podia de fato ver a mesa em que o cadáver estava.

— O que quer que tenha causado isto, além de chamuscar terrivelmente a pele das bordas, volatilizou tudo o que encontrou em seu caminho: parte do esterno, das cartilagens costais, do mediastino, dos pulmões, a maioria das costelas, o ventrículo direito do coração e a parte correspondente da medula espinhal. O pouco que escapou, como algumas partes de pulmão, fundiu-se com a parede torácica. Ainda tenho de fazer a autópsia, mas é óbvio que este buraco foi a causa de sua morte — opinou o legista —, no entanto, podem me enforcar se souberem o que o provocou. É como se o peito deste infeliz tivesse sido atravessado por uma língua de fogo, ou, se preferir, por uma espécie de raio de calor. Mas não conheço nenhuma arma que possa produzir isso, a não ser a espada de fogo de São Miguel Arcanjo.

Garrett assentiu, lutando com seu revoltado estômago.

— O resto do corpo tem alguma outra anomalia? — perguntou, para dizer alguma coisa, sentindo ao mesmo tempo que o suor fazia sua testa brilhar.

— O prepúcio é mais curto do que o normal, cobrindo apenas a borda da glande, mas sem que se encontre nele cicatriz de nenhum tipo — respondeu o legista, alardeando seu profissionalismo. — Mas, se excetuarmos isso, a única anomalia é este infame buraco através do qual um filhote de cachorro poderia saltar.

Garrett assentiu, enojado pela imagem que o legista havia improvisado e com a sensação de saber mais da intimidade daquele pobre homem do que o necessário para sua investigação.

— Obrigado, doutor Alcock. Avise-me se descobrir algo novo ou se souber o que pode ter causado esse buraco — pediu.

Em seguida, despediu-se apressadamente do legista e saiu do necrotério tentando andar o mais ereto possível. Uma vez lá fora, procurou o primeiro beco e vomitou o café da manhã entre montanhas de lixo. Emergiu de novo na rua limpando a boca com um lenço, pálido, mas refeito. Parou um instante, respirou fundo várias vezes, lentamente, enquanto sorria para si mesmo. A carne queimada. O buraco desmesurado. Não era de estranhar que o legista não conhecesse a arma capaz de produzir aquele horrível ferimento. Mas ele, sim, a conhecia.

Sim, ele a tinha visto no ano 2000, nas mãos do bravo capitão Shackleton.

Levou quase duas horas para convencer seu superior a conseguir-lhe uma ordem para prender um homem que ainda não havia nascido. Quando chegou à porta de seu gabinete, engolindo em seco, já sabia que não seria uma empresa fácil. O superintendente Thomas Arnold era íntimo de seu tio, e aceitara de bom grado acolhê-lo em seu rebanho de detetives, mas nunca lhe havia dispensado mais que uma distante cordialidade, com alguma manifestação ocasional de afeto paternal quando Garrett resolvia um caso complicado. O jovem inspetor tinha a sensação de que, quando passava pela porta de seu gabinete e o via concentrado no trabalho, seu superior sorria com a mesma satisfação discreta que sentiria diante do bom funcionamento de uma estufa a carvão.

Aquele sorriso afável só se apagou no dia em que Garrett, depois de retornar da excursão ao ano 2000, apareceu no escritório para sugerir que deviam proibir imediatamente a fabricação de autômatos e confiscar todos os produzidos até aquela data para trancá-los não sabia onde, talvez em uma reserva cercada de arame, na qual pudessem mantê-los vigiados. O superintendente Arnold achou aquilo um verdadeiro disparate. Faltava-lhe um ano para se aposentar, e o que menos queria era complicar a vida prevenindo estranhas ameaças que não conseguia vislumbrar, mas, já que aquele fedelho dera fartas mostras de possuir uma inteligência excepcional, aceitou reunir-se com o comissário e o primeiro-ministro para informá-los sobre o assunto. Daquela vez, a resposta que chegara a Garrett, escorregando pela escala hierárquica, havia sido negativa: ninguém iria impedir que os autômatos continuassem a ser produzidos e invadissem, protegidos por sua aparência inofensiva, as casas dos cidadãos, por mais que fossem conquistar o planeta um século depois. Garrett suspeitava que a reunião entre aqueles três homens sem imaginação, incapazes de ver além de seus narizes, devia ter transcorrido entre piadas e estrepitosas gargalhadas. Mas desta vez seria diferente. Desta vez não poderiam olhar para outro lado. Desta vez não poderiam lavar as mãos com a desculpa de que, quando os autômatos se rebelassem contra o homem, eles estariam descansando em paz debaixo da terra. E não poderiam porque, dessa vez, o futuro tinha ido visitá-los, e estava agindo no presente, na porção de tempo que eles supostamente deviam proteger.

Apesar de tudo, o superintendente Arnold fez uma expressão cética assim que ele começou a explicar o assunto. Garrett considerava um privilégio ter nascido em uma época em que a ciência avançava a cada dia, revelando coisas que seus avós nem sequer tinham concebido, e não pensava tanto no gramofone ou no telefone, mas nas viagens no tempo. Quem iria dizer a seu avô que na época do neto as pessoas poderiam viajar ao futuro, para além de onde suas vidas terminavam, ou ao passado, às épocas remotas estudadas nos livros? Garrett viajara ao ano 2000 cheio de entusiasmo, não tanto por poder presenciar um momento histórico para a raça humana, o desfecho da longa guerra contra os autômatos, mas porque estava mais consciente que nunca de que vivia num mundo em que, graças à ciência, tudo parecia possível. Ia ver o ano 2000, sim, mas quem sabia quantas outras épocas veria antes de morrer? Segundo Gilliam Murray, não demorariam muito a abrir novas rotas no tempo, e talvez ele pudesse ver um futuro melhor, com o mundo já reconstruído, ou retroceder no tempo, à época dos faraós ou à Londres de Shakespeare, em que talvez pudesse ver o dramaturgo escrevendo suas míticas obras à luz de uma vela. E para seu jovem espírito tudo isso significava um motivo de felicidade, de contínuo agradecimento a Deus, em quem, por ora, apesar da queda de prestígio posterior a Darwin, preferia continuar acreditando; de modo que toda noite, antes de dormir, lançava um sorriso em direção às estrelas, onde o imaginava alojado, com o qual pretendia dizer-lhe que estava disposto a deixar-se maravilhar por tudo o que se dispusesse a lhe mostrar. Não é surpreendente, portanto, que Garrett não entendesse aqueles que desconfiavam das invenções da ciência, e muito menos os que se mostravam indiferentes à extraordinária descoberta de Gilliam Murray, como era o caso de seu superior, que ainda não se preocupara em conseguir um tempo para visitar o ano 2000.

— Deixe-me ver se entendi bem. Está me dizendo que esta é a única pista que tem sobre o caso, inspetor? — disse o superintendente Arnold, sacudindo o anúncio da Viagens Temporais Murray que Garrett lhe entregara, enquanto apontava para o desenho em que o bravo capitão Shackleton perfurava um autômato com um raio.

Garrett suspirou. O fato de que o superintendente Arnold nunca tivesse participado de uma expedição ao futuro o obrigava a instruí-lo na matéria, de modo que precisou desperdiçar alguns minutos explicando-lhe em linhas gerais o que aconteceu no ano 2000 e o modo como se viajava no tempo, até chegar à parte que realmente lhe interessava: as armas dos soldados humanos. Aquelas armas eram capazes de abrir o metal e, portanto, não era absurdo pensar que, se empregadas contra um homem, seus efeitos poderiam ser muito similares ao que se via no corpo que jazia no necrotério de Marylebone. Conforme seus conhecimentos, nenhuma arma de sua época podia causar um ferimento tão atroz, algo que, como se podia ler no relatório da autópsia, o doutor Alcock confirmava. Chegando a esse ponto, Garrett expôs sua teoria a Arnold: algum daqueles homens do futuro, provavelmente o que era chamado de capitão Shackleton, viera clandestino no *Cronotilus*, o veículo que trouxera o investigador de volta à sua época, e agora estava solto no ano 1896 com uma arma mortífera. Se isso fosse verdade, disse ainda, eles tinham duas coisas a fazer: ou procurar Shackleton por toda Londres, empreitada que podia durar semanas e que não oferecia qualquer garantia de ser bem-sucedida, ou evitar tudo isso e ir buscá-lo onde sabiam que estaria: no dia 20 de maio do ano 2000. Bastaria ir até lá acompanhado por dois agentes e prendê-lo antes que pudesse viajar até sua época.

— Além disso — acrescentou, tentando convencer seu superior, que balançava a cabeça visivelmente confuso —, se o senhor me permitir prender o capitão Shackleton no futuro, o departamento merecerá todo tipo de elogios e reconhecimentos, já que faremos algo realmente novo: deter o assassino antes que cometa o crime, pois nesse caso este não se produziria.

O superintendente Arnold olhou-o estupefato.

— Quer dizer que se você viajar ao ano 2000 e prender o assassino o crime vai... se apagar?

Garrett compreendia a dificuldade que um homem como o superintendente Arnold tinha para entender algo assim. Ninguém, a menos que passasse as noites considerando todos os paradoxos que as viagens no tempo podiam criar, como ele fazia, poderia assimilar facilmente o que havia acabado de insinuar.

— Estou certo disso, superintendente. Se eu o capturar antes que cometa o crime, o nosso presente mudará inevitavelmente. Vamos prender o assassino e salvaremos uma vida, pois garanto que o cadáver do mendigo desaparecerá instantaneamente do necrotério — afirmou Garrett, sem que nem ele mesmo tivesse ideia de como isso aconteceria.

Thomas Arnold refletiu por alguns segundos, pensando no triunfo que a Scotland Yard poderia conquistar com aquele malabarismo temporal. Por sorte, a limitada mentalidade do superintendente não podia deduzir que, uma vez detido o assassino, não desapareceria apenas o corpo, mas tudo o que o crime havia provocado, o que incluía, por exemplo, o diálogo que estavam tendo. Não haveria assassinato a ser resolvido. Definitivamente, não seria possível conquistar nenhum triunfo, já que nada teria acontecido. As consequências de prender Shackleton no futuro, antes que ele viajasse ao passado e cometesse o crime, eram tão imprevisíveis que até o próprio Garrett, ao analisá-las com calma, sentia vertigem. O que poderiam fazer com um assassino cujo crime, por ter sido detido antes de cometê-lo, ninguém se lembraria? De que diabos iriam acusá-lo? Ou será que sua viagem ao futuro também desapareceria naquele ralo cósmico por onde se esvaía o que não chegava a acontecer? Garrett não sabia, mas tinha convicção de que ele era a peça que ativava tudo aquilo.

Após duas horas de conversa o atônito superintendente Arnold encerrou a reunião prometendo a Garrett que nessa mesma tarde se reuniria com o comissário e o primeiro-ministro para expor-lhes o assunto como pudesse. Garrett agradeceu. Aquilo significava que na manhã seguinte, se não surgissem problemas, ele receberia a ordem de prender Shackleton no ano 2000. Então iria à Viagens Temporais Murray falar com Gilliam e exigir-lhe três lugares na próxima viagem de seu *Cronotilus*.

***

Como não podia deixar de ser, Garrett dedicou o tempo de espera a pensar no caso, porém agora, mais que analisar os detalhes para tentar resolvê-lo, o que não era necessário, pois já descobrira o assassino, se limitou a admirar suas curiosas ramificações como se fossem a teia de uma nova espécie de aranha. Mas dessa vez Garrett não se entregou a tais reflexões em seu gabinete, mas sim sentado num dos bancos do jardim em frente a uma luxuosa casa da Sloane Street. Era a moradia de Nathan Ferguson, o fabricante de pianolas. Não sabia se aquele sujeito repugnante, que infelizmente o vira crescer devido à amizade que tinha com seu pai, era o causador último da devastadora guerra do futuro, como dissera em tom de pilhéria aquele jovem desbocado de sobrenome Winslow; mas não lhe custava nada passar a tarde em frente à casa, saboreando um cacho de uvas, para ver se alguém suspeito rondava por ali. Se isso ocorresse, provavelmente evitariam uma viagem ao futuro. Mas era bem possível que Ferguson, afinal, não tivesse outra função na vasta trama do universo além de fabricar ridículas pianolas, e o capitão Shackleton estivesse naquele momento rondando a casa de outra pessoa. Por que teria matado só o mendigo? Que interesse a vida daquele coitado poderia ter para o capitão? Teria sido um acidente, uma morte fortuita, ou o cadáver que estava no necrotério era mais do que parecia, uma peça-chave no quebra-cabeça do futuro?

Essas especulações fascinavam Garrett, mas precisou interrompê-las ao ver a porta da casa se abrir e Ferguson sair. O inspetor se levantou do banco em que estava sentado e se escondeu atrás de uma árvore, de onde podia ver com nitidez tudo o que acontecia na calçada em frente. Ferguson parou na escadaria de sua casa para colocar a cartola e contemplar a noite com um orgulhoso olhar de conquistador. Garrett observou que estava elegantemente vestido, e por isso deduziu que devia ir a algum jantar ou algo assim. Depois de calçar as luvas, Ferguson fechou a porta da casa, desceu as escadas e saiu pela rua sem muita pressa. Ao que tudo indicava, o lugar para onde se dirigia devia ser próximo, já que tinha decidido prescindir da carruagem. Garrett se perguntou se devia segui-lo. Mas não teve tempo de pensar no que era mais conveniente, pois nesse instante, bem quando Ferguson atravessava os canteiros de sebes que cercavam a casa, uma figura surgiu silenciosamente dentre os arbustos. Usava um casaco comprido e uma boina que lhe sombreava o rosto, mas Garrett não precisava ver sua cara para saber de quem se tratava.

Ele mesmo foi o primeiro a se surpreender de que suas suspeitas estivessem certas.

Com um movimento decidido, a figura tirou uma pistola do bolso do casaco e apontou para Ferguson, que caminhava pela calçada alheio ao que acontecia atrás dele. Garrett reagiu imediatamente. Saiu do esconderijo e atravessou a rua correndo, ciente de que o fator surpresa era sua melhor jogada contra alguém como Shackleton, que tinha quase o dobro de seu tamanho e força. O barulho de seus passos alertou a figura que, visivelmente desconcertada, o viu avançar em sua direção e ainda assim continuou empunhando a pistola com o braço estendido, apontando para o empresário. Garrett investiu contra o capitão com toda a força de que foi capaz, apanhando-o pela cintura, e ambos caíram no jardinzinho, pulando por cima dos arbustos. O inspetor se surpreendeu com a compleição frágil de Shackleton, a quem tinha conseguido derrubar facilmente, mas logo entendeu o porquê ao ver-se deitado sobre uma bela moça, com a boca a um beijo de distância da sua.

— Senhorita Nelson? — balbuciou, desconcertado.

— Inspetor Garrett! — exclamou ela, igualmente surpresa.

Com o rosto vermelho, Garrett se levantou apressadamente, desfazendo aquela posição embaraçosa, e ajudou-a a se levantar. A pistola ficou no chão, mas ninguém se incomodou em pegá-la.

— A senhorita está bem? — perguntou o inspetor.

— Sim, estou bem, não se preocupe — disse a moça ofegante, fazendo uma expressão de desagrado. — Acho que apesar de tudo não quebrei nenhum osso.

Lucy sacudiu a roupa, suja de terra, e desfez o coque em que prendera o cabelo, que a queda quase desmanchara.

— Sinto muito por tê-la atacado, senhorita Nelson — desculpou-se Garrett, enfeitiçado pela bela cascata de cabelo dourado que caiu preguiçosamente sobre os ombros da jovem, como mel derramado de uma vasilha. — Sinto mesmo, mas... Ia atirar no senhor Ferguson, não é mesmo?

— Claro que ia atirar no senhor Ferguson, inspetor! Passei a tarde toda escondida aqui por algum motivo — respondeu a moça com irritação.

Inclinou-se para pegar a pistola, mas Garrett se antecipou.

— É melhor que eu a guarde — disse, dando um sorriso de desculpa. — Mas me diga, por que queria matar o senhor Ferguson?

Lucy suspirou, e ficou alguns instantes olhando para o chão, ensimesmada.

— Eu não sou a moça superficial que todos pensam, sabe? — disse finalmente, com uma voz aflita. — O mundo em que vivo me preocupa tanto como a qualquer pessoa. E queria demonstrar isso acabando com o responsável pela guerra do futuro.

— Eu não penso que seja uma moça superficial — confessou Garrett. — Quem pensa assim é um verdadeiro estúpido.

Lucy sorriu, lisonjeada pelo comentário do inspetor.

— Acha mesmo? — inquiriu, com uma expressão sedutora.

— É óbvio, senhorita Nelson — afirmou o inspetor, correspondendo com um tímido sorriso. — Por outro lado, não lhe parece que há modos muito melhores de demonstrar isso do que sujando de sangue suas belas mãos?

— Acho que tem razão, senhor Garrett... — reconheceu Lucy, olhando fascinada para o inspetor.

— Ainda bem que pensa assim — disse Garrett com um sincero alívio.

Ficaram em silêncio por alguns segundos, entreolhando-se confusos.

— E agora, inspetor? — disse por fim a moça, fazendo uma expressão inocente. — Vai me prender?

Garrett suspirou.

— É o que eu deveria fazer, senhorita Nelson — reconheceu com pesar. — Mas... — Ficou um instante em silêncio, analisando a situação.

— O quê? — perguntou Lucy.

— Posso esquecer o assunto se me prometer que nunca mais vai atirar em ninguém.

— Ah, prometo, inspetor! — disse a moça com júbilo. — E, se me fizer a gentileza de dar a pistola, poderei devolvê-la à gaveta de meu pai sem que ele perceba que a peguei.

Garrett hesitou, mas afinal entregou a arma. Ao fazê-lo, os dedos dos dois se tocaram e ambos se demoraram naquele delicioso toque. Quando Lucy guardou a arma no bolso do casaco, Garrett limpou a garganta.

— Posso acompanhá-la até sua casa, senhorita Nelson? — perguntou sem se atrever a olhar para ela. — Não é aconselhável que uma senhorita ande sozinha pela rua a estas horas, mesmo com uma arma no bolso.

Lucy sorriu, encantada com a oferta de Garrett.

— Claro que sim — respondeu. — O senhor é muito gentil, inspetor. Além disso, não moro muito longe e faz uma noite linda. Vai ser um passeio agradável.

— Tenho certeza que sim — respondeu Garrett.

XXXV

Na manhã seguinte o inspetor Colin Garrett tomava seu café da manhã com uma expressão distraída na intimidade de seu gabinete. Obviamente, pensava em Lucy Nelson, em seus belos olhos, em seus cabelos dourados e no sorriso que lhe dera quando ele pediu permissão para escrever-lhe. Nesse momento, um agente entrou na sala e lhe entregou uma ordem, assinada pelo primeiro-ministro, autorizando-o a embarcar para o futuro e prender um homem que ainda não tinha nascido. Mergulhado nos efeitos do amor que, como vocês sabem, deixa atordoado quem dele padece, o inspetor só tomou consciência do que aquele papelzinho significava quando estava no coche que o levaria à Viagens Temporais Murray.

Na primeira vez, Garrett tinha cruzado a soleira da empresa com os joelhos tremendo e as economias que seu pai lhe deixara transformadas em algo que parecia um sonho: uma passagem para o futuro, para o ano 2000. Agora, porém, entrou com o andar decidido, embora tivesse no bolso do casaco uma coisa igualmente incrível, uma ordem que parecia mágica, porque, olhando bem, havia sido expedida para prender um fantasma. E Garrett tinha certeza de que, como as viagens temporais estavam se transformando em uma coisa cotidiana, esta seria apenas a primeira de uma longa lista de ordens similares que permitiriam que os agentes da polícia efetuassem prisões em distintas fases do tempo, desde que os delitos ocorressem no mesmo espaço: a cidade de Londres. Ao rabiscar sua desmazelada assinatura naquele papelzinho que estava em seu bolso, o primeiro-ministro, provavelmente sem consciência disso, dera um passo histórico, inaugurando uma nova era. Como Garrett suspeitava, a ciência e seus frutos delirantes marcavam o compasso da melodia que o homem devia dançar.

Mas a ordem também lhe permitiria certas liberdades no espaço. Por exemplo, não ter de se entediar em uma saleta à espera de que Gilliam Murray, aquele homem tão ocupado, pudesse recebê-lo. Investido com o poder do papelzinho que tinha no bolso, Garrett passou pelas secretárias que protegiam a intimidade de Murray, subiu as escadas que levavam ao primeiro andar, ignorando as interpelações, atravessou o longo corredor cheio de relógios e irrompeu na sala do empresário como um espectro, seguido por um rebanho de secretárias ofegantes. Gilliam Murray estava deitado no tapete, brincando com um cachorro enorme. Quando o viu entrar sem ser anunciado, dirigiu-lhe um olhar um tanto irritado, mas Garrett não se deixou amedrontar. Sabia que seu comportamento era mais do que justificado.

— Bom dia, senhor Murray. Sou o inspetor Colin Garrett, da Scotland Yard — apresentou-se. — Desculpe-me de me intrometer desta maneira em seu escritório, mas preciso falar urgentemente com o senhor.

Murray se levantou devagar, observou o inspetor com certo receio e por fim dispensou as secretárias fazendo um gesto vago.

— Os assuntos de que o senhor se ocupa são importantes por definição, inspetor, não precisa se desculpar por entrar desta forma — disse, oferecendo uma poltrona, enquanto encaixava o corpanzil na outra, que estava em frente.

Uma vez sentados, Gilliam pegou uma pequena caixa de madeira em cima da mesinha que separava as poltronas, abriu-a e ofereceu um charuto a Garrett, tudo isso com modos subitamente gentis, que contrastavam com a frieza de antes. O inspetor recusou educadamente o charuto, sorrindo para si mesmo com a súbita mudança de atitude do empresário, que em poucos segundos precisara avaliar os prós e os contras de desprezar um inspetor da Scotland Yard e decidiu que era muito mais conveniente render-lhe aquela edulcorada homenagem. Graças a isso, Garrett estava sentado agora em uma confortável poltrona, não na banqueta que havia ao lado.

— Não tolera a fumaça, não é? — disse Gilliam, recolocando a caixa na mesinha e apanhando uma garrafa de cristal lapidado que continha um estranho líquido enegrecido, que serviu em duas taças. — Então talvez possa lhe oferecer algo de beber.

Garrett aceitou a taça que o empresário lhe ofereceu com receio daquela escura beberagem, mas Gilliam o animou a beber, sorrindo enquanto sorvia um gole. Garrett imitou-o, e sentiu que o estranho líquido irritava sua garganta ao descer, a tal ponto que sentiu duas lágrimas florescendo em seus olhos.

— O que é isto, senhor Murray? — perguntou desconcertado, sem conseguir disfarçar um inoportuno arroto. — Alguma bebida do futuro?

— Ah, não, inspetor. É um tônico reconstituinte que está causando furor nos Estados Unidos. Um farmacêutico de Atlanta o inventou misturando folhas de coca e sementes de cola. Alguns, como eu, o tomam com um pouquinho de soda. Imagino que em breve será importado para nosso país.

Garrett deixou a taça na mesinha, sem querer beber mais um gole.

— Tem um sabor curioso. Imagino que as pessoas vão custar a se acostumar — profetizou, para dizer alguma coisa.

Gilliam concordou com um sorriso, terminou a bebida e perguntou, visivelmente ansioso para trocar ideias com ele:

— Diga-me, inspetor, gostou da viagem ao ano 2000?

— Muito, senhor Murray — respondeu Garrett com sinceridade. — E queria aproveitar para lhe dizer que apoio totalmente seu projeto em face do que alguns jornais escrevem, tachando de imoral a possibilidade de ver um tempo que não nos pertence. Eu tenho a mente aberta e a viagem no tempo é algo que me atrai imensamente. Espero com grande ansiedade que em breve o senhor possa inaugurar novas rotas, para outras épocas.

O empresário agradeceu esses comentários com um sorriso tímido, adotando na poltrona uma posição de tranquila expectativa, com a qual sem dúvida convidava o inspetor a revelar o motivo de sua visita. Garrett pigarreou e abordou a questão sem mais delongas:

— Vivemos tempos fascinantes, senhor Murray, mas também tremendamente instáveis — disse, iniciando o pequeno preâmbulo que havia ensaiado. — A ciência manda, e os homens devem se adaptar a ela. Precisamos adaptar em particular as nossas leis, que devem se amoldar à nova face do mundo, se quiserem ser úteis. E ainda mais no caso das viagens temporais. Estamos no início de uma extraordinária descoberta que sem dúvida vai redefinir o mundo da maneira como o conhecemos e cujos riscos são imprevisíveis, ou pelo menos muito difíceis de calcular. E é justamente sobre esses riscos que venho lhe falar, senhor Murray.

— Concordo inteiramente, inspetor — assentiu o empresário. — A ciência vai tornar o mundo irreconhecível, o que nos obrigará a modificar nossas leis e talvez também muitos de nossos princípios, como a viagem temporal já está fazendo. Mas, diga-me, quais são os riscos sobre os quais veio conversar? Confesso que o senhor conseguiu despertar minha curiosidade.

Garrett ergueu-se ligeiramente na poltrona e voltou a pigarrear.

— Há dois dias — disse — a polícia da City encontrou o cadáver de um homem na Manchester Street, no bairro de Marylebone. Tratava-se de um mendigo, mas o ferimento que causou sua morte era tão estranho que nos passaram o caso. O ferimento é um buraco enorme no meio do peito, um buraco de trinta centímetros de diâmetro que o atravessa completamente de lado a lado, cujas bordas estão carbonizadas. Entre nossos legistas reina a mais absoluta surpresa. Todos garantem que não existe uma arma capaz de causar um ferimento desse tipo.

Depois disso, Garrett fez uma pausa de efeito antes de acrescentar, olhando o empresário com gravidade:

— Pelo menos não aqui. Não no nosso presente.

— O que o senhor quer dizer, inspetor? — perguntou Murray com uma despreocupação que não combinava com sua maneira de se remexer na poltrona.

— Que os legistas têm razão — respondeu Garrett. — Essa arma ainda não foi inventada. Mas eu a vi, senhor Murray. Adivinhe onde?

Gilliam não respondeu, limitou-se a observá-lo com cautela.

— Foi no ano 2000.

— Está falando sério? — murmurou o empresário.

— Sim, senhor Murray. Tenho certeza de que esse ferimento só pode ter sido causado pela arma usada pelo bravo capitão Shackleton e seus homens. Aquele raio de calor capaz de abrir um buraco em uma armadura de ferro forjado.

— Entendo... — murmurou Gilliam como se para si mesmo, perdendo o olhar no vazio. — A arma dos soldados do futuro, é claro.

— Isso mesmo. Desconfio que um deles, provavelmente Shackleton, fez a viagem inversa, escondido no *Cronotilus* sem que o senhor percebesse, e agora está aqui, em nossa época, em nossas ruas. Não sei por que assassinou aquele mendigo, nem muito menos onde está escondido agora, mas isso não tem importância: não pretendo perder tempo procurando-o por toda a Londres porque sei exatamente onde encontrá-lo. — Tirou um documento do bolso interno do casaco e o entregou ao empresário. — Isto é uma ordem do primeiro-ministro autorizando-me a prender o assassino em 20 de maio do ano 2000, antes que cometa seu crime, e para isso preciso ir com dois de meus agentes na expedição que partirá na próxima semana. No futuro, vamos nos separar dos outros passageiros e observar o retorno da segunda expedição, para prender discretamente quem se esconder no *Cronotilus*, seja quem for.

Depois de dizer isso, o inspetor reparou numa coisa que lhe passara despercebida: se ele se escondesse para observar a volta da segunda expedição, teria de ver a si mesmo. Só esperava que não lhe provocasse a mesma repulsa que ver sangue. Olhou para Murray, que olhava a ordem com grande atenção. O empresário ficou tanto tempo em silêncio que Garrett teve a impressão de que estava examinando até a consistência do papel.

— E não se preocupe, senhor Murray — viu-se obrigado a acrescentar. — Se, afinal, o assassino for mesmo o capitão Shackleton, ao prendê-lo depois do duelo com Salomão minha intervenção não vai alterar o desenlace da guerra, que continuará favorável à raça humana, e espetáculo tampouco será afetado.

— Entendo — murmurou Gilliam sem desviar a vista do documento.

— Posso contar então com sua colaboração, senhor Murray?

Gilliam levantou o rosto lentamente e observou o inspetor com um olhar que este, por alguns segundos, julgou ser de desprezo, mas percebeu que estava equivocado ao ver que logo a seguir o empresário lhe oferecia um amplo sorriso, antes de responder:

— É claro, inspetor, é claro. Pode contar com três lugares na próxima expedição.

— Muito obrigado, senhor Murray.

— Agora, se me permite — disse o empresário levantando-se e devolvendo o documento —, tenho muito trabalho.

— Naturalmente, senhor Murray.

Um pouco surpreso com a forma atropelada com que o empresário dera o encontro por terminado, Garrett levantou-se da poltrona, voltou a agradecer a colaboração e se retirou da sala. Enquanto percorria o longo corredor cheio de relógios, um sorriso foi se abrindo em seus lábios. Empreendeu a descida das escadas de muito bom humor.

— Mediastino, baço, rim esquerdo, cápsula suprarrenal, bexiga, próstata... — cantarolou.

XXXVI

Nem sentir na pele a deliciosa brisa que anuncia o verão, nem acariciar um corpo, nem beber uísque escocês na banheira até a água esfriar, nem, enfim, qualquer outro prazer que lhe viesse à cabeça proporcionava a Wells mais bem-estar que aquele que sentia ao colocar o ponto final em um livro. Esse derradeiro gesto sempre o inundava de embriagadora satisfação, um arrebatamento de felicidade que nascia da certeza de que nada do que realizasse na vida poderia lhe agradar mais do que escrever um romance, por mais que a escrita em si fosse um trabalho tedioso, árduo e ingrato, pois Wells era o tipo de escritor que odeia escrever mas adora "ter escrito".

Tirou a última lauda do rolo da máquina de escrever Hammond, colocou-a sobre a pilha e pousou a mão sobre ela com um sorriso de triunfo digno de um caçador apoiando a bota sobre a cabeça de um leão, pois para Wells o ato de escrever se assemelhava muito a uma luta, uma batalha encarniçada contra uma ideia que resistia a ser capturada. Uma ideia que ele mesmo havia concebido, por outro lado; e isso era talvez o mais frustrante, a distância que subsistia sempre entre o resultado que obtinha com seu esforço e o objetivo que, embora de forma mais inconsciente que voluntária, estabelecera de antemão. A experiência lhe mostrou como aquilo que conseguia colocar no papel não passava de um pálido reflexo do que havia imaginado, e assim aprendeu a se conformar com que fosse cinquenta por cento pior que o original, cinquenta por cento do romance perfeito e inapreensível que lhe servira de guia e que imaginava pulsando zombeteiro atrás de cada livro como uma sombra fantasmagórica. Seja como for, ali estava o esforço dos últimos meses, pensou; e ver encarnado em algo visível aquilo que até o instante de pôr o último ponto não passava de uma hipótese nebulosa era inestimável. Amanhã o entregaria a Henley, e poderia esquecê-lo.

Mas essas dúvidas nunca vinham sozinhas. Novamente, diante da pilha de folhas datilografadas, Wells se perguntou se havia escrito o que se supunha que devia escrever. Aquele romance era uma das obras que deviam figurar em sua bibliografia, ou fora um acidente casual? Escrever um romance ou outro dependia só dele ou também dependia do acaso que regia a vida do homem? Eram muitas as perguntas, mas uma delas o torturava especialmente: existia em algum canto de sua cabeça um romance que lhe permitiria mostrar tudo o que realmente havia lá dentro? A possibilidade de descobri-lo tarde demais o atormentava: temia que em seu leito de morte, antes de dar o último suspiro, surgisse do fundo de sua mente, como um destroço que emerge na superfície do oceano, a trama de um romance extraordinário que já não teria tempo de escrever. Um romance que sempre estivera ali, à sua espera, chamando-o em vão, em meio ao barulho, e que morreria com ele porque ninguém mais poderia escrevê-lo, porque era como um terno confeccionado com suas medidas. Não conhecia maior medo, nem maldição pior.

Balançou a cabeça, enxotando essas incômodas dúvidas, e consultou o relógio. Passava da meia-noite, de maneira que já podia anotar na página final do livro, junto à assinatura, a data de 21 de novembro de 1896. Depois de escrever isso, soprou amorosamente sobre a tinta, levantou-se e pegou o lampião. Suas costas estavam doloridas e se sentia terrivelmente cansado, mas não se dirigiu para o quarto, de onde lhe chegava a respiração compassada de Jane. Hoje não teria tempo de dormir: uma noite verdadeiramente agitada o esperava, pensou com um leve sorriso aflorando aos lábios. Atravessou o corredor com a ajuda do lampião, pulverizando no ar o sussurro aveludado de suas pantufas, e subiu a escada do sótão evitando fazer os degraus rangerem.

E lá em cima, esperando-o, reluzente e bela, iluminada pelo brilho fantasmagórico da lua que se infiltrava pela janela aberta, estava a máquina acostumada àquele ritual secreto. Ele não sabia dizer com exatidão o que tanto o atraía nessa travessura inofensiva e absurda que consistia em sentar-se na máquina enquanto sua mulher dormia. Talvez fosse porque, mesmo sabendo que aquilo era apenas um brinquedo sofisticado, sentado ali não podia deixar de sentir-se especial. Quem a construíra tinha cuidado de todos os detalhes: a máquina talvez não pudesse viajar no tempo, mas, graças a suas oportunas roldanas, no painel de comando podia-se ajustar qualquer data, as fictícias metas daquelas travessias impossíveis pela malha do tempo.

Até o momento, Wells se limitara a marcar no painel os anos mais remotos do futuro, incluindo o ano 802701, o mundo dos *elois* e dos *morlocks*. Tinha imergido tanto no futuro, que a vida como a conhecia podia ser algo absolutamente ignorado, até dolorosamente incompreensível, e havia sinalizado também épocas do passado que gostaria de conhecer, como o tempo dos druidas. Mas nessa noite, com um sorriso irônico nos lábios, fez os números do painel marcarem o dia 20 de maio do ano 2000, data que o trapaceiro do Gilliam Murray escolhera para situar a batalha mais importante da raça humana, aquela farsa que, para seu assombro, toda a Inglaterra engolira, em parte graças a seu livro. Achou irônico que ele, autor de um romance sobre as viagens no tempo, fosse o único a acreditar na impossibilidade daquilo. Fazia toda a Inglaterra sonhar, mas era imune ao próprio sonho.

Perguntou-se como seria de fato o mundo dali a um século. Qual seria o verdadeiro rosto do futuro? Gostaria de poder viajar ao ano 2000 não só pelo prazer de conhecê-lo, mas também com o propósito de tirar algumas fotografias com uma daquelas câmeras que estavam na moda, e na volta mostrar aos incautos que faziam fila nas empresas Murray como era o verdadeiro futuro. Tratava-se de um desejo impossível, evidentemente, mas nem por isso deixaria de fingir que podia colocá-lo em prática, pensou, encostando-se na poltrona e puxando solenemente a alavanca da máquina, para sentir de imediato a excitante comichão que inevitavelmente percorria seu corpo toda vez que fazia o gesto.

Mas dessa vez, para sua surpresa, quando a alavanca completou seu percurso, uma repentina escuridão abocanhou o sótão. As nesgas de lua que entravam pela janela pareciam ter recuado, deixando-o em uma escuridão compacta. Antes que pudesse entender que diabos estava acontecendo, foi dominado por uma terrível sensação de queda, acompanhada de um súbito enjoo. Sentiu-se levitar, flutuar à deriva em uma espécie de vazio escuro que bem poderia ser o próprio universo. E, enquanto a consciência o abandonava, só conseguiu pensar que, ou estava sofrendo um infarto ou, finalmente, estava viajando para o ano 2000.

Voltou a si com uma penosa lentidão. Sentia a boca seca e um estranho peso no corpo. Quando sua vista clareou, percebeu que estava deitado no chão, mas não no chão do sótão, mas sim em um terreno baldio cheio de pedras e entulho. Desconcertado, levantou-se com dificuldade, sentindo com desagrado terríveis pontadas toda vez que movia a cabeça. Por ora, decidiu permanecer sentado no chão. Dali deslizou um olhar incrédulo pela paisagem em ruínas que o cercava.

Estava em uma cidade minuciosamente devastada. Tratava-se da Londres do futuro? Viajara realmente até o ano 2000? Da máquina do tempo não havia o menor rastro, como se os *morlocks* a tivessem feito desaparecer no interior da esfinge. Depois da meticulosa inspeção, decidiu que era hora de se erguer sobre suas pernas, coisa que fez com dificuldade, como o primata de Darwin cortando a distância que o separava do homem, e constatou com alívio que não havia quebrado nada, embora ainda sentisse um enjoo desagradável. Aquela vertigem seria um dos efeitos de ter atravessado um século em sua carruagem temporal? O céu estava coberto por uma névoa espessa que submergia o mundo em um crepúsculo macilento, uma cortina de fumaça impenetrável tecida pelas dezenas de incêndios que se avistavam no horizonte. Naquela desolação, considerou quase obrigatória a presença dos buliçosos corvos que voavam em círculos acima de sua cabeça. Um deles passou bem perto de onde ele se encontrava e começou a bicar obstinadamente entre os escombros, fazendo um som macabro.

Olhando com mais atenção, Wells observou espantado que o bico do pássaro tentava perfurar um crânio humano. Essa descoberta o fez recuar alguns passos, um movimento instintivo temerário demais para o lugar em que estava. Logo em seguida sentiu que o chão cedia sob seus pés, e percebeu tarde demais que acordara perto da encosta de uma pequena colina, pela qual, para sua infelicidade, rolava agora. Aterrissou com um golpe seco, envolto em uma densa poeira que penetrou em seus pulmões, fazendo-o tossir várias vezes. Um tanto irritado consigo mesmo por sua estupidez, Wells se reergueu. Felizmente, desta vez também não havia quebrado nenhum osso, embora suas calças tivessem sofrido vários rasgões, um dos quais, para cúmulo de humilhação, deixava ao léu parte de sua seca e esbranquiçada nádega esquerda.

Wells balançou a cabeça. O que mais podia lhe acontecer?, perguntou-se, sacudindo a poeira que o envolvia. Quando esta se dissipou, o escritor ficou parado, olhando estupefato as silhuetas que a cortina de poeira tinha começado a desvelar. À sua frente, contemplando-o em inquietante silêncio, viu um exército de autômatos. Eram pelo menos dez, e todos permaneciam na mesma atitude hierática e assustadora, incluído o que se encontrava um pouco à frente dos demais, cingido por uma incongruente coroa dourada. Parecia que haviam interrompido sua caminhada ao vê-lo cair. Ao perceber onde estava, um medo cruel lhe embrulhou o estômago. Tinha viajado até o ano 2000 e, por incrível que parecesse, o ano 2000 era exatamente como Gilliam Murray havia descrito em seu romance, pois ali, diante de seu nariz, estava o próprio Salomão, o malvado rei dos autômatos, responsável pela devastação que o cercava. Seu destino estava claro: morrer com o tiro de um brinquedo. Ali, naquele futuro em que não quisera acreditar.

— Imagino que neste momento deve estar sentindo falta do capitão Shackleton, não é mesmo?

A voz não vinha do autômato — se bem que, a essa altura, se viesse não se surpreenderia —, mas sim de algum lugar atrás dele. Wells reconheceu-a imediatamente. Gostaria de não ter de ouvi-la nunca mais, mas de alguma forma, talvez por hábito da profissão, sabia que mais cedo ou mais tarde iria voltar a encontrar-se com ele: a história que, para seu pesar, os dois protagonizavam precisava ter um desenlace, exigia um final que satisfizesse as expectativas dos leitores. Mas nunca havia imaginado que esse encontro fosse acontecer no futuro, especialmente porque nunca acreditou que se pudesse viajar ao futuro. Virou-se lentamente. A alguns metros dele, Gilliam Murray o observava com um sorriso entre indulgente e maroto. Usava um elegante terno púrpura acompanhado por uma cartola verde que o aparentava com essas aves de plumagem fabulosa que povoam o paraíso bíblico. A seu lado, sentado sobre as patas traseiras, havia um enorme cão, simplesmente dourado.

— Bem-vindo ao ano 2000, senhor Wells — cumprimentou jovialmente o empresário. — Ou talvez deva dizer "à minha ideia do ano 2000".

Wells olhou-o com desconfiança, mas sem deixar de vigiar o grupo de autômatos parado diante deles em uma imobilidade fantasmagórica, como se esperasse ser fotografado.

— Está com medo dos meus queridos autômatos? Mas como um futuro tão inverossímil pode assustar o senhor? — perguntou Gilliam com ironia.

Andando calmamente, o empresário se aproximou do autômato que liderava o grupo e, lançando um sorriso cúmplice para Wells, como um menino prestes a fazer uma travessura, pousou a mão gorducha em seu ombro e o empurrou. O autômato caiu para trás, batendo ruidosamente contra o que o antecedia, que por sua vez esbarrou no que estava ao lado, e assim, pouco a pouco, empurrando-se uns aos outros, todos foram caindo no chão. O desmoronamento transcorreu com a intrigante parcimônia de um degelo. Quando finalmente terminou, Gilliam estendeu as palmas das mãos, como se quisesse desculpar-se do estrondo.

— Sem ninguém que as vista, não passam de armaduras ocas, meras fantasias — disse.

O escritor examinou a fileira de autômatos caídos e voltou a olhar para Gilliam, lutando para se sobrepor à vertigem de irrealidade que o dominava.

— Lamento tê-lo trazido ao ano 2000 contra sua vontade, senhor Wells — desculpou-se o empresário, fingindo consternação. — Não teria sido necessário se o senhor aceitasse algum de meus convites, mas, como nunca aceitou, não tive alternativa. E não queria que ficasse sem conhecê-lo antes que eu seja obrigado a fechá-lo. Por isso tive de mandar um dos meus homens drogá-lo com clorofórmio enquanto dormia, se bem que, pelo que me contaram, o senhor usa as noites para outras coisas. Deu um bom susto nele ao surpreendê-lo entrando pela janela do seu sótão.

Essas palavras trouxeram uma bem-vinda luz à confusa mente de Wells, permitindo-lhe ligar as coisas, o que o escritor fez com rapidez. Logo entendeu que não viajara no tempo ao ano 2000, como tudo parecia indicar. A máquina que mantinha no sótão continuava sendo um simples brinquedo, e a Londres arruinada em que estavam era apenas o gigantesco cenário que Gilliam havia construído para enganar o mundo. Provavelmente, ao vê-lo entrar no sótão, o capanga se escondera atrás da máquina do tempo e aguardara ali sem saber muito bem o que fazer, talvez considerasse a possibilidade de usar a força para rendê-lo e cumprir a missão que lhe haviam encarregado. Mas felizmente não foi necessário recorrer à ignóbil violência, pois ele próprio, ao sentar-se despreocupadamente no artefato, lhe deu a oportunidade perfeita para usar o lenço ensopado de clorofórmio que trazia preparado.

E deve ser dito que, quando constatou que estava em um simples cenário, que não havia sofrido algum impossível deslocamento no tempo, Wells sentiu um imenso alívio. A situação em que se encontrava não era agradável, certamente, mas pelo menos era compreensível.

— Espero que não tenham feito nenhum mal a minha esposa — disse, em um tom que não chegava a ser ameaçador.

— Ah, não se preocupe — tranquilizou-o Gilliam, agitando a mão no ar. — Sua mulher tem um sono muito profundo, e meus homens podem ser incrivelmente silenciosos se a situação assim exigir. Tenho certeza de que neste momento sua adorável Jane continua dormindo placidamente, sem dar por sua falta.

Wells ia responder alguma coisa, mas acabou guardando silêncio. Gilliam se dirigia a ele com a altivez um tanto histriônica dos poderosos que têm o mundo a seus pés. Sem dúvida, o tempo transcorrido desde seu último encontro havia mudado a disposição das peças no tabuleiro. Se no encontro em sua casa de Woking era Wells quem tinha nas mãos o cetro do poder, empunhando-o como um menino com um brinquedo novo, agora era Gilliam quem o apertava entre seus dedos gorduchos. O empresário tinha mudado, em poucos meses se transformara em uma criatura diferente. Não era mais um aspirante a escritor obrigado a reverenciar seu mestre, e sim o dono do negócio mais lucrativo da cidade, a quem toda Londres rendia extravagantes homenagens. Wells, é claro, não o considerava merecedor de nenhuma adoração, e só permitiu que ele o tratasse com aquele tom de superioridade simplesmente porque, afinal, achava que Murray estava em seu direito, pois tinha sido o claro vencedor do duelo que os dois haviam protagonizado nos últimos meses. Por acaso Wells não empregara um tom similar quando estava com o cetro nas mãos?

Como o mestre de cerimônias de um circo dando início ao espetáculo, Gilliam Murray abriu os braços por inteiro, abarcando simbolicamente a devastação que o rodeava.

— Bem, o que acha do meu mundo? — perguntou.

Wells lançou um olhar de absoluta indiferença ao lugar.

— Uma conquista extraordinária para um construtor de estufas, não acha, senhor Wells? Porque era isso o que eu fazia antes que o senhor me desse um novo motivo para viver: construção de estufas.

Wells não pôde deixar de notar a responsabilidade que Gilliam lhe atribuía tão alegremente na construção de seu destino, mas preferiu guardar silêncio sobre isso. Sem desanimar com sua impassibilidade, Gilliam convidou-o com um gesto a dar um passeio pelo futuro. Após um instante de dúvida, o escritor seguiu-o contrariado.

— Não sei se o senhor sabe, mas as estufas são um negócio muito lucrativo — informou Gilliam quando ele chegou à sua altura. — Todo o mundo reserva um espaço em seu jardim para esses universos privados em que se concentram agora a distração dos adultos e a brincadeira das crianças, e em que, além disso, podem-se cultivar plantas e árvores frutíferas durante todo o ano sem importar a ordem das estações. Mas meu pai, Sebastian Murray, tinha, por assim dizer, aspirações mais elevadas.

Haviam percorrido um pequeno trecho quando um pequeno precipício impediu sua passagem. O empresário decidiu descer sem se incomodar em dar a volta, baixando pela encosta com um passinho ridículo enquanto tentava manter o equilíbrio de braços abertos. O cão o seguiu imediatamente. Wells deu um suspiro e também começou a descer, tentando não esbarrar nos pedaços de canos e nos crânios sorridentes que sobressaíam no terreno. Não queria cair de novo. Uma vez naquele dia era mais que suficiente.

— Meu pai intuía o germe do futuro naquelas casinhas translúcidas que os ricos erguiam em seus jardins — gritou Gilliam enquanto descia na frente —, o primeiro vislumbre de um mundo feito de cidades transparentes, de edifícios cristalinos que erradicariam os segredos e a intimidade do homem, um mundo melhor, onde a mentira seria impossível!

Quando chegou, ofereceu a mão a Wells, mas este recusou sua ajuda sem se preocupar em esconder a irritação que tudo aquilo começava a lhe causar. Gilliam não pareceu ter entendido e recomeçou a caminhada, agora por um caminho aparentemente menos abrupto.

— Confesso que o menino que eu era ficou fascinado com a bela visão que dominava a vida de meu pai — continuou dizendo. — Durante certo tempo cheguei a considerá-la uma imagem fiel do futuro. Até que, aos dezessete anos, comecei a trabalhar com ele. Então percebi que aquilo não passava de uma miragem. Era evidente que aquele passatempo de engenheiros e horticultores nunca se transformaria na arquitetura do futuro, não apenas porque o homem jamais prescindiria de sua intimidade em nome de qualquer convivência harmoniosa, mas também pela oposição dos próprios arquitetos, que desprezavam o ferro e o vidro alegando que esses novos materiais careciam dos valores estéticos que definiam as obras arquitetônicas. Entendi logo que aquela era a triste realidade e que, por mais estações ferroviárias de vidro que meu pai e eu construíssemos por toda a Inglaterra, nada poderíamos fazer contra o reinado do tijolo. Portanto, acabei me resignando a ser um simples fabricante de simpáticas estufas pelo resto da vida. Mas quem pode se satisfazer com essa ocupação frívola e insignificante, senhor Wells? Eu não, certamente. Mas também não sabia o que poderia me satisfazer. Aos vinte e poucos anos tinha dinheiro suficiente para me permitir qualquer capricho, por mais extravagante que fosse, e inevitavelmente isso me fazia ver o mundo como um jogo de cartas marcadas que começava a parecer terrivelmente tedioso. Para completar, meu pai morreu naqueles meses, atacado por uma febre repentina, e isso me tornou ainda mais rico, já que eu era seu único herdeiro. Mas ao mesmo tempo também me fez ser dolorosamente consciente de que a maioria das pessoas morre sem realizar seus sonhos. Por mais que a vida de meu pai parecesse invejável vista de longe, eu sabia que não havia sido plena, e que a minha não teria melhor sorte. Estava convencido de que também acabaria morrendo com a mesma expressão de insatisfação nos lábios. Imagino que foi por isso que me refugiei na leitura, para fugir daquela existência monótona e previsível que se desdobrava diante de mim. Todos chegam à leitura por algum motivo, não acha? Como foi em seu caso, senhor Wells?

— Fraturei a tíbia aos oito anos — disse o escritor com visível apatia.

Gilliam observou-o ligeiramente desconcertado durante alguns segundos, até que afinal assentiu satisfeito.

— Suponho que os gênios como o senhor devem começar nessa idade — refletiu. — Eu demorei um pouco mais. Até os vinte e cinco anos não me animei a explorar a vasta biblioteca que meu pai, ao ficar precocemente viúvo, construiu em uma ala da casa, imagino que mais como forma de se livrar de um dinheiro que sem a ajuda da minha mãe ele não sabia como gastar. Ninguém ia ler aqueles livros, a menos que eu o fizesse. De modo que devorei tudo, absolutamente tudo. Foi assim que descobri o prazer da leitura. Nunca é tarde, não acha? Mas confesso que não era um leitor muito exigente. Qualquer livro que falasse de uma vida que não fosse a minha me parecia, no mínimo, interessante. Mas seu romance, senhor Wells... seu romance me fascinou como nenhum livro fizera antes! O senhor não falava do mundo que conhecia, como Dickens, nem dos territórios exóticos da África ou da Malásia, como Haggard ou Salgari, nem da lua, como Verne. Não, em *A máquina do tempo* o senhor falava de uma coisa ainda mais inalcançável: falava do futuro. E ninguém antes do senhor se atreveu a mostrá-lo!

Ao ouvir o elogio do empresário, Wells deu de ombros e continuou andando, procurando não tropeçar no cachorro, que tinha a irritante mania de se meter entre suas pernas. Na verdade Verne se antecipara a ele, mas Gilliam Murray não tinha por que saber disso. O empresário continuou, novamente ignorando sua indiferença:

— Como sabe, a partir de então, provavelmente inspirados por seu romance, muitos outros também começaram a publicar suas visões do amanhã. As vitrines das livrarias de repente viram-se inundadas por centenas de romances científicos. Eu comprei todos os que pude, e depois de várias noites sem dormir, devorando um livro atrás do outro, percebi que aquela nova literatura se transformaria em minha única leitura.

— Lamento que tenha decidido perder seu tempo lendo esses romancezinhos — resmungou Wells, que considerava aquela literatura uma desagradável excrescência do fim de século.

Gilliam olhou-o com surpresa, e depois soltou uma estrondosa gargalhada.

— É óbvio que a qualidade desses livrinhos é ínfima — reconheceu quando parou de rir —, mas isso não me importa em absoluto. Os criadores desses romancezinhos, como o senhor os chama, têm algo para mim mais valioso do que a habilidade de entrelaçar frases sublimes: uma inteligência visionária que me causa admiração e inveja. A maioria desses livrinhos se limita a narrar como uma invenção, em geral absurda, afetava a vida do homem. Leu o romance do inventor judeu que fabrica uma máquina para aumentar o tamanho das coisas? É realmente horrível, mas confesso que a imagem do rebanho de besouros atravessando o Hyde Park conseguiu me aterrorizar. Felizmente, nem tudo é assim. Deixando de lado tais delírios, alguns desses romances têm uma proposta de futuro cuja verossimilhança eu me divertia estudando. E havia uma coisa inegável: depois de me deleitar com um livro de Dickens, por exemplo, nunca me passaria pela cabeça imitá-lo, ver se eu também seria capaz de inventar uma história que contasse as peripécias de um garoto indigente ou as mágoas de um rapaz em uma fábrica de betume, pois julgava que qualquer um com um mínimo de imaginação e tempo podia fazer isso. Mas escrever sobre o futuro... ah, senhor Wells, isso era outra coisa. Isso, sim, me parecia um verdadeiro desafio, porque era uma empreitada que convocava a inteligência, a capacidade dedutiva do homem. Certa noite, ao terminar um daqueles romancezinhos, me perguntei se seria capaz de construir um futuro verossímil. Como o senhor pode imaginar, eu o tomei como modelo a seguir porque, além das mesmas inquietações, também temos a mesma idade, e passei um mês dedicando todas as noites a escrever um romance sobre o futuro, um romance científico que demonstrasse minha perspicácia, meu poder de dedução. Naturalmente, eu me esforcei para que fosse bem escrito, mas o que mais me interessava era a proposta profética. Queria que o futuro que eu tinha imaginado fosse verossímil para os leitores, que estes o considerassem algo plausível. Mas, acima de tudo, me interessava a opinião do escritor que me ensinara o caminho: sua opinião, senhor Wells. Queria que o senhor o lesse e confirmasse o acerto da minha proposta, que depois da leitura me olhasse nos olhos e me reconhecesse como um igual, como alguém que fosse de seu mesmo sangue. Também queria que meu livro não apenas lhe agradasse, senhor Wells. Queria que lhe provocasse o mesmo prazer intelectual que o seu provocou em mim.

Os dois homens se olharam nos olhos, em um silêncio só quebrado pelos longínquos grasnidos dos corvos.

— Mas o senhor sabe que não foi assim — lamentou-se finalmente Gilliam, balançando a cabeça com uma tristeza malcontida que inevitavelmente comoveu Wells, porque lhe pareceu o primeiro gesto sincero do empresário desde que começaram o passeio.

Pararam junto a uma enorme pilha de entulho, e ali, com as mãos nos bolsos de seu chamativo casaco, Gilliam deixou que transcorressem alguns minutos olhando para os sapatos com franca aflição — talvez esperasse que Wells pusesse uma mão em seu ombro e pronunciasse as palavras de consolo que, como os cantos de um xamã, curassem a incômoda ferida que ele infligiu a seu orgulho naquela longínqua tarde. O escritor, porém, se limitou a olhá-lo com a indiferença de um caçador ao ver um coelho se debater em sua armadilha, pensando que, embora aparentemente fosse o responsável pelo acontecimento, era apenas um simples mediador, que a aflição que o animal estava padecendo era ditada pela cruel ordem da vida.

Ao perceber que a única pessoa que podia lhe oferecer o bálsamo que aliviaria sua ferida não parecia disposta a fazê-lo, Gilliam esboçou um sorriso sombrio e voltou a caminhar. Atravessaram o que parecia ser uma avenida residencial, a julgar pelas majestosas grades e pelo luxuoso mobiliário que aparecia entre os escombros, evocando uma vida que parecia bastante incongruente naquela desolação, como se a disseminação do homem sobre a Terra tivesse sido apenas um erro divino, uma semeadura ridícula destinada a perecer sob os elementos.

— Não vou negar que a princípio me desagradou que o senhor duvidasse das minhas qualidades como escritor — reconheceu Gilliam, com uma voz que parecia emanar de sua garganta lentamente, como se fosse melaço escorrendo —, pois ninguém gosta que menosprezem seu trabalho. Mas o que realmente me irritou foi que questionasse a verossimilhança de meu romance, do futuro que eu tinha planejado com tanto esmero. Sei que minha reação não foi a mais correta, e quero aproveitar para lhe pedir desculpas por ter atacado seu livro da maneira que fiz. Como já deve ter deduzido, minha opinião sobre ele não mudou: continuo considerando-o uma obra de gênio.

Gilliam revestiu suas últimas palavras com um leve verniz de ironia. Havia recuperado o sorriso presunçoso, mas agora Wells sabia que aquele colosso corpulento tinha uma greta, uma pequena fissura, mas estrategicamente situada, que de vez em quando ameaçava derrubá-lo e, diante da altivez irritante que o empresário exalava, até se sentiu orgulhoso por tê-la causado.

— Naquela tarde, porém, a única maneira que encontrei de me defender foi agindo como um rato acuado — ouviu o empresário justificar-se. — Felizmente, quando consegui me acalmar, vi tudo de outra forma. Sim, pode-se dizer que tive uma espécie de revelação.

— Mesmo? — ironizou Wells.

— Sim, sem dúvida. Ali, sentado à sua frente, percebi que tinha escolhido o modo errado de mostrar ao mundo minha ideia de futuro: ao expô-la em forma de romance, eu mesmo a condenava a ser apenas ficção, uma ficção plausível, mas mesmo assim ficção, como o senhor mesmo já fizera antes com seu futuro de *morlocks* e *elois*. Mas, perguntei-me, e se eu pudesse mostrar minha ideia sem a mediação restritiva que era o livro em que estava confinada? E se eu pudesse mostrá-la como algo real? Era evidente que a indescritível satisfação que eu teria ao ver que toda a Inglaterra acreditava que minha ideia do ano 2000 era o verdadeiro futuro faria empalidecer o prazer de ter escrito uma ficção verossímil. Entretanto, o empresário que há em mim perguntava se tal coisa seria possível. Parecia que as condições para pôr esse projeto em prática não poderiam ser melhores. Seu livro, senhor Wells, havia acendido a polêmica sobre as viagens no tempo. Em todos os clubes e cafés só se falava da possibilidade de viajar para o futuro. Por uma ironia da vida, pode-se dizer que o senhor havia adubado a terra para que eu espalhasse minha semente. Por que não oferecer então o que todos pediam? Por que não oferecer uma viagem ao ano 2000, uma viagem ao "meu" futuro? Não sabia se conseguiria, mas uma coisa era certa: eu não poderia continuar vivendo se não tentasse. Sem querer, senhor Wells, por puro acaso, como sempre acontecem as coisas fundamentais da vida, o senhor me dera uma razão para viver, uma meta, algo que, se a alcançasse, me daria a ansiada plenitude, uma felicidade esquiva que a construção de estufas jamais poderia me proporcionar.

Wells teve de abaixar a cabeça para não olhar com solidariedade para o empresário. Suas palavras lhe fizeram lembrar a milagrosa cadeia de acontecimentos que o levara até os amorosos braços da literatura, salvando-o da mediocridade a que ninguém menos que sua amantíssima mãe queria condená-lo. Seu talento para o uso da língua, uma habilidade que lhe fora concedida sem que ele pedisse, o eximira de ter de procurar um sentido para a existência, resgatando-o do caminho por onde transitavam todos aqueles que desconheciam com que finalidade tinham nascido, que só almejavam aquela felicidade convencional e atávica que os prazeres cotidianos proporcionam, como uma taça de bom vinho ou as carícias de uma mulher amável. Senão, teria caminhado entre essas sombras descartáveis, sem sequer imaginar que a ansiada plenitude vislumbrada em seus acessos de melancolia estava enovelada nas teclas de uma máquina de escrever, esperando que ele a desenrolasse.

— Na viagem de volta a Londres, minha mente começou a trabalhar — ouviu o empresário dizer. — Tinha certeza de que o impossível, quando verossímil, podia ser aceito como fato. Na verdade, era como construir uma estufa: se a estrutura de vidro fosse suficientemente graciosa e bela, ninguém repararia na sólida estrutura de ferro que a sustentava. Simplesmente pareceria flutuar no ar como se fosse mágica. A primeira coisa que fiz na manhã seguinte foi vender o negócio que meu pai havia construído a partir do nada. E ao fazer isso não senti o menor remorso, se quer saber, mas justamente o contrário, pois a venda me permitiria construir literalmente o futuro, que no fundo era o que meu pai pretendia. Depois da venda, comprei este velho teatro. E o escolhi porque bem atrás, com vista para a Charing Cross Road, havia dois edifícios abandonados, que também adquiri. O próximo passo foi, naturalmente, unir os três prédios derrubando certas paredes, até obter este espaço gigantesco. Como deve ter visto da rua, o teatro não é uma edificação particularmente grande, de modo que ninguém suspeitaria que pudesse alojar o imenso cenário que representa a Londres do ano 2000. Depois, em poucos meses erigi uma réplica perfeita do cenário que descrevi em meu romance, cuidando dos mínimos detalhes. Na verdade, o cenário não é tão grande como aparenta, mas parece imenso se caminharmos em círculos, não acha?

Então estavam caminhando em círculos?, perguntou-se Wells, contendo a irritação. Se estivessem, devia reconhecer que a labiríntica disposição dos escombros o enganara em dobro, pois aumentava ainda mais o monumental cenário, que ele jamais imaginaria que pudesse caber no interior do pequeno teatro.

— Minha própria equipe de ferreiros fabricou os autômatos que tanto o assustaram, assim como as armaduras usadas pelo exército humano do capitão Shackleton — continuou explicando Gilliam, enquanto o guiava através de uma espécie de desfiladeiro improvisado com edifícios destruídos. — No primeiro momento pensei em contratar atores profissionais para encenar a batalha que mudaria a história da raça humana, que eu mesmo me encarregaria de coreografar para que fosse o mais vistosa e emocionante possível. Mas depois descartei a ideia, porque os atores de teatro, geralmente maníacos e vaidosos, pareciam demasiadamente afetados para interpretar de maneira natural soldados endurecidos e estoicos como os que compunham o exército do futuro, e sobretudo porque, se o trabalho que iriam realizar lhes parecesse imoral, seriam mais difíceis de silenciar. Em vez deles, contratei um punhado de pobres-diabos cuja aparência se ajustava muito mais à dos estropiados personagens que iriam encarnar. Não se importavam em passar toda a encenação encerrados em uma pesada armadura de ferro e não davam a mínima para o fato de que o projeto fosse uma fraude. Apesar de tudo, tive alguns problemas, mas nada que não pudesse solucionar — concluiu, sorrindo significativamente para o escritor.

Então Wells entendeu que, com aquele sorriso torto, o empresário pretendia lhe dizer duas coisas: que estava a par de seu envolvimento no romance entre a senhorita Haggerty e Tom Blunt, o rapaz que encarnava o capitão Shackleton, e que ele era o responsável por seu súbito desaparecimento. O escritor obrigou seus lábios a desenharem uma expressão de assombrado estupor que pareceu agradar a Gilliam, mas na verdade nada lhe agradaria mais do que apagar aquele sorriso arrogante revelando que Tom tinha sobrevivido à morte, como ele próprio lhe contara apenas duas noites antes, quando apareceu em sua casa para agradecer por tudo o que fizera por ele e lembrar-lhe que, se necessitasse alguma vez de bons músculos, precisaria apenas chamá-lo.

O desfiladeiro desembocou em uma clareira que simulava uma pequena praça, na qual ainda sobreviviam algumas árvores, despojadas de suas folhas e macabramente retorcidas. No centro da praça, Wells distinguiu uma espécie de bonde em cujas laterais havia canos de ferro cromado, de onde brotavam dezenas de válvulas e outras quinquilharias igualmente exageradas que, quando se aproximou para observá-las, pareceram-lhe de duvidosa utilidade.

— Este é o *Cronotilus*, um transporte a vapor preparado para trinta lugares — proclamou Gilliam com orgulho, dando uma pancada em uma das laterais. — Os passageiros entram nele no cômodo vizinho, dispostos a viajar para o futuro sem saber que o ano 2000 está ao lado. Eu simplesmente tenho de trazê-los até aqui. Esta distância que o senhor está vendo, de apenas cinquenta metros — disse, apontando para uma porta que devia estar atrás da névoa —, representa um século inteiro para eles.

— Mas como faz para simular o efeito de viajar no tempo? — perguntou Wells, que não podia acreditar que os clientes se contentassem com um simples passeio de bonde, por mais enfeitado que estivesse.

Gilliam sorriu, como se a pergunta lhe agradasse.

— De nada adiantaria todo o meu esforço se eu não tivesse conseguido resolver esse irritante problema, como o senhor acaba de deduzir. E creia que foi uma coisa que me manteve acordado durante muitas noites. Evidentemente, não podia mostrar lesmas correndo como lebres ou a lua atravessando todas as fases em questão de segundos, como o senhor fez em seu romance para ilustrar os efeitos do deslocamento até o futuro. Precisava imaginar, portanto, um modo de viajar no tempo que não me obrigasse a mostrar tais efeitos e que, além disso, carecesse de base científica, pois tinha certeza de que, quando os jornais anunciassem que era possível viajar ao ano 2000, todos os cientistas do país iriam querer saber como diabos se podia fazer tal coisa. Um verdadeiro desafio, não acha? E depois de estudar detidamente o assunto, ocorreu-me apenas um modo de viajar no tempo que não pudesse ser questionado cientificamente: usando magia.

— Magia?

— Sim, a que outra coisa eu podia recorrer se a ciência estava proibida? Inventei então uma biografia fictícia para mim. Antes de abrir minha empresa de viagens no tempo, em vez de uma insossa fábrica de estufas, meu pai e eu dirigíamos uma empresa dedicada a financiar expedições como as que agora existem por toda parte, decididas a não deixar de pé um único mistério no mundo. E, é claro, nós também procurávamos desesperadamente as míticas fontes do Nilo, que, segundo as lendas, ficavam no coração da África. Tínhamos enviado para lá Oliver Tremanquai, nosso melhor explorador, que depois de várias e penosas vicissitudes fizera contato com uma tribo capaz de abrir com sua magia um portal dimensional.

Depois de dizer isso, Gilliam fez uma pausa para observar com um sorriso zombeteiro as tentativas do escritor para ocultar seu espanto.

— O buraco dava passagem para uma planície rosada marcada pelos vendavais, onde o tempo não passava — continuou —, e que não era outra coisa senão a minha representação pessoal da quarta dimensão. A planície era uma espécie de vestíbulo para outras épocas, pois estava, por sua vez, cheia de buracos semelhantes ao que a ligava ao povoado africano. Uma dessas passagens conduzia a 20 de maio de 2000, justamente o dia em que os humanos punham em jogo sua sobrevivência contra os autômatos, entre as ruínas de uma Londres devastada. E o que mais meu pai e eu podíamos fazer ao saber da existência daquele buraco mágico a não ser roubá-lo e trazê-lo para Londres, a fim de oferecê-lo aos cidadãos do Império? Foi o que fizemos. Nós o metemos em uma enorme caixa de ferro fabricada especialmente para a ocasião e o trouxemos até aqui. E, *voilà,* já tinha a solução que procurava, uma forma de viajar no tempo que não requeria qualquer artefato científico. Para viajar ao futuro, só precisávamos atravessar o buraco dimensional no *Cronotilus*, percorrer parte da planície rosada e depois entrar no buraco que conduzia ao ano 2000. Simples, não acha? E para não ter de mostrar a quarta dimensão, eu a povoei oportunamente com horríveis e perigosos dragões, criaturas cuja visão era tão assustadora que me obrigava a pintar de preto as janelas do *Cronotilus* para não ferir a sensibilidade dos viajantes — disse, fazendo o escritor reparar que as janelinhas, redondas como escotilhas, estavam de fato pintadas de preto. — Assim, quando os meus clientes subiam no bonde temporal, este os trazia até aqui por este terreno abrupto, dando todos os solavancos possíveis e simulando os berros dos dragões que rondavam a planície usando oboés e trombones. Nunca vi o efeito disso no interior do *Cronotilus*, mas deve ser bem verossímil, a julgar pelo semblante pálido de muitos passageiros ao voltar.

— Mas se o buraco os traz sempre a este lugar no mesmo instante do ano 2000... — começou a dizer Wells.

— Cada expedição deveria se encontrar com todas as anteriores e todas as posteriores — interrompeu-o Gilliam. — Sei, sei, é pura lógica. Mas o conceito da viagem no tempo é tão novo que pouca gente pode pensar em tudo o que implica e nos paradoxos que pode gerar. Se o portal dimensional leva sempre ao mesmo instante do futuro, aqui deveria haver, no mínimo, dois *Cronotilus*, evidentemente, já que até este momento se realizaram pelo menos duas expedições. Mas nem todo mundo repara nisso, senhor Wells, como já lhe disse. De qualquer forma, prevendo as perguntas que os mais impertinentes pudessem fazer, tive o cuidado de orientar o ator que interpretava o guia para explicar que, assim que chegassem ao futuro, e antes de permitir que os passageiros desembarcassem do veículo, nós levaríamos cada *Cronotilus* para um lugar diferente, evitando justamente esse efeito.

O empresário fez uma pausa, para ver se Wells se animava a formular outra pergunta, mas o escritor parecia imerso em um silêncio que, a julgar pela expressão de pesar desamparado que obscurecia seu rosto, só se podia qualificar de doloroso.

— E, como eu imaginava, assim que anunciei nos jornais minhas viagens ao ano 2000 — decidiu continuar Gilliam — numerosos cientistas quiseram marcar encontros comigo. Precisava vê-los, senhor Wells. Vinham em turba, com expressões desdenhosas, esperando que eu lhes mostrasse algum artefato cujo funcionamento pudessem esmiuçar. Mas eu não era nenhum cientista. Era apenas um honesto empresário que tinha feito uma descoberta fortuita. Depois a maioria se despedia indignada, sem disfarçar sua contrariedade diante de uma maneira de viajar no tempo que não podiam analisar nem, obviamente, rebater, porque na magia se acredita ou não se acredita. Mas alguns consideraram minha explicação muito convincente, como seu colega Arthur Conan Doyle. O criador do infalível Sherlock Holmes se tornou um dos meus mais dedicados paladinos, como o senhor deve saber se leu algum dos muitos artigos em que defende minha causa.

— Doyle acreditaria até em fadas — disse Wells com certa ironia.

— É possível. Todos nós podemos acreditar em qualquer tramoia se for suficientemente verossímil, como pode ver. E confesso que as visitas periódicas dos nossos céticos homens de ciência, longe de me incomodar, me deram grande prazer. Na verdade, dependo delas, pois, como conseguiria um público mais atento? Eu me deleitava contando a eles uma e outra vez as aventuras de Tremanquai, que, como o senhor deve ter imaginado, eram uma homenagem velada a meu admirado Henry Rider Haggard, autor de *As minas do rei Salomão*. Na verdade, Tremanquai é um anagrama de Quatermain, o sobrenome de seu personagem mais conhecido, o aventureiro que...

— Nenhum dos cientistas quis ver... o buraco? — interrompeu-o Wells, que ainda não conseguia aceitar que tudo tivesse sido tão fácil.

— Ah, claro que sim. Muitos deles não queriam ir embora sem vê-lo. Mas eu já tinha previsto isso. Minha intuição de sobrevivente me levara a fabricar uma enorme caixa de ferro forjado idêntica à que inventei na minha história, na qual supostamente guardava o portal dimensional. Eu levava os que exigiam vê-lo até a caixa e os convidava para entrar, advertindo que depois seria preciso fechar a tampa, porque, entre outras coisas, a função da caixa era evitar que os ferozes dragões que habitavam a quarta dimensão irrompessem no nosso mundo. Acha que algum deles se atreveu a entrar?

— Imagino que não — respondeu Wells com resignação.

— E está certo — confirmou o empresário. — Na verdade, tudo se baseia em uma caixa vazia na qual não se esconde nada além dos medos que carregamos dentro de nós. É tão poético quanto divertido, não acha?

O escritor balançou a cabeça, entre pesaroso e perplexo com a ingenuidade dos seus semelhantes, mas, sobretudo, com a falta de coragem dos cientistas, aquelas criaturas medrosas, na hora de arriscar a vida em uma verificação empírica.

— Bem, senhor Wells, é assim que levo meus clientes para o futuro, saindo da corrente temporal e mergulhando de novo por outro lugar, como um salmão subindo um rio. A primeira expedição obteve um sucesso fulminante — orgulhou-se o empresário. — E confesso que eu mesmo fui o primeiro a me surpreender com a eficácia da minha mentira. Mas, como já lhe disse, as pessoas só veem o que querem. Mas nem tive tempo para comemorar, porque, alguns dias depois, fui convocado por ninguém menos que Sua Majestade. Sim, a rainha em pessoa exigiu minha humilde presença no palácio. E eu mentiria se não lhe dissesse que fui resignado a receber o castigo que minha ousadia merecia, mas para minha surpresa Sua Majestade mandara chamar-me com um propósito bastante distinto: queria que eu organizasse para ela uma viagem privada ao ano 2000.

Wells olhou-o boquiaberto.

— Sim, também ela e sua corte queriam ver a futura guerra de que toda a Londres falava. Como o senhor deve imaginar, a ideia não me entusiasmou muito, não só porque tinha de organizar todo o espetáculo grátis para eles, como também porque, dada a importância do público, o espetáculo tinha de ser encenado com perfeição, ou seja, devia ser o mais verossímil possível. Felizmente nada deu errado. Acho até que fizemos nossa melhor representação. A cara de tristeza de Sua Majestade ao contemplar esta Londres devastada falava por si mesma. Mas no dia seguinte ela voltou a me chamar ao palácio. Imaginei de novo que minha fraude tinha sido descoberta e mais uma vez fiquei estupefato ao descobrir que o motivo daquele segundo chamado era o generoso donativo que Sua Majestade queria me conceder para que eu pudesse continuar com minhas pesquisas. Sim, isso mesmo que o senhor ouviu, a rainha estava disposta a financiar minha mentira: queria que eu continuasse estudando outros buracos, que abrisse novas rotas para outros pontos do tempo. Mas não era só isso. Também queria que construíssemos um palácio para ela na quarta dimensão, uma espécie de residência de verão em que pudesse passar longos períodos, com o intuito de alongar sua vida escapulindo dos rigores do tempo. É claro que aceitei. Que outra coisa podia fazer? Mas ainda não terminei de construir o palácio, obviamente, nem vou terminar nunca. Tem ideia do porquê?

— Imagino que seja porque o ataque dos horríveis dragões que povoam a quarta dimensão atrase continuamente as obras — respondeu o escritor, sem disfarçar sua repulsa.

— Exato — corroborou Gilliam com um amplo sorriso. — Estou vendo que começou a entender as regras do jogo, senhor Wells.

O escritor se negou a rir da piada. Em vez disso, cravou os olhos no cachorro, que estava parado a alguns metros, fuçando tenazmente entre os escombros.

— O fato de que Sua Majestade tenha acreditado na minha mentira não apenas alegrou meu bolso, mas também conseguiu varrer de vez todas as minhas inquietações. Parei imediatamente de me preocupar com as cartas dos cientistas que apareciam regularmente nos jornais me tachando de trapaceiro, às quais, por outro lado, ninguém mais dava a menor atenção. Até o filho da mãe que de vez em quando emporcalhava minha fachada com merda de vaca me irritava mais do que elas. Na verdade, a essa altura, só havia uma pessoa capaz de me desmascarar: o senhor, meu prezado Wells. Mas como não o tinha feito até então, imaginei que jamais o faria. E confesso que sua atitude me pareceu digna de admiração, uma atitude de verdadeiro cavalheiro que sabe reconhecer quando perdeu o jogo.

Com um sorriso arrogante, o empresário recomeçou o passeio, convidando Wells a acompanhá-lo com um gesto de cabeça. Saíram da praça caminhando em silêncio seguidos pelo cão e entraram em uma das ruas obstruídas de entulho que a cercavam.

— O senhor já parou para pensar na verdadeira essência da coisa, senhor Wells? — inquiriu o empresário. — Encare da seguinte maneira: se em vez de apresentar isto aqui como o verdadeiro ano 2000 eu tivesse anunciado como uma simples representação teatral de uma obra futurista escrita por mim, não teria cometido nenhum delito. E muita gente viria vê-la da mesma forma. Mas garanto que nenhum dos espectadores, ao voltar para casa, se sentiria especial nem veria o mundo de outra perspectiva. Na verdade, eu apenas os faço sonhar. Não acha triste que possa ser castigado por isso?

— Deveria perguntar a seus clientes se pagariam a mesma quantia para ver uma simples peça de teatro — respondeu o escritor.

— Não, senhor Wells. Nisso o senhor se engana. O que realmente deveríamos perguntar é se eles queriam de fato saber que tudo foi uma fraude e recuperar o dinheiro ou se, pelo contrário, prefeririam morrer pensando que conheceram o ano 2000. Esta é a verdadeira pergunta. E garanto que a maioria escolheria não saber. Por acaso não há mentiras que tornam a vida mais bela?

Wells suspirou mas não quis reconhecer que, no fundo, Gilliam tinha razão. Ao que tudo indicava, seus contemporâneos preferiam acreditar que viviam num século em que a ciência era capaz de levá-los ao ano 2000, fosse qual fosse o procedimento, a viver numa época da qual não podiam fugir.

— Pense no jovem Harrington, por exemplo — disse então o empresário com um sorriso malicioso. — Lembra dele? Se não me engano, continua vivo graças a uma mentira. Uma mentira da qual o senhor aceitou participar.

Wells ia responder que havia uma grande diferença entre o objetivo de uma mentira e o de outra, mas o empresário não deixou, fazendo uma nova pergunta:

— Sabe que fui eu quem construiu a máquina do tempo que o senhor tem no seu sótão, aquele brinquedinho de que tanto gosta?

Dessa vez Wells não conseguiu esconder sua surpresa.

— Sim, eu a construí por encomenda de Charles Winslow, o primo do desventurado senhor Harrington — confessou Gilliam, com um ar divertido. — O senhor Winslow viajou conosco na segunda expedição, e alguns dias depois veio a meu escritório pedir que eu organizasse uma viagem privada para ele e seu primo até o ano 1888, o outono do terror. Não importava quanto custasse essa viagem, eles estavam dispostos a pagar o que fosse. Mas eu não podia lhe proporcionar esse capricho, infelizmente.

Os dois se afastaram do traçado da rua e chegaram a uma cordilheira de entulho atrás da qual se divisava um horizonte de telhados irregulares, escurecidos pelo punhado de nuvens cinzentas que flutuava como uma ameaça sobre eles.

— Mas o motivo do senhor Winslow para querer viajar ao passado era tão romântico que me comoveu o suficiente para que eu resolvesse ajudá-lo — ironizou o empresário, começando, para espanto de Wells, a escalar a elevação. — Expliquei-lhes que essa viagem só poderia ser feita com uma máquina do tempo como a do seu livro, e traçamos juntos aquele plano em que o senhor era a última peça, como bem sabe. Se o senhor Winslow conseguisse convencê-lo a fingir ter uma máquina do tempo, eu não apenas mandaria fabricar um artefato idêntico ao de seu livro como também emprestaria os atores de que necessitava para encarnar Jack, o Estripador, e a prostituta que ele assassinou. O senhor deve estar se perguntando por que fiz isso. Suponho que foi porque fabricar mentiras cria um certo vício. E não posso esconder que me diverti com a ideia de envolvê-lo em uma farsa similar à que eu tinha orquestrado, senhor Wells, para ver se aceitava participar ou não.

Wells mal conseguia ouvir as palavras de Gilliam. A subida da encosta, além de tomar boa parte de sua concentração, estava lhe produzindo um efeito inquietante, pois o longínquo horizonte tinha começado a se aproximar, até ficar ao alcance de sua mão. Quando chegaram ao alto, o escritor pôde constatar que o que tinha à sua frente era apenas uma parede pintada. Atônito, passou a mão pelo desenho que havia na superfície. Gilliam observou-o com ternura.

— Depois do sucesso da segunda expedição, e embora as coisas estivessem mais calmas, eu me perguntei: tinha sentido continuar com tudo aquilo se já demonstrara sobejamente o que queria? O único motivo que encontrei para justificar para mim mesmo todo o esforço de organizar uma terceira expedição — disse, lembrando com desagrado do tom impostado em que Jeff Wayne declamava os diálogos de Shackleton e do fracote que insistia em fincar seu rifle na pedra — era o dinheiro. Mas eu já tinha acumulado mais dinheiro do que poderia gastar em uma dúzia de encarnações, de modo que isso tampouco me servia de desculpa. Por outro lado, tinha certeza de que mais cedo ou mais tarde meus caluniadores se organizariam de alguma forma, e nem sequer Doyle seria capaz de rebater uma ofensiva unânime.

O empresário segurou a maçaneta de uma porta que saía da parede, mas não fez a menor menção de girá-la. Em vez disso, dirigiu-se a Wells com uma expressão compungida.

— Sem dúvida, o mais sensato seria abandonar tudo — disse em um tom melancólico —, pondo em prática o plano que concebi antes mesmo de abrir as portas da minha empresa: planejei simular uma morte cruel na quarta dimensão, devorado, num descuido, por um de meus dragões inventados, na frente de um grupo de funcionários, que, compungidos, se encarregariam de comunicar a triste notícia aos jornais. Dessa forma, enquanto eu começava uma nova vida na América, com outra identidade, Gilliam Murray, o empresário que desvendou os mistérios do futuro, seria pranteado por toda a Inglaterra. No entanto, apesar de tão engenhoso expediente, havia algo que me impedia de largar tudo, obrigando-me a seguir em frente. Quer saber o que era, senhor Wells?

Como resposta, o escritor deu de ombros.

— Vou explicar o melhor possível, mas duvido que possa entender. Veja, ao criar tudo isto eu não apenas demonstrei que meu futuro era verossímil, como me transformei em alguém que não era, em um personagem da minha própria ficção. Tinha deixado de ser um pobre construtor de estufas. Para o senhor eu sou apenas um farsante, mas para o mundo sou o monarca do tempo, um empresário decidido que viveu mil aventuras na África e que dorme toda noite em um lugar onde o tempo não passa, ao lado do seu cão mágico. Creio que não queria fechar a empresa porque isto significaria voltar a ser uma pessoa normal. Terrivelmente rica, sim, mas também terrivelmente normal.

E após dizer isso girou a maçaneta e entrou em uma nuvem.

Wells seguiu-o alguns segundos depois, atrás do cachorro supostamente mágico, para dar com seu mal-humorado rosto multiplicado em meia dúzia de espelhos. Estava em um camarim estreito, abarrotado de caixas e cabides de onde pendiam peitilhos, elmos e couraças. De um canto, Gilliam o olhava com um sorriso sereno.

— E creio que mereço o que vai acontecer comigo, se o senhor não me ajudar — disse.

Finalmente. Como Wells suspeitava, Gilliam não se dera o trabalho de levá-lo até ali exclusivamente para oferecer-lhe uma simples visita turística. Não, tinha acontecido alguma coisa, algo dera errado. E agora Gilliam estava em apuros. Agora Gilliam precisava de sua ajuda. Era esse o prato principal, que o empresário servira à mesa assim que seu convidado engolira a guarnição das explicações. Precisava de sua ajuda, sim. Infelizmente, como o empresário não deixara nem por um momento de dirigir-se a ele naquele tom de superioridade quase paternal, na certa não se rebaixaria a pedir. Simplesmente dava como certo que conseguiria. Agora, para Wells, só restava saber com que tipo de ameaça pretendia fazê-lo.

— Ontem o inspetor Colin Garrett, da Scotland Yard, veio falar comigo — informou o empresário. — Está investigando o caso de um mendigo que apareceu assassinado em Marylebone, coisa bastante frequente nesse bairro, aliás. Mas o que faz com que esse caso seja especial é a arma que o assassino empregou. O cadáver tem um buraco enorme no meio do peito, através do qual se pode ver como se fosse uma janela. É como se tivesse sido exposto a uma espécie de raio de calor. Segundo os legistas, não existe no mundo uma arma capaz de causar um ferimento como esse. Pelo menos em nossa época. Isto fez o jovem inspetor suspeitar que aquele pobre mendigo fora assassinado com uma arma do futuro, mais precisamente com um dos rifles usados pelo capitão Shackleton e seus soldados, cujos efeitos devastadores ele pôde observar quando participou da segunda expedição.

Tirou um rifle de um pequeno armeiro que havia a seu lado e entregou-o a Wells. O escritor verificou que a suposta arma era apenas um pedaço de madeira ao qual tinham acrescentado algumas manivelas e cavilhas inúteis, usando a mesma estratégia do bonde.

— Como o senhor pode ver, trata-se de um simples brinquedo. Os ferimentos dos autômatos são produzidos com pequenas cargas escondidas em sua própria couraça. Mas para meus clientes, naturalmente, trata-se de uma arma tão verdadeira quanto poderosa — explicou o empresário, tirando o falso rifle das mãos do escritor e virando-se para recolocá-lo no armeiro, ao lado dos outros. — Enfim, o inspetor Garrett acha que um dos soldados do futuro, provavelmente o próprio capitão Shackleton, viajou no tempo até nossa época, escondido como clandestino no *Cronotilus*, e não lhe ocorreu ideia melhor do que viajar na terceira expedição para detê-lo antes que isso ocorra, impedindo o próprio crime. Ontem ele me mostrou uma ordem do primeiro-ministro autorizando-o a prender um homem que, do nosso ponto de vista, ainda não nasceu. O inspetor queria que eu lhe reservasse três lugares na terceira expedição, para ele e dois de seus agentes. E como o senhor há de compreender, não pude negar. Com que desculpa faria isso? Assim, dentro de dez dias o inspetor vai viajar ao ano 2000 com a intenção de prender um assassino, mas acabará descobrindo a maior fraude do século. Talvez o senhor pense que, dada minha falta de escrúpulos, eu poderia sair do impasse entregando um dos meus atores, mas para que a coisa fosse verossímil não apenas precisaria fabricar urgentemente outro *Cronotilus*, como teria de resolver o árduo problema de fazer Garrett ver-se a si mesmo integrando a segunda expedição. Como pode ver, trata-se de um problema muito complicado até para mim. A única pessoa que pode evitar que Garrett viaje para o futuro, como planeja, é o senhor. Preciso que encontre o verdadeiro assassino antes que chegue o dia da terceira expedição.

— E por que eu iria ajudá-lo? — perguntou Wells em um tom mais resignado do que desafiador.

Afinal de contas, era essa a pergunta que deixaria as coisas claras, e os dois sabiam disso. Gilliam se aproximou sorrindo com uma calma aterradora, pôs a mão gorducha em seu ombro e o levou com extrema delicadeza para o outro lado do cômodo.

— Pensei muito na resposta que daria a essa pergunta, senhor Wells — disse com suavidade, quase com doçura. — Poderia apelar para sua piedade. Sim, poderia me ajoelhar à sua frente e implorar que me ajude. Pode imaginar, senhor Wells? Pode me imaginar choramingando como um pobre garotinho diante do senhor, regando seus sapatos com minhas lágrimas enquanto grito que não quero que me executem? Tenho certeza de que isso funcionaria: o senhor acha que é melhor do que eu e está ansioso para demonstrar isso. — Gilliam sorriu, enquanto abria uma pequena porta e com um leve empurrão incentivava Wells a atravessá-la. — Mas também poderia apelar para seu medo, dizendo que se não me ajudar sua querida Jane sofrerá um desagradável acidente no passeio de bicicleta que faz toda tarde pelos arredores de Woking. Tenho certeza de que isso também funcionaria. No entanto, vou apelar para a sua curiosidade. O senhor e eu somos as únicas pessoas que sabem que tudo isto é uma grande farsa. Ou, o que dá no mesmo: o senhor e eu somos os únicos que sabemos que não é possível viajar no tempo. Mas alguém o fez. Não sente curiosidade? Vai deixar que o jovem Garrett empregue todos os seus esforços perseguindo uma ficção enquanto pode haver um verdadeiro viajante do tempo percorrendo as ruas de Londres?

Gilliam e Wells se entreolharam em silêncio.

— Tenho certeza de que não — concluiu o empresário.

E depois de dizer isso Gilliam fechou a porta do futuro e voltou a deixar o escritor no dia 21 de novembro de 1896. De repente, Wells se viu no miserável beco dos fundos da Viagens Temporais Murray, uma viela abarrotada de lixo e onde havia alguns gatos fuçando, com a sensação de que sua viagem ao ano 2000 tinha sido um sonho. Por impulso, levou as mãos aos bolsos do casaco, mas os encontrou vazios: ninguém havia escondido nenhuma flor neles.

XXXVII

Quando foi visitá-lo em seu gabinete na manhã seguinte, Wells achou que o inspetor Colin Garrett parecia um garotinho tímido e delicado diante do qual tudo aparentava ser grande: da robusta mesa à qual tomava o café da manhã naquele momento ao terno marrom que usava, mas especialmente os assassinatos, roubos e demais crimes que floresciam como detestáveis abrolhos pela cidade. Se tivesse algum interesse em escrever um romance policial, do tipo dos que seu colega Doyle fazia, por exemplo, jamais descreveria seu detetive como aquele garoto que estava à sua frente, aquela criaturinha adoentada, assustadiça e, sobretudo, modelada em uma argila terrivelmente permeável ao ardor reverencial da admiração, como pôde deduzir pelo modo apaixonado como apertou sua mão ao vê-lo entrar em seu escritório.

Depois de sentar-se, Wells recebeu a esperada chuva de elogios a seu romance *A máquina do tempo* com a habitual expressão de modéstia, embora fosse obrigado a reconhecer que o jovem inspetor coroou seu panegírico com um arremate certamente novo.

— Como lhe contei, gostei imensamente de seu livro, senhor Wells — disse, afastando para um lado a bandeja do café com certa vergonha, como se quisesse esconder os rastros de sua gulodice —, e imagino que deve ter sido duro para o senhor, e para os outros escritores de romances científicos, não poder continuar especulando sobre o futuro, agora que já sabemos como realmente será. Caso contrário, se o futuro continuasse como uma coisa insondável e misteriosa, creio que esse tipo de livros baseados em como será o amanhã terminaria sendo um gênero em si mesmo.

— Suponho que sim — concedeu Wells, surpreso de que o jovem inspetor houvesse pensado em algo que nem de longe tinha passado por sua cabeça.

Talvez, afinal, tivesse cometido um erro julgando-o por sua aparência imberbe. Depois dessa breve troca de palavras, os dois se limitaram a entreolhar-se com um afeto ridículo durante os segundos seguintes, enquanto o sol que entrava pela janela os banhava em ouro. Até que Wells, vendo que o inspetor já tinha esgotado seus elogios, decidiu abordar a questão que o havia levado até lá.

— Imagino então que, sendo leitor de minha obra, não se surpreenderá muito com o motivo de minha visita, que não é outro senão meu interesse pelo caso do mendigo assassinado — confessou. — Chegou a meus ouvidos a possibilidade de que o assassino seja um viajante do tempo e, embora esteja longe de minha intenção considerar-me uma autoridade no assunto, creio que posso ser útil.

Garrett arqueou as sobrancelhas, como se não entendesse a que se referia Wells.

— O que estou tentando dizer, inspetor, é que vim lhe oferecer... minha colaboração.

O inspetor o encarou então com expressão comovida.

— É muito gentil, senhor Wells, mas não será necessário — disse. — Veja só: já resolvi o caso.

Tirou um envelope de uma gaveta e espalhou sobre a mesa, como se fosse um baralho, as fotografias que continha, todas elas do cadáver do mendigo. A seguir foi mostrando-as a Wells enquanto, em um tom visivelmente entusiasmado, explicava pormenorizadamente a cadeia dedutiva que o levara a suspeitar do capitão Shackleton ou de algum de seus soldados. Wells mal lhe prestou atenção, pois o inspetor estava apenas repetindo o que Gilliam lhe havia contado, mas observou com grande interesse o curioso ferimento que o cadáver apresentava. Ele não entendia nada de armas, mas não era preciso ser um especialista para perceber que aquele horrível buraco não podia ter sido causado por uma arma comum. Tal como sustentavam Garrett e sua equipe de legistas, o ferimento parecia ter sido provocado por um raio de calor, uma espécie de corrente de lava guiada pela mão humana.

— Como está vendo, não pode haver nenhuma outra explicação — concluiu Garrett com um sorriso satisfeito, voltando a guardar tudo no envelope. — Na verdade, só estou aguardando até o dia da terceira expedição. Hoje de manhã, por exemplo, mandei dois agentes ao local do crime por pura rotina.

— Entendo — disse Wells, tentando disfarçar seu abatimento.

Como fazer para convencer o inspetor a investigar em outra direção sem revelar que o capitão Shackleton não era nenhum homem do futuro, que o ano 2000 era um simples cenário feito com entulho de demolições? Se não conseguisse, provavelmente Jane morreria. Esforçou-se para conter um suspiro e não revelar sua aflição ao inspetor.

Nesse instante, um agente abriu a porta do escritório e solicitou a presença de Garrett. O rapaz se desculpou e saiu ao corredor, para manter uma conversa com o homem, o que chegou até Wells como um rumor indecifrável. A conversa durou poucos minutos, após os quais Garrett voltou ao escritório visivelmente mal-humorado, sacudindo um papelzinho na mão direita.

— Só tem incompetentes na polícia da City — grunhiu, para espanto de Wells, que não imaginava que naquele rapazinho delicado pudesse caber uma indignação semelhante. — Um de nossos agentes acaba de descobrir no local do crime uma inscrição na parede que os imbecis não perceberam.

Wells viu-o ler o bilhete várias vezes em silêncio, apoiado na borda da mesa e balançando a cabeça com um desgosto infinito.

— Mas o fato é que sua presença aqui não poderia ser mais oportuna, senhor Wells — disse afinal, sorrindo para o escritor. — Eu diria que isto parece um trecho de romance.

Wells franziu as sobrancelhas e pegou o bilhete que Garrett lhe ofereceu, em que se lia o seguinte:

O desconhecido chegou a pé da estação ferroviária de Bramblehurst em um dia de inverno, no início de fevereiro, abrindo caminho através de um vento cortante e de espessos flocos de neve.

Depois de ler o bilhete, o escritor ergueu a vista para o inspetor, que também o olhava.

— Este texto lhe diz alguma coisa, senhor Wells? — inquiriu.

— Não — respondeu o escritor sem hesitar.

Garrett pegou o bilhete das mãos de Wells e voltou a lê-lo, balançando de novo a cabeça como o pêndulo de um relógio.

— Nem a mim — reconheceu. — O que Shackleton pretenderá com isso?

Após fazer esta pergunta o inspetor pareceu mergulhar em suas reflexões. Wells aproveitou para se levantar.

— Bem, inspetor — disse —, não vou incomodá-lo mais. Deixo-o aqui com seus enigmas.

Garrett voltou a si e apertou a mão de Wells.

— Obrigado, senhor Wells. Eu o chamarei se for preciso.

Wells assentiu e saiu do escritório, deixando Garrett refletindo, em precário equilíbrio na beira da mesa. Percorreu o corredor, desceu as escadas, saiu da delegacia e subiu no primeiro coche que encontrou quase inconscientemente, movendo-se como um sonâmbulo, ou um hipnotizado, ou, por que não?, um autômato. No caminho até Woking não se atreveu a olhar pela janelinha uma única vez, com medo de que alguém, um desconhecido qualquer que caminhasse pela calçada, ou um lavrador que descansasse na beira da estrada, lhe dirigisse um olhar significativo que o enchesse de terror. Quando chegou em casa, percebeu que suas mãos tremiam. Avançou pelo corredor sem avisar Jane de sua chegada e entrou na cozinha. Em cima da mesa estavam a máquina de escrever e o manuscrito de seu último romance, que se intitulava *O homem invisível*. Incrivelmente pálido, Wells se sentou e pousou o olhar na primeira página do manuscrito que acabava de terminar no dia anterior e que ninguém havia lido além dele. O livro começava com a seguinte frase:

O desconhecido chegou a pé da estação ferroviária de Bramblehurst em um dia de inverno, no início de fevereiro, abrindo caminho através de um vento cortante e de espessos flocos de neve.

Havia um verdadeiro viajante do tempo. E estava tentando se comunicar com ele.

Foi o que Wells pensou quando finalmente conseguiu sair de seu aturdimento, e com bons motivos. Com que outro propósito alguém teria escrito naquela parede o começo de *O homem invisível*, um romance que em sua época ainda não havia sido publicado, um romance que nesse momento ninguém além dele sabia que existia? Usar uma arma desconhecida para tirar a vida de um mendigo tinha a função de chamar a atenção da polícia, distinguir aquele assassinato dos muitos outros que se cometiam diariamente na cidade, isso era evidente, mas o trecho de seu romance que apareceu na cena do crime só podia ser uma mensagem para ele. E por mais que ainda pensasse que o insólito ferimento que atravessava o peito do mendigo podia ter sido causado por algum instrumento do presente que nem Garrett nem os legistas conheciam, era evidente que ninguém podia saber o começo de seu romance, a não ser um homem que viesse do futuro, o que eliminava qualquer dúvida de que estava lidando com um viajante temporal. Ao se dar conta disso, o escritor sentiu um estremecimento em todo o corpo, provocado não apenas pela repentina descoberta de que as viagens no tempo, que sempre havia considerado mera fantasia, eram possíveis, ou melhor, seriam possíveis no futuro, mas também porque, por algum obscuro motivo que preferia ignorar, aquele viajante do tempo, fosse quem fosse, estava tentando entrar em contato com ele.

Passou a noite toda rolando na cama, atemorizado pela desagradável sensação de estar sendo vigiado e tentando resolver se devia contar tudo ao inspetor Garrett ou se isso despertaria a ira do viajante do tempo. Quando amanheceu, ainda não havia tomado nenhuma decisão. Felizmente, não foi preciso, pois em seguida uma carruagem oficial da Scotland Yard parou em frente à sua casa. Garrett tinha enviado um agente para buscá-lo: havia aparecido outro cadáver.

Sem tomar café e com um casaco por cima do pijama, Wells foi transportado até a cidade em estado de aturdimento. O coche parou na Portland Street, onde Garrett, desamparado e abatido, o esperava no epicentro de um impressionante aparato policial. Wells contou mais de meia dúzia de agentes que procuravam preservar a cena do crime dos numerosos curiosos que pululavam por ali, entre os quais identificou pelo menos dois jornalistas.

— Desta vez a vítima não é um mendigo — informou o inspetor após apertar sua mão — mas o proprietário de uma taberna próxima, um tal Terry Chambers. Mas não há a menor dúvida de que foi assassinado com a mesma arma.

— O assassino deixou alguma outra mensagem? — perguntou Wells com um fio de voz, reprimindo com dificuldade o impulso de acrescentar "para mim".

Garrett confirmou sem esconder sua contrariedade. Era evidente que o jovem inspetor preferiria que o capitão Shackleton encontrasse um passatempo menos perigoso até que ele pudesse viajar ao ano 2000 para prendê-lo. Visivelmente aflito com todo aquele circo, conduziu Wells à cena do crime, abrindo passagem através do cordão policial. O tal Chambers estava sentado no chão, um pouco inclinado, com um buraco fumegante no meio do peito que permitia ver a parede onde se encostava. Sobre sua cabeça alguém escrevera um texto. Com o coração aos saltos, e tentando não pisar no taberneiro, Wells se inclinou para ler:

Saí de Munique às oito da noite, em 1º de maio, e cheguei a Viena cedo, no dia seguinte pela manhã.

Ao ver que a frase não pertencia a seu romance, Wells deu um suspiro em que se misturavam alívio e decepção. Seria uma mensagem dirigida a outro escritor? Era lógico pensar que sim, e tinha certeza de que aquela frase, aliás terrivelmente anódina, era o começo de um romance que o autor ainda não havia publicado. Provavelmente, acabara de concluí-la recentemente. Ao que parecia, o viajante do tempo não pretendia comunicar-se só com ele, mas também com alguém mais.

— Este texto lhe diz alguma coisa, senhor Wells? — perguntou Garrett esperançoso.

— Não, inspetor. Mas sugiro que o publique na imprensa. Parece claro que o assassino está propondo algum tipo de enigma, e os olhos de todo o país veem melhor que dois — sugeriu, consciente de que devia fazer todo o possível para que aquela mensagem chegasse a seu destinatário.

Enquanto o inspetor se ajoelhava para examinar o cadáver com mais atenção, Wells lançou um olhar distraído pela multidão que se amontoava atrás do cerco policial. Perguntou-se o que o viajante do tempo podia querer com dois escritores do século XIX. Por ora não sabia, mas não tinha dúvida de que descobriria logo. Era questão de esperar. Por enquanto, era o viajante quem movia as peças.

Ao voltar à realidade se surpreendeu, de repente, olhando para uma moça que por sua vez também o observava. Era uma jovem de pouco mais de vinte anos, magra, pálida e de cabelo ruivo, que o encarava com uma intensidade que lhe pareceu despropositada. Usava um vestido comum, com uma capa por cima, mas havia nela qualquer coisa de estranho, na expressão de seu rosto e em sua forma de olhar para ele que ele não conseguia definir com palavras, mas que a distinguia do restante do grupo.

Sem saber por quê, Wells se encaminhou em sua direção. Para sua surpresa, esse gesto impulsivo assustou a moça, que imediatamente deu meia-volta e desapareceu no meio da multidão, com seu cabelo ondulando ao vento como uma labareda. Quando o escritor conseguiu abrir passagem através da multidão, não havia mais rastro dela. Olhou em todas as direções, mas não a encontrou. Parecia que tinha evaporado no ar.

— Aconteceu alguma coisa, senhor Wells?

O escritor se sobressaltou sem querer ao ouvir a voz do inspetor, que se aproximara dele provavelmente intrigado por seu estranho comportamento.

— O senhor a viu, inspetor? — perguntou, sem deixar de examinar ansiosamente a rua. — Viu a moça?

— De que moça está falando? — perguntou o jovem, desconcertado.

— Estava aqui, no meio das pessoas. E havia alguma coisa nela...

Garrett o observou com curiosidade.

— O que quer dizer, senhor Wells?

O escritor ia responder mas percebeu que não sabia como explicar a estranha impressão que a moça lhe causara.

— Eu... Esqueça, inspetor! — respondeu, dando de ombros resignadamente. — Talvez seja alguma antiga aluna, por isso me pareceu familiar...

Garrett assentiu, não muito convencido. Estava claro que achara seu comportamento estranho. Mesmo assim lhe deu ouvidos, e no dia seguinte os dois textos, tanto o dele quanto o do autor desconhecido, foram publicados em todos os jornais de Londres. E se suas suspeitas estavam corretas, aquela informação devia ter estragado o café da manhã de algum de seus colegas. Wells não sabia quem seria o escritor que naquele momento estaria sentindo o mesmo pânico que ele incubava havia dois dias, mas descobrir que não era o único interlocutor do viajante do tempo o acalmava um pouco. Não estava mais sozinho naquilo, nem sentia a menor urgência de saber o que o viajante queria deles. Tinha certeza de que a charada ainda não estava completa.

E não se enganava.

Quando, na manhã seguinte, a carruagem da Scotland Yard apareceu em sua porta, Wells estava sentado nos degraus do alpendre, vestido e com o café da manhã tomado. O terceiro cadáver era de uma costureira chamada Chantal Ellis. A inesperada mudança de gênero na vítima desconcertou o inspetor Garrett, mas não Wells, que sabia que os cadáveres não tinham importância, pois eram simples lousas em que o viajante do tempo registrava suas mensagens. A mensagem que escrevera dessa vez na parede de Weymouth Street na qual deixara encostada a infeliz senhora Ellis era a seguinte:

A história nos manteve em volta do fogo suficientemente ansiosos, mas, além do desnecessário comentário de que era horripilante, como devia ser forçosamente todo relato narrado na véspera de Natal em uma casa antiga, não lembro que tenha provocado qualquer comentário além daquele que alguém fez enfatizando que era o único caso que conhecia em que a visão fora tida por uma criança.

— Este texto lhe diz alguma coisa, senhor Wells? — perguntou Garrett sem a menor esperança.

— Não — respondeu o escritor, mas se absteve de acrescentar que achara aquela prosa intrincada vagamente familiar, embora não conseguisse identificar o autor.

E enquanto o inspetor Garrett se trancava na biblioteca de Londres com uma dúzia de agentes, dispostos a examinar todos os romances que abarrotavam suas prateleiras em busca daquele que, não sabia com que obscuro fim, Shackleton supostamente estaria citando, Wells voltava para casa perguntando-se quantos inocentes ainda teriam de morrer antes que o viajante completasse sua charada.

Na manhã seguinte, porém, nenhuma carruagem da Scotland Yard veio buscá-lo. Será que isso significava que o viajante já havia entrado em contato com todos os escritores que pretendia? A resposta o esperava dentro da caixa de correio. Lá Wells encontrou um mapa de Londres, com o qual o viajante informava o local do encontro, ao mesmo tempo que aproveitava para alardear sua capacidade de deslocar-se pela corrente temporal como bem quisesse, pois se tratava de um mapa do ano 1666 confeccionado pelo gravador tcheco Wenceslaus Hollar. Wells admirou o sofisticado trabalho que representava uma cidade cuja fisionomia já não era a mesma, pois poucos meses depois seria devorada pelo fogo até seus alicerces, um fogo que, pelo que lembrava, começara em uma padaria do centro e, atiçado pelos depósitos de carvão, madeira e álcool vizinhos, se propagara rapidamente, alcançando a catedral de St. Paul's e atravessando a muralha romana, na região de Fleet Street. Mas o que realmente assombrou Wells não foi isso, mas o fato de que o mapa não revelava o menor sinal de ter atravessado mais de dois séculos para chegar às suas mãos. Como um soldado que, ao cruzar um rio, ergue o rifle acima da cabeça, o viajante havia protegido aquele mapa da passagem do tempo, indultando-o do sigiloso atrito dos anos, das garras amarelas das décadas e do manuseio usurário dos séculos.

Quando se recuperou da surpresa, Wells viu o círculo que destacava a Berkeley Square, junto ao qual aparecia o número cinquenta. Aquele era sem dúvida o local do encontro, o lugar em que deveriam comparecer os três escritores para se reunir com o viajante. E teve de reconhecer que este não podia ter escolhido um ponto mais apropriado, pois o número cinquenta da Berkeley Square era considerado a casa mais mal-assombrada de Londres.

XXXVIII

A Berkeley Square era um jardim pequeno, excessivamente melancólico para seu tamanho, mas tinha as árvores mais antigas do centro de Londres. Wells atravessou-a num passo quase de procissão, cumprimentando com uma breve reverência a ninfa indolente que o escultor Alexander Munro entregara à feroz tristeza da paisagem, e parou diante do imóvel que ostentava o número cinquenta na fachada, uma construção modesta que destoava dos demais prédios que circundavam a praça, projetados por célebres arquitetos da época. O imóvel aparentava estar abandonado havia vários quinquênios, e embora a fachada não parecesse muito deteriorada, tanto as janelas dos andares superiores quanto as do porão estavam vedadas com tábuas, uma crosta de madeira podre destinada a preservar de olhares curiosos os obscuros segredos que deviam habitar em seu interior. Wells se perguntou com um tremor involuntário se fizera bem em ir sozinho. Talvez devesse ter avisado o inspetor Garrett, pois não apenas iria se encontrar com alguém que não parecia titubear na hora de assassinar simples cidadãos, como fora a esse encontro com a ingênua intenção de apanhá-lo e oferecê-lo de bandeja ao inspetor para que este se esquecesse de uma vez por todas de viajar ao ano 2000.

Wells observou atentamente a fachada austera da casa, que tinha fama de ser a casa mais mal-assombrada de Londres, pensando que não havia motivos para tanto. A revista *Mayfair* resenhara com altas doses de sensacionalismo os estranhos acontecimentos que desde o princípio do século vinham ocorrendo naquele lugar onde, ao que parecia, todos os que se aventuravam acabavam morrendo ou perdendo o juízo. Para Wells, que não era suscetível ao além, tudo aquilo não passava de uma longa lista de bobagens truculentas, boatos que nem sequer a letra impressa conseguia dotar de veracidade em que não faltavam criadas que, após enlouquecerem, não sabiam explicar o que tinham visto, ou marinheiros que eram atacados e fugiam jogando-se pela janela para acabar atravessados pelas lanças da grade que cercava o imóvel, ou, naturalmente, os vizinhos insones que, durante os períodos em que a casa estava vazia, afirmavam ouvir um arrastar incessante de móveis atrás das paredes e avistar estranhas sombras nas janelas. Essa miscelânea de casos arrepiantes havia outorgado à casa a pecha de lugar maldito, transformando-a em moradia de um fantasma desumano, um lugar muito oportuno para que os cavalheiros do reino demonstrassem sua bravura atrevendo-se a passar uma noite ali. Em 1840, um aventureiro chamado sir Robert Warboys, que tinha feito do ceticismo uma virtude, aceitou o desafio de seus amigos de dormir no imóvel por cem guinéus. Warboys se trancou lá, armado com uma pistola e uma corda amarrada num sino que pendurara no andar de baixo, prometendo com um sorriso zombeteiro fazê-lo soar caso se visse em apuros. O sino tocou quinze minutos depois, seguido por um tiro que cortou a quietude da noite. Quando seus amigos foram socorrê-lo, encontraram o aristocrata morto, completamente rígido sobre a cama e com o semblante deformado por uma expressão de pavor. A bala tinha se incrustado no estrado de madeira, talvez após atravessar o vaporoso corpo do fantasma. Trinta anos depois, quando o imóvel já havia conquistado um notável prestígio no catálogo das casas mal-assombradas da Inglaterra, outro jovem corajoso, um certo lorde Lyttleton, também se atreveu a passar a noite lá, mas este teve melhor sorte e sobreviveu ao ataque do fantasma, no qual conseguiu atirar com a pistola carregada de moedas de prata que tivera a precaução de levar para a cama. Lorde Lyttleton chegou a ver a maligna criatura cair por terra, mas na investigação posterior não foi encontrado nenhum corpo no quarto, como relatou com um evidente transtorno a famosa revista *Note and Queries,* com a qual Wells se divertiu ao folheá-la em uma livraria. Os boatos e lendas tampouco concordavam quanto ao fato que teria dado origem ao suposto fantasma. Havia quem afirmasse que o lugar era amaldiçoado porque centenas de crianças tinham sido impiedosamente torturadas ali, ou quem dissesse que o fantasma era uma invenção dos vizinhos provocada pelos gritos arrepiantes do irmão demente que um antigo inquilino mantinha trancado em um dos quartos e, devido à sua agressividade, alimentava através de uma portinhola, ou os que afirmavam, e esta era a hipótese preferida de Wells, que a origem do fantasma eram os obsessivos passeios que um tal Myers dava na escuridão da noite com uma vela na mão, porque não conseguia conciliar o sono depois de ter sido abandonado pela noiva dias antes do casamento. Fazia dez anos que não acontecia nada na casa, de modo que não era absurdo deduzir que o fantasma voltara para o inferno, talvez cansado de ver tantos jovenzinhos querendo demonstrar dignidade. Mas o fantasma era o que menos preocupava Wells. Já tinha problemas terrenos demais para se preocupar também com a fauna do além.

Olhou para um lado e para o outro da rua, mas não se via vivalma. Como a lua estava em quarto minguante, o negror da noite era absoluto, e até lhe pareceu que tinha a viscosidade de geleia descrita nos romances góticos. A anotação do mapa não especificava a hora do encontro, de modo que Wells decidira ir às oito da noite por ser a hora mencionada no segundo fragmento de texto. Esperava ter acertado e não ser o único a comparecer ante o viajante. Por via das dúvidas, tivera a precaução de vir armado, mas, como não dispunha de pistola, trouxe uma faca de carne amarrada às costas com um cordão, na intenção de que o afiado utensílio passasse despercebido ao viajante caso este decidisse revistá-lo. E assim se despediu de Jane, à maneira dos heróis dos romances, com um longo e inesperado beijo que, embora a princípio a tenha surpreendido, ela acabou aceitando com plácido abandono.

Sem perder mais tempo, Wells atravessou a rua, e depois de aspirar uma copiosa lufada de ar, como se em vez de entrar no imóvel fosse jogar-se no Tâmisa, empurrou a porta, que se deixou abrir com surpreendente docilidade. Viu logo que não havia sido o primeiro a chegar, pois no centro do vestíbulo, admirando as escadarias que se perdiam na penumbra do andar superior com as mãos nos bolsos de seu terno impecável, estava um homem de uns cinquenta anos, gordinho e calvo.

Ao vê-lo entrar o desconhecido virou-se para Wells e lhe estendeu a mão, apresentando-se como Henry James. Então aquele sujeito elegante era James? Wells não o conhecia pessoalmente porque não costumava frequentar o microcosmo dos clubes e salões de que James era assíduo, e onde, pelo que ouvira, aquele rico herdeiro melindroso farejava as paixões ocultas que governavam seus interlocutores para transplantá-las depois ao papel com uma prosa tão educada quanto suas maneiras. No entanto, a dificuldade de encontrar-se com ele não era coisa que lhe tirasse o sono. E mesmo, depois de ler *Os papéis de Aspern* e *As bostonianas*, estava tranquilo por saber que habitava um mundo distante do dele, porque, após a extenuante leitura daquelas obras, Wells concluiu que a única coisa que tinha em comum com James era o fato de que ambos passavam seus dias esmurrando uma máquina de escrever, e isso porque ignorava que o colega, afetado demais para se rebaixar a esse fatigante trabalho mecânico, preferia ditar suas histórias para uma datilógrafa. Se reconhecia algum mérito em James, era seu indiscutível talento para não dizer nada usando frases longuíssimas. E James devia sentir por sua obra o mesmo desdém que ele tinha por aquele mundo de lencinhos de renda e damas lânguidas sempre estigmatizadas por segredos inconfessáveis, uma vez que não pôde se impedir de torcer a cara quando ele se apresentou como H. G. Wells. Transcorreram então alguns segundos em que nenhum dos dois fez nada além de observar o outro com desconfiança, tempo suficiente para que James considerasse que estavam a ponto de infringir algum ignoto preceito de urbanidade, pois logo se precipitou a romper o incômodo silêncio.

— Pelo visto chegamos na hora certa. Parece claro que nosso anfitrião nos esperava esta noite — disse, apontando para os inúmeros candelabros espalhados pelo cômodo que, embora não afugentassem totalmente a escuridão, pelo menos desenhavam um quadrilátero de luz no centro do vestíbulo, onde devia se desenrolar o encontro.

— É o que parece — reconheceu Wells.

Em seguida ficaram contemplando a decoração do teto, que era a única coisa que se podia admirar no vestíbulo deserto. Mas felizmente aquele silêncio constrangedor não se prolongou muito, pois logo escutaram o rangido de dobradiças anunciando a chegada do terceiro escritor.

O indivíduo que estava abrindo a porta com a receosa cautela de quem entra em uma cripta era um cinquentão grande e ruivo com uma barba bem-cuidada incendiando a mandíbula. Wells reconheceu-o imediatamente. Era Bram Stoker, o irlandês encarregado da administração do teatro Lyceum, mais conhecido nas rodas da cidade por ser o representante e faz-tudo do célebre ator Henry Irving. Ao vê-lo tão circunspeto e tímido, Wells não pôde deixar de pensar nos boatos que diziam que Stoker era membro do Amanhecer Dourado, a Golden Dawn, uma sociedade ocultista da qual faziam parte outros colegas, como o escritor galês Arthur Machen ou o poeta W. B. Yeats.

Os três escritores trocaram aperto de mãos no centro do círculo de luz, antes de mergulhar em um silêncio pesado e perturbador. James se refugiara de novo em sua afetada altivez, enquanto Stoker se agitava nervoso a seu lado.

Wells achou divertido aquele embaraçoso encontro entre sujeitos que, ao que parecia, pouco ou nada tinham a dizer um para o outro, embora os três, cada um à sua maneira, fizessem a mesma coisa: derramar suas vidas no papel.

— Vejo com alegria que todos compareceram, cavalheiros.

A voz veio das alturas, e imediatamente os três escritores levantaram a cabeça em direção à escada, pela qual descia, sem nenhuma pressa, como se se deleitasse com a elasticidade de seus passos, o suposto viajante do tempo.

Wells o observou com interesse. Tratava-se de um indivíduo de uns quarenta anos, de estatura média e compleição atlética, que lhes dava boas-vindas com uma expressão risonha. Seu rosto, com maçãs do rosto altas e queixo forte, era adornado com uma barba benfeita, cuja função parecia ser civilizar na medida do possível a rudeza de suas feições. Desceu a escada escoltado por dois indivíduos um pouco mais jovens do que ele que traziam uns estranhos rifles a tiracolo. Mais que por seu aspecto de bastões robustos, feitos de algum estranho material prateado, os escritores deduziram que eram armas pelo modo como aqueles sujeitos os empunhavam, e não era preciso ser muito inteligente para entender que eram aqueles objetos que emitiam o raio de calor que tinha acabado com a vida dos três assassinados.

A aparência comum do viajante, entretanto, decepcionou Wells, como se seu aspecto, pelo simples fato de vir do futuro, devesse obrigatoriamente ser monstruoso, ou, no mínimo, parecer inquietante. Os homens do futuro não tinham evoluído fisicamente, tal como Darwin indicava? Alguns anos antes, ele mesmo escrevera um artigo no *Pall Mall Dubget* em que previa o aspecto que o homem iria adquirindo com o passar dos séculos: os artifícios mecânicos finalmente eliminariam os membros, a perfeição dos dispositivos químicos deixaria o aparelho digestivo obsoleto e inútil e as orelhas, os cabelos, os dentes e demais enfeites supérfluos teriam a mesma sorte. Só sobreviveriam àquela lentíssima poda os dois órgãos realmente imprescindíveis que o homem possuía, o cérebro e as mãos, que certamente aumentariam consideravelmente de tamanho. O resultado de suas especulações devia necessariamente ser apavorante, portanto, não é de estranhar que Wells se sentisse ludibriado pelo prosaico indivíduo do futuro que estava à sua frente. O viajante, que para aumentar ainda mais sua desilusão estava com um elegante terno marrom da época, da mesma forma que seus asseclas, parou na frente deles e observou-os em um silêncio de satisfação, enquanto deixava que um tênue sorriso brincasse em seus lábios. Talvez o olhar um tanto animal de seus intensos olhos negros e a segurança que cada um de seus movimentos revelava fossem as únicas qualidades que o redimiam de sua vulgaridade. Mas esses traços, pensou Wells, tampouco eram distintivos do futuro, pois também podiam ser encontrados em certos homens de seu mundo, que felizmente era habitado por indivíduos mais decididos e carismáticos do que a pequena representação ali reunida.

— Suponho que este lugar deve ser bem de seu agrado, senhor James — comentou o viajante, sorrindo ironicamente para o norte-americano.

James, o paladino dos subentendidos, respondeu com um sorriso tão educado quanto distante.

— Não nego que o senhor tenha razão, mas, se me permite, não darei ainda minha opinião, pois só poderei fazê-lo sem recorrer à hipocrisia se, uma vez finalizado este encontro, eu julgar o resultado uma compensação suficiente pelos devastadores efeitos que a viagem de Rye até aqui teve sobre minhas costas — respondeu.

O viajante franziu os lábios durante alguns segundos, como se não tivesse certeza de ter entendido a labiríntica resposta de James. Wells balançou a cabeça.

— Quem é o senhor e o que pretende de nós? — perguntou então Stoker, com uma voz amedrontada, sem deixar de vigiar os capangas que permaneciam como duas sombras hieráticas na borda do círculo de luz.

O viajante fixou os olhos no irlandês e olhou-o com vívida ternura.

— Não é preciso dirigir-se a mim nesse tom assustado, senhor Stoker. Saibam que os reuni aqui exclusivamente para salvar suas vidas.

— Desculpe então nossas reticências, mas o senhor há de compreender que o fato de ter assassinado três pessoas sem o menor escrúpulo com o único objetivo de chamar nossa atenção nos faz desconfiar de seus propósitos filantrópicos — interveio Wells, que quando queria podia alinhavar frases tão sinuosas quanto as de James.

— Ah, isso... — disse o viajante agitando a mão no ar. — Garanto que essas três pessoas iam morrer de qualquer jeito. Guy, o mendigo de Marylebone, iria encontrar a morte na noite seguinte em uma briga com dois companheiros. O senhor Chambers morreria três dias depois, num assalto ao sair de sua taberna. E na manhã desse mesmo dia a adorável senhora Ellis, inevitavelmente, seria atropelada por uma carruagem desembestada na Cleveland

Street. Na verdade, a única coisa que fiz foi antecipar suas mortes por poucos dias. E os escolhi justamente por isso, porque estavam condenados, e eu precisava de três pessoas que pudesse eliminar com nossas armas para que esses assassinatos, com os trechos de seus romances inéditos, fossem divulgados na imprensa e, desse modo, chegassem até vocês. Eu sabia que quando os tivesse convencido de que vinha do futuro, bastaria informar-lhes o ponto de encontro e sua curiosidade faria o resto.

— Então, é verdade? — inquiriu Stoker. — Vem mesmo do ano 2000?

O viajante abriu um sorriso jovial.

— Venho de muito depois do ano 2000, no qual, aliás, não há nenhuma guerra contra os autômatos. Quem dera toda a nossa preocupação fossem esses brinquedinhos.

— O que está tentando insinuar? — escandalizou-se o escritor. — Todos sabemos que no ano 2000 os autômatos terão conquistado...

— O que insinuo, senhor Stoker — interrompeu o viajante —, é que a empresa Viagens Temporais Murray não passa de uma fraude.

— Uma fraude? — balbuciou o irlandês, incrédulo.

— Sim, uma fraude bastante inteligente, mas uma fraude, embora infelizmente só o tempo possa esclarecer isso — revelou o anfitrião, sorrindo com arrogância para os três escritores. Depois voltou a observar o irlandês, enternecido com sua ingenuidade. — Espero que não tenha sido um dos lesados, senhor Stoker.

— Não, não... — murmurou com triste alívio o escritor —, a passagem está fora de meu alcance.

— Então alegre-se, pelo menos não jogou seu dinheiro fora — animou o viajante. — Lamento que tenha se decepcionado tanto ao descobrir que essas viagens ao ano 2000 não passam de uma farsa, mas veja pelo lado bom: quem diz isto é um verdadeiro viajante do tempo, pois, como puderam deduzir pelo mapa que deixei em suas caixas, não apenas venho do futuro como posso me deslocar como quiser em qualquer direção da corrente temporal.

Lá fora o vento rugia, mas na casa assombrada só se ouvia o crepitar das velas, que desenhavam sombras lascivas nas paredes. A voz do viajante do tempo soou estranhamente suave, como se tivesse a garganta forrada de seda, quando disse:

— Mas antes de contar como faço isso, permitam que eu me apresente, para não pensarem que no futuro desconhecemos as mais elementares normas da educação. Meu nome é Marcus Rhys, e sou, por assim dizer, um bibliotecário.

— Um bibliotecário? — perguntou James, subitamente interessado.

— Sim, um bibliotecário, mas de uma biblioteca muito especial. Deixem-me começar pelo início. Como podem ver, o homem acabará viajando no tempo, mas não pensem que na minha época existe algo parecido com a máquina de seu romance, senhor Wells, e que as viagens temporais estão na ordem do dia. Não, durante o próximo século os cientistas, físicos e matemáticos de todo o mundo vão se envolver em intermináveis discussões sobre a possibilidade de viajar ou não no tempo e desenvolverão numerosas teorias sobre como tornar isso possível, mas todas elas se espatifarão contra a inelutável natureza do universo que, infelizmente, não possui muitas das características físicas necessárias para que suas hipóteses possam ser demonstradas. De algum modo, vai parecer que o universo está protegido contra as viagens no tempo, como se as excursões temporais fossem uma aberração contra a natureza e Deus houvesse blindado sua criação para que não pudéssemos realizá-las. — O viajante ficou em silêncio por alguns segundos, durante os quais aproveitou para observar os ouvintes com seus olhos intensos, negros como tocas de ratos. — Apesar de tudo, os cientistas de minha época não estarão dispostos a admitir o fato e continuarão procurando um modo de realizar o sonho mais cobiçado do homem: poder viajar pela corrente temporal na direção que desejar. Mas todos esses esforços afinal serão inúteis. Sabem por quê? Porque a viagem no tempo não se realizará por meio da ciência.

Marcus começou a caminhar pelo círculo de luz, como se quisesse desentorpecer as pernas, fingindo não reparar nos olhares intrigados dos escritores. Afinal voltou-se para onde estavam e lhes deu um sorriso que vincou seu rosto como uma parede rachada.

— Não, o segredo da viagem no tempo sempre esteve em nossa cabeça — revelou com certo regozijo. — As capacidades de nossa mente são infinitas, cavalheiros.

As velas continuavam crepitando enquanto o viajante, com aquela voz suave que só podia vir de uma garganta forrada de plumas, se compadecia deles porque a ciência de sua época, que mal havia deixado de estudar o crânio para concentrar-se em seu interior e tentar decifrar o funcionamento do cérebro, e isso com métodos primitivos como a amputação e a aplicação de estímulos elétricos, ainda estava longe de imaginar o enorme potencial da mente humana.

— Ah, o cérebro humano... — suspirou. — O maior enigma do universo pesa apenas mil e quatrocentos gramas, e talvez os senhores se surpreendam ao saberem que só usamos vinte por cento de sua capacidade. O que poderíamos fazer se o usássemos em sua totalidade ainda é um mistério, mesmo para nós. O que sabemos, cavalheiros, é que entre os muitos prodígios escondidos sob sua casca está a faculdade de viajar no tempo. — Fez outra pausa. — Mas confesso que nem mesmo os nossos cientistas conhecem exatamente o mecanismo que permite o deslocamento pela corrente temporal. Uma coisa, porém, é clara: o homem dispõe de uma espécie de consciência dirigida que o habilita a mover-se pelo tempo do mesmo modo que pelo espaço, e embora ainda estejamos longe de saber utilizá-la, o fato de ter conseguido ativá-la já é em si mesmo um ganho bastante importante, como podem imaginar.

— Em nossa mente... — murmurou Stoker, fascinado como uma criança.

Marcus olhou-o com ternura, mas não se desviou da explicação:

— Não se sabe exatamente quem foi o primeiro viajante do tempo, ou seja, a primeira pessoa que experimentou um deslocamento temporal, como se dizia, porque os primeiros casos se deram de forma isolada. Na verdade, se agora temos algum registro desses deslocamentos iniciais é graças às revistas esotéricas e a outras publicações dedicadas aos fenômenos paranormais. No entanto, vão aparecer regularmente notícias de pessoas afirmando terem experimentado algum episódio de fuga temporal, embora num ritmo que ainda permitirá que o estranho fenômeno passe despercebido para quase todos, exceto para os profetas paranoicos, que ninguém costuma levar a sério. De maneira que, em meados do nosso século, o mundo de repente se viu mergulhado em uma verdadeira epidemia de viajantes do tempo que ninguém sabia de onde tinham saído. Mas o fato é que estavam ali, como se a habilidade de mover-se na corrente temporal fosse o próximo passo da escala evolutiva vaticinada por Darwin. Ao que tudo indicava, algumas pessoas, expostas a uma situação limite, podiam ativar certas áreas de sua mente que as arrancava de seu presente como num passe de mágica, lançando-as para a frente ou para trás através dos anos. Mas eram uma minoria, e não tinham a capacidade de controlar suas habilidades, embora possuíssem um talento claramente perigoso.

Como podem imaginar, o governo logo criou um departamento encarregado de reunir os que manifestavam esse dom para estudá-los e ensinar-lhes a aperfeiçoar suas habilidades em um ambiente controlado. Cabe dizer que a inscrição nesse departamento não era voluntária. Que governo deixaria alguém que dispusesse de um talento como esse andar livremente por aí? Portanto, o *homo temporis*, como foi denominado, precisava ser vigiado. De qualquer forma, o estudo dos deslocados serviu para lançar um pouco de luz ao insólito fenômeno: revelou, por exemplo, que aqueles que se deslocavam no tempo não se moviam pela corrente temporal numa velocidade constante até parar, quando a inércia do impulso se extinguia, como a máquina do senhor Wells, mas sim instantaneamente, de um ponto a outro, numa espécie de salto no vazio em que a única coisa que podiam determinar era a direção, rumo ao passado ou ao futuro, e isso da mesma maneira intuitiva com que desencadeavam os saltos. A única certeza parecia ser a de que, quanto maior a distância percorrida, maior a exaustão do viajante depois do deslocamento. Alguns necessitavam de vários dias para se recuperar, outros não o faziam nunca, entrando em um estado de coma do qual não saíam mais. Também descobriram que, com a concentração necessária, podiam transportar objetos em seus saltos, e até pessoas, embora isso fosse duplamente exaustivo. De todo modo, uma vez esclarecido, na medida do possível, o mecanismo mental que permitia o deslocamento no tempo, a primeira coisa a verificar era se o passado podia ser mudado ou se, ao contrário, era inalterável. Esta questão havia gerado acalorados debates antes que a viagem temporal se tornasse realidade e, agora que se tornara possível, urgia respondê-la. Muitos físicos sustentavam que se viajássemos ao passado, por exemplo, com a intenção de matar alguém, a pistola explodiria em nossas mãos porque o universo se autorregeneraria, já que disporia de algo semelhante a uma autoconsciência que garantia sua coesão, impedindo que essa pessoa chegasse a morrer porque isso nunca aconteceu. Mas com uma série de experimentos controlados, consistentes em provocar pequenas alterações no passado próximo, descobriram que o tempo não tinha blindagem. Nada o protegia, sua substância era tão vulnerável quanto a de um crustáceo privado de sua concha. A história, tudo o que já havia acontecido, podia ser mudada. E essa descoberta, como devem imaginar, provocou uma comoção maior do que as próprias viagens no tempo. De repente, o homem tinha em suas mãos a possibilidade de modificar o passado. Não é de estranhar que a maioria interpretasse esse dom como uma espécie de carta branca que Deus oferecia à humanidade para corrigir seus erros. Portanto, o mais lógico era evitar os genocídios e sofrimentos do passado, arrancar as ervas daninhas da história, por assim dizer, pois tudo o que ainda está por vir, cavalheiros, é bastante desagradável e supera em muito sua ingênua ficção, senhor Wells. Imaginem os benefícios que as viagens no tempo poderiam trazer para a humanidade. Poderíamos, por exemplo, erradicar a epidemia de peste que assolou Londres produzindo cem mil mortos antes que o incêndio de 1666, ironicamente, a sufocasse.

— Ou resgatar os livros da biblioteca de Alexandria antes que virassem alimento para as chamas — sugeriu James.

Marcus sorriu com condescendência.

— Sim, poderíamos fazer milhões de coisas. Assim, com o beneplácito da população, o governo formou uma equipe de sábios e matemáticos com o objetivo de examinar aquele mostruário de aberrações que era o passado, julgar que atos mereciam ser apagados e prever as consequências disso na malha do tempo, pois ninguém queria piorar ainda mais as coisas. Entretanto, como nunca se pode agradar a todos, logo surgiram vozes contrárias ao Projeto de Restauração, como foi chamado. Nem todo mundo considerava ética a irresponsável manipulação do passado que o governo pretendia realizar, e houve uma parte da população que tentou abortá-la por todos os meios. Essa facção, que podemos chamar de conservadora, ganhava mais adeptos a cada dia e argumentava que, para o bem ou para o mal, os erros do passado deviam ser assumidos. Tal como estavam as coisas, era cada vez mais difícil para o governo dar continuidade ao projeto, mas tudo foi definitivamente interrompido quando, temendo ser alvo de uma nova xenofobia, os viajantes começaram a fugir através do tempo, em uma disparada caótica que rapidamente provocou um inevitável alerta social, pois o passado de repente se transformara em uma massa frágil cuja forma podia ser retocada por qualquer um, motivado por fins pessoais ou simplesmente por engano. De repente, a história do mundo estava em perigo.

— Mas como saber se alguém manipulou o passado se, ao fazer isso, teria mudado nosso presente? — perguntou Wells. — Jamais poderíamos saber se alguém está manipulando a história, pois nós apenas sofreríamos as consequências disso.

— Parabéns por sua sagacidade, senhor Wells — disse Marcus, agradavelmente surpreso com a pergunta do escritor. — De acordo com a natureza do tempo, os efeitos de uma mudança no passado se transmitem ao longo da corrente temporal, modificando tudo em sua passagem, do mesmo modo que as ondas produzidas por uma pedra alteram a superfície de um lago. Considerando isso, como o senhor diz, nunca poderíamos detectar qualquer manipulação, pois tanto nosso presente quanto nossas lembranças seriam afetados pelas ondas que essa intervenção geraria. — Fez uma pausa antes de acrescentar, com um sorriso um tanto malicioso: — A menos que tivéssemos uma cópia de segurança do mundo com a qual compará-lo.

— Uma cópia de segurança?

— Sim, chame como quiser — respondeu o viajante. — Eu me refiro a uma compilação de livros, jornais e material similar que reunisse o mais exaustivamente possível tudo o que aconteceu até o momento, toda a história do homem. Uma espécie de retrato da verdadeira face do universo, por assim dizer, para detectar de imediato qualquer anomalia, por menor que fosse.

— Entendo — murmurou Wells.

— E desde que ocorreu a primeira onda de viajantes temporais, o governo estava trabalhando nisso, para evitar que alguém manipulasse o passado sem autorização — revelou Marcus. — Mas havia um problema: onde guardar essa memória para mantê-la a salvo das ondas malévolas que as mudanças geram?

Os escritores olharam intrigados para ele.

— Só havia um lugar possível — respondeu o viajante, como se falasse para si mesmo: — o princípio dos tempos.

— O princípio dos tempos? — perguntou Stoker.

Marcus assentiu.

— O Oligoceno, a terceira etapa do período Terciário na era Cenozoica, para ser exato, quando o homem ainda não havia pisado a Terra e o mundo estava dividido entre rinocerontes, mastodontes, lobos e os primeiros esboços de primatas. Uma época a que nenhum viajante podia chegar a não ser encadeando vários saltos, com os riscos que isso implicava, e à qual ninguém teria interesse em ir porque não havia nada que se pudesse mudar. Paralelamente ao projeto de treinamento de viajantes do tempo, o governo estava organizando com o maior sigilo o que poderíamos chamar de grupo de elite, formado pelos viajantes que se mostravam mais hábeis e leais. Evidentemente, a missão dessa equipe era transportar a memória do mundo até o Oligoceno. Ali, fazendo muitas viagens, os viajantes escolhidos, entre os quais eu me incluía, como devem ter deduzido, construiriam o santuário que iria abrigar o conhecimento do universo, mas que também seria nosso lar, pois nessa era, depois, transcorreria grande parte das nossas vidas. Cercados por imensas pradarias cuja grama teríamos pudor de pisar, nós viveríamos, teríamos filhos e lhes ensinaríamos a usar suas habilidades para que, tal como nós, também pudessem se deslocar no tempo, resguardando a história, essa linha de tempo que começava naquela era e terminava no momento exato em que o governo cancelava o Plano de Restauração. Sim, aí termina nossa jurisprudência, cavalheiros. O tempo que está além desse instante não tem vigilância, pois é óbvio que ao ser posterior às viagens temporais pode admitir todas as modificações que elas provoquem. O passado, em contrapartida, é considerado um tempo sagrado e deve permanecer imutável. Qualquer manipulação de sua malha constitui um delito contra a ordem natural do tempo.

O viajante cruzou os braços e ficou em silêncio por alguns segundos, observando seus ouvintes com simpatia. Sua voz soou entusiasmada quando acrescentou:

— Batizamos o lugar em que se conserva a memória do mundo como Biblioteca da Verdade; eu sou um dos bibliotecários, e tenho a missão de zelar pelo século XIX. Para isso me desloco do Oligoceno até aqui e, dando pequenos saltos entre as décadas, verifico se tudo está em ordem. Mas chegar até aqui, como podem imaginar, é um exercício exaustivo até mesmo para mim, que posso dar saltos que abrangem dúzias de séculos. São mais de vinte milhões de anos que preciso percorrer, e os bibliotecários que vigiam aquilo que para vocês é o futuro necessitam atravessar uma distância ainda maior. Por isso, a linha de tempo que temos de preservar está pontilhada de lugares que denominamos ninhos, uma vasta rede de casas e espaços em que nós, os viajantes, podemos ancorar para tornar nossas travessias mais suportáveis. E como já devem ter deduzido, esta casa é um desses esconderijos. Que melhor lugar para esconder-nos do que uma casa abandonada há décadas e que vai continuar assim até o final do século, uma casa que, além disso, carrega a maldição de um fantasma que mantém afastados os curiosos?

Marcus voltou a calar-se, dando a entender que considerava terminada a explicação.

— E como está hoje o nosso mundo, há algo de anormal? — perguntou Stoker, bem-humorado. — Contou mais moscas do que deveria haver?

O viajante riu da brincadeira do irlandês, mas com um risinho desagradavelmente sombrio.

— Geralmente sempre encontro alguma coisa anormal — anunciou em tom lúgubre. — Na verdade, meu trabalho é bastante divertido: o século XIX é uma das épocas que os viajantes do tempo mais gostam de embaralhar, talvez porque em muitos casos suas manipulações provoquem consequências bastante extravagantes. E por mais equívocos que eu desfaça, sempre que volto descubro com resignação que as coisas não estão como as deixei. Desta vez não podia ser diferente, naturalmente.

— O que é que não deveria estar como está? — perguntou James.

Wells não deixou de notar a cautela que impregnava a voz do norte-americano, como se não tivesse muita certeza de querer saber a resposta. Seriam os clubes, aqueles redutos luxuosos em que ele costumava se resguardar da solidão que, como uma marca de nascimento, sempre o acompanhara? Talvez nunca tivessem existido até alguns viajantes do tempo decidirem fundar o primeiro, e agora seria preciso eliminar todos os clubes para que o universo voltasse à sua forma primitiva.

— Talvez isto os surpreenda, cavalheiros, mas ninguém deveria ter prendido Jack, o Estripador.

— Está falando sério? — perguntou Stoker.

Marcus assentiu.

— Temo que sim. Foi um viajante temporal que provocou a detenção dele, avisando ao Comitê de Vigilância de Whitechapel. Graças a essa "testemunha", que preferiu continuar no anonimato, Jack, o Estripador, foi capturado. Mas na verdade isso não deveria ter ocorrido. Se nenhum viajante do futuro interviesse, depois de assassinar uma prostituta na noite de 7 de novembro de 1988, Bryan Reese, o marinheiro conhecido como Jack, o Estripador, teria embarcado rumo ao Caribe, tal como estava previsto. Ali continuaria com suas sangrentas atividades, assassinando várias pessoas em Manágua, mas, devido à distância, ninguém relacionaria esses crimes com os das putas de East End. Por isso, para efeitos históricos, Jack, o Estripador, desapareceria do mapa, deixando no ar o mistério de sua identidade. E se tornaria um dos mistérios mais famosos do mundo, gastando tanta tinta quanto o sangue vertido por sua faca e transformando-se no passatempo preferido dos investigadores e detetives do século seguinte, que fuçarão nos arquivos da Scotland Yard ansiosos por serem os primeiros em dar um rosto a essa sombra que o tempo transformou em um mito monstruoso. Talvez vocês se surpreendam ao saberem que algumas das investigações indicam para a própria Casa Real. Ao que parece, qualquer pessoa poderia ter um motivo para estripar algumas putas. Neste caso, como podem ver, a imaginação popular suplanta a realidade. Imagino que o viajante que provocou a alteração não conseguiu resistir à curiosidade de conhecer a verdadeira identidade do monstro. E, como o senhor já deduziu, senhor Wells, vocês não notaram a alteração porque foram vítimas dos efeitos de suas ondas, como o restante do universo, aliás. Mas trata-se de uma alteração bem fácil de solucionar. Para que a história se restabeleça, basta viajar até a noite de 7 de novembro e impedir que o viajante temporal avise o Comitê de Vigilância capitaneado por George Lusk. Talvez vocês não considerem que essa alteração em particular seja para o bem, não discuto isto, mas tenho de impedi-la de qualquer forma, pois, como disse, qualquer manipulação do passado constitui um delito.

— Isso quer dizer que estamos em... um universo paralelo? — perguntou Wells.

Marcus olhou-o, admirado, e em seguida concordou.

— Isso mesmo, senhor Wells.

— Que diabos é um universo paralelo? — perguntou Stoker.

— Trata-se de um conceito que só será cunhado no próximo século, uma época em que as viagens temporais ainda serão uma fantasia de escritores e físicos — explicou o viajante, continuando a olhar assombrado para Wells. — Digamos que os universos paralelos são uma forma de evitar os paradoxos temporais que poderiam ocorrer caso o passado não fosse algo blindado, impossível de alterar. O que aconteceria, por exemplo, se alguém viajasse no tempo e matasse a própria avó antes que ela gerasse sua mãe?

— Essa pessoa não nasceria — respondeu James.

— A menos que sua avó não fosse a verdadeira mãe de sua mãe, o que seria um curioso modo de descobrir que era adotada — brincou Stoker.

O viajante desconsiderou o comentário do irlandês e continuou a explicação:

— Mas, se nasceu, como poderia ter matado a própria avó? Para resolver esse paradoxo muitos físicos de minha época sustentarão que as mudanças cruciais no passado criam um universo paralelo. Nesse universo, depois de matar a avó, o assassino não desapareceria, como seria lógico, mas continuaria vivendo, mas em um mundo distinto, uma realidade diferente, que teria brotado do caule que representava seu universo original no instante em que apertou o gatilho, modificando o destino de sua avó. É apenas uma teoria, impossível de demonstrar mesmo quando as viagens temporais se tornem realidade graças aos deslocados, pois o único modo de verificar se as mudanças no passado originariam ou não mundos paralelos seria dispor de uma cópia do universo original para poder comparar, como expliquei antes. Se não tivéssemos uma cópia, eu não estaria agora falando aqui do mistério que envolve a identidade de Jack, o Estripador, porque não existiria nenhum mistério.

Wells concordou em silêncio, enquanto Stoker e James se entreolhavam, compartilhando sua confusão.

— Mas, sigam-me, cavalheiros. Vou lhes mostrar uma coisa que ajudará a compreender melhor tudo isso.

XXXIX

Com um sorriso jovial, o viajante do tempo começou a subir as escadas. Após um instante de hesitação, os escritores o seguiram, escoltados pelos guardas. Quando chegaram ao andar de cima, Marcus os guiou com seu passo ágil até um recinto mobiliado com uma estante que ocupava uma das paredes, abarrotada de livros empoeirados, duas cadeiras desprezíveis e um catre de aspecto desconjuntado. Wells se perguntou se aquela seria a cama que tinham usado sir Robert Warboys, lorde Lyttleton e os outros bobalhões do reino que ousaram desafiar o fantasma, mas não teve tempo de inspecionar o estrado em busca de vestígios de balas, pois Marcus puxou uma lampadazinha atarraxada à parede e a falsa biblioteca se abriu no meio, revelando outro cômodo atrás.

O viajante esperou até que os guardas, movendo-se na escuridão com uma habilidade animal, acendessem as lâmpadas do interior e, com o cômodo iluminado, convidou-os a entrar. Ao notar o receio de James e Stoker, Wells tomou a iniciativa, aventurando-se naquele espaço misterioso com passinhos cautelosos de camundongo. Junto à entrada encontrou duas grandes mesas de carvalho, cobertas com uma miscelânea de livros, cadernos cheios de anotações e jornais da época, sem dúvida, o lugar em que o viajante estudava aspectos particulares do século, à caça de possíveis lapsos. Mas no fundo do aposento distinguiu algo que chamou muito mais sua atenção. Tratava-se de uma espécie de teia de aranha fabricada com barbantes de várias cores, de onde pendiam recortes de jornais. James e Stoker também haviam reparado naquela trama de barbantes para onde o viajante se dirigia agora, convidando-os com um gesto de cabeça a segui-lo.

— O que é isto? — perguntou Wells, quando chegou a seu lado.

Marcus sorriu com verdadeiro orgulho.

— Um mapa do tempo — respondeu.

O escritor olhou-o com assombro, e em seguida voltou a fixar a vista na figura que os barbantes formavam, examinando-a com mais calma. Embora de longe parecesse uma teia de aranha, agora podia ver que seu desenho se parecia mais com um abeto ou uma espinha de peixe. Um barbante branco, estendido aproximadamente a um metro e meio do chão, atravessava o lugar de parede a parede, com a função de guia. Os outros, verdes e azuis, saíam do branco e terminavam em pregos cravados nas paredes laterais. Todos eles, da mesma forma que o barbante mestre, estavam repletos de recortes de jornais. Abaixando a cabeça, Wells passou entre eles para bisbilhotar as manchetes daquela fieira de notícias, gesto que, depois do consentimento de Marcus, seus colegas imitaram.

— O barbante branco — explicou o viajante, apontando para o barbante central — representa o universo original, o único que existia antes que os viajantes começassem a remexer o passado. O universo que eu tenho de proteger.

Wells observou que numa das extremidades do barbante branco havia uma fotografia que emitia um brilho muito suave. Surpreendentemente era colorida, e mostrava um majestoso edifício de pedra e vidro sob um céu de um azul imaculado. Era óbvio que se tratava da Biblioteca da Verdade. Na outra extremidade, estava pendurado um recorte que relatava o cancelamento do Projeto de Restauração e a aprovação da lei que proibia mudar o passado. Entre os dois testemunhos, pendiam ao longo do barbante muitos recortes que pareciam anunciar fatos importantes. Wells conhecia muitos deles, e alguns dos quais tinha até vivido, como a rebelião da Índia ou o chamado Domingo Sangrento, mas, à medida que o barbante avançava para o futuro, as manchetes começavam a ficar cada vez mais incompreensíveis. Sentiu uma súbita vertigem ao entender que estava lendo a respeito de fatos que ainda não haviam ocorrido, acontecimentos que o esperavam nos meandros da corrente temporal, a maioria dos quais estranhamente sinistros.

Antes de continuar a inspeção, Wells observou os colegas para ver se eles também tinham a mesma mistura de excitação e medo. Stoker parecia concentrado em um único recorte, que lia com uma expressão magnetizado, e James, depois de uma primeira e superficial olhadela, largara o mapa com um gesto de desdém, como se aquele futuro, mais do que lúgubre e ininteligível, lhe parecesse menos controlável do que a realidade que lhe coube viver e na qual tinha aprendido a mover-se com a desenvoltura de um peixe dentro d'água. O norte-americano parecia imensamente aliviado por saber que a morte o eximiria de ter de lidar com aquele mundo aterrorizante mostrado no barbante. Wells também tentou tirar os olhos da réstia de recortes, temendo as consequências que conhecer os acontecimentos do futuro pudesse ter sobre seu comportamento, mas uma maliciosa excitação o incitava a continuar lendo atropeladamente todas as manchetes que pudesse, sabendo que dispunha de uma oportunidade única pela qual muitos outros fariam qualquer coisa.

Não pôde evitar, entretanto, deter-se em determinada notícia que relatava um dos primeiros casos de deslocamento no tempo, como deduziu pelo título hermético da publicação. Sob a sensacionalista manchete "Uma viajante do tempo", o jornal informava que na manhã de 12 de abril de 1984, quando os funcionários abriram as Lojas Olsen, encontraram lá dentro uma mulher. A princípio pensaram que era uma ladra, mas quando lhe perguntaram como havia conseguido entrar a mulher respondeu que simplesmente tinha aparecido ali. Porém, o mais extraordinário do caso, continuava a notícia, era que a desconhecida afirmava vir do futuro, mais concretamente do ano 2008, como testemunhavam suas roupas indiscretas. Pelo que afirmou a mulher, sua casa havia sido assaltada por ladrões que a perseguiram até seu quarto, onde conseguiu se trancar. Assustada com as pancadas com que os assaltantes tentavam derrubar a porta, tivera uma espécie de vertigem. E no segundo seguinte estava nas Lojas Olsen, vinte e quatro anos antes, caída no chão e vomitando o jantar. A mulher não pôde ser interrogada na delegacia de polícia porque, depois dessas primeiras e um tanto desconexas declarações, voltou a desaparecer misteriosamente. O jornalista concluía perguntando sombriamente se ela teria retornado para o futuro.

— O governo suspeita que essa mulher é a origem de tudo — comentou Marcus quase com reverência. —Vocês se perguntaram por que algumas pessoas poderão viajar no tempo e outras não? O governo também, e as análises genéticas responderam a esta pergunta: ao que parece, os deslocados possuíam um gene mutante, conceito desconhecido para vocês. Creio que não vai ser usado durante alguns anos, quando um biólogo holandês o criará. Mas parecia muito provável que fosse esse gene que permitia aos deslocados abrir a região do cérebro vedada ao restante da população. As pesquisas indicaram que se tratava de um gene que se transmitia de geração em geração, o que significava que todos os deslocados provinham de uma única e remota origem, mas o governo não conseguiu determinar quem havia sido o primeiro portador, embora se suspeite dessa mulher. Muitos pensam que ela deve ter engravidado de algum homem, talvez também capaz de se deslocar no tempo, e assim sua descendência herdaria um gene reforçado e inauguraria a estirpe de deslocados que, ao se misturar com o restante da população, décadas mais tarde, provocaria a epidemia de viajantes temporais. Mas todas as tentativas de localizá-la fracassaram. A mulher desapareceu poucas horas depois de surgir nas Lojas Olsen, como informa a notícia, e nunca voltou, ou seja, não se soube mais dela. E confesso que alguns deslocados, entre os quais me incluo, a adoram como se fosse uma Virgem.

Wells sorriu, observando com ternura a imagem daquela mulher de aspecto vulgar, aturdida e temerosa, incapaz de acreditar no que lhe acontecera, a quem Marcus havia outorgado a condição de Madona Temporal. Provavelmente, teria experimentado outro deslocamento e estava perdida em alguma época remota, se é que não se suicidara diante da perspectiva de enlouquecer

— Cada um dos outros barbantes representa um mundo paralelo — disse então Marcus, solicitando novamente a atenção dos escritores —, um desvio do caminho pelo qual o tempo deveria transcorrer. Os verdes são os universos que já foram consertados. Acho que os conservo por pura nostalgia, porque algumas dessas realidades paralelas me comoveram enquanto eu estudava o modo de restaurá-las.

Wells observou um barbante verde em que estavam pendurados vários retratos e fotografias conhecidas de Sua Alteza Real. Eram idênticos aos de seu universo, exceto pelo pequeno detalhe de um macaco-de-cheiro de pelo alaranjado que a rainha tinha no ombro.

— Este barbante representa um de meus universos paralelos favoritos — disse Marcus. — Um apaixonado por macacos teve a ideia de contar a Sua Alteza que todo ser vivo irradia um tipo de energia, uma espécie de magnetismo físico, que pode ser transmitida de uns seres para os outros com efeitos terapêuticos, especialmente este tipo de macaco, que aparentemente fariam bem para problemas de estômago e enxaquecas. Imaginem minha surpresa ao ler os jornais da época e encontrar esse desconcertante acréscimo nas fotos da rainha. E não era só isso. Graças a Sua Alteza, entrou na moda levar macaquinhos no ombro, o que tornava um passeio pelas ruas de Londres um espetáculo bastante divertido. Mas, infelizmente, a história era muito mais aborrecida, e por isso tive de dar um jeito.

Wells olhou de soslaio para James, que parecia suspirar profundamente, aliviado por não viver em um mundo no qual tivesse que carregar um símio nas costas.

— Os barbantes azuis, ao contrário, representam as linhas temporais que ainda preciso corrigir — continuou explicando Marcus. — Este aqui é o que simboliza o mundo em que estamos agora, cavalheiros, um mundo exatamente igual ao original mas no qual Jack, o Estripador, não desapareceu misteriosamente depois de matar sua quinta vítima, transformando-se em uma criatura lendária, mas foi capturado pelo Comitê de Vigilância de Whitechapel após cometer o crime.

Os escritores observaram com curiosidade a linha a que Marcus se referia, cujo primeiro recorte noticiava o fato que havia causado aquele desvio no tempo: a detenção de Jack, o Estripador. Atrás desse recorte havia mais alguns, que relatavam a posterior execução do marinheiro Bryan Reese, o assassino das prostitutas.

— Mas, como podem ver, este não é o único barbante azul — disse o viajante, dirigindo a atenção para um outro. — Este segundo barbante representa um desvio que ainda não aconteceu, mas que começará nos próximos dias. E diz respeito a vocês, cavalheiros. É por isso que estão aqui.

Marcus arrancou o primeiro recorte do barbante e o apanhou, ainda sem mostrá-lo a seus convidados, como um jogador de pôquer demorando a mostrar a carta que vai mudar o rumo da partida.

— No próximo ano, um escritor desconhecido chamado Melvin Frost publicará três romances que irão transformá-lo da noite para o dia em uma celebridade e fazê-lo entrar na história da literatura — revelou.

Fez uma pausa, durante a qual encarou seus convidados um por um, até deter o olhar no irlandês.

— Um deles vai ser *Drácula*, o romance que o senhor acabou de terminar, senhor Stoker.

O rosto do irlandês assumiu um ar de estupefação. Wells olhou para ele com curiosidade. Drácula?, perguntou-se, o que significava aquela palavra? Não sabia, naturalmente, assim como tampouco sabia muita coisa sobre o próprio Stoker, exceto as três ou quatro informações já mencionadas. Não podia imaginar que aquele homem reservado, metódico e respeitador das normas sociais, aquele homem que de dia se amoldava com um servilismo enternecedor à atribulada vida pública de seu presunçoso chefe, mergulhava de noite em bacanais infindáveis protagonizados por putas de todo tipo e condição, desenfreadas reuniões de amigos cujo louvável fim era mitigar a amargura causada pelo azedume de um casamento já desfeito, transformado em pura farsa depois do fruto que foi seu filho Irving Noel.

— O senhor ainda não sabe, senhor Stoker, e não pode nem sonhar, mas seu romance se tornará a terceira obra em língua inglesa mais lida no mundo, atrás da Bíblia e de *Hamlet,* de Shakespeare — disse o viajante. — E seu Drácula entrará merecidamente no panteão dos mitos literários, transformando-se em uma criatura verdadeiramente imortal.

Stoker estufou o peito ao descobrir que no futuro de onde o viajante provinha sua obra era tratada como um clássico. Tal como sua mãe vaticinara depois de ler o manuscrito, em um bilhete que sempre carregava no bolso, seu romance iria colocá-lo em um lugar muito especial entre os escritores de seu tempo. Pensou que merecia isso. Havia trabalhado seis longos anos naquela obra, desde que o doutor Arminius Vambery, professor de Línguas Orientais na Universidade de Budapeste e especialista em ocultismo lhe emprestara um manuscrito no qual os turcos narravam as cruéis aventuras do príncipe valáquio Vlad Tepes, mais conhecido como Vlad, o Empalador, por causa de seu costume de empalar os prisioneiros em estacas afiadas e beber uma taça de seu sangue enquanto os observava agonizar.

— Outro romance de Frost se intitula *A volta do parafuso* — continuou Marcus, dirigindo-se agora ao norte-americano. — Este título lhe é familiar, senhor James?

O norte-americano olhou para ele entre atônito e emudecido.

— Naturalmente que sim — disse Marcus. — Como podem deduzir por sua reação, trata-se do romance que o senhor James acabou de concluir, uma sofisticada história de fantasmas que vai se tornar um clássico.

Apesar de sua famosa habilidade para esconder sentimentos, James não conseguiu disfarçar seu contentamento com o grato destino do livro, o primeiro que não saía diretamente do seu punho, pois decidira escrevê-lo usando os serviços de uma datilógrafa. E talvez por este motivo, pela distância simbólica que estabelecera entre ele e o papel, tinha se atrevido a falar de coisas íntimas e dolorosas como os medos de sua infância. Mas desconfiava que isso também tinha relação com sua decisão de deixar de morar em hotéis e pensões e se estabelecer na bela casa georgiana que havia adquirido em Rye, porque só lá, sentado em seu escritório, com um sol outonal invadindo o aposento, uma delicada borboleta batendo as asas contra o vidro da janela e uma desconhecida esperando sua palavra com dedos preparados sobre as teclas de um monstruoso artefato, James se atreveu a escrever um romance inspirado em algo que o arcebispo de Canterbury lhe contara havia muito tempo: a história de duas crianças que viviam em um lugar solitário e eram perseguidas pelos espíritos perversos de antigos serviçais.

Ao ver James sorrindo de modo dissimulado, Wells se perguntou como seria aquela história de fantasmas que no fundo não devia ser de fantasmas, ou talvez fosse, mas provavelmente não, já que levava a pensar que era.

— E o terceiro romance de Frost — disse Marcus dirigindo-se agora a ele — só podia ser *O homem invisível*, a obra que o senhor acaba de escrever, Wells, cujo personagem principal também conquistará um lugar de destaque no panteão dos mitos modernos, ao lado do Drácula do senhor Stoker.

Wells se perguntou se agora seria sua vez de inflar o peito de orgulho. Talvez, mas não encontrava o menor motivo para fazê-lo. A única coisa que queria era sentar-se em algum canto e chorar, chorar sem parar até expulsar toda a água que havia em seu corpo, pois só conseguia ver como um fracasso o tal sucesso que seu romance faria no futuro, do mesmo modo que também considerava fracassados *A máquina do tempo* e *A ilha do doutor Moreau*. Tramado com a mesma rapidez com que infelizmente se via obrigado a escrever suas histórias, *O homem invisível* era mais um romance que seguia as diretrizes apontadas por Lewis Hind, um romance científico com o qual pretendia alertar o mundo contra os perigos do uso indiscriminado da ciência, coisa que Verne nunca se atreveu a fazer, apresentando sempre a ciência como uma espécie de alquimia limpa a serviço do homem. Wells, por seu lado, não podia se mostrar tão confiantemente otimista quanto o francês, e por isso, também dessa vez, escreveu uma fábula sombria sobre o uso da tecnologia, protagonizada por um cientista que, depois de descobrir o segredo da invisibilidade, acabava ficando louco. Mas era evidente que a verdadeira mensagem de sua obra passaria despercebida ao mundo, pois o homem acabara usando a ciência do modo mais pernicioso que se podia imaginar, como disse o próprio Marcus e ele mesmo havia constatado ao ler algumas das espantosas notícias que pontilhavam o barbante guia.

Marcus entregou o recorte a Wells, para que o lesse e passasse aos outros. O escritor estava abalado demais para ler o punhado de louvores em que parecia consistir a notícia, de modo que se limitou a dar uma olhada na foto que a ilustrava, em que aparecia o tal Frost, um homem miúdo e gracioso, ridiculamente inclinado sobre sua máquina de escrever, o fértil manancial de onde supostamente seus romances haviam emanado. Em seguida, passou o recorte a James que, depois de uma olhada displicente, entregou-o a Stoker, que o leu do início ao fim. Foi justamente o irlandês que se atreveu a romper o silêncio de velório que se estabelecera no lugar.

— Como é possível que esse indivíduo tenha pensado exatamente nas mesmas histórias que nós? — perguntou com incredulidade.

James olhou-o com a mesma expressão desdenhosa que dedicaria a um mico amestrado.

— Não seja ingênuo, senhor Stoker — censurou-o. — O que o nosso anfitrião pretende dizer é que o senhor Frost não criou esses romances, mas de alguma forma roubou-os de nós antes que os publicássemos.

— Exatamente, senhor James — confirmou o viajante.

— Mas, então, como vai fazer para que não o denunciemos? — perguntou de novo o irlandês.

— Tenho certeza de que encontrará a resposta por si mesmo, senhor Stoker — respondeu Marcus.

Wells, que conseguira superar o abatimento e interessar-se novamente pela conversa, teve um repentino estremecimento.

— Se não me engano, o que o senhor Rhys quer nos fazer entender — explicou, tentando dissipar a confusão que dominava os outros — é que a melhor maneira de silenciar uma pessoa é matando-a.

— Matando-a? — escandalizou-se Stoker. — Quer dizer que o tal Frost vai se apoderar de nossas obras e depois nos... matará?

— Receio que sim, senhor Stoker — confirmou Marcus, acompanhando estas palavras com um movimento funesto de cabeça. — Quando, depois de minha chegada à sua época, li a notícia de que um desconhecido chamado Melvin Frost havia publicado esses livros, fui correndo averiguar o que tinha acontecido com vocês, os verdadeiros autores. E lamento ter de lhes comunicar isto, cavalheiros, mas vocês três vão falecer no próximo mês. O senhor, Wells, quebrará o pescoço em um acidente de bicicleta. O senhor, Stoker, despencará pelas escadas de seu teatro. E o senhor, James, vai sofrer um infarto na própria casa, mas devo dizer que sua morte, da mesma forma que a de seus colegas, também será provocada. Não sei se pelo tal Frost pessoalmente ou por alguém contratado por ele, mas a compleição pouco impressionante de Frost me leva a inclinar-me pela segunda hipótese. Na verdade, Frost é o típico caso do viajante que, temeroso de voltar para seu mundo, decide se estabelecer em determinada época do passado com a intenção de começar uma vida nova, o que é, por outro lado, compreensível e legal. Mas o problema é que a maioria deles considera que ganhar a vida ao estilo clássico, ou seja, com o suor do próprio rosto, é uma coisa tremendamente ridícula quando possuem conhecimentos do futuro suficientes para ficar ricos. Ao pôr em prática seu plano de enriquecimento, a maioria deles modifica o passado, e com isso acaba se delatando, como fez o tal Frost. Caso contrário, nunca o teríamos descoberto. Mas não os reuni aqui para atormentá-los contando suas futuras mortes, cavalheiros, mas sim para tentar evitar que elas ocorram.

— Pode fazer isso? — perguntou Stoker, subitamente esperançoso.

— Não apenas posso, como é meu dever, pois suas mortes representam uma importante alteração no século que eu devo proteger — respondeu Marcus. — Minha única intenção é ajudá-los, cavalheiros, e espero tê-los convencido disso. O senhor também, Wells.

Wells se sobressaltou. Como Marcus podia saber que ele fora àquela reunião cheio de desconfiança? Encontrou a resposta ao seguir os olhares do viajante e dos escritores que pararam ao lado de seu sapato esquerdo, em que se via a faca que amarrara às costas. Ao que parece, o nó com que tinha tentado prendê-la era um tanto precário. Envergonhado, Wells apanhou a faca e guardou-a no bolso, enquanto James balançava a cabeça, em atitude de censura.

— Todos vocês — prosseguiu o viajante, sem dar muita importância ao assunto — ainda vão viver muitos anos em seu universo original, garanto, e darão a seus admiradores, entre os quais eu me incluo, muitos outros romances, mas permitam-me que omita qualquer outra informação sobre seu futuro para que possam continuar agindo com naturalidade uma vez que solucionemos esse pequeno problema. Na verdade, eu deveria ter agido sem me apresentar a vocês, mas o tal Frost é tremendamente astuto e irá eliminá-los de um modo muito discreto, de forma que as informações que eu necessitaria para impedir suas mortes, como por exemplo a hora exata em que o senhor será empurrado pelas escadas, senhor Stoker, não foram publicadas na imprensa. Só sei o dia em que sofrerão seus respectivos acidentes, e em seu caso, senhor

James, nem sequer isso, pois sua morte não será percebida até seu corpo ser encontrado por um vizinho.

James balançou tristemente a cabeça em sinal de assentimento, consciente talvez pela primeira vez da inelutável solidão que envolvia sua vida, uma solidão já tão descascada pelo uso que tornaria sua morte um ato silencioso e despercebido ao mundo.

— Digamos que reuni-los aqui foi o que poderíamos chamar de opção desesperada, cavalheiros, pois não me ocorre outra forma de impedir suas mortes senão com sua colaboração, que imagino que não negarão.

— É óbvio que não — respondeu imediatamente Stoker, em quem a ideia de estar morto dentro de alguns dias parecia provocar um mal-estar físico. — O que devemos fazer?

— Ah, é muito simples — disse Marcus. — Enquanto o tal Frost não encontrar seus manuscritos, não poderá matá-los, portanto, sugiro que os entreguem a mim o quanto antes. Amanhã, se for possível. Esse simples gesto vai criar uma outra bifurcação nessa linha temporal, já que Frost não os matará. Uma vez com os romances em minhas mãos, voltarei a viajar até o ano 1899 e lá estudarei de novo a realidade, para decidir meu próximo passo.

— Parece um plano excelente — disse Stoker. — Amanhã lhe trarei meu manuscrito.

James prometeu o mesmo, e Wells, embora visse aquilo como uma partida de xadrez entre Marcus e o tal Frost, na qual eles eram simples peões, não teve outro remédio senão concordar também. Estava tão atônito com os acontecimentos que não conseguia pensar em opção melhor que a sugerida por Marcus. Portanto, lhe entregaria seu romance amanhã, como os outros, mas o fato de que o viajante finalmente apanhasse Frost, reparando a embrulhada do futuro, não lhe garantia que pudesse passear em sua bicicleta com absoluta tranquilidade se não resolvesse antes o assunto pendente que tinha com Gilliam Murray. E para isso a única coisa que podia fazer era ajudar o inspetor Garrett a caçar Marcus, justamente o homem que pretendia salvar sua vida.

Mas, se havia uma tarefa mais difícil que a de pegar um viajante do tempo, era, sem dúvida, a de conseguir uma carruagem em Londres de madrugada. James, Stoker e Wells levaram quase uma hora percorrendo em vão os arredores de Berkeley Square. Só conseguiram avistar uma carruagem de quatro portas quando, encolhidos de frio e soltando imprecações, resolveram ir até Piccadilly.

Tiveram um sobressalto ao vê-la surgir entre a espessa névoa que caiu sobre Londres. O coche percorria a rua quase por puro profissionalismo do cavalo, com o cocheiro cochilando na boleia, e estava a ponto de passar diante deles sem vê-los, como um fantasma voltando para o além, se o homem não notasse o gigante ruivo que se interpôs em seu caminho agitando os braços desesperadamente. Após a temerária paralisação do veículo, os escritores levaram alguns minutos eternos tentando explicar ao cocheiro o itinerário a percorrer: primeiro, teria de parar na casa de Stoker; em seguida, no hotel no qual se hospedaria James; e por fim, deveria sair de Londres e dirigir-se a Woking, onde morava Wells. Quando o cocheiro emitiu sinais de ter assimilado a rota — piscou duas vezes e soltou um grunhido —, o trio subiu na carruagem e se escarrapachou nos assentos dando profundos suspiros, como náufragos que finalmente tivessem chegado à praia depois de passar vários dias numa balsa.

Wells ansiava por um momento de calma para que pudesse refletir sobre tudo o que havia acontecido nas últimas horas, mas ao perceber que Stoker e James começavam a falar sobre os respectivos romances, logo percebeu que precisaria esperar um pouco mais. Em vez de se incomodar, ficou até aliviado por ter sido deixado de lado. Ao que parece, aqueles dois nada tinham que dizer a alguém que praticava uma literatura de entretenimento e que, além disso, ia às reuniões com uma faca de cozinha amarrada às costas. Ele tampouco se interessava pelo que os outros pudessem dizer, de modo que tentou fugir da conversa observando pela janela as emocionantes rugosidades da névoa, mas percebeu logo que a voz de Stoker, quando não estava dominada pelo medo, era muito poderosa para poder ser ignorada quando dividiam a mesma carruagem de quatro portas.

— O que pretendi com meu romance, senhor James — explicava o irlandês com grande espalhafato —, foi oferecer uma revisão mais profunda e fértil da elegante encarnação do Mal que é o vampiro, tentando podar-lhe toda a estética romântica, um lastro que o transformou em um pobre sátiro zombeteiro que não consegue provocar em suas vítimas algo mais que um luxurioso sobressalto. Meu romance é protagonizado por um vampiro sinistro, a quem dei as características mais típicas que o folclore atribui ao mito, mas confesso que também acrescentei uma ou outra peculiaridade de minha própria lavra, como a impossibilidade de ser refletido nos espelhos.

— Mas o Mal, ao ser encarnado, perde grande parte de seu mistério, senhor Stoker, e também de seu poder! — exclamou James num tom ofendido, que pegou o colega de surpresa. — O Mal deve ser apresentado sempre de um modo sutil, deve ser filho da incerteza, residir na tênue fronteira que separa a dúvida da realidade.

— Creio que não estou entendendo muito bem, senhor James — murmurou o irlandês quando o outro pareceu se acalmar.

James deu um prolongado suspiro e transigiu em alongar-se um pouco mais no escorregadio assunto, mas, pela expressão de perplexidade de Stoker, Wells deduziu que à medida que o outro falava o irlandês ia afundando cada vez mais em um pântano de confusão. Não é de estranhar que, quando pararam diante da casa de Stoker, o gigante ruivo desceu com um ar de quem não sabia onde estava. O desamparo de Stoker — foi o que pareceu a Wells — agravou ainda mais a situação, porque os dois ficaram brutalmente expostos ao silêncio. Um silêncio que, naturalmente, a educação de James o fez romper, obrigando-o a manter, a caminho do hotel, uma frívola conversa com ele sobre os diferentes tecidos com que se podiam forrar os assentos de uma carruagem.

Quando se viu finalmente sozinho no veículo, Wells ergueu os braços para o céu, num gesto de agradecimento, e mergulhou em suas ansiadas reflexões enquanto a carruagem deixava a metrópole para trás. Tinha muitas coisas em que pensar, disse para si mesmo. Assuntos verdadeiramente sérios, sim, que iam desde as notícias do futuro que vislumbrara penduradas nos barbantes, e que não sabia se seria preferível esquecer ou lembrar, até a fascinante ideia de que alguém tivesse pensado em cartografar o tempo como se fosse um espaço físico. Era uma região, por outro lado, que nunca poderia ser totalmente cartografada, pois jamais se conheceria o final daquele barbante branco. Ou talvez sim. E se os viajantes mergulhassem no futuro o suficiente para encontrar a extremidade, o fim do barbante, como o inventor de seu romance havia tentado fazer? Mas existiria tal coisa? O tempo terminaria em algum ponto ou continuaria eternamente? Neste caso, o final devia localizar-se no instante em que o homem se extinguisse e não restasse nenhuma outra espécie no planeta, pois o que era o tempo sem ninguém para medi-lo, sem nada que acusasse sua passagem? O tempo só se revelava nas folhas secas, nas feridas que cicatrizavam, no caruncho que devorava, na ferrugem que se espalhava, nos corações que se cansavam. Se não houvesse ninguém para marcá-lo, o tempo não era nada, absolutamente nada.

Mas, graças aos mundos paralelos, sempre haveria alguém ou alguma coisa para dar credibilidade ao tempo. E, sem dúvida, os mundos paralelos existiam, ele agora tinha certeza, nasciam do universo original como galhos de uma árvore após qualquer alteração do passado, tal como ele mesmo dissera ao jovem Andrew Harrington para salvar sua vida há menos de vinte dias. E ter descoberto isso lhe dava muito mais alegria que o bem-sucedido destino de seu romance, pois confirmava sua poderosa intuição, o eficaz e até temerário funcionamento de seu cérebro. Talvez sua mente não tivesse nenhum mecanismo para se deslocar no tempo, como a de Marcus, mas era capaz de tecer raciocínios que o deixavam acima do populacho.

Lembrou-se do mapa que o viajante havia mostrado, aquela figura feita de barbantes coloridos em que estavam representados os universos paralelos que Marcus precisara consertar. E compreendeu então que aquele mapa era incompleto, pois só registrava os mundos criados pela ação direta dos viajantes. Mas o que acontecia com nossas próprias ações? Os universos paralelos não nasciam apenas daquelas ímpias manipulações do sagrado passado, também brotavam de todas e de cada uma de nossas decisões. Imaginou o mapa de Marcus com esse adendo, com o barbante branco enfeitado por barbantes amarelos, repentinamente asfixiado por uma floração de barbantes representando os mundos criados pelo livre-arbítrio do homem.

Emergiu dessas reflexões quando a carruagem parou em frente à sua casa. Wells desceu e, depois de dar uma generosa gorjeta ao cocheiro por tê-lo obrigado a sair da cidade àquela hora da madrugada, abriu o portão e entrou no jardim perguntando-se se valia a pena ir dormir ou não, e que consequências teria na malha do tempo fazer uma coisa ou outra.

Foi então que viu a desconhecida de cabelo de fogo.

XL

Magra e pálida, com os fios de cabelo ruivos incendiando os ombros como brasas saídas de uma fogueira, a moça o observava com um olhar estranho que já havia chamado sua atenção alguns dias antes, ao vê-la entre os curiosos que formavam círculos em torno do terceiro crime de Marcus.

— Você? — exclamou Wells, interrompendo seus passos.

A moça não disse nada. Aproximou-se dele com o passo delicado de um gato e lhe entregou alguma coisa. O escritor notou que se tratava de uma carta. Um tanto confuso, recebeu-a daquela mão de neve. *Para H. G. Wells. Entregar na noite de 26 de novembro de 1896,* leu no verso. Então a moça, fosse quem fosse, era uma espécie de mensageiro.

— Leia, senhor Wells — disse, com uma voz que lembrava o sussurro da brisa agitando as cortinas no meio da tarde. — Seu futuro depende disso.

Depois a mulher se dirigiu para a saída, deixando-o plantado perto da porta, hierático como um totem. Quando conseguiu reagir, Wells virou-se e correu para ela.

— Espere, senhorita...

Parou no meio do percurso. A mulher havia desaparecido, apenas seu perfume permanecia flutuando no ar. Mas Wells teve a impressão de que não ouvira o rangido do portão. Era como se depois de entregar-lhe a carta ela tivesse evaporado. Literalmente.

Permaneceu alguns minutos ali, ouvindo o sereno pulsar da noite e absorvendo o perfume da desconhecida, até que finalmente decidiu entrar em casa. Encaminhou-se para a sala sem fazer barulho, acendeu o lampião e sentou-se na poltrona, ainda aturdido com a presença daquela moça que, se medisse vinte centímetros e tivesse asas de libélula nas costas, ele teria confundido com uma dessas fadas em que Doyle acreditava. Perguntou-se quem seria. E como havia desaparecido de repente? Mas era estúpido perder tempo com charadas quando a resposta, provavelmente, estava dentro do envelope que tinha nas mãos. Abriu-o e tirou as folhas que continha. Sentiu um calafrio ao reconhecer a letra, e com o coração aos saltos começou a ler:

Querido Bertie:

Se esta carta está em suas mãos é porque eu estou certo e no futuro será possível viajar no tempo. Não sei quem a entregará, mas garanto que terá seu sangue, e o meu, pois, como terá deduzido pela letra, eu sou você. Um Wells do futuro. De um futuro muito longínquo. Convém que você assuma isto antes de continuar a ler. E como sei que o fato de minha letra ser idêntica à sua não representará prova suficiente para você, pois qualquer pessoa com destreza poderia tê-la imitado, vou tentar convencê-lo de que somos a mesma pessoa contando uma coisa que só você sabe. Quem, além de você mesmo, poderia saber que o cesto que está na cozinha, cheio de tomates e pimentões, não é só um cesto? Bem, isto é suficiente ou precisarei ser vulgar e lembrá-lo que, durante o casamento com sua prima Isabel, você se masturbava pensando nas esculturas de nus do Crystal Palace? Desculpe-me por aludir a uma época tão vexaminosa de sua vida, mas estou certo de que isso é uma coisa que, como o significado do cesto de tomates, você nunca confessaria em uma futura biografia, de modo que fica descartado que eu possa ser um farsante que tenha estudado sua vida em um livro. Não, eu sou você, Bertie. E só vale a pena continuar lendo se você aceitar isso.

Agora vou lhe contar como você se transformará em mim. Amanhã, quando vocês forem entregar seus manuscritos a Marcus, terão uma surpresa desagradável. Tudo o que o viajante lhes disse é falso, exceto que é um grande admirador de suas obras. Por isso, não vai poder deixar de sorrir quando vocês mesmos depositarem em suas mãos um butim tão valioso. Em seguida, ele dará uma ordem a um de seus capangas e este atirará no pobre James. Você já viu os efeitos que essas armas produzem no corpo de um homem, de modo que pouparei os detalhes, mas você pode imaginar que sua roupa acabará respingada por desagradáveis gotas de sangue e vísceras. Depois, sem lhes dar tempo de reagir, o capanga fará um novo disparo, dessa vez contra um espantado Stoker, que terá a mesma sorte que o norte-americano. A seguir, paralisado de medo, você o verá apontar contra seu corpo, mas Marcus vai detê-lo com um gesto delicado antes que chegue a atirar. E isto porque tem suficiente apreço a você para não permitir que morra sem saber por quê. Afinal, você é o autor de A máquina do tempo, *a obra que inaugura a moda das viagens temporais.*

No mínimo, lhe deve uma explicação, de forma que, antes que o capanga o mate, ele se dará o trabalho de contar a verdade, ainda que seja para ouvir-se relatando em voz alta como manipulou as coisas para enganar os três. Confessará então, dando aquelas ridículas voltinhas pelo vestíbulo com seus passos de borracha, que não é nenhum vigilante do tempo e, na verdade, se não fosse pelo acaso, ignoraria até a existência da Biblioteca da Verdade e não saberia que o passado era protegido pelo Estado.

Marcus era um milionário excêntrico, uma dessas poucas pessoas que andam pelo mundo satisfazendo as próprias vontades, que foi obrigado a deixar-se estudar pelo governo quando criaram o Departamento Temporal. A experiência não o incomodou muito, apesar de ter de conviver com indivíduos de toda origem e condição. Ele podia suportar isso se em troca obtivesse informação sobre as causas de sua doença — como definia seu estado após experimentar alguns deslocamentos temporais em momentos de grande tensão — e, sobretudo, se descobrisse as sugestivas possibilidades que esta podia oferecer. Quando o departamento foi desmantelado, Marcus decidiu aperfeiçoar suas habilidades, que havia aprendido a dominar com notável mestria, praticando o turismo temporal. Durante algum tempo, começou a percorrer caprichosamente o passado, perambulando sem rumo entre os séculos, até que se entediou de presenciar históricas batalhas navais, queimar bruxas na fogueira e regar com sua semente do futuro os ventres de heteras e escravas egípcias. Foi então que lhe ocorreu que podia empregar suas habilidades para levar sua paixão bibliófila ao extremo. Marcus mantinha em sua mansão uma vasta biblioteca que continha uma pequena fortuna em primeiras edições e incunábulos do século XVI, mas de repente começou a achar aquela acumulação de livros ridícula e sem o menor valor. De que servia possuir um exemplar da primeira edição de A peregrinação de Childe Harold, de Lorde Byron, se afinal de contas seus olhos estavam pousando em versos ao alcance de qualquer um? Seria muito diferente ter nas mãos o único exemplar dessa obra que existisse no mundo, como se o poeta inglês a houvesse escrito exclusivamente para ele. E isso era uma coisa que agora, com suas recém-adquiridas habilidades, podia conseguir sem muitas dificuldades. Deslocando-se no tempo, roubando o manuscrito de algum de seus escritores preferidos antes que ele pudesse publicá-lo e em seguida matando-o, poderia formar uma biblioteca exclusiva, composta de obras que para o restante do universo nunca teriam existido. Assassinar um punhado de escritores para ter em sua biblioteca uma história particular da literatura tampouco significava o menor problema para ele, pois Marcus sempre havia considerado os romances que apreciava como coisas vindas do nada, independentes de seus autores, que eram humanos e, como todos os seres humanos, geralmente detestáveis. Além disso, já era tarde demais para se permitir ter escrúpulos, sobretudo levando-se em conta que fizera fortuna abusando de certos métodos que a moral convencional provavelmente qualificaria como criminosos. Felizmente, ele não precisava se reger pela moral dos outros, pois havia muito fabricara a própria. Precisou fazê-lo, caso contrário não teria conseguido livrar-se de seu padrasto da forma como o fez. Mas nem por tê-lo envenenado logo depois que ele incluiu sua mãe no testamento Marcus deixava, por um único domingo, de levar flores a seu túmulo. Afinal, devia a ele tudo o que era. Porém, a imensa fortuna que herdou daquele homem inculto e violento não era comparável ao legado de seu verdadeiro pai: o valioso gene que lhe permitia viajar no tempo, deixando o passado a seus pés. Imaginou então uma biblioteca única, na qual conviviam secretamente os manuscritos de A ilha do tesouro, A Ilíada, Frankenstein e os três romances de seu autor favorito: Melvin Aaron Frost. Apanhou o Drácula de Frost e olhou atentamente sua foto. Sim, aquele homenzinho enfermiço, cujos olhos proclamavam que estava podre por dentro, infectado de vícios e fraquezas como qualquer um, e que só era digno de sua atenção quando empunhava a pena, seria o primeiro de uma longa lista de escritores falecidos em estranhos acidentes, um rosário de mortes inoportunas que o ajudariam a construir sua biblioteca fantasma.

Com essas intenções, e acompanhado por dois de seus homens, deslocou-se para nossa época, chegando alguns meses antes que Frost ficasse famoso. Precisava localizá-lo, confirmar se ainda não tinha entregado seus manuscritos ao editor e, em caso positivo, arrebatar-lhe de pistola em punho a única coisa que o diferenciava dos demais miseráveis que desonravam o mundo. Depois daria fim à sua ridícula existência simulando algum tipo de acidente. Mas, para sua surpresa, não encontrou a menor pista de Melvin Frost. Ninguém parecia conhecê-lo. Era como se não existisse. Como podia saber que Frost também era um viajante temporal e que só apareceria em público ao apresentar suas obras? Mas Marcus não pretendia ir embora de mãos vazias. Aquele era o escritor que tinha escolhido para inaugurar sua matança literária, e iria encontrá-lo custasse o que custasse. Seu plano, porém, não se caracterizou precisamente pela sutileza: a única ideia que lhe passou pela cabeça para tirar Frost de seu esconderijo foi assassinar três pessoas e escrever no lugar dos crimes o começo de cada uma de suas obras, copiados dos romances do escritor que trouxera consigo. Aquilo certamente iria intrigá-lo. Os textos depois foram reproduzidos pela imprensa, tal como Marcus havia previsto. No entanto, isso não o fez encontrar Frost, que parecia não se dar por achado.

Desesperado e furioso, dia e noite Marcus espreitava com seus homens os lugares dos crimes, porém tudo parecia em vão. Mas alguém chamou sua atenção em meio aos curiosos que se aglomeraram diante do corpo de sua terceira vítima. Não se tratava de Frost, porém sua presença despertou em Marcus uma emoção idêntica. Estava observando *como um espectador qualquer o corpinho da senhora Ellis, que poucas horas antes ele mesmo deixara ali encostado na parede, e o inspetor da Scotland Yard que estava em pé ao lado cadáver, um jovenzinho tentando conter o vômito, quando reparou no homem de meia-idade que se encontrava à sua direita. Usava a indumentária típica da época: um elegante terno azul, cartola, monóculo e um cachimbo nos lábios, detalhes que se revelaram parte de um voluntarioso disfarce quando Marcus reparou no livro que ele tinha na mão. Era* A volta do parafuso, *de Melvin Frost, um romance que ainda não havia sido publicado. Como aquele indivíduo podia tê-lo? Era evidente que se tratava de outro viajante do tempo. Tentando controlar sua euforia, Marcus espiou disfarçadamente o desconhecido comparando o começo do romance com a frase que ele tinha escrito na parede e depois franzindo as sobrancelhas, surpreso ao ver que eram idênticas.*

Quando guardou o livro no bolso e se afastou dali, Marcus decidiu segui-lo. Sem saber, o desconhecido o conduziu até uma casa de aspecto abandonado na Berkeley Square, onde entrou depois de conferir que ninguém o observava. Quase imediatamente, Marcus e seus homens irromperam no lugar. Em poucos segundos renderam o desconhecido, que só precisou levar algumas pancadas para confessar por que tinha em seu poder um livro que ainda não existia. Foi então que Marcus descobriu a existência da Biblioteca da Verdade e todo o resto. Viajara até ali para assassinar seu escritor favorito e transformar-se em seu único leitor, e acabara descobrindo muito mais do que aparentemente podia abarcar. O sujeito que tinha diante de si, com o rosto devastado pelos golpes de seus capangas, chamava-se August Draper e era o verdadeiro bibliotecário encarregado de zelar pelo século XIX. Estava ali com o propósito de consertar a alteração que um deslocado chamado Frost havia causado na malha do tempo ao assassinar os escritores Bram Stoker, Henry James e H. G. Wells e publicar seus romances com o próprio nome. Marcus se surpreendeu imensamente ao descobrir que o verdadeiro autor daqueles três maravilhosos romances não era Melvin Frost, mas sim os escritores que seu prisioneiro mencionara, os quais, embora na verdade tivessem morrido assim que ficaram famosos, no universo original ainda escreveriam muitos romances. Era como descobrir que Jack, o Estripador, nunca fora preso. Sentiu-se quase metafisicamente ofendido quando percebeu que não fizera mais do que rolar de um universo paralelo para outro num ritmo marcado por outros viajantes como ele, mas que não se limitaram a fornicar com escravas egípcias. Mesmo assim, tentou esquecer tudo isso e se concentrar nas explicações do prisioneiro. O desconhecido pretendia solucionar aquele desastre advertindo os três escritores sobre o que iria acontecer mediante a estratégia de deixar em suas caixas de correio os respectivos romances publicados sob o nome de Melvin Frost e um mapa indicando o lugar em que poderiam encontrá-lo. Estava prestes a iniciar seu plano quando os jornais começaram a noticiar os estranhos assassinatos de Marcus, e isso o atraiu para o local de um dos crimes. O que aconteceu a seguir você pode imaginar: Marcus o eliminou sem dó nem piedade e decidiu substituí-lo, fazendo-se passar pelo verdadeiro vigilante do tempo.

Foi o que realmente aconteceu, e se você pensar bem, isso explica muito melhor certas coisas. Você não achou estranho que Marcus tenha entrado em contato com vocês de forma tão pouco discreta: anunciando-se na imprensa e alertando toda a polícia da cidade ao assassinar brutalmente três pessoas, que, por outro lado, duvido muito que fossem morrer dentro de poucos dias? Mas o que você acha não importa agora, afinal de contas, pois você não pensou nada disso no momento em que deveria ter pensado. Você não é tão inteligente quanto se julga, querido Bertie. Nem imagina quanto me dói lhe dizer isso.

Onde estava mesmo? Ah, sim. Você vai ouvir a explicação de Marcus sem tirar os olhos da arma que ele lhe aponta, sentindo o coração acelerar cada vez mais, o suor escorrer pelas costas até ser tomado por um estranho enjoo. Imagino que se ele tivesse atirado em você tão repentinamente quanto fez com James e Stoker, nada teria acontecido. Mas sua longa explicação permitiu que você "entrasse no personagem", por assim dizer. De maneira que, quando a conversa terminou e o capanga avançou um passo e apontou a arma para seu peito, toda a tensão que havia acumulado transbordou e um brilho envolveu o mundo.

Durante um segundo você se sentiu liberto de seu próprio peso, extirpado de sua própria carne, que mais do que nunca lhe pareceu um envoltório dispensável, um foco de dores e distrações irrelevantes, e teve a impressão de ser uma criatura feita de ar. Mas no segundo seguinte seu peso voltou, e sentir o mundo como uma pesada âncora, perceber-se novamente sólido, lhe deu alívio, além de certa nostalgia daquela condição imaterial apenas vislumbrada. Agora estava outra vez enclausurado em si mesmo, dentro do cárcere orgânico de seu corpo, que o continha ao mesmo tempo que limitava sua visão do universo. Um vômito repentino lhe subiu à garganta, cartografando de passagem seu esôfago, e você o liberou com náuseas angustiantes. Quando seu estômago parou de se retorcer, você se atreveu a levantar a cabeça, sem saber se o capanga de Marcus havia atirado ou se ele se divertia prolongando o momento. Mas não havia nenhuma arma apontando para você. Na verdade, não havia ninguém a seu redor. Não havia o menor rastro de Marcus, nem dos capangas, nem de Stoker ou James. Você estava sozinho no vestíbulo, que se encontrava às escuras, pois até os candelabros haviam desaparecido. Era como se você tivesse sonhado. Mas como podia ter acontecido algo assim? Eu lhe direi, Bertie: simplesmente porque não era mais você. Você havia se transformado em mim.

Agora, se me permite, vou continuar narrando os acontecimentos em primeira pessoa. A princípio, não entendi o que havia se passado. Esperei alguns minutos no vestíbulo, onde agora reinava uma escuridão de sarcófago, tremendo de medo e atento a qualquer ruído, mas tudo era silêncio. A casa parecia estar desabitada. Depois de algum tempo, já que nada acontecia, animei-me a sair à rua, que se achava igualmente deserta. Minha confusão era absoluta, mas tinha uma certeza: as sensações que vivera haviam sido demasiadamente reais para considerá-las parte de um sonho. O que havia acontecido comigo? Nesse momento tive uma intuição. Com a mão trêmula, peguei um jornal que alguém jogara em um cesto de lixo e ao ler assombrado a data descobri que minhas suspeitas estavam corretas: as desagradáveis sensações que eu tivera eram as de um deslocamento temporal. Agora, por incrível que parecesse, eu estava no dia 7 de novembro de 1888. Tinha viajado oito anos para o passado!

Permaneci alguns minutos atônito no meio da praça deserta, tentando assimilar o que havia acontecido, mas não tive muito tempo, pois logo me lembrei que aquela data tão familiar para mim era o dia em que Jack, o Estripador, havia matado a amada do jovem Harrington em Whitechapel, antes de ser capturado pelo Comitê de Vigilância que fora a Miller's Court alertado por um viajante temporal que... era eu? Não tinha certeza, mas tudo parecia indicar que sim. Quem podia saber o que iria acontecer nessa noite, senão eu? Olhei rapidamente meu relógio. Só faltava meia hora para que o Estripador consumasse seu crime. Eu precisava me apressar. Corri em busca de um coche, e quando finalmente o encontrei, disse ao cocheiro que partisse o mais rápido possível rumo a Whitechapel. Enquanto atravessava Londres em direção a East End, não parei de me perguntar se era eu quem havia mudado a história, fazendo com que o universo inteiro deixasse a via por onde circulava e entrasse naquele desvio imprevisto que representava o barbante azul, afastando-se cada vez mais do barbante branco, tal como Marcus havia explicado; e, em caso positivo, se o fizera por vontade própria ou simplesmente porque estava escrito, porque era algo que eu já tinha feito.

Como você poderá imaginar, cheguei a Whitechapel em um estado de terrível agitação, e uma vez lá não sabia o que fazer: certamente não pretendia ir a Dorset Street para enfrentar eu mesmo aquele monstro sanguinário, meu espírito samaritano tinha limites. Entrei em uma taberna cheia de gente gritando que tinha visto Jack, o Estripador, nos apartamentos de Miller's Court. Foi a primeira coisa que me passou pela cabeça, mas imaginava que era o correto. Confirmei que era quando, no meio dos clientes que se reuniram à minha volta, surgiu um homenzarrão de juba loura chamado George Lusk que, depois de torcer meu braço e apertar meu rosto contra o balcão, disse que iria investigar mas, se eu estivesse mentindo, ia lamentar pelo resto da vida. Depois dessa demonstração de força, ele me soltou, reuniu seus homens e partiu rumo a Dorset Street sem muita pressa. Fui até a porta da taberna alisando o braço e amaldiçoando aquela criatura desagradável que ia ficar com toda a glória. Então, no meio da multidão que lotava a rua, vi algo que me espantou. Tratava-se do jovem Harrington. Pálido como um fantasma, ele passava entre as pessoas com uma expressão ensimesmada, balbuciando incoerências e balançando a cabeça espasmodicamente. Percebi que tinha acabado de encontrar o corpo estripado de sua amada. Era a imagem viva da desolação. Quis me aproximar dele para consolá-lo, e cheguei até a avançar alguns passos, mas em seguida me detive, ao lembrar que não tinha qualquer notícia de que no passado houvesse realizado esse misericordioso gesto, de modo que me limitei a observá-lo desaparecer no final da rua. Não podia fazer outra coisa: precisava me ater ao libreto, qualquer improvisação podia ter efeitos inesperados na malha do tempo.

Então ouvi uma voz familiar atrás de mim, uma voz que só podia sair de uma garganta forrada de seda: "Se não o visse, não acreditaria, senhor Wells." Marcus estava encostado na parede, com o rifle nas mãos. Observei-o como se tivesse surgido de um sonho. "Este era o único lugar onde podia procurá-lo, e minha intuição se mostrou correta: o senhor é o viajante que avisou o Comitê de Vigilância e permitiu que prendessem Jack, o Estripador, alterando tudo. Quem diria, senhor Wells? Mas suspeito que este não é seu nome de verdade. Imagino que o verdadeiro escritor deve estar morto em alguma parte. Mas, bem, já estou começando a me acostumar com esse baile de máscaras em que os deslocados transformaram o passado. E para dizer a verdade, não me importa quem seja o senhor: vou matá-lo da mesma forma." Depois de dizer isto, sorriu e apontou a arma para mim bem devagar, como se não tivesse pressa para me matar ou quisesse saborear o momento.

Mas eu não tinha intenção de ficar parado ali, esperando de braços cruzados que o seu raio de calor me atravessasse. Dei meia-volta e corri o mais rápido que pude ao longo da rua, em zigue-zague, interpretando o melhor possível meu papel de camundongo naquela caçada. Quase imediatamente, um raio de lava passou sobre minha cabeça, chamuscando meu cabelo, e em seguida ouvi Marcus rindo. Ao que parece, queria se divertir um pouco antes de me matar. Eu continuei correndo, lutando para sobreviver, se bem que, à medida que os segundos passavam, isto se tornasse um plano cada vez mais ambicioso. Com o coração martelando no peito, sentia Marcus caminhar sem pressa atrás de mim, como um predador disposto a desfrutar a perseguição de sua presa. Felizmente a rua estava deserta, de modo que nenhum transeunte sofreria as letais consequências de nosso jogo. Um novo raio de calor passou então pela minha direita, destruindo parte de uma parede; em seguida, senti outro, cortando o ar à minha esquerda, que derrubou um poste no chão. Nesse instante avistei uma carroça que vinha de uma das ruas laterais, e em vez de parar, acelerei minha corrida o mais que pude, conseguindo atravessar por um triz à sua frente. Quase imediatamente, ouvi um rangido ensurdecedor de madeiras atrás de mim, e entendi que Marcus não tivera escrúpulos em atirar na carroça que impedia sua passagem, coisa que confirmei quando vi voar por cima de minha cabeça um cavalo em chamas, que acabou se estatelando no chão alguns metros à minha frente. Eu me esquivei como pude do animal carbonizado e enveredei por outra rua, enquanto sentia a destruição florescendo atrás de mim. Então, ao entrar na ruela seguinte, uma luz projetou a sombra alongada de Marcus na parede em frente. Horrorizado, vi-o parar e fazer pontaria, e entendi que tinha se cansado de brincar comigo. Em poucos segundos estaria morto, pensei, sem parar de correr.

Nesse momento me senti tomado por uma vertigem familiar. Por um instante o chão desapareceu sob meus pés, para voltar a aparecer no segundo seguinte, com uma consistência diferente, ao mesmo tempo que a luz do dia me ofuscava. Detive minha corrida, cerrei os dentes para não vomitar e pisquei comicamente, tentando limpar os olhos. Bem a tempo de avistar uma máquina enorme e metálica vindo em minha direção. Eu me joguei para um lado, rolando vários metros pelo chão. Dali, ao levantar a cabeça, pude ver que a monstruosa máquina seguia seu caminho enquanto alguns homens que pareciam viajar escondidos em seu interior me chamavam de bêbado. Mas aquele artefato barulhento não era o único. Toda a rua havia sido invadida por aquelas máquinas, que a percorriam como uma corrida de bisões de ferro. Então me levantei e olhei atônito ao redor, aliviado por não encontrar o menor rastro de Marcus em nenhuma parte. Apanhei um jornal em um banco próximo para descobrir aonde meu novo deslocamento me levara, e descobri que estava em 1938. Ao que parece, eu estava começando a adquirir certa destreza: dessa vez tinha viajado quarenta anos para o futuro.

Deixei Whitechapel para trás e caminhei maravilhado por aquela estranha Londres, na qual o número 50 da Berkeley Square era uma livraria de obras antigas. Tudo parecia diferente, embora felizmente continuasse sendo familiar para mim. Passei várias horas perambulando desorientado pelas ruas, observando os monstruosos veículos que as sulcavam, veículos que não eram puxados por cavalos nem movidos a vapor, cujo reinado, ao contrário do que pensam em sua época, acabará sendo bastante efêmero. Para mim o tempo não tinha passado, mas o mundo havia mudado com aqueles quarenta anos. Sim, havia centenas de invenções espalhadas à minha volta, uma profusão de máquinas que atestavam a inesgotável imaginação do homem, por mais que no final de seu século o diretor do serviço de Patentes de Nova York tenha solicitado o fechamento do escritório argumentando que tudo já havia sido inventado.

Finalmente, cansado de tantas maravilhas, sentei-me no banco de uma praça para refletir sobre minha recém-descoberta condição de deslocado. Será que eu estava no futuro do qual Marcus tinha falado, existiria um Departamento Temporal aonde pudesse ir? Pensava que não. Afinal, só viajara quarenta anos para o futuro. Se havia deslocados nessa época, deviam estar tão sós e desamparados quanto eu. Então me perguntei se, ativando de novo minha mente, eu poderia retornar ao passado, à sua época, e lhe avisar do que ia acontecer. Mas, depois de várias tentativas fracassadas de reproduzir o impulso que tinha me levado até lá, acabei me rendendo. Entendi que estava preso naquela época. Mas estava vivo, não tinha morrido, e era bastante difícil que Marcus me procurasse lá. Por acaso não devia estar contente?

Quando admiti isso, decidi que a primeira coisa a fazer era informar-me a respeito do que havia acontecido com o mundo, principalmente com Jane e todos os que conhecia. Entrei em uma biblioteca e depois de várias horas consultando jornais consegui ter uma ideia geral do mundo que habitava. Com desolação descobri não apenas que o mundo se encaminhava teimosamente para uma guerra mundial, mas também que já havia enfrentado outra, alguns anos antes, uma luta terrível que cobrira de sangue mais da metade do planeta, deixando um saldo de oito milhões de mortos. Mas isso pouco adiantara, e o mundo, apesar dos cemitérios cheios, voltava a estar em um equilíbrio instável que pressagiava o pior. E ao me lembrar de algumas das horríveis manchetes que vira penduradas no mapa do tempo, percebi que nada poderia impedir aquela segunda guerra, pois tratava-se de um desses erros do passado com que o homem do futuro havia preferido conviver. Eu só podia esperar que eclodisse, e tentar, na medida do possível, não ser um dos milhões de cadáveres que dentro de um ano estariam espalhados pelo mundo.

Também descobri um artigo que me aturdiu e entristeceu ao mesmo tempo. Era a notícia da comemoração do vigésimo quinto aniversário da morte dos escritores Bram Stoker e Henry James, falecidos ao tentar passar uma noite enfrentando o fantasma da Berkeley Square. Nessa mesma noite também ocorrera outro acontecimento igualmente trágico para o mundo das letras: H. G. Wells, o autor de A máquina do tempo, havia desaparecido misteriosamente e nunca mais se teve notícias dele. Sem suspeitar o quanto estava perto da verdade, o jornalista terminava ironicamente a matéria perguntando se o escritor teria viajado no tempo. Referiam-se a você como o pai da ficção científica. Imagino que se perguntará que diabo será isso. Trata-se do termo que substituirá "romance científico", criado em 1926 por um tal Hugo Gernsback, que o usou na capa de sua revista Amazing Stories, primeira publicação dedicada exclusivamente à ficção de tipo científico e que reeditou, ao que parece, muitos dos relatos que você escreveu para Lewis Hind, com contos do americano Edgar Allan Poe e, por que não, de Júlio Verne, que disputava com você o título *de pai do gênero. Tal como vaticinou o inspetor Garrett, os romances que especulavam sobre o mundo do futuro acabaram criando um gênero, e isso em grande parte graças a ele, que descobriu que a Viagens Temporais Murray era a maior fraude do século XIX. Depois disso, o futuro tornou-se outra vez um vazio sem dono que todo escritor podia mobiliar a seu bel-prazer, uma terra incógnita, uma extensão inexplorada como aquelas dos antigos mapas náuticos, em que se dizia que começava a haver monstros.*

Ao ler isso, percebi com pavor que meu desaparecimento havia iniciado uma cadeia de acontecimentos fatais: sem minha ajuda, Garrett não havia conseguido capturar Marcus e continuara empenhado em viajar até o ano 2000 para prender o capitão Shackleton, descobrindo assim a fraude de Gilliam, que assim acabara na prisão. Imediatamente pensei em Jane e pesquisei centenas de jornais e revistas, temendo dar com a notícia de que a "viúva" do escritor H. G. Wells havia perdido a vida em um trágico acidente de bicicleta. Mas Jane não tinha morrido. Jane continuara vivendo depois do misterioso desaparecimento do marido. E isto significava que Gilliam não havia cumprido sua ameaça. Teria ameaçado Jane simplesmente para me obrigar a trabalhar para ele? Talvez. Ou talvez não tivesse tido tempo de concretizá-la, ou desperdiçara seu tempo procurando-me inutilmente por toda a Londres para me perguntar por que diabos eu não estava tentando localizar o verdadeiro autor dos assassinatos. Mas, apesar de sua vasta rede de valentões, não conseguiu me encontrar. Esqueceu de procurar no ano de 1938, naturalmente. Seja como for, Gilliam tinha acabado na prisão, e minha esposa continuava viva. Mas não era mais minha esposa.

Graças às matérias que falavam de você, pude reconstituir sua vida, a existência que ela levou depois de minha desconcertante e súbita partida. Jane esperou minha volta durante quase cinco anos em nossa casa de Woking, até que sua cota de esperança se esgotou. Resignada a continuar a vida sem mim, retornou a Londres e lá se casou com um famoso advogado chamado Douglas Evans, com quem teve uma filha que chamaram de Selma. Vi uma foto que a mostrava como uma adorável anciã que continuava tendo o sorriso pelo qual me apaixonei naquelas caminhadas até King Cross. Meu primeiro impulso foi procurá-la, mas tratava-se de um arroubo evidentemente irracional. O que eu poderia dizer a ela? A essa altura, meu aparecimento brusco só causaria uma enfadonha perturbação em sua existência tranquila. Ela já havia assimilado o meu sumiço, para que remexer nisso agora? Portanto, não fui procurá-la, e desde que desapareci nunca vi a doce criaturinha que agora deve estar dormindo exatamente em seu ombro. Talvez isso o anime a despertá-la com carícias quando terminar de ler esta carta. Fica a seu critério, pois quem sou eu para me intrometer em seu casamento. Mas não bastava me manter longe dela, naturalmente. Precisava sair de Londres, não apenas por medo de encontrar-me com ela ou com algum de meus amigos, que me reconheceriam imediatamente porque eu continuava com a mesma aparência, mas também por pura questão de sobrevivência: o mais provável era que Marcus continuasse me procurando através dos séculos, vasculhando o tempo atrás de algum indício de minha presença.

Assumi uma identidade falsa, deixei crescer uma barba cerrada e escolhi a cidadezinha de Norwich, por seu adorável ar medieval, como cenário para começar a tecer minha nova vida sem fazer muito alarde. Graças aos conhecimentos que você havia adquirido na farmácia do senhor Cowap, consegui um trabalho de vendedor numa farmácia, e durante um ano não fiz outra coisa a não ser vender unguentos e xaropes durante o dia e ficar na cama à noite ouvindo as notícias, atento à lenta cristalização de uma guerra que iria redefinir o mundo. Por decisão própria, decidi interpretar uma dessas vidas irrelevantes e sem propósito a que sempre temi ser condenado pela teimosia de minha mãe, uma vida cuja simplicidade eu nem sequer podia redimir com a escrita, com receio de chamar a atenção de Marcus. Era um escritor condenado a viver como alguém que carecia do dom da escrita para enaltecer o mundo que o rodeava. Você pode imaginar tortura maior? Nem eu. Estava a salvo, sim, mas preso em uma vida tão triste que, às vezes, me perguntava se valia o trabalho de ser vivida. Felizmente apareceu alguém para alegrá-la: chamava-se Alice, e era linda. Certa manhã, ela entrou na farmácia para comprar uma caixa de aspirinas, um preparado de ácido acetilsalicílico comercializado por uma companhia de tinturas alemã que fazia furor na época, e acabou levando meu coração embrulhado em papel de presente.

O amor frutificou entre nós com uma facilidade surpreendente, adiantando-se à guerra, e quando esta eclodiu, Alice e eu tínhamos muito mais a perder do que antes. Felizmente, tudo parecia acontecer longe do nosso povoado, que não representava nenhuma ameaça para a Alemanha, cujo novo chanceler pretendia conquistar o mundo com o discutível pretexto de que em suas veias corria o sangue de uma raça superior. Deduzíamos as terríveis consequências da luta pelos sons atrozes que nos chegavam, sacudidos pelo vento, como uma antecipação das notícias que os jornais logo trariam. Mas eu não precisava de mais nada para perceber que aquela guerra era diferente das anteriores, porque a ciência havia mudado sua aparência, oferecendo aos homens novas maneiras de matar-se uns aos outros. Agora a batalha se travava no ar. Mas não pense em exércitos de balões a gás atirando uns nos outros para ver quem arrebentava antes o depósito de hidrogênio do inimigo. O homem havia conseguido conquistar os céus com uma máquina voadora mais pesada que o ar, similar à que Verne imaginou em seu romance Robur, o conquistador, *só que não era feita de polpa de papel colado, e, além disso, despejava bombas. Agora a morte vinha do céu, anunciando-se com um as-*

sobio pavoroso. Embora setenta países tivessem sido arrastados àquela guerra cruel devido a complicadas alianças, em pouco tempo só a Inglaterra permanecia de pé, enquanto o restante do mundo assistia atônito à gestação de uma nova ordem. Decidida a vencer sua resistência, a Alemanha submeteu nosso país a um bombardeio constante que, de início, seguindo esse estranho senso de honra que às vezes subjaz às guerras, limitou-se aos aeroportos e portos, mas em pouco tempo se estendeu às cidades. Depois de várias noites de assédio, nossa querida Londres estava reduzida a ruínas fumegantes, mas nas quais sobressaía, como encarnação de nosso espírito invencível, a cúpula da Igreja de St. Paul. Sim, a Inglaterra resistia, e até contra-atacava, com rápidas incursões nos céus alemães, conseguindo numa delas causar grandes danos em Lübeck, uma cidade histórica situada à beira do Trave. Isso enfureceu ainda mais a Alemanha, que decidiu redobrar seus ataques. Apesar de tudo, Alice e eu estávamos relativamente seguros em Norwich, uma cidade sem o menor valor estratégico. Mas Norwich tinha sido abençoada com três estrelas no célebre guia Baedeker, que foi o que a Alemanha consultou quando decidiu devastar nosso legado histórico. O guia de Karl Baedeker recomendava visitar a catedral românica, o castelo do século XII e as muitas igrejas, mas o chanceler alemão preferiu bombardeá-las.

A irrupção da guerra surpreendeu todos nós na catedral, ouvindo a homilia do padre Helmore, cuja voz foi abafada subitamente pelo inquietante zumbido que provinha do céu. Todos nós levantamos a cabeça para a abóbada em leque que nos cobria, como se de repente tivéssemos reparado na beleza de seu arco. Tinha chegado nossa hora de sentir o horror de que falavam os jornais. Foi o padre Helmore quem nos instou a abandonar a casa de Deus, intuindo que seria um dos primeiros objetivos dos alemães, e embora alguns tenham preferido ficar, não sei se porque estavam paralisados pelo medo ou porque sua fé lhes dizia que não podia haver melhor refúgio que aquele, eu segurei a mão de Alice e puxei-a para a saída da catedral, tentando abrir caminho entre uma multidão espavorida que obstruía a nave central. Conseguimos sair quando as primeiras bombas começaram a cair. Como posso descrever tal horror? Talvez seja suficiente dizer que a ira de Deus não é nada diante da ira do homem. As pessoas corriam aterrorizados de um lado para o outro, sem saber para onde ir, enquanto a força das bombas arrebentava a terra, desmanchava os prédios e sacudia o ar com o bramido de um trovão. À nossa volta, o mundo vinha abaixo, rasgava-se, partia-se. Tentei achar algum refúgio seguro, mas, enquanto puxava a mão de Alice através daquela crescente destruição, só conseguia pensar no pouco valor que afinal a vida humana tinha para nós mesmos.

Então, em meio àquela corrida sem rumo, comecei a notar que um enjoo muito familiar me embargava. Minha cabeça começou a latejar dolorosamente, enquanto o mun-

do parecia ficar nublado, e percebi o que ia acontecer. Parei imediatamente nossa corrida enlouquecida e pedi a Alice que segurasse minhas mãos com toda a força. Ela olhou para mim, confusa, mas obedeceu, e enquanto a realidade se apagava e o peso me era arrebatado pela terceira vez, trinquei os dentes e tentei levá-la comigo. Não sabia para onde estava indo, mas não estava disposto a deixá-la para trás como havia deixado Jane, como havia deixado minha vida, como havia deixado tudo o que amava. As sensações que me invadiram foram as mesmas das vezes anteriores: senti que levitava durante um breve segundo, escapulindo de meu próprio corpo, e a seguir voltava a ele, introduzindo-me de novo entre meus ossos, mas dessa vez encontrei a cálida presença de outra mão entre as minhas. Abri os olhos, piscando desajeitadamente e lutando para conter o vômito. E sorri cheio de felicidade ao ver as mãos de Alice segurando as minhas. Eram mãos delicadas e delgadas, onde depois do amor eu deixava a oferenda dos meus agradecidos beijos, na ponta de uns antebraços magros, cobertos por uma deliciosa penugem loura. A única coisa que eu havia conseguido trazer dela.

Enterrei as mãos de Alice na mesma praça onde eu tinha aparecido, naquela Norwich de 1982 que parecia nunca ter sido bombardeada, exceto pelo monumento aos mortos que havia no centro de um dos canteiros. Ali, entre muitos outros, encontrei o nome de Alice, mas sempre restará a dúvida se foi a guerra que a matou ou se foi Otto Lidenbrock, o homem que a amava. De qualquer forma, isso era algo com que eu estava condenado a viver, pois tinha escapado do bombardeio rolando de novo para o futuro. Quarenta anos outra vez, essa parecia ser minha marca pessoal.

Agora estava em um mundo aparentemente mais sábio, que parecia obcecado em construir uma personalidade própria, mostrando seu espírito lúdico e inovador em qualquer faceta da vida. Sim, tratava-se de um mundo presunçoso, que celebrava suas conquistas com o orgulho alegre de uma criança, mas era um mundo pacífico, em que a guerra não passava de uma lembrança embaraçosa, a constatação envergonhada de que a natureza humana tinha um lado atroz que era preciso ocultar, nem que fosse sob uma camada ortopédica de cortesia. O mundo tivera de ser reconstruído, e foi então, ao retirar o entulho e recolher os mortos, ao reerguer os edifícios e soldar as pontes, ao reduzir os buracos que a guerra havia deixado em sua alma e em sua genealogia, que o homem tomou consciência brutalmente do que havia acontecido no tempo em que tudo o que parecia racional de repente se tornou irracional, como uma dança da qual tirassem a música. Sorri com inevitável regozijo: a forma exaltada como todos condenavam agora os atos de seus avós vinha me confirmar que jamais haveria outra guerra como a que eu tinha vivido. E confesso que tampouco nisso me enganei. O homem é capaz de aprender, Bertie, nem que seja à base de pancada, como os animais de circo.

De qualquer forma, eu precisava começar outra vez do zero, fabricar outra maldita existência desde os alicerces. Deixei Norwich, onde nada mais me prendia, e retornei à reconstruída Londres, na qual, depois de me maravilhar novamente com os avanços da ciência, tentei encontrar algum trabalho que um homem da época vitoriana que dizia chamar-se Harry Grant pudesse realizar. Seria esse meu destino? Peregrinar pelo tempo, pular de uma época para outra como uma folha arrastada pelo vento, sozinho para sempre? Não, dessa vez não seria assim. Estava sozinho, sim, mas sabia que minha solidão não duraria muito. Um encontro me esperava no futuro, mas não era preciso voltar a me deslocar no tempo para comparecer. Tratava-se de um futuro próximo o suficiente para esperar que fosse ele que viesse até mim.

Mas, ao que parece, antes desse encontro a misteriosa mão que organizava minha agenda havia marcado outro, com algo muito especial do meu passado. E aconteceu em uma sala de cinema. Sim, Bertie, você ouviu bem. Como explicar o quanto chegará a evoluir o cinematógrafo desde que os irmãos Lumière projetaram, em 1895, aquelas imagens de seus operários saindo da fábrica em Lyon Monplaisir? Na sua época, ninguém chegou a imaginar as imensas possibilidades dessa invenção. Mas muito em breve, assim que se dissipar o efeito da novidade técnica, as pessoas vão se cansar de assistir a partidas de cartas, brigas de meninos e chegadas de trens, acontecimentos cotidianos que podem presenciar de suas janelas, e, além disso, com som, e exigirão algo mais do que entediantes documentos sociais acompanhados da ausente cantilena de um piano. Por isso, sobre o branco da tela, o projetor agora conta histórias. Para que você entenda, imagine uma dessas máquinas filmando uma peça de teatro, mas uma representação que não precisa mais ficar confinada no palco que está diante das poltronas e pode escolher como cenário qualquer parte do mundo. E se acrescentarmos a isso que o diretor não conta apenas com um punhado de cenários pintados, mas tem um verdadeiro arsenal de truques à sua disposição para narrar a história, como, por exemplo, fazer os personagens desaparecerem diante de nós mediante a manipulação dos fotogramas, você há de entender por que o cinematógrafo se transformou no entretenimento mais popular do futuro, acima até do music hall. *Sim, agora uma versão muito mais sofisticada da maquininha dos Lumière faz o mundo sonhar, injetando magia na vida das pessoas, e existe toda uma indústria em torno dela que movimenta enormes quantias de dinheiro.*

Mas não estou contando tudo isso por acaso, mas sim porque às vezes essas histórias são tiradas de livros. E aqui vem a surpresa, Bertie: em 1960, um diretor chamado George Pal transformará seu A máquina do tempo *em um filme. Sim, vai pôr imagens nas suas palavras. Já o fizeram antes com Verne, é óbvio, mas isso não diminui o meu regozijo. Como explicar o que senti quando assisti ao filme, vendo transcorrer na tela a história que você escreveu? Lá estava o inventor, que batizaram com seu nome, encarnado por um ator de expressão decidida e sonhadora, e lá estava a doce Weena, interpretada por uma linda atriz francesa cujo rosto transmitia uma serenidade hipnótica, e lá estavam os* morlocks, *mais terríveis do que eu jamais poderia imaginar, e a colossal Esfinge, e o leal e prático Filby, e até a senhora Watchett, com seu avental e sua touca imaculadamente brancos. E enquanto as cenas passavam uma atrás da outra, eu tremia de emoção em minha cadeira, ciente de que tudo aquilo não seria possível se você não o tivesse imaginado, se aquele festival de imagens não tivesse sido, de algum modo, projetado antes na sua cabeça. Confesso que a certa altura até me desliguei do filme, para estudar as reações que embargavam os rostos dos ocupantes das cadeiras vizinhas. Imagino que você teria feito a mesma coisa, Bertie. Sei que sonhou mais de uma vez com esse privilégio, pois lembro bem de sua melancolia quando algum leitor lhe revelava o quanto se deleitara com seu romance, mas você não podia constatar por si mesmo, observar que impressão tal ou qual passagem lhe causara, saber se tinha rido e chorado quando devia, já que para isso você precisaria se esconder em sua biblioteca como um ladrão vulgar. Mas pode ficar tranquilo: o público reagiu como você esperava. No entanto, também temos de dar parabéns ao senhor Pal, que conseguiu captar magistralmente o espírito de sua história. Não vou esconder, porém, que fez algumas mudanças para adaptá-la à época, sobretudo porque, ao filmar sessenta e cinco anos mais tarde, boa parte do que era futuro para você era passado para o mundo. Por exemplo, apesar de suas grandes desconfianças quanto ao uso que o homem podia fazer da ciência, nunca lhe passou pela cabeça que este pudesse desencadear uma guerra que envolvesse todo o planeta. Mas o fez, e depois repetiu, como já contei. Pal, por sua vez, não só fez o inventor atravessar a Primeira e a Segunda Guerra Mundial, mas até vaticinou uma terceira, em 1966, embora felizmente seu pessimismo tenha se mostrado exagerado.*

Como já lhe disse, a emoção que senti nesse cinema, enfeitiçado por aquele carrossel de imagens que tanto devia a você, é indescritível. Era algo que você tinha escrito, sim, mas tudo o que aparecia na tela era novo para mim. Menos uma coisa: a máquina do tempo. Sua máquina, Bertie. Você não imagina o quanto me surpreendeu encontrá-la ali. Por um instante duvidei do que estava vendo, mas não se tratava de nenhuma alucinação. Era sua máquina, bela e reluzente, com suas formas delicadas como um instrumento musical que revela a mão de um artesão minucioso, um artefato que destilava uma nobreza que as máquinas da época em que eu tinha caído não ofereciam mais. Mas como ela teria chegado até lá, e onde estaria agora, vinte anos depois de ter-se levantado dela aquele ator chamado Rod Taylor, que fazia seu papel?

Depois de passar várias semanas procurando minuciosamente nos jornais da biblioteca, consegui traçar o acidentado périplo da máquina. Assim, descobri que Jane não quis se desfazer dela e a levou para a casa do advogado Evans, em Londres, que recebeu resignado a irrupção em seu lar daquele trambolho absurdo e sem utilidade aparente que, como não bastasse, simbolizava para sua esposa a figura do marido desaparecido. Imaginei-o rondando a máquina em suas noites de insônia, apertando os falsos botões e puxando a alavanca de vidro, certificando-se de que, efetivamente, não servia para nada e perguntando-se que mistério afinal havia naquele traste que a esposa chamava de máquina do tempo, para que diabos teria sido construída, pois certamente Jane não lhe daria nenhuma explicação, pois a máquina fazia parte de uma intimidade que o advogado Evans não tinha por que conhecer. Quando, muitos anos depois, George Pal começou os preparativos para seu filme, deparou com um problema: nenhum dos desenhos da máquina do tempo que seus operários fizeram o convencia. Eram feios, grotescos e intrincados, um deles até lembrava uma cadeira elétrica. Nenhum daqueles esboços se parecia nem ligeiramente com o veículo elegante e senhorial no qual ele imaginava o inventor atravessando as estepes do tempo. Por isso, só pôde entender como um milagre que uma mulher chamada Selma Evans, que estava meio falida depois de ter dilapidado a pequena fortuna que herdara dos pais, quisesse vender-lhe aquele artefato estranho do qual sua mãe tirava o pó todo domingo, num lento e devotado ritual que deixava a pequena Selma de cabelo em pé, quase tanto quanto o advogado Evans. Pal ficou fascinado: era exatamente aquilo que ele estava procurando. A máquina era bela e majestosa, e tinha a forma dinâmica dos trenós com que brincara na infância. Recordou o vento gelado batendo em seu rosto quando descia as encostas, um vento que com o tempo associara à magia, e imaginou que se atravessasse o tempo naquela máquina seria fustigado por um vento similar. Mas o que o convenceu, definitivamente, foi a plaquinha que havia no painel de comando, na qual se lia: fabricado por H. G. Wells. Teria sido realmente construída pelo escritor? E, em caso positivo, com que intenção? Era um mistério que ele nunca poderia solucionar, pois Wells havia desaparecido em 1896, justamente quando começava a ficar famoso. Quem sabe quantos romances prodigiosos mais ele poderia ter-nos dado? Mas, mesmo sem saber o motivo pelo qual a máquina fora construída, Pal intuía que ela não poderia ter destino melhor que seu filme, e convenceu o estúdio dos produtores a comprá-la. Foi assim que sua máquina adquiriu a frívola imortalidade que o cinema dá.

Dez anos depois, os estúdios fizeram um leilão com o mobiliário e objetos de suas produções, entre os quais a máquina do tempo. Foi vendida por dez mil dólares, e o comprador percorreu os Estados Unidos exibindo-a de cidade em cidade, até que finalmente, depois de tirar todo o proveito que podia, vendeu-a para um antiquário do condado de Orange. Foi ali que Gene Warren, um dos operários que haviam trabalhado no filme de Pal, encontrou-a por acaso em 1974. Estava jogada em um canto como um trambolho qualquer, maltratada e enferrujada, e lhe faltava a poltrona, que tinha sido vendida bem antes. Warren comprou-a por um preço ínfimo, e com o maior carinho e dedicação começou a restaurar aquele brinquedo que tanto significara para todos os que trabalharam no filme: pintou as barras, consertou as peças quebradas e até instalou uma poltrona nova. Uma vez reformada, a máquina pôde recomeçar seu périplo, sendo exibida em algumas feiras e eventos relacionados com ficção científica, muitas vezes até pilotada por algum ator que representava você. Aliás, o próprio Pal apareceu na capa da revista Star Log *montado nela, sorrindo como uma criança ao descer de trenó uma encosta coberta de neve. Nesse ano, Pal mandou cartões de Natal aos amigos com uma foto em que Papai Noel aparecia montado em sua máquina do tempo. Como você pode imaginar, eu segui essa travessia com a ternura de um pai observando as peripécias de um filho pródigo, já sabendo que mais cedo ou mais tarde ele voltará para seu lado.*

E no dia 12 de abril de 1983 fui àquele meu encontro nas Lojas Olsen. Ela estava lá, confusa e assustada, e foram a minha mão e o sussurro que deixei em seu ouvido — "Eu acredito em você, porque também posso viajar no tempo" — que a fizeram desaparecer da imprensa. Saímos da loja pela porta de emergência aproveitando o tumulto que seu desaparecimento causou. Uma vez na rua, entramos no carro que eu tinha alugado e fomos para a cidade de Bath, no condado de Somerset, onde algumas semanas antes eu adquirira a bela casa georgiana na qual viveria com ela, longe de Londres e dos muitos viajantes do futuro que provavelmente a estariam procurando por ordem do governo, que devia ter determinado seu sacrifício como único modo de cortar pela raiz a origem do mal.

No início, eu não sabia se tinha agido bem. Será que devia mesmo tê-la resgatado das Lojas Olsen, ou tinha usurpado o papel de outro, de algum viajante do futuro autonomeado salvador da Madona Temporal? Tive a resposta poucos dias depois, em uma bela manhã de primavera. Estávamos pintando as paredes da sala quando um menino de uns três ou quatro anos se materializou de repente sobre o tapete, deu uma risadinha alvoroçada, como se estivesse sentindo uma comichão prazerosa na pele, e voltou a desaparecer, deixando no tapete uma peça do quebra-cabeça com que estava brincando. Naquele momento entendemos, depois dessa breve e inesperada espiada no filho que ainda não tínhamos concebido, que o futuro começava em nós, que éramos nós que fabricaríamos o gene mutante que, anos ou talvez séculos depois, permitiria ao homem viajar no tempo. Sim, naquela casa isolada, silenciosamente, seria gerada a epidemia de viajantes de que Marcus havia falado, pensei, apanhando a peça que tinha ficado sobre o tapete como uma oferenda involuntária do nosso filho. Guardei aquele fragmento do futuro na despensa da cozinha, entre as latas de feijão, sabendo que dentro de alguns anos ele me serviria para completar o quebra-cabeça que mais cedo ou mais tarde, no momento exato, alguém daria de presente àquele menino vislumbrado no tapete.

A partir daí não há muito mais o que contar. Ela e eu fomos felizes como personagens de uma história. Dedicando-nos a desfrutar os pequenos prazeres cotidianos, tentando, enfim, levar a vida mais calma e repousada possível para que nenhum dos dois experimentasse algum inoportuno deslocamento que nos afastasse um do outro. Eu me permiti o capricho de comprar sua máquina do tempo quando o filho de Gene Warren a pôs à venda, mesmo sem precisar dela, já que agora viajava no tempo como todo mundo, deixando-me arrastar deliciosamente pela corrente dos dias, enquanto perdia o cabelo, sentia cada vez mais cansaço ao subir escadas e colecionava rugas. Imagino que uma prova da aprazível felicidade que desfrutávamos foram nossos três filhos, um dos quais já conhecíamos. Cabe dizer que suas habilidades para se deslocar no tempo eram muito superiores às nossas. Eles não dominavam esse dom, nem dominariam nunca, mas eu sabia que seus descendentes chegariam a fazê-lo, e eu só podia sorrir ao ver como nossa herança, à medida que se relacionava com o mundo, começava a se propagar. Não sabia quantas gerações seriam necessárias para que os viajantes afinal chamassem a atenção do governo, mas, sem dúvida, mais cedo ou mais tarde isso iria acontecer. Foi então que tive a ideia de lhe escrever esta carta, com a intenção de entregá-la a um dos meus netos e que este, por sua vez, a entregasse ao dele, até que chegasse às mãos de alguém que pudesse cumprir meu pedido: entregá-la ao escritor H. G. Wells, o pai da ficção científica, na noite de 26 de novembro de 1896. E imagino que, se você a está lendo agora, é porque tampouco me enganei nisto. Não sei quem vai entregá-la, mas, como lhe disse antes, terá nosso sangue. E quando isso ocorrer, como você já deve ter deduzido, estas palavras já serão a voz de um morto.

Talvez fosse melhor não lhe escrever carta alguma. Talvez fosse melhor deixá-lo seguir seu caminho. Afinal de contas, o destino que o espera não é tão ruim, é uma vida que tem seus momentos felizes, como você viu. Mas se lhe escrevi é porque de algum modo sinto que essa vida não é a que lhe corresponde viver. Sim, talvez devesse continuar no passado, com Jane, sendo feliz a seu lado e me tornando um escritor de sucesso, sem saber nada de viagens no tempo, pelo menos das reais. Para mim isso não tem solução, evidentemente. Não posso escolher outra vida. Mas você, sim. Você ainda pode escolher entre essa vida e a que acabo de contar, entre continuar sendo Bertie e se transformar em mim, porque, afinal, é isso o que as viagens no tempo nos oferecem: segundas oportunidades, voltar e escolher outra opção.

Pensei muito no que pode acontecer se você decidir não comparecer amanhã ao encontro com Marcus. Se não for, ninguém vai apontar uma arma para você, sua mente não se ativará e você não viajará no tempo, e, portanto, não provocará a detenção do Estripador, nem conhecerá Alice, nem correrá das bombas alemãs, nem, obviamente, resgatará nenhuma mulher das Lojas Olsen. E sem sua colaboração o gene mutante não poderá ser produzido, nunca existirão os viajantes do tempo e nenhum Marcus viajará ao passado para matá-lo. Por isso, suponho que tudo o que aconteceu a partir do momento em que matou o mendigo de Marylebone desapareceria, como se a corrente temporal fosse varrida por uma vassoura imensa. Desapareceriam, por exemplo, todos os cordões coloridos que saem do cordão branco do mapa do tempo, pois ninguém criaria um universo paralelo em que Jack, o Estripador, tivesse sido capturado, ou em que Vossa Alteza Real andasse por aí com um macaco no ombro. Santo Deus, até o próprio mapa desapareceria! Quem iria desenhá-lo? Como vê, Bertie, se você decidir não ir ao encontro, vai aniquilar todo um mundo. Mas não deixe que isso o amedronte. A única coisa que se manteria igual seria o aparecimento dela nas Lojas Olsen, em 1984, mas ninguém iria puxá-la pela mão, tirá-la dali e levá-la para uma bela casa georgiana, onde seria feliz.

E o que aconteceria com você? Imagino que retrocederia até o momento imediatamente anterior àquele em que sua vida foi afetada por sua própria viagem no tempo, antes que o assecla de Gilliam o adormecesse com clorofórmio. Isto é o mais provável, pois se Marcus nunca viajasse para sua época e não matasse ninguém, Garrett jamais suspeitaria de Shackleton e, portanto, Gilliam não mandaria um capanga atacá-lo e nenhum lenço com clorofórmio cairia sobre seu nariz na noite de 20 de novembro de 1896. De qualquer forma, independentemente de até onde retrocedesse, imagino que não sentiria nenhum tipo de efeito físico, como acontece durante os deslocamentos temporais; você simplesmente deixaria de estar em um lugar e apareceria em outro, sem notar a transição, como se fosse mágica, e, obviamente, não se lembraria de nada do que viveu depois desse instante. Não saberia que tinha viajado no tempo, nem que os universos paralelos realmente existem. Acho que será isso o que acontecerá se você decidir alterar o que aconteceu: não saberá nada de mim. Seria algo assim como retroceder uma partida de xadrez até o movimento que desencadeou o xeque-mate. Uma vez localizado, se você mover uma torre em vez do bispo, o jogo seguirá por outro percurso, como vai ocorrer com sua vida se não for ao encontro.

Então, tudo depende de você, Bertie. O bispo ou a torre. Sua vida ou a minha. Faça o que acha que deve fazer.

Sempre seu,

Herbert George Wells

XLI

Wells refletiu sobre a predestinação. Talvez seu destino fosse mesmo deslocar-se no tempo, primeiro até 1888, depois até o começo daquela guerra atroz que envolveria todo o planeta, e seguir ao pé da letra tudo o que contara a si mesmo na carta. Talvez seu destino fosse criar uma estirpe de viajantes temporais. Talvez não tivesse o direito de alterar o futuro, de impedir que o homem chegasse algum dia a viajar no tempo por não aceitar sacrificar a própria vida, por querer ficar ali, ao lado de Jane, naquele passado que tanto lhe havia custado organizar de acordo com seu desejo. Por querer continuar sendo Bertie.

Mas não se tratava apenas de considerar a moralidade de sua escolha, mas também de saber se realmente podia escolher. Wells duvidava que pudesse solucionar o problema simplesmente não comparecendo ao encontro, como pensava seu eu do futuro. Estava certo de que, se não fosse, Marcus acabaria encontrando-o mais cedo ou mais tarde, e o mataria da mesma forma. No fundo, tinha certeza de que o que faria era sua única opção, pensou, apertando o manuscrito de *O homem invisível*, enquanto a carruagem margeava o Green Park em direção a Berkeley Square, onde o esperava o homem que queria tirar sua vida.

Depois de ler a carta, voltou a guardá-la no envelope e ficou um bom tempo sentado. A irônica condescendência com que aquele Wells do futuro se dirigia a ele o deixara incomodado, mas não podia repreendê-lo, já que o autor daquelas palavras não era senão ele mesmo. E tinha de reconhecer que, se estivesse em seu lugar, com todas aquelas vivências nas costas, não conseguiria evitar a tentação de dirigir-se àquele eu imberbe do passado, que mal começava a dar seus primeiros passos no mundo, empregando um tom de indulgência paternal. De fato, foi o que aconteceu. Mas isso era o de menos. O que precisava fazer o quanto antes era assimilar o incrível fato de que ele mesmo havia escrito aquelas páginas, para poder concentrar-se no que realmente importava: a decisão que tomaria em relação a elas. Queria decidir o que fazer considerando a espécie de ética metafísica que entrevia no assunto. Qual das duas vidas que se bifurcavam à sua frente era a que realmente deveria viver, em que vereda deveria se aventurar? Havia alguma maneira de saber? Não. Além disso, segundo a teoria dos mundos múltiplos, as mudanças introduzidas no passado não afetavam o presente, criavam um presente alternativo, uma nova linha de tempo que crescia em paralelo à original, e esta se mantinha incólume. Assim, a bela mensageira que atravessara o tempo para lhe entregar a carta tinha atracado em um universo paralelo, já que no verdadeiro universo ele não fora abordado por ninguém ao chegar em casa, o que significava que, mesmo que não fosse ao encontro, o faria no mundo em que não receberia a carta. Portanto, sua outra vida, a que aquele jocoso Wells do futuro tinha vivido, não desapareceria, de modo que era inútil ver o gesto de não se dobrar diante do destino como uma espécie de aborto temporal.

Precisava decidir então que vida escolher, deixando de lado os fricotes morais. Precisava simplesmente escolher a vida que lhe parecesse mais atraente, aquela que mais lhe agradasse viver. Queria ficar ali com Jane, escrevendo romances, sonhando com o amanhã, ou viver a vida daquele Wells remoto? Queria continuar sendo Bertie ou preferia se transformar no elo que unia o *homo sapiens* ao *homo temporis*? Devia reconhecer que era tentador render-se sem pestanejar ao destino descrito na carta, aceitar aquela vida marcada por episódios emocionantes como o bombardeio de Norwich que, para dizer a verdade, não lhe desagradaria vivenciar com a tranquilidade de saber que sobreviveria. Seria como andar despreocupadamente de um lado para o outro enquanto as bombas caíam do céu, admirando a pavorosa contundência da injustiça humana, a beleza escondida no mais profundo daquele espetáculo de destruição. Para não falar das maravilhas que poderia ver nos deslocamentos através do futuro, repleto de engenhos que nem mesmo Verne chegaria a conceber. Mas para isso teria de sacrificar Jane e, sobretudo, a literatura, pois nunca mais poderia voltar a escrever. Estava disposto a fazer isso? Refletiu durante um bom tempo, até que finalmente decidiu. Então subiu para o quarto, acordou Jane com carícias e, no angustiante e úmido negror daquela noite, escura como a toca de uma toupeira, fizeram amor como se fosse a última vez.

— Foi como se fosse a primeira vez, Bertie — disse ela, gratamente surpresa, antes de dormir novamente.

E ouvindo-a respirar com suavidade a seu lado, Wells entendeu que, como acontecia muitas vezes, sua mulher sabia o que ele queria muito melhor do que ele mesmo; se tivesse perguntado, não teria perdido tempo para tomar uma decisão que, além disso, agora se revelava equivocada. Sim, pensou, às vezes a melhor maneira de saber o que queremos é escolhendo exatamente o contrário.

Abandonou esses pensamentos quando a carruagem parou em frente ao número 50 da Berkeley Square, a casa mais assombrada de Londres. Bem, finalmente havia chegado a hora. Respirou profundamente, desceu da carruagem e se dirigiu à construção sem muita pressa, sentindo os aromas que flutuavam na tarde, com o manuscrito de *O homem invisível* debaixo do braço. Ao entrar, descobriu que Stoker e James já estavam ali, conversando animadamente com o homem que iria matá-los, no centro do círculo de luz traçado pelos candelabros espalhados no vestíbulo. De agora em diante, toda vez que ouvisse algum crítico elogiar a incrível capacidade de observação do norte-americano não conseguiria reprimir uma gargalhada.

— Ah, senhor Wells — exclamou Marcus ao vê-lo —, já estava pensando que não viria.

— Desculpem o atraso, cavalheiros — disse Wells, observando com resignação os dois capangas de Marcus, que estavam muito sérios na borda da toalha de claridade estendida no chão, aguardando a ordem de acabar com aquele trio estúpido.

— Ora, não tem importância — disse o anfitrião. — O que realmente importa é que trouxe seu romance.

— Sim — disse Wells, agitando estupidamente o manuscrito.

Marcus assentiu satisfeito e apontou para a mesinha a seu lado, convidando-o a deixar o livro sobre os outros dois que já estavam ali. Com um gesto nada cerimonioso, Wells pôs o volume em cima da pilha, e em seguida retrocedeu alguns passos. Observou que isso o colocava de frente para Marcus e seus capangas, e à direita de James e Stoker, numa posição que não podia ser mais apropriada para serem fuzilados pelos primeiros.

— Muito obrigado, senhor Wells — disse Marcus, observando com contentamento o butim que reunira na mesinha.

Agora vai sorrir, pensou Wells. E Marcus sorriu. Agora vai parar de sorrir e olhará para nós com repentina gravidade. E Marcus parou de sorrir e os observou com repentina gravidade. E agora vai levantar a mão direita. Mas foi Wells quem levantou a sua. Marcus olhou-o com uma vívida curiosidade.

— Está acontecendo alguma coisa, senhor Wells? — perguntou.

— Ah, espero que *não*, senhor Rhys — respondeu Wells. — Mas logo saberemos.

Ao dizer isso, abaixou a mão varrendo o ar, mas, por sua inexperiência em realizar certos gestos, esse sinal careceu de vigor, parecendo mais alguém balançando um incensário. Apesar de tudo, quem devia interpretá-lo o fez. Ouviu-se um barulho repentino no andar superior, e todos ergueram unanimemente as cabeças na direção do vão das escadas, por onde caía sobre eles algo que nesse momento só puderam definir como uma sombra vagamente humana. Só quando o bravo capitão Derek Shackleton aterrissou, bem no meio do círculo de luz, puderam verificar que se tratava de uma pessoa.

Wells não conseguiu reprimir o riso ao reparar na pose de Tom, com os joelhos flexionados e os músculos tensos, como um felino pronto para saltar sobre sua presa. A luz dos candelabros arrancou belos brilhos de sua armadura, uma couraça metálica que o cobria totalmente, deixando descoberto apenas seu queixo forte e garboso. Era uma imagem verdadeiramente heroica, e só então Wells entendeu por que Tom havia pedido a seus ex-colegas que lhe conseguissem a armadura, que nessa mesma manhã tinham roubado dos camarins de Gilliam Murray. Antes que algum dos presentes entendesse o que estava acontecendo, Shackleton desembainhou o sabre, executou um belo floreio no ar e, como continuação desse movimento, enfiou a ponta no estômago de um dos capangas. O outro tentou reagir apontando sua arma, mas a distância que havia entre eles era pequena demais para que pudesse manobrar, de modo que o capitão dispôs de tempo mais que suficiente para puxar a espada do estômago de sua vítima e virar-se para o outro com um giro elegante. O capanga o viu apontar o sabre com um misto de fascinação e horror, antes que Shackleton o decapitasse com um golpe rápido. Adornada com uma expressão de pavor, a cabeça rolou pelo chão, desaparecendo discretamente na escuridão que reinava além do círculo de luz.

— O senhor trouxe um assassino, Wells? — exclamou James, escandalizado com o sangrento espetáculo que se desenvolvia diante de seu nariz.

Wells o ignorou. Estava ocupado demais, acompanhando os movimentos de Tom com o coração na boca. Marcus finalmente havia reagido. Wells viu-o pegar do chão a arma de um de seus homens e apontar para Tom que, com o sabre tingido de sangue, virou-se para ele no mesmo instante. Havia pelo menos quatro passos entre os dois, e Wells viu com pavor que era uma distância grande demais para que o capitão pudesse atravessá-la antes que o outro atirasse. E não se enganou: Tom mal conseguiu dar um passo antes de receber o impacto do raio de calor no meio do peito. Sua armadura saltou em pedaços, como a carapaça de um crustáceo ao receber o golpe de um martelo, e o capitão caiu para trás, perdendo o capacete na queda. A potência do disparo o fez rolar pelo chão, até que afinal ficou imóvel, com uma cratera fumegante no meio do peito e o belo rosto iluminado pela luz do candelabro mais próximo. Brotava de seus lábios um filete de sangue, e em seus belos olhos verdes só brilhava a chama das velas.

O grunhido de triunfo de Marcus rompeu o silêncio, e obrigou Wells a tirar os olhos de Tom e fixá-los nele. Visivelmente incrédulo, Marcus observava os três cadáveres espalhados a seu redor. Balançou a cabeça lentamente durante alguns segundos e depois virou-se para os escritores, que estavam encolhidos do outro lado do vestíbulo.

— Boa tentativa, senhor Wells — disse, caminhando ágil até eles, enquanto exibia um sorriso feroz. — Reconheço que me surpreendeu. Mas seu plano só serviu para somar alguns cadáveres mais ao lote.

Wells não respondeu. Viu que Marcus levantava a arma e apontava para seu peito, e sentiu que uma vertigem repentina o dominava. Pensou que devia ser o enjoo que anunciava o deslocamento. Afinal, ia viajar para o ano 1888. Tinha tentado impedir isso, mas ao que parece não podia fugir a seu destino. Provavelmente, haveria um universo em que Shackleton teria tempo de acabar com Marcus, e assim ele não viajaria no tempo e poderia continuar sendo Bertie, mas infelizmente estava em outro, um universo muito parecido com o do Wells do futuro, em que ele também se deslocaria oito anos para o passado, mas no qual o capitão Shackleton morrera atravessado por um poderoso raio de calor.

Ao constatar seu fracasso, Wells só pôde sorrir com tristeza enquanto Marcus deslizava o dedo pelo gatilho. Nesse momento ouviu-se um tiro. Mas um tiro disparado por uma arma tradicional. Então foi Marcus quem sorriu com tristeza para Wells. Um segundo depois, abaixou a arma e deixou-a escorregar de suas mãos para o chão, como se de repente a considerasse um objeto inútil. Em seguida, com a voluptuosidade preguiçosa de uma marionete cujos fios vão sendo cortados um a um, fincou os joelhos no chão, sentou-se e, finalmente, acabou esticado no vestíbulo, sorrindo para os presentes com um esgar encharcado de sangue. Atrás dele, com sua pistola fumegante, Wells viu o inspetor Colin Garrett.

Um tanto aturdido com a aparição do rapaz, perguntou-se se o inspetor o estivera vigiando todo aquele tempo. Não, não podia ser, pois se fosse espionado por Garrett no universo original, ou seja, no universo em que viajaria indevidamente no tempo e escreveria uma carta para si mesmo, assim que evaporasse no ar diante do olhar atônito de todos, o inspetor entraria em cena e apanharia Marcus, ou, ao menos, caso este conseguisse fugir, pelo espaço ou pelo tempo, descobriria tudo, e Wells sabia que isso não havia acontecido, porque seu eu futuro tinha lido uma matéria que informava que os escritores Bram Stoker e Henry James haviam aparecido mortos em circunstâncias estranhas depois de passarem a noite enfrentando o misterioso fantasma da Berkeley Square. Era evidente que, se Garrett tivesse sido testemunha do fato, essa matéria não teria existido. Portanto, o inspetor não devia estar naquele universo, como não havia estado no anterior. A única carta nova na mesa devia ser Shackleton, a quem ele próprio pedira ajuda para lutar contra o destino. Portanto, a presença de Garrett só podia ter sido determinada por este, o que levou o escritor a considerar que possivelmente o inspetor havia seguido Shackleton até ali.

E estava certo, porque eu, que tudo vejo, posso afirmar que apenas duas horas antes, ao retornar de um delicioso passeio pelo Green Park em companhia da senhorita Nelson, Garrett tinha esbarrado em um homem enorme em Piccadilly. Depois do encontrão, virou-se para pedir desculpas, mas o homem parecia estar com muita pressa e nem sequer se deteve. Mas aquela estranha pressa não foi a única coisa que despertou a curiosidade de Garrett; também ficou intrigado com a extraordinária solidez de seu corpo, que havia deixado seu ombro terrivelmente dolorido. O choque fora tão brutal que o fez pensar que sob o longo casaco o homem devia estar usando algo como uma armadura medieval. Um segundo depois essa ideia não lhe pareceu tão desatinada. Cravou os olhos nas estranhas botas do desconhecido e então, com um brusco estremecimento, percebeu quem era o homem no qual tinha acabado de esbarrar. Ficou boquiaberto, sem acreditar. Tentando se acalmar, decidiu seguir Shackleton com cautela, apertando o revólver no bolso com a mão trêmula, sem saber bem o que fazer. O melhor seria segui-lo por um tempo, pensou, pelo menos até descobrir para onde se dirigia com tanta pressa. Entre a euforia e a cautela, Garrett seguiu-o ao longo de toda Old Bond Street, contendo o fôlego toda vez que seus pés arrancavam da folhagem um rangido de pergaminhos antigos, e depois pela Bruton Street, até finalmente chegar à Berkeley Square. Uma vez ali, Shackleton parou na frente de um imóvel de aspecto abandonado, cuja fachada imediatamente começou a escalar, até desaparecer por uma janela do andar de cima. O inspetor, que presenciou a manobra escondido atrás de uma árvore, não sabia o que fazer. Também devia entrar na casa? Mas antes que pudesse responder viu uma carruagem parar em frente à deteriorada fachada do imóvel da qual desceu, para aumentar ainda mais sua surpresa, o escritor H. G. Wells, que se dirigiu para a casa com grande tranquilidade, até desaparecer também em seu interior, mas usando a porta. Garrett se perguntou atônito que relação teriam o escritor e o homem do futuro. Só havia um modo de descobrir. Atravessou a rua sigilosamente, escalou a fachada do prédio e se introduziu pela mesma janela pela qual o capitão Shackleton entrara alguns minutos antes. Uma vez no interior escuro do imóvel, presenciou toda a cena sem ser visto. E agora sabia que Shackleton não viera do futuro para exercer o mal impunemente, como havia pensado a princípio, mas para ajudar Wells contra aquele viajante do tempo chamado Marcus, cujo malévolo plano, pelo que tinha conseguido deduzir, parecia ser apoderar-se de uma de suas obras.

Wells viu o inspetor ajoelhar-se diante do cadáver de Tom e fechar seus olhos com ternura. Depois Garrett se levantou, sorriu para os escritores com seu sorriso de menino e disse alguma coisa, mas Wells não pôde ouvi-lo porque, nesse exato momento, aquele universo desapareceu como se nunca houvesse existido.

XLII

Quando a alavanca da máquina do tempo completou seu percurso, não aconteceu nada. Uma rápida olhada em volta indicou a Wells que continuava parado em 20 de novembro de 1896. Sorriu com tristeza, mas teve a estranha sensação de que estava sorrindo assim desde muito antes de puxar a alavanca e confirmar o que já sabia: que, apesar de sua majestosa beleza, aquele trambolho não passava de um brinquedo. O ano 2000 — o verdadeiro ano 2000, não aquele que o farsante do Gilliam Murray tinha inventado — estava fora de seu alcance. Assim como o resto do futuro, aliás. Podia realizar aquele ritual quantas vezes quisesse, mas apenas como uma representação: nunca viajaria no tempo. Ninguém podia fazer isso. Ninguém. Estava preso naquele presente do qual nunca poderia escapar.

Com a expressão melancólica, levantou-se da máquina e se aproximou da janela do sótão. A noite estava calma. Um silêncio inocente recobria maternalmente os campos e as casas vizinhas, e o mundo parecia rendido, terrivelmente indefeso, à sua mercê. Podia mudar a ordem das árvores, pintar as flores de outra cor ou fazer qualquer outra traquinagem com absoluta impunidade, pois, naquele universo em repouso, Wells teve a sensação de ser o único homem acordado sobre a Terra. Sentiu que se aguçasse o ouvido poderia escutar o suspiro dos mares quebrando nas praias, o infatigável crescimento da grama, o suave arranhão que as nuvens deixavam na pele do céu e até o rangido de madeira velha que o planeta emitia ao girar sobre seu eixo. E essa serenidade também arrulhava sua alma, pois quando punha o ponto final em um romance, como acabava de fazer com *O homem invisível,* sempre se sentia inundado por uma poderosa calma. Agora voltava a estar no ponto de partida, esse momento que tanto seduzia e aterrorizava os escritores porque era quando precisavam decidir que nova história enfrentar entre as muitas que flutuavam no ar, a que trama se acorrentar por um longo tempo; e precisavam escolher com tato, estudando calmamente todas as opções, como se estivessem em um incrível camarim cheio de possíveis trajes para um baile, pois havia histórias perigosas, histórias que resistiam a ser habitadas e histórias que devastavam as vísceras daqueles que as escreviam ou, o que era ainda pior, luxuosos trajes de imperador que com o tempo se revelavam um punhado de farrapos. Nesse momento, antes de pousar a primeira palavra no papel com um cuidado reverencial, podia escrever qualquer coisa, e isso inoculava em seu sangue o veneno de uma liberdade feroz, mas tão bonita quanto fugaz, pois tinha consciência de que desapareceria no instante em que escolhesse uma história e perdesse inevitavelmente todas as outras.

Observou as estrelas espalhadas pelo céu com um sorriso quase pastoril. De repente, sentiu uma pontada de medo. Tinha se lembrado de uma conversa com seu irmão Frank alguns meses antes, em sua última visita àquela casa de Nyewood onde, como trastes inúteis num sótão, sua família se amontoava. Quando os outros foram dormir, Frank e ele saíram até o alpendre com cigarros e cervejas, sem outra intenção além de deixar-se surpreender por um firmamento que cintilava majestoso, cheio de estrelas, como o peitilho de um general destemido. Sob aquele manto, que deixava entrever um tanto obscenamente a profundidade do universo, os assuntos dos homens pareciam tremendamente insignificantes e a vida adquiria um certo ar de brincadeira. Wells deu um gole em sua cerveja, deixando que Frank rompesse quando quisesse aquele silêncio atávico que caía sobre o mundo. Apesar dos golpes que ele recebera da vida, quando ia a Nyewood sempre encontrava o irmão transbordante de otimismo, talvez por ter descoberto que aquele júbilo elementar era o que podia mantê-lo a salvo, e esse otimismo buscava sua razão de ser em coisas concretas, como o orgulho de ser súdito do Império Britânico devia provocar em qualquer homem. Talvez por isso, Frank tinha começado a elogiar as conquistas da política colonial, e Wells, que detestava o modo despótico com que seu país estava se apropriando do mundo, foi obrigado a mencionar os efeitos nocivos que a colonização britânica tivera sobre os cinco mil aborígines da Tasmânia que em pouco tempo se viram reduzidos a um número quase insignificante. Os tasmanianos não foram seduzidos por valores superiores aos de sua cultura, tentou explicar Wells a um embriagado Frank, eles foram conquistados pela poderosa tecnologia do Império, da mesma forma que o Império poderia ser conquistado por uma tecnologia superior à sua. Isto fez o irmão rir. Não existia no mundo conhecido uma tecnologia superior à do Império, afirmou com uma ébria altivez. Wells não discutiu, mas, quando Frank voltou para dentro, ficou contemplando as estrelas com apreensão. No mundo conhecido, talvez não, mas, e nos outros?

Agora voltava a observar o céu com o mesmo receio, especialmente o planeta Marte, um pontinho pouco maior que a cabeça de um alfinete. No entanto, apesar de sua insignificante presença no firmamento, especulava-se sobre a possibilidade de que Marte pudesse ser habitado. O planeta vermelho estava envolto na gaze de uma atmosfera tênue, e embora carecesse de oceanos, tinha calotas polares de gelo carbônico. Todos os astrônomos afirmavam que, depois da Terra, aquele era o planeta do sistema solar que dispunha das melhores condições para que a vida pudesse desabrochar. E isso havia deixado de ser uma suspeita de alguns para tornar-se a certeza de muitos quando, alguns anos antes, o astrônomo Giovani Schiaparelli descobrira linhas, que bem podiam ser canais, atravessando sua superfície avermelhada, uma prova irrefutável da engenharia marciana. Mas e se os marcianos existissem e não fossem inferiores a eles? E se não fossem um povo primitivo disposto a dar boas-vindas a uma expedição missionária terráquea, como os indígenas do Novo Mundo, mas uma espécie mais inteligente que o ser humano, capaz de olhá-lo de cima, da mesma forma que ele olhava para os macacos e os lêmures? E o que aconteceria se contassem com a tecnologia necessária para atravessar o espaço e atracar em nosso planeta movidos pelo mesmo afã conquistador que guiava o homem? O que fariam seus compatriotas, os supremos conquistadores, diante de alguém que quisesse conquistá-los, aniquilando seus valores e sua autoestima, como eles faziam com os povos invadidos sob o aplauso de pessoas como Frank? Wells alisou o bigode, considerando as possibilidades dessa ideia, imaginando imediatamente uma invasão marciana, uma chuva de discos movidos a vapor pousando nos aprazíveis prados comunais de Woking.

Perguntou-se se não teria encontrado o tema de seu próximo romance. Aquela excitante sensação em sua mente indicava que sim, mas se preocupava com o que seu editor pudesse pensar a respeito. Uma invasão marciana? Será que ouvira bem, era isso o que se passava em sua cabeça depois de inventar uma máquina de viajar no tempo, um cientista que dotava os animais de humanidade remendando aqui e ali e outro vítima da invisibilidade? Henley havia elogiado seu talento depois da excelente acolhida crítica de *Uma visita maravilhosa*, seu livro anterior. De fato, não fazia ciência como Verne, mas empregava algo assim como uma "lógica implacável" que tornava suas ideias verossímeis. Sem falar de sua prodigiosa capacidade de trabalho, que lhe permitia escrever vários romances por ano. Mas Henley tinha sérias dúvidas de que livros tirados da cartola a tal velocidade fossem realmente literatura. Se queria que seu nome fosse mais do que a marca de um novo molho ou um novo sabão, precisava parar o quanto antes de dilapidar seus enormes romances que eram, ninguém podia negar, uma festa da imaginação, mas não tinham a profundidade necessária para impregnar o espírito dos leitores. Definitivamente, se queria ser um escritor brilhante, e não apenas um narrador competente e engenhoso, precisava exigir de si mesmo esforços maiores que aquelas fabulazinhas que executava em quatro dias. Sim, a literatura era mais, muito mais. A verdadeira literatura precisava mexer com o leitor, alterá-lo, mudar sua percepção das coisas, empurrá-lo pelas escarpas da clarividência.

Mas será que ele entendia o mundo de maneira suficientemente profunda para extrair suas verdades e transmiti-las? Será que podia modificar os leitores com sua palavra? E, em caso positivo, em que devia transformá-los? Em pessoas melhores, é claro. Mas com que tipo de história poderia fazer isso? O que devia contar para arrastá-los até o estado de discernimento de que Henley falava? Transformaria a rotina de seus leitores apresentando a eles uma massa viscosa dotada de uma boca salivante, olhos gigantescos e um feixe de tentáculos revoltosos? Talvez, pensou, se mostrasse os marcianos dessa forma, o mais provável seria que os súditos do Império parassem de comer polvo.

Alguma coisa alterou a calma da noite, tirando-o de seus pensamentos. Não se tratava, porém, de nenhum disco vindo do espaço, mas da carroça do filho dos Scheffer. Wells viu-a parar em frente à porta de sua casa e sorriu ao distinguir o rapaz na boleia, semiadormecido. O garoto não se importava em madrugar se fosse para conseguir alguns *pennies*. Wells desceu a escada, pegou o casaco e saiu de casa sem fazer barulho, para não acordar Jane. Sabia que a esposa não aprovaria o que iria fazer, nem podia lhe explicar por que era obrigado a fazê-lo, apesar de saber que se tratava de um ato que ninguém esperaria de um cavalheiro. Cumprimentou o garoto, olha com aprovação para a carga — dessa vez o rapaz se esmerara — e subiu na boleia. Em seguida, o garoto estalou as rédeas e seguiram, rumo a Londres.

No caminho trocaram um punhado de banalidades que nem vale a pena resumir. Wells dedicou a maior parte do tempo a observar em silêncio e com absorta fascinação aquele mundo entorpecido, despreparado, tão exposto a ser atacado por criaturas do espaço. Olhou de soslaio para o garoto dos Scheffer e se perguntou como reagiria diante de uma invasão extraterrestre alguém com uma mente rudimentar como a dele, que provavelmente acreditasse que o mundo acabava onde sua vista alcançava. Imaginou um pequeno destacamento de caipiras se aproximando do lugar em que a nave marciana caíra, balançando uma bandeirinha branca sem muita convicção, e os extraterrestres respondendo àquela ingênua saudação aniquilando-os no ato com uma labareda cegante, uma espécie de raio de calor que, depois de varrer a terra, deixaria no solo uma área queimada em forma de curva, coalhada de corpos carbonizados e árvores fumegantes.

Parou de pensar em invasões marcianas quando o veículo irrompeu na adormecida Londres, para concentrar-se no que fora fazer. Perfurando o silêncio noturno com o repicar dos cascos do cavalo, atravessaram uma meada de ruas, cada qual mais desolada, até chegar à Greek Street. Wells não conseguiu conter um risinho travesso quando o rapaz parou a carroça em frente à fachada da Viagens Temporais Murray. Deu uma olhada na rua, verificando com satisfação que estava deserta.

— Muito bem, rapaz — disse, descendo. — Vamos lá.

Tiraram várias latas da traseira da carroça e se aproximaram da fachada. Tentando manter alguma discrição, mergulharam a vassoura nos excrementos de vaca que as latas continham e começaram a emporcalhar a parede da fachada. Esse repugnante trabalho não levou mais de dez minutos. Quando terminaram, um cheiro nauseabundo flutuava no ar, mas mesmo assim Wells o aspirou com supremo deleite: era o cheiro de sua fúria, do ódio que era obrigado a engolir, da raiva que fermentava dentro dele sem descanso nem propósito. O rapaz ficou um tanto sobressaltado ao vê-lo inspirar assim.

— Por que faz isso, senhor Wells? — atreveu-se a perguntar.

Wells olhou-o com uma intensidade aterradora por alguns instantes. Mesmo para uma alma simples como aquela, devia parecer absurdo que alguém dedicasse as noites a uma tarefa tão extravagante e asquerosa.

— Porque, entre fazer alguma coisa e não fazer nada, é isso o que eu posso fazer.

Ao ouvir essas palavras obscuras o confuso rapaz fez um movimento com a cabeça — talvez se lamentasse de ter se atrevido a bisbilhotar os mistérios que guiavam os atos dos escritores. Wells pagou o combinado e lhe disse que voltasse para Woking. Ele ainda tinha coisas a fazer em Londres. O garoto assentiu sem esconder seu alívio: não queria nem pensar que tipo de coisas podiam ser. Subiu na carroça e, atiçando o cavalo, desapareceu no final da rua.

XLIII

Wells observou a pitoresca fachada da empresa Viagens Temporais Murray e se perguntou novamente como era possível que aquele modesto teatro abrigasse o imenso cenário que Tom havia descrito, a Londres devastada do ano 2000. Era um enigma que mais cedo ou mais tarde ele deveria tentar resolver, mas por enquanto era melhor esquecer se não quisesse acabar irritado por constatar a astúcia de seu rival de um modo tão indiscutível. Decidido a não pensar mais nisso, balançou a cabeça e admirou orgulhoso sua obra durante alguns minutos. Depois, com a alegria do trabalho benfeito, se encaminhou rumo à ponte de Waterloo. Não conhecia melhor camarote para presenciar o belo espetáculo do amanhecer. O negror do céu logo começaria a ser quebrado pelo aríete da alvorada, e ele bem podia ficar alguns minutos contemplando aquele colorido duelo antes de ir para o escritório de Henley.

Na verdade, qualquer desculpa era válida para adiar o encontro com o editor, pois tinha certeza de que seu novo manuscrito não iria entusiasmá-lo muito. Henley aceitaria publicá-lo, naturalmente, mas ele não se livraria de um daqueles sermões com os quais pretendia reconduzi-lo ao curral dos escritores destinados à história da literatura. E, pensou de repente, por que não ouvi-lo, por que não aceitar seus conselhos? Sim, por que não parar de escrever para leitores ingênuos, desses que se deixam impressionar facilmente por qualquer relato de aventuras, por qualquer história mais ou menos imaginativa, e dirigir-se a pessoas mais cultas, aos leitores que desprezam a diversão e o entretenimento das ficções populares em favor de uma literatura grave e profunda que lhes explique o universo, que explique até mesmo sua delicada condição de insetos ao longo dos séculos. Talvez devesse se atrever a escrever outro tipo de história, algo que tocasse a alma dos leitores de um modo diferente, um romance cuja leitura implicasse qualquer coisa como uma revelação, tal como Henley queria.

Mergulhado nessas considerações, Wells entrou pela Charing Cross Road e emergiu na Strand. A essa altura um novo dia já começava a surgir silenciosamente a seu redor. Pouco a pouco, o negror do céu ia se diluindo, dando lugar a um azul violento, um tanto irreal, que em seguida começou a clarear a partir do horizonte, adquirindo o suave tom violáceo que precederia o alaranjado. Ao longe, o escritor distinguiu a silhueta da ponte de Waterloo se perfilando com cada vez mais nitidez contra a escuridão moribunda, lentamente corroída pela luz. Uma sinfonia de sons leves e misteriosos chegou então a seus ouvidos, fazendo-o sorrir satisfeito. A cidade começava a acordar, e aqueles barulhinhos dispersos espalhados no ar logo se transformariam no sincero e tenaz fervilhar da vida, um ruído insuportável que talvez se estendesse pelas veredas do espaço, transformado em um prazenteiro zumbido de abelhas, anunciando o quanto estava habitado o terceiro planeta do sistema solar.

Enquanto rumava para a ponte, Wells só conseguia ver o que estava bem à sua frente, mas de algum modo se sentia em meio a uma grande representação teatral que, pelo fato de estarem envolvidos, sem exceção, todos os habitantes da metrópole, parecia se desenvolver para ninguém. Exceto, talvez, pensou, para os atentos marcianos, que escrutinavam os assuntos humanos como um homem espiaria por um microscópio as criaturas transitórias que pululam em uma gota de água. E de fato era assim, pois, enquanto alinhavava distraidamente seus passos ao longo da Strand, dúzias de barcaças carregadas de ostras sulcavam as cada vez mais alaranjadas águas do Tâmisa, em um silêncio fantasmagórico, indo de Chelsea Reach para a Billingsgate, em cujo porto um formigueiro humano transportava o pescado para a terra ao longo das docas, e nos bairros ricos, perfumados pelo aroma das finas padarias e dos cestos das violeteiras, as pessoas saíam de suas casas luxuosas para seus não menos luxuosos escritórios, atravessando as ruas que começavam a ficar lotadas de cabriolés, carruagens, coletivos e todo tipo de veículos com rodas estalando ritmicamente sobre o pavimento e, nas alturas, as chaminés das fábricas misturavam sua fumaça com a bruma exalada pelo rio, fabricando um sudário de névoa denso e pegajoso, e um exército de carretas puxadas por mulas ou empurradas à mão, transbordantes de frutas, hortaliças, enguias e polvos se posicionava em Covent Garden em meio a uma gritaria dos diabos, e o inspetor Garrett chegava sem tomar o café da manhã a Sloane Street, onde o senhor Ferguson o esperava, para informar um tanto atemorizado que alguém havia atirado nele na noite anterior, e até lhe mostrava o buraco que a bala fizera em seu chapéu, pelo qual mostrava a minhoca de seu dedo gorducho, e Garrett observava a área com um olhar estimativo e se introduzia entre os arbustos do jardim que cercava o imóvel, e não podia evitar que um sorriso de afeto se derramasse em seus lábios ao avistar o simpático pássaro kiwi que alguém havia desenhado na terra, e olhava para a rua, certificando-se que ninguém o observava, antes de apagá-lo rapidamente com o pé e logo depois sair do meio dos arbustos encolhendo os ombros, e no mesmo instante em que, com um olhar falsamente consternado, comentava com Ferguson que não havia encontrado nenhuma pista, em um quarto de uma hospedaria no bairro de Bethnal Green, John Peachey, o homem que até morrer afogado no Tâmisa era conhecido como Tom Blunt, abraçava a mulher que amava, e Claire Haggerty se deixava abrigar em seus fortes braços, contente de que por sua causa ele tivesse fugido do futuro, do desolador ano 2000, no qual nesse momento, encarapitado em um penhasco, o capitão Derek Shackleton afirmava com uma voz desagradavelmente aguda que se aquela guerra trouxera algum benefício era que havia unido a raça humana como nenhuma outra conseguira fazer, e Gilliam Murray balançava a cabeça pesaroso, pensando que aquela seria a última expedição que iria organizar, que estava farto de incompetentes e do maldito desalmado que sujava de merda a fachada de sua empresa, que havia chegado a hora de preparar a própria morte, de simular ser devorado por um dos inquietos dragões que habitavam a quarta dimensão, entre cujos dentes afiados estava sendo avidamente triturado em sonhos Charles Winslow que, naquele instante, acordava sobressaltado e encharcado de suor, assustando com seus gritos as duas prostitutas chinesas que dormiam em seu leito, enquanto seu primo Andrew, que no mesmo momento estava debruçado na ponte de Waterloo seguindo os avanços do amanhecer, via caminhar em sua direção um indivíduo com cara de pássaro que lhe era familiar.

— Senhor Wells? — chamou-o quando o outro passou a seu lado.

O escritor se deteve e observou o jovem durante alguns segundos, tentando lembrar onde o tinha visto antes.

— Não se lembra de mim? — disse o rapaz. — Sou Andrew Harrington.

Ao ouvir o nome, Wells se lembrou imediatamente. Era o rapaz cuja vida salvara algumas semanas antes, ao evitar que se suicidasse montando uma elaborada pantomima que lhe permitira enfrentar Jack, o Estripador, o assassino que aterrorizara Whitechapel no outono de 1888.

— Sim, senhor Harrington, é claro que me lembro — disse, alegre por ver que o jovem continuava vivo e ele não tinha trabalhado em vão. — Fico muito contente em vê-lo.

— Eu também fico feliz em vê-lo, senhor Wells — disse Andrew.

Permaneceram alguns segundos em silêncio, sorrindo estupidamente.

— Já destruiu sua máquina do tempo? — interessou-se Andrew.

— Ah... sim, sim — respondeu atropeladamente Wells, e logo em seguida tentou mudar de assunto: — O que faz por aqui? Veio ver o amanhecer?

— Exatamente — confessou o outro, virando-se para observar o céu, que naquele momento era um belo tecido de tons alaranjados e purpúreos. — Mas o que estou tentando ver é o que há por trás.

— Por trás? — perguntou surpreso Wells.

Andrew assentiu.

— Lembra-se do que me disse quando voltei do passado em sua máquina do tempo? — perguntou, procurando alguma coisa no bolso da capa. — O senhor disse que eu havia matado Jack, o Estripador, por mais que este recorte de jornal negasse.

Andrew lhe mostrou o mesmo recorte amarelado que mostrara na cozinha de sua casa em Woking, alguns dias antes. "Jack, o Estripador, volta a matar!", dizia a manchete, e em seguida inventariava os atrozes ferimentos que o monstro tinha infligido a sua quinta vítima, a prostituta de Whitechapel que o jovem amava. Wells assentiu, sem conseguir deixar de se perguntar, como todo mundo fez depois, o que teria sido daquele assassino desumano, por que de repente ele parara de matar, desaparecendo sem deixar rastro.

— Mas meu ato produziu uma bifurcação no tempo — continuou Andrew depois de guardar o recorte no bolso. — Um mundo paralelo, acho que foi assim que o chamou. Naquele mundo Marie Kelly estava viva e era feliz ao lado do meu duplo. Infelizmente, porém, eu estava no universo errado.

— Sim, eu me lembro — disse Wells com extrema cautela, sem saber aonde o jovem queria chegar.

— Pois bem, senhor Wells. O fato de conseguir salvar Marie Kelly me fez esquecer o suicídio e decidi seguir com minha vida. E é o que estou fazendo. Acabei de ficar noivo de uma mulher adorável, e tento desfrutar sua companhia e os pequenos prazeres da vida. — Fez uma pausa e ergueu de novo o rosto para o céu. — Mas venho aqui todo amanhecer e tento ver esse mundo paralelo do qual me falou, onde supostamente sou feliz ao lado de Marie Kelly. E sabe de uma coisa, senhor Wells?

— O quê? — perguntou o escritor engolindo em seco, temendo que o jovem se virasse repentinamente para ele e o atacasse, ou o agarrasse pela gola do casaco e tentasse jogá-lo no rio, como vingança por tê-lo enganado de um modo tão pueril.

— Às vezes consigo vê-lo — disse Andrew, quase em um sussurro trêmulo.

O escritor o observou cheio de perplexidade.

— Vê-lo?

— Sim, senhor Wells — repetiu o rapaz, com um sorriso de felicidade próprio de quem teve uma revelação —, às vezes o vejo.

Wells não sabia se Andrew acreditava mesmo naquilo ou se simplesmente decidira acreditar, mas não importava muito, pois o efeito sobre o jovem parecia ser o mesmo: sua mentira, como o gelo, o mantinha intacto. Observou como ele admirava o amanhecer, ou talvez o que havia "atrás", com uma expressão de êxtase quase infantil iluminando seu rosto, e não pôde deixar de se perguntar qual dos dois estava realmente errado, se o escritor cético, incapaz de acreditar nas coisas que ele mesmo inventava, ou aquele jovem desesperado que, em um admirável ato de fé, havia decidido acreditar em sua bela mentira, baseando-se no fato de que tampouco se podia demonstrar que não era verdade.

— Foi um prazer revê-lo, senhor Wells — disse então Andrew, virando-se para ele e estendendo a mão.

— Igualmente — respondeu Wells, apertando-a.

Depois da despedida, Wells observou por alguns segundos o rapaz se afastar, caminhando languidamente ao longo da ponte, envolto na claridade dourada do amanhecer. Os mundos paralelos. Tinha se esquecido completamente daquela teoria que fora obrigado a improvisar para salvar a vida do jovem. Mas existiriam realmente? Seria verdade que cada escolha que o homem faz ramifica o mundo? Na verdade era ingênuo pensar que diante de cada dilema só se fosse escolher uma alternativa. O que acontecia então com os universos não escolhidos, com os mundos que se foram por água abaixo? Por que teriam menos direito de existir que os outros? Wells duvidava que a configuração do universo dependesse da caprichosa vontade do homem, essa criatura volúvel e medrosa. Seria mais lógico pensar que o universo é muito mais rico e insondável que o que nossos sentidos podem perceber e que, quando o homem dispõe de duas ou mais opções, inevitavelmente acaba escolhendo todas, porque no fundo sua capacidade de escolher não passa de uma ilusão. Assim, o mundo se divide incessantemente em outros mundos, mundos que revelam a amplitude e a complexidade do universo, mundos que exploram todo seu potencial, que apuram todas as suas possibilidades, mundos que crescem uns ao lado dos outros e talvez se diferenciem do vizinho em coisas tão insignificantes como o número de moscas, porque até o fato de matar ou não um desses incômodos insetos significa uma escolha, é um gesto mínimo que mesmo assim cria um novo universo.

E quantas moscas ele tinha matado ou deixado viver, ou quantas dessas infelizes que lutavam contra os vidros das janelas havia simplesmente mutilado, arrancando suas asas enquanto pensava em como resolver algum impasse de seus romances? Talvez fosse um exemplo ridículo, pensou Wells, já que suas decisões sobre o assunto não teriam alterado o mundo de forma irremediável. Afinal, um homem podia passar a vida mutilando moscas sem conseguir fazer o trem da história descarrilar. Mas, evidentemente, seu funcionamento podia ser aplicado a decisões muito mais relevantes, e não pôde deixar de lembrar da segunda vez que Gilliam Murray foi visitá-lo. Por acaso ele também não se debateu entre duas opções, por acaso não fez uma escolha? Embriagado de poder, Wells decidira esmagar a mosca, e isso deu origem a um universo em que existia uma empresa que vendia viagens para o futuro, o absurdo universo em que ele se encontrava preso. Mas, e se tivesse escolhido o contrário? E se tivesse decidido ajudar Murray a publicar seu romance? Nesse caso viveria em um mundo semelhante ao de agora, mas a empresa temporal não existiria, um mundo no qual a pilha dos romancezinhos científicos destinados ao fogo deveria receber mais um: *Capitão Derek Shackleton, a verdadeira e trepidante história de um herói do futuro*, de Gilliam F. Murray.

Portanto, com um número quase infinito de mundos diferentes, refletiu Wells, tudo o que era passível de acontecer, acontecia. Ou, o que dava na mesma: qualquer mundo, civilização, criatura ou situação que ele pudesse imaginar já existia. Haveria, por exemplo, um mundo dominado por alguma espécie não mamífera, e outro de homens-pássaros que viviam em ninhos gigantescos, e outro onde o homem contaria os dedos das mãos usando um sistema alfabético, e outro no qual o sono apagava a memória e toda manhã nascia uma nova vida, e outro onde existiria realmente um detetive que atendia pelo nome de Sherlock Holmes, cujo braço direito era um garoto esperto chamado Oliver Twist, e até um momento em que um inventor teria construído uma máquina do tempo e descoberto um paraíso putrefato no ano 802701. E, levando as coisas ao extremo, também existiria em algum lugar um universo regido por leis físicas diferentes das que Newton fixou, e, portanto, poderia ser habitado por fadas, unicórnios, sereias e animais falantes, pois, em um universo onde tudo fosse possível, nem sequer os contos infantis seriam invenções, mas apenas plágios de outros mundos paralelos que os autores teriam conseguido vislumbrar por algum motivo caprichoso.

Ninguém inventava nada, então? Todo mundo copiava?, perguntou-se Wells. O escritor refletiu vários minutos sobre o assunto, que eu aproveitarei para me despedir de vocês, considerando que já se pressente o final desta história, como fazem os atores que começam a acenar antes de deixar o palco. Muito obrigado por sua atenção, espero sinceramente que tenham gostado do espetáculo. Retornemos agora a Wells, que voltava a si depois de um calafrio de ordem quase metafísica: aquele louco raciocínio o levara a fazer outra pergunta: e se sua vida estivesse sendo escrita por alguém de outra realidade, por exemplo, daquele universo paralelo tão parecido com o dele mas onde não existia nenhuma empresa de viagens temporais e Gilliam Murray era um escritor de livrinhos desprezíveis? Considerou seriamente a possibilidade de que alguém pudesse copiar sua existência e publicá-la como ficção. Mas quem iria se incomodar em fazer isso? Ele não era nenhum herói de romance. Se naufragasse em alguma ilha tropical remota, como Robinson Crusoé, não conseguiria fabricar sequer uma maldita vasilha de barro. Por outro lado, sua vida era tediosa demais para que alguém pudesse narrá-la de uma forma que parecesse emocionante. Devia reconhecer, no entanto, que as últimas semanas haviam sido um tanto agitadas: em questão de dias, salvara as vidas de Andrew Harrington e de Claire Haggerty usando sua imaginação, conforme Jane se encarregou de enfatizar com certa dramaticidade, como se falasse para espectadores que lotavam uma plateia que ele não podia ver. No primeiro caso, precisou simular que dispunha de uma máquina do tempo como a de seu romance, e no segundo precisou fingir ser um herói do futuro que escrevia cartas de amor. Haveria em tudo isso material para um livro? Era possível. Podia ser um romance que narrasse a criação da empresa Viagens Temporais Murray, para a qual ele infelizmente tinha contribuído, e que surpreendesse os leitores na metade, quando descobrissem que o ano 2000 não passava de um cenário construído no presente com entulhos de demolição, mas isto só seria uma surpresa para os leitores de sua época, obviamente. Se o romance sobrevivesse à passagem do tempo e fosse lido por leitores de uma época posterior ao ano 2000, não haveria nenhum segredo a revelar, pois a própria realidade teria desmentido o futuro exposto na história. Mas isto significava que não poderia escrever um livro centrado em sua época no qual se especulasse com um futuro que já era passado para o autor? Era triste pensar isso. Preferia pensar que os leitores entenderiam que deviam ler o romance como se estivessem em 1896, como se eles, enfim, também tivessem realizado uma viagem no tempo. De todo modo, devido à sua escassa vocação de herói, deveria ser um romance em que ele fosse um personagem secundário, alguém a quem os outros, os verdadeiros protagonistas da história, recorriam em algum momento.

Mas se alguém, em algum universo vizinho, tinha empreendido a escritura de sua vida, fosse na época que fosse, esperava para seu próprio bem que já estivesse na última página, pois duvidava que sua existência continuasse no mesmo diapasão. Provavelmente, nas duas últimas semanas havia esgotado toda sua cota de emoções e agora sua vida voltaria a transcorrer em um aprazível tédio, como a de qualquer outro escritor.

Olhou para Andrew Harrington, o personagem com que aquele hipotético romance deveria começar, e vendo-o caminhar ao longe, provavelmente com um sorriso de euforia nos lábios, tingido pelo dourado do amanhecer, pensou que essa imagem era perfeita para pôr o ponto final na história e se perguntou, como se de algum modo pudesse me ver ou sentir, se realmente haveria alguém fazendo isso naquele instante, e em seguida começou a sentir a felicidade que sempre invade os escritores quando terminam um romance, uma felicidade que nenhuma outra coisa na vida proporciona, nem beber uísque escocês na banheira até a água esfriar, nem acariciar um corpo, nem mesmo sentir na pele a deliciosa brisa que anuncia o verão.

Sanlúcar de Barrameda
Outubro de 2006-Março de 2008

Agradecimentos

O ofício de escritor é o mais solitário que existe. E isso é algo que os que ganham a vida dessa forma aceitam logo de início. Imagino que se nós, escritores, quiséssemos conhecer gente, trabalharíamos como guias de turismo ou pianistas de hotel. No entanto, com este romance eu quis fazer uma experiência: testar se era possível escrever em companhia. E descobri que sim, porque nunca me senti mais acompanhado que durante o tempo que passei escrevendo este romance, graças a duas pessoas muito especiais para mim.

Uma delas é o meu amigo e colega Lorenzo Luengo, que cuidou deste livro como se fosse dele, lendo com atenção e imparcialidade cada trecho que eu lhe enviava, dando-me conselhos sobre a trama e os personagens, detalhes sobre a época, ânimo quando as minhas forças faltavam e emprestando-me sua fé no projeto quando a minha titubeava. Sua ajuda desinteressada não me serviu apenas para aprender a escrever um romance, mas também para entender o que significa a palavra amizade. Por isso tenho de agradecer a ele, incluindo seu nome nestas páginas que tanto lhe devem, além de dar-lhe de presente o mico pelo qual ficou fascinado.

A outra pessoa é minha namorada, Sonia, que cuidou de mim enquanto eu escrevia. Embora ela só tenha lido o livro quando o terminei, foi uma testemunha paciente e sensível de como a trama germinava e crescia até adquirir sua forma definitiva, porque os romances não são forjados apenas no papel, mas também nos passeios nos parques ou nos bares. Foi ela quem trouxe ao meu mundo a calma que me fazia falta, e foi sua mão que segurou a minha para ajudar-me a procurar a saída toda vez que eu me extraviava no labirinto de minha obra.

Este romance, por tudo o que foi narrado, pertence a eles tanto quanto a mim, pois sem sua ajuda eu jamais poderia escrevê-lo. Os erros são exclusivamente meus, mas os acertos, se houver, também são deles. Espero que ambos nunca deixem de estar a meu lado para compartilhar as alegrias que este livro trouxer.

1ª edição AGOSTO DE 2010
impressão LIS GRÁFICA E EDITORA
papel de miolo PÓLEN SOFT 70G/M²
papel de capa MARKATTO STILE AVORIO 250G/M²
tipologia BEMBO